Letras Hispánicas

La Quimera

Letras Hispánicas

Emilia Pardo Bazán

La Quimera

Edición de Marina Mayoral

CATEDRA

LETRAS HISPANICAS

© Ediciones Cátedra, S. A., 1991
Telémaco, 43. 28027 Madrid
Depósito legal: M. 27.641-1991
ISBN: 84-376-1010-9
Printed in Spain
Impreso en Lavel
Los Llanos, nave 6. Humanes (Madrid)

Índice

Introducción

Emilia Pardo Bazán

Antes de la novela

Un día de verano de 1895, cuando la Pardo Bazán andaba por los cuarenta y cuatro años, en la plenitud de su talento creador y de su estima social, y conservaba aún los encantos que habían cautivado a Galdós y a Lázaro Galdiano, apareció por su pazo de Meirás un chico de veinticinco años, guapo, esbelto, de rostro expresivo e inquieto. Se llamaba Joaquín Vaamonde y era pintor, o, mejor dicho, aspiraba a serlo, porque hasta el momento había hecho un poco de todo, incluso de albañil en Sudamérica. Traía la pretensión de hacer un retrato a la escritora y, si el resultado era de su agrado, que ella lo expusiera en sus salones de Madrid, para darse a conocer de ese modo en la villa y corte.

A doña Emilia no le gusta que la retraten: la sacan siempre con papada y un poco bizca. Sin embargo, accede a posar para el desconocido. ¿Es condescendencia de la artista consagrada hacia el colega joven que busca su ayuda? ¿Es que ha despertado su curiosidad de novelista la ambición que arde en los ojos del pintor? ¿O fue sobre todo el aspecto físico de Vaamonde lo que le abrió en los primeros momentos las puertas de Meirás? Probablemente todo influyó para vencer la resistencia inicial de la escritora.

Doña Emilia era por entonces una mujer muy ocupada: se levantaba a las cinco de la madrugada y escribía hasta las doce. A partir de ese momento se dedicaba a la vida social. Vaamonde sabe o intuye que no debe abusar de su amabilidad, o quizá es que está seguro del resultado y no quiere de-

11

morarlo: en tres días el retrato está terminado y la modelo satisfecha.

Ese primer retrato de Vaamonde es, sin lugar a dudas, la imagen más atractiva que conservamos de doña Emilia. La habilidad del artista ha conseguido mantener el parecido, disimulando los defectos. La suavidad del pastel dulcifica los rasgos y se acomoda bien a la sensualidad matronil de la modelo. De perfil, las líneas firmes de la frente y la nariz, muy recta, y la barbilla voluntariosa y rotunda, compensan la caída de la papada, que se integra sin molestar con las blanduras de los tules del vestido y los ocres del fondo. Y además está la expresión: la mirada al frente, indagadora e inteligente, la sonrisa muy leve, apenas insinuada, el porte digno de la cabeza; todo ello configura la imagen de una mujer en la plenitud de su vida y de su arte[1].

El retrato se expone aquel otoño en los salones de doña Emilia, donde alternan intelectuales y aristócratas. La condesa de Pinohermoso es la primera en encargarle un retrato y en convertirse en su nueva protectora. Tras ella vendrán la condesa de Casa Valencia, la duquesa de Alba y las bellezas oficiales de la alta sociedad; hasta la familia real acabará siendo retratada por el pintor gallego.

En cinco años aquel joven desconocido pasa a ser, en expresión de los cronistas de prensa, «el sucesor de Madrazo». Triunfa como retratista en España y su fama empieza a trascender al extranjero. Viaja a París y recibe encargos de Francia e Inglaterra. Y cuando aún no ha cumplido los treinta años, se muere. Regresa de París, gravemente enfermo de tuberculosis[2], y, generosamente atendido por doña Amelia, la madre de la novelista, muere un día de agosto en Meirás,

---

[1] El retrato se encuentra en la actualidad en la Real Academia Gallega.

[2] Melchor Almagro San Martín en su *Biografía de 1900*, 2.ª edición, Madrid, Revista de Occidente, 1944, comenta así la vuelta del pintor: «Día 2 de julio: Vaamonde se muere, el pobre pintor Vaamonde, falena que quemó sus alas en el fuego cortesano, ha llegado moribundo de tisis al Pazo de Meirás, donde la vieja condesa viuda de Pardo Bazán se ha constituido caritativamente en enfermera» (pág. 214).

en el mismo lugar en que había iniciado su carrera hacia el éxito.

Doña Emilia está entonces en París a donde ha ido para visitar la Exposición Universal e informar de ella a través de las crónicas que envía a *El Imparcial*. Por un telegrama se entera de la muerte, que ya a su partida sabía inevitable y cercana, del pintor. Inmediatamente se pone a escribir sobre Joaquín Vaamonde y continúa haciéndolo a lo largo de varios años[3]. Insiste siempre en una nota: el deseo de gloria del artista y su profundo desprecio hacia el trabajo que estaba realizando.

Tres años después de la muerte de Vaamonde, doña Emilia empieza a publicar en *La Lectura* una novela cuyo protagonista reproduce las circunstancias biográficas y las inquietudes artísticas —tal como ella misma las había dado antes a conocer— de Joaquín Vaamonde. Y a partir de aquí entramos en la Literatura.

El Pazo de Meirás

---

[3] Por su interés y la relación que guardan con la novela, reproduzco esos textos, como apéndice documental, al final de la novela.

13

La Quimera, novela en clave

Desde el momento de su aparición *La Quimera* fue considerada una novela en clave.

La propia autora proclamó en la prensa el carácter real del protagonista de la obra. En la sección «ideas y proyectos», de *El gráfico*, el día 25 de junio de 1904, dice doña Emilia: «el protagonista existió y estuvo muy de moda en Madrid, como retratista al pastel». Aunque se cuida de advertir que ha modificado «lo externo, lo accidental de su historia», esta declaración debió alimentar los rumores en torno a la novela[1].

En el prólogo a la primera edición en libro dice la autora que, al empezar a publicar la obra en *La lectura*, había aparecido en un diario «de circulación máxima» un suelto en el que se afirmaba: «Claramente se adivina, al través de los persona-

---

[1] La nota completa, en lo que se refiere a *La Quimera*, dice: «A principios del invierno de 1904-1905 espero publicar en volumen mi novela *La Quimera*, que está saliendo a luz ahora en la revista madrileña *La Lectura*. *La Quimera* forma el tomo 29 de mis *Obras completas*, y es bastante extensa. Calculo que arroje unas quinientas páginas de compacta lectura.

Su asunto es el estudio de la aspiración artística. El protagonista existió y estuvo muy de moda en Madrid, como retratista al pastel. La tuberculosis cortó su carrera, precisamente cuando iban a confirmarse las esperanzas fundadas en geniales disposiciones. No refiero la vida de mi héroe con nimio respeto a la verdad, que nada signifique; he modificado libremente lo externo, lo accidental de su historia; he tenido que proceder así, hasta por razones de discreción y respeto a lo que pertenece al dominio privado. Además, estoy persuadida de que en una vida humana lo único que interesa es lo que descubre la individualidad. Lo que nos es común con todos los de nuestra especie carece de valor, si no le imprime su sello distintivo el carácter.»

jes de *La Quimera,* el nombre de gentes muy conocidas en la sociedad de Madrid.» Esa noticia lleva a doña Emilia a puntualizar, con largas razones y con toda clase de ejemplos literarios, el alcance del elemento real en su pintura de la sociedad. Se trata, explica, de una sátira social y no personal, es decir, que sólo se detiene en lo general sin descender a detalles. No parece preocuparla la identificación del protagonista. Aunque no menciona el nombre de Vaamonde, no niega que el personaje tiene una base real, y la sociedad en la que doña Emilia se movía no podía dejar de reconocer al pintor. El problema surge con el resto de los personajes. De ellos dice la autora:

> Por la índole del trabajo a que Silvio Lago se dedicó, su medio social fue en efecto prontamente el más *smart* y no negaré que su vida se prestaría a un picantísimo estudio de costumbres elegantes. A mí me atrajo en primer término el drama interior de su ensueño artístico; y por eso lejos de sujetarme a la menuda realidad, no la he respetado supersticiosamente, adaptando lo externo a lo interno, procedimiento de todos los que pretenden reflejar la vida moral. No sería fácil aplicar nombres propios a los personajes de *La quimera,* en el sentido que los curiosos exigen; y si asoman caras conocidas, se las ve tan normales y sonrientes como en visita o en el teatro; así las pintaba Silvio.

Varios puntos hay que comentar del párrafo transcrito. El primero es que esa reivindicación de la libertad del artista frente a los detalles de la realidad es una constante en la obra de doña Emilia. Ya en los *Apuntes autobiográficos* que preceden a la primera edición de *Los Pazos de Ulloa* justificó esa postura con palabras que parecen anticipar la historia de *La Quimera:* «Por cómica o dramática que se nos antoje la historia de algún conocido nuestro, de la cual hemos sido testigos o acaso actores, si la trasladamos al papel con nimia exactitud, resultará deslavazada biografía o insípida reseña (...) la verdad se ve y resalta mejor cuando es libre, significativa y creada por el arte»[2].

---

[2] *Apuntes Autobiográficos,* pág. 80.

En segundo lugar hay que señalar cómo doña Emilia juega constantemente con el equívoco. Dice que se ha inspirado en un artista, pero al referirse a él le da siempre el nombre de Silvio Lago, es decir, lo ficcionaliza, convirtiéndolo ya desde el prólogo en el personaje de la novela.

«No sería fácil poner nombres propios», asegura. Habría que añadir: excepto en aquellos casos en que nadie pudiera ofenderse. Los personajes identificables de *La Quimera* no ocultan su identidad. Está claro que Silvio Lago es Vaamonde y que Minia Dumbría y su madre son doña Emilia y la suya. Además de ellos, hay dos o tres aristócratas de quienes se dicen maravillas y que no podían sentirse nada más que halagados de salir a la luz pública con tan buenos colores. A doña Emilia le interesaba demasiado su posición social, que había conseguido con esfuerzo y gracias al respeto que inspiraba su talento y su seriedad intelectual, como para comprometerla enemistándose con figuras relevantes de la aristocracia, clase a la que siempre aspiró y a la que sólo al final de su vida accedió por derecho propio, con el título de condesa. Por eso las «caras conocidas» aparecen «como en visita o en el teatro». Y aún añade: «así las pintaba Silvio Lago». No sé si es una ironía de la autora o una verdad que le brota involuntariamente, pero así sucede en la novela: las caras conocidas están embellecidas, reflejadas sólo en sus aspectos positivos y en sus rasgos más atrayentes, igual que en los cuadros de Joaquín Vaamonde. Con la única excepción del protagonista.

Lo que despertaba más la curiosidad del público, las amantes de Vaamonde, o las señoras que aparecen ridiculizadas, ya se cuidó bien doña Emilia de que no pudieran identificarse con nadie en concreto y de que nadie pudiera pedirle cuentas de esto.

Uno de los testimonios que suelen citarse para apoyar el carácter de obra en clave de *La Quimera* es el de Melchor Almagro San Martín en su libro *Biografía de 1900*:

> Agosto, día 23: Comunican de La Coruña que en el Pazo de Meirás ha fallecido el pintor Vaamonde, gran retratista de señoras, a quien pudiéramos llamar la mariposa que quemó las alas en el fuego madrileño. ¡Cuántas almas y cuerpos fe-

meninos, algunos de la más alta sociedad, se sentirán hoy responsables de este malogro! En *La Quimera* Emilia Pardo Bazán da la lista completa bajo clave, pero todo el mundo la conoce[3].

El libro de Almagro San Martín pretende ser fidedigna reproducción de un diario que él llevaba por los años de comienzo de siglo, pero eso no es cierto; está rehecho a posteriori, cuarenta años después y lo que dice de *La Quimera,* es buena prueba de esa inadecuación histórica. Cuando murió Vaamonde, la novela aún no había sido escrita, por tanto, en su referencia a las amantes, el autor del falso diario está proyectando sus ideas, lo que él cree, deformado ya por el paso de los años.

Lo mismo hay que decir de otra afirmación de este autor aparecida en un libro posterior. Enumerando los asistentes a un baile de la marquesa de Squilache dice que se encontraba allí «la condesa de San Félix, protagonista de *La Quimera*»[4]. Lo primero que hay que preguntarse es a qué protagonista se refiere. No cabe duda de que Silvio Lago es el protagonista masculino, pero el papel femenino equivalente a él se reparte entre dos mujeres totalmente opuestas: Clara Ayamonte y Espina Porcel. No vale la pena hacer conjeturas. Lo más seguro es que, medio siglo después de los hechos, Almagro San Martín recuerde sólo vagamente el argumento de la novela y mezcle en su memoria el recuerdo de las bellezas que posaron para el pintor.

Poco después de publicada la novela en forma de libro, vuelve la Pardo Bazán a sacar a relucir el tema de la veracidad de la historia en uno de sus artículos de *La Ilustración Artística.* Dice que ha recibido «dos o tres cartas de letra de mujer» en las que le preguntan:

¿Existieron realmente todos los que salen allí a relucir? ¿Quién fue Clara Ayamonte? ¿Qué hay de verdad en el episo-

---

[3] Segunda edición, Madrid, Revista de Occidente, 1944, pág. 232.
[4] *La pequeña historia. Cincuenta años de vida española (1880-1930),* Madrid, Afrodisio Aguado, 1954, pág. 83.

dio de sus amoríos? ¿Acabó efectivamente encerrándose en un convento? ¿Y Silvio? ¿Le sucedió esto, aquello y lo de más allá?[5].

El artículo da toda la impresión de un hábil reclamo publicitario, porque doña Emilia, después de anunciar que va a contestar a todas sus corresponsales desde las páginas del periódico, lo que hace es insistir en aspectos ya conocidos de la vida de Silvio Lago: su temprana muerte y su —según ella— generoso idealismo. De paso, aprovecha el viaje para dar la réplica a una crítica muy dura a la novela aparecida en *La Época* y en la que, además de poner defectos de orden literario a la obra, se cuestionaba el derecho de un escritor a sacar a luz pública las intimidades de un amigo. La crítica, de Fernández Villegas, que firma Zeda[6], subraya también algo evidente: que el personaje de Silvio Lago es, desde un punto de vista humano, «un ente insoportable».

No satisface, pues, la Pardo Bazán la curiosidad de sus lectores, sino que la excita, asegurando que la historia de Silvio «además de triste, es verdadera». Y cuando creemos que va a hacer alguna revelación sensacional o, por lo menos, aclarar algo sobre la Ayamonte o la Porcel, en lugar de eso se dedica a insistir sobre los sueños de gloria del pintor y a contradecir finamente a Villegas. El artículo no parece tener otra finalidad que la de contrarrestar el efecto negativo que pudiera producir en sus lectores aquella crítica.

La identidad entre Joaquín Vaamonde y Silvio Lago la manifestó doña Emilia de forma explícita por primera vez, que yo sepa, en 1912, con motivo de la Exposición Regional de pintura de ese año, primero en su sección «la vida contemporánea» de *La Ilustración Artística,* y después, en la conferencia que pronunció en el Centro Gallego de Madrid para clausurar la exposición. En la conferencia doña Emilia dio por hecho que todo el mundo sabía a quién se estaba refiriendo:

---

5 *La Ilustración Artística, La vida contemporánea,* núm. 1243, año 1905, pág. 682.

6 «La Quimera», *La Época,* 5 de junio de 1905, pág. 3.

...aquel mito griego de la Quimera (...) me sugirió una novela, donde estudié la aspiración, encarnada en un malogrado pintor gallego, dueño de tales aptitudes y dotes artísticas, que sin duda, si viviese, llegaría a dominar la técnica y a formarse una personalidad propia (...) Ya se comprenderá que estoy refiriéndome a Joaquín Vaamonde, natural de La Coruña, y que en mi novela, basada en la verdad de los sentimientos y de bastantes hechos de la biografía del artista, lleva el nombre de Silvio Lago[7].

Después de esta confesión habla del pintor, refiriéndose a él con su nombre, pero enseguida pasa a darle el nombre literario:

> Vaamonde era gallego de nacimiento y de estirpe, y también merece notarse cómo contrastaba con el tipo del gallego de la sátira, de cuba al hombro. Todas las sutilezas del sentimiento —entiéndase bien el alcance de las palabras, no se trata de sentimentalismos galantes, ni de nada que se le parezca— todas las nostalgias y saudades y melancolías de la raza, toda su humorística reacción y su protesta ante las realidades que se oponen a la aspiración infinita, en el que seguiré llamando Silvio, eran el fondo de su naturaleza escogida nerviosa y exaltada[8].

Da la impresión de que, desde la publicación de la novela, doña Emilia se ha apoderado de tal modo de la memoria del pintor que ya no distingue entre ser real y personaje. Sin embargo, sería erróneo deducir de esta posesión que todo lo que a él se refiere es real. La autora se preocupa siempre de mantener la duda. Así acabamos de leer: «mi novela, basada en la verdad de los sentimientos y de bastantes hechos de su biografía». Pero ¿de qué sentimientos? ¿de qué hechos?

A lo largo de la novela uno se pregunta muchas veces ¿era así realmente Vaamonde? ¿así de egoísta, de ambicioso, de histérico, de caprichoso? ¿así de incapaz de poner en práctica lo que tanto ambicionaba? Si en efecto era así, resulta poco

---

[7] *La Quimera,* conferencia, Madrid, Imprenta de los hijos de M. G. Hernández, 1912, págs. 24-25.

[8] *Ídem,* pág. 25.

generoso por parte de la Pardo Bazán sacar a relucir sus defectos después de muerto; y si lo tomó como base para elaborar un tipo de artista decadente, según el modelo de Huysmans en *A Rebours,* resulta injusto. En este sentido nos preguntamos, como lo hacía Villegas en su crítica:

> ¿tiene derecho el artista a estudiar cuidadosamente el alma de un amigo, observar sus debilidades, descubrir los secretos de su conciencia y su corazón, y los sueños legítimos o insensatos de su fantasía, los arranques o desfallecimientos de su voluntad, las intimidades buenas o malas de su ser, tiene derecho, vuelvo a preguntar, para hacer entrega, a la curiosidad del público, de esa alma, disfrazada, sí, pero con disfraz tan transparente que todo el mundo pueda decir, como en el caso presente, ese Silvio Lago es aquel pintor bonito que retrató a Fulanita y a Menganita, y que murió tísico, rodeado de maternales cuidados, en la finca de unas nobles señoras?[9].

Esta falta de respeto de doña Emilia a la intimidad del amigo se revela nada más morir Vaamonde cuando desde las páginas de *El Imparcial* y de *La Ilustración Artística* la escritora se dedica a comentar lo peor que puede decirse de un artista: que el pintor desdeñaba su obra, que no creía en ella, que pintaba pasteles por necesidades económicas y que por su gusto los destruiría todos. (Ver apéndice documental.) Esta actitud resulta más sorprendente si tenemos en cuenta que, en vida de Vaamonde, doña Emilia no dejó de defender su pintura, como podemos ver en el comentario a una exposición en el Círculo de Bellas Artes, donde atribuye el nuevo auge del pastel a los retratos del pintor:

> Ha vuelto a ponerse en moda ese procedimiento tan fino y delicado, gracias a los mundanísimos retratos del artista Joaquín Vaamonde, por cuyo taller desfilaron todas las señoras de alto coturno de Madrid, y muchas de París, Londres y América. Como un tiempo Federico Madrazo, Vaamonde se ha creado su especialidad en estudios que, al copiar a la mujer, la idealizan, sorprendiéndola en el momento mejor, cuando su hermosura brilla con más hechizo, su silueta es

---

[9] *La Epoca,* art. cit.

más gentil, su atavío más artístico, sus líneas más airosas; revelando su belleza, en fin, y no ofendiéndola y mermándola con durezas y arrebatos de color, con implacables realismos que buscan la mancha de la tez, lo marchito de la forma y la huella siempre visible, pero no siempre evidente, del estrago de los años. Sin embargo, el que crea que Vaamonde es exclusivamente un pintor de damas y el pastel es —como he oído sostener a algunos— un procedimiento afeminado, cambiará de parecer si se fija en el retrato del eminente violinista Pablo Sarasate, obra también de Vaamonde, que figura en esta Exposición. El tipo mongoloide y la aborrascada cabellera de Sarasate (que tiene, como todos sabemos, una cabeza sumamente original y característica) han sido interpretados por el retratista con extraordinaria energía y fuerza[10].

En el artículo, además de exponer sus ideas del momento sobre arte —preferencia de la idealización sobre el realismo descarnado...— doña Emilia manifiesta hacia Vaamonde una actitud de defensa y promoción que no vemos en los escritos inmediatos a su muerte, ni en los que le dedicó más adelante, en los que subraya a lo sumo el carácter de promesa truncada, y no los logros alcanzados.

Dejando para otro momento el análisis del personaje como tal, hay que decir ahora que en algunas ocasiones Silvio Lago no representa a Vaamonde sino a doña Emilia, que expone por su boca sus ideas sobre pintura y pintores, y reproduce en el viaje de Silvio a los Países Bajos su propio viaje y sus experiencias durante él, como fácilmente puede comprobarse cotejando la novela con los artículos de *La Ilustración Artística* y *El Imparcial*, o, más sencillamente con las dos recopilaciones posteriores en libro: *Cuarenta días en la Exposición* y *Por la Europa católica*. Probablemente lo hizo así por razones de tipo estructural, porque quiere dar a Minia Dumbría, su alter ego novelesco, un papel corto, que no distraiga la atención del lector del hilo principal de la narración.

Es curioso que las críticas de la novela apenas se detengan

---

[10] *La Ilustración Artística, La vida contemporánea,* núm. 859, 1898, página 378.

en la figura de Minia Dumbría. Sólo Unamuno analiza con pormenor sus ideas: su defensa del idealismo frente a la razón, su sentido del misterio y de la religión... pero nadie comenta la visión que, como artista, ha dado doña Emilia de sí misma: Minia Dumbría es una artista consagrada, una compositora que con sus *Sinfonías campestres,* ha alcanzado ya lo que Silvio pretende: la inmortalidad. Esta obra, de la cual dice Silvio que la escribió «contra la corriente de los convencionalismos, desdeñando ataques y groserías (...) empapándose en el sentimiento aldeano», representa en la carrera de Minia el mismo papel que *Los Pazos de Ulloa* en la de doña Emilia, que a partir de su publicación entró a formar parte, con el beneplácito de Clarín[11], de la nómina de grandes escritores del siglo.

Minia aparece en la novela exclusivamente como artista, no como mujer. Sus únicas relaciones familiares son las que mantiene con su madre. No se menciona ni al marido, ni a los hijos, ni amistades masculinas: vive entregada al arte. En su relación con Silvio su papel es el de protectora, consejera y confidente; ni la más leve señal de coquetería asoma en sus conversaciones. Aunque casi nunca lo critica abiertamente, la actitud de superioridad es evidente: Minia supera a Silvio en experiencia y en la hondura de su arte y esto lo saben los dos, de ahí la admiración y el respeto por parte del pintor y la amable y a veces compasiva tolerancia de la compositora.

Junto a su entrega al arte, caracteriza al personaje su viva fe religiosa, y ambos rasgos reproducen fielmente al modelo. Se ha eliminado otro muy importante: el deseo de triunfar en sociedad, de situarse en la cúspide de la pirámide social, anhelo que ocupó mucho tiempo y energías a doña Emilia y que no aparece en la novela. En ella se da por supuesto que la compositora pertenece a la alta sociedad de un modo natural y sin esfuerzo[12]. A las razones personales que la llevaran a eli-

---

[11] En la crítica aparecida en *La Ilustración Ibérica,* leemos: «Bien se puede decir ahora sin ningún género de reservas: Emilia Pardo sabe escribir buenas novelas», núm. 213, 29 de enero de 1887, pág. 70.

[12] Este rasgo de doña Emilia era bien conocido por quienes la frecuentaban. Véase el comentario de Almagro San Martín: «Esa Emilia sabia y profunda que alterna con Castelar, Cánovas y Valera, tiene un gran enemigo en

minar ese rasgo hay que añadir una literaria; desdibujaría la clara oposición que existe en la novela entre los personajes de Silvio y Minia, introduciendo un elemento perturbador.

Junto a Minia encontramos a su madre, simpática figura que parece reproducir con fidelidad el papel que representó doña Amalia de la Rúa en la vida de la novelista ya adulta; una madre alegre, de buena salud, con gran sentido práctico, que se ocupaba de resolver los problemas de la vida cotidiana para que su hija se dedicara a sus trabajos intelectuales y a sus relaciones sociales.

Las otras caras conocidas que aparecen en la novela son, más o menos por orden de intervención, las siguientes: La condesa de Pinohermoso que aparece bajo el nombre de condesa de La Palma, primera señora que le encarga en Madrid un retrato a Silvio Lago.

La identificación no deja dudas en este caso ya que tenemos el testimonio de la propia Pardo Bazán que en *La Ilustración Artística,* el día 3 de septiembre de 1900, escribe: «La primera señora que quiso ser retratada por el todavía desconocido artista, fue la condesa de Pinohermoso, incansable en protegerle, recomendándole y elogiándole»[13].

Doña Emilia sentía gran respeto y simpatía por esta dama, que fue también una de sus protectoras en el mundo aristocrático. Así lo cuenta Melchor Almagro San Martín:

> Con su pluma y su talento abrióse doña Emilia las puertas del mundo político y literario; Castelar, Cánovas y Valera fueron sus amigos; la alababan en público y la zaherían un poco en privado, porque entonces la preocupación contra la mujer intelectual era tan extensa que subía hasta las cumbres. Por eso sus batallas para entrar en los salones aristocráticos, lugar donde reinan las féminas, fueron más difíciles al presentarse nimbada de su gloria literaria que si hubiera simplemente exhibido los pasaportes de su catolicismo e hidalguía de sangre.

---

la Emilia mundana, que aspira a instalarse en lo más encopetado del edificio social; labor de zapa y exhibición que le roba mucho tiempo, con poco producto en relación con lo que ansía.» *Biografía de 1900,* ed. cit., pág. 161.

[13] (Recogido en Carmen Bravo-Villasante, *La vida contemporánea,* Madrid, Magisterio Español, 1972, pág. 93.)

Dos damas de la nobleza española, superiores, una por su cultura y fineza de alma, la otra por el talento castizo y su gracia picante a la madrileña, la duquesa Enriqueta de Pinohermoso, a la sazón condesa de igual nombre, y la marquesa Concha de La Laguna, fueron sus madrinas ante la aristocracia cortesana, en cuyos círculos, no en todos, acabó por ser recibida con cierto agrado y honores[14].

Las notas que los cronistas de sociedad han transmitido de la condesa de Pinohermoso la presentan como hermosa, elegante y cultivada. Ya madura en la época que recoge la novela. Dice Almagro San Martín comentando los asistentes a la recepción dada con motivo del santo del Rey:

La Pinohermoso, rubia y pecosa, con ojos azules profundamente celestes, como turquesas, algo miopes, como asombrados siempre, que fueron pródigamente cantados por los poetas del pasado siglo[15].

Montecristo la describe así:

La condesa es bella y elegante y su cultivada inteligencia y el continuo trato con las eminencias literarias y políticas la han colocado entre las damas cuyo ameno y agradabilísimo trato es con más empeño solicitado[16].

En el mismo artículo hablando de su palacio dice que Vaamonde, «el moderno retratista, pintó un hermoso techo para uno de los principales salones».

Más difícil es determinar la identidad de la belleza «oficial» que aparece en la novela con el nombre de Lina Moros. Pudiera ser cualquiera de las bellezas morenas de la época: la duquesa de Alquibla de quien Zorrilla dijo que era «la Alhambra hecha carne» y a quien Almagro San Martín se refería diciendo: «ese sueño de mujer»[17]. Ella y la marquesa de

14 *Pequeña historia,* pág. 118.
15 *Biografía del 1900,* 2.ª ed., Madrid, Revista de Occidente, 1944, pág. 74.
16 (Salones de Madrid, Publicaciones de El álbum Nacional, s. a., pág. 173.)
17 *Biografía del 1900,* pág. 144.

Portago son también calificadas por el mismo cronista de «admirables morenas de ojos árabes»[18].

Una tercera candidata es la condesa de Valmaseda, señora de Castellanos, de quien afirma Almagro San Martín:

> La estatuaria señora de Castellanos, tan bella que nadie heredará su perfección. La Pardo Bazán la retrató en su novela *La Quimera*[19].

Sin embargo no es seguro que se refiera al personaje de Lina Moros, ya que en otro lugar dice de la señora de Castellanos: «Linda como un pastel de Fragonard»[20], lo cual no encaja con la belleza morena «de hurí», de Lina Moros. De todos modos, ya hemos señalado antes que los recuerdos de Almagro San Martín no son absolutamente fiables.

Otra identificación segura es la de la dama que aparece en la novela como condesa de Flandes. Se trata de la esposa del duque de Alba, Rosario, condesa de Ciruela. De ella dice Almagro San Martín:

> Es alta, delgada, con rostro de belleza inteligente, donde no se advierte la edad. Las maneras tienen una infinita distinción (...) Ama la historia y se hace publicar recopilaciones notables de su archivo.

En la novela se da como rasgo físico característico las ojeras: «Ojos de vastas ojeras obscuras, mazadas; ojos que parecen revelar un organismo minado secretamente» y eso es destacado también por el cronista: «La duquesa Rosario, toda distinción, en cuyo rostro dos profundas ojeras azules denotan escondida afección cardíaca»[21].

La labor en los archivos de la Casa de Alba a la que alude

---

18 *Idem*, pág. 172.
19 *La pequeña historia*, ed. cit., pág. 149.
20 *Biografía del 1900*, pág. 173.
21 *Biografía del 1900*, págs. 162 y 202.

en la novela ya la había alabado doña Emilia en su *Nuevo Teatro Crítico*[22].

La otra dama que aparece en un episodio importante de la vida de Silvio Lago, la condesa de los Pirineos, es posible que se trate de la condesa de Casa Valencia, que, junto con su marido, fue embajadora en Londres por esos años. Recordemos que en el artículo publicado en la *Ilustración Artística* a raíz de la muerte de Vaamonde, la Pardo Bazán citaba a tres damas.

> Después de esta inteligente y noble dama (la condesa de Pinohermoso) se interesaron por Vaamonde otras muchas, lo más granado de Madrid, especialmente la condesa de Casa Valencia y la duquesa de Alba[23].

Habiendo aparecido las otras dos no sería raro que sacase también a las páginas de la novela la figura de la tercera, aunque en un episodio a todas luces inventado.

Además de las damas españolas que hemos visto, hay dos extranjeras fácilmente identificables: Madame Melusine y Daría Gregoresco.

La primera se ajusta con bastante fidelidad a los rasgos de la princesa Rattazzi, M.ª Leticia Bonaparte Wyse, famosa por sus tertulias, sus joyas y los robos e incendios periódicos que sufría su palacio de París. Era miembro de la familia Bonaparte y se casó sucesivamente con el conde Alexis de Solms, el príncipe Rattazzi y el ingeniero malagueño Rute, subsecretario de la Presidencia con Sagasta. Dirigió una revista literaria, *Nouvelle Revue International,* que se llamó también *Les Matinées Espagnoles,* cuando se publicaba en Madrid.

En su salón parisino reunía a personalidades de la vida política y cultural con principiantes desconocidos. Sus últimos años fueron de gran decadencia, ya que la sordera y la pérdida

---

[22] «A la duquesa de Alba con motivo de su libro», núm. 7, año I, julio de 1891, págs. 72-83. Es un artículo tan elogioso que suena a adulación.

[23] 3 de septiembre de 1900, núm. 975. Recogido en Carmen Bravo-Villasante, *La vida contemporánea,* Madrid, ed. Magisterio Español, 1972, pág. 93.

de la vista, amén de su fortuna, la fueron dejando aislada. De su despedida en Madrid, con más de ochenta años hace Melchor Almagro San Martín una descripción cruel en la que vemos a la princesa convertida en una momia, llorando sobre el hombro de Echegaray, torcida la peluca que cubre su cabeza calva y caída la diadema de falsos brillantes[24].

Más respetuosa es la evocación de la Pardo Bazán desde las páginas de *La Ilustración Artística,* con motivo de la venta de sus bienes en París. Recuerda doña Emilia los banquetes que la Rattazzi daba en su honor en los que el menú «llevaba al frente mi retrato y los platos el título de mis libros», y también las figuras que tuvo ocasión de conocer en su casa: Renán, Alejandro Dumas, Flammarion... Al describir su palacio habla de la mezcla de antigüedades de gran valor con objetos modernos sin ninguna clase, muebles rotos que no se arreglaban nunca, «y montones de libros y periódicos que rodaban por todos lados, en bohemio y pintoresco desorden»[25].

Comparando lo que cuenta Almagro San Martín de un banquete en casa de la princesa[26] con la descripción que aparece en la novela, se aprecia la benevolencia con que doña Emilia trata a su antigua anfitriona, aunque quede patente la amplitud de criterio con que la dama elegía sus invitados.

Esta mezcla de lucidez crítica y de respeto hacia la persona la encontramos también en la pintura de otra dama muy famosa de la época: Elena Vacaresco, que aparece en la novela bajo el transparente disfraz de Daría Gregoresco.

Elena Vacaresco era una joven rumana de familia ilustre que había estudiado en la universidad de París. Allí publicó a los veinte años su primer libro de poesía, *Chants d'aurore.*

---

[24] *Biografía del 1900,* págs. 40-46.

[25] Núm. 1058, año 1902, pág. 234.

[26] Dice el cronista: «Los banquetes, muy frecuentes, que preside la Rattazzi, sentada en un sillón imponente, parecido a un trono, son servidos en vajillas descabaladas, con piezas de ricos Sèvres o viejos Sajonia y fuentes de plata repujada, junto a otras de loza ordinaria. Con la cristalería ocurre lo propio: cálices de Bohemia tallados al lado de vidrio vil. Los manjares, medio fríos, provienen de algún café cercano o restaurante de segundo orden; el agua mineral está falsificada, y, junto a esos horrores culinarios, hacen contraste violento los estupendos vinos de marca con los cuales se rocía la comida, que en todo es desigual y absurda la ilustre señora», págs. 41-42.

Mantuvo relaciones con el príncipe heredero de Rumanía, llegando a estar prometidos, al parecer, pero no pudieron casarse por razones de estado. La escritora fijó entonces su residencia en París donde siguió escribiendo y publicando hasta su muerte en 1947. En 1900 tenía treinta y cuatro años.

En la pintura de este personaje, aunque haya notas que rozan el ridículo, se adivina una simpatía más afín a la admiración que acaba inspirando a Silvio que al desdén de Espina; postura, por otra parte, muy habitual en doña Emilia al hablar de las mujeres que ejercen cualquier actividad intelectual.

Y con esto llegamos al final de las identificaciones seguras o probables. Lo demás es fantasía y malicia del lector de la época. Ni Clara Ayamonte ni Espina Porcel son seres de carne y hueso. Yo diría que ni siquiera como personajes resultan convincentes: encarnan posturas vitales, actitudes opuestas, y su carácter representativo resulta demasiado obvio. Les falta esa mezcla de contrarios, ese tornasol de bondad y maldad que es característica de los grandes personajes del siglo XIX.

Tampoco creo que pueda ponerse nombre propio en la vida real a Angustias Camargo y Leonor de Calatrava, las dos damas, gorda una y flaca la otra, que Silvio se niega a retratar; ni a la marquesa de Regis, «honradota, luciendo apelmazadas joyas de familia», ni a la Sarbonet, ni a la Jadraque ni muchas otras figuras que cruzan las páginas de la novela. Doña Emilia, con gran habilidad, ha desperdigado aquí y allá rasgos aislados que pueden aplicarse a dos docenas de damas de la época: pelucas, pelos teñidos, gorduras, excesos de maquillaje eran notas bastante comunes como para que cada uno las aplicase a quien le resultara más antipático, y es tarea de la murmuración y no de la crítica atribuirlas a una u otra persona concreta. Sólo voy a hacer una observación: joyas famosas en la época, que por su tamaño parecían falsas, eran las de la condesa Concha de la Laguna. Y su hija Gloria se peinaba con el peinado a lo Cleo, en bandós. Pero identificar con la Sarbonet a esta señora, amiga y protectora de la Pardo Bazán, me parece un error. No creo que, amistad aparte, doña Emilia hiciera una cosa de la que sólo podían derivarse tropiezos en su escalada social.

En cuanto a los caballeros, además de Silvio Lago, tienen un correlato real preciso los médicos que lo atienden en su enfermedad final y algunas otras figuras de escasa importancia en la novela, pero no el doctor Mariano Luz.

El doctor Luz responde en sus rasgos de carácter al estereotipo del hombre de ciencia, alejado de la religión e incluso contrario a ella en la medida en que considera que hace infelices a los seres humanos, abrumándolos con temores y prejuicios. Más que la base real del personaje habría que buscar el modelo literario y no me parece descaminado Fowler, aunque sí exagerado, cuando afirma que el doctor Pascal de Zola entra en la novela bajo el pseudónimo del doctor Luz[27]. En cuanto a su pasado, a los datos de su vida —la relación con la madre de Clara— creo que son completamente inventados y es natural que así suceda, porque al ser Clara Ayamonte un personaje de ficción, la irrealidad abarca también a las circunstancias y personas de su intimidad.

Un caso especial es el del marqués de Solar de Fierro. En él ha pintado doña Emilia la pasión del coleccionista y con eso podría reflejar a cualquiera de los famosos de la época: el marqués de Cerralbo, el duque de Valencia, o el de Valencia de don Juan, a quien Solar de Fierro alude como competidor, e incluso a Lázaro Galdiano, cuyas aficiones conocía bien doña Emilia... Pero probablemente se trata del General Nogués; o, por lo menos, de su colección.

En el *Nuevo Teatro Crítico*, en julio de 1891, publicó la Pardo Bazán el relato de su visita a la casa del general don Romualdo Nogués[28]. La descripción que allí hace de los objetos de su colección de arte y de las actitudes del coleccionista coincide con la de la novela, hasta el punto de que utiliza las mismas palabras y frases. Examinemos algunas de las coincidencias más llamativas:

---

[27] Donald Fowler Brown, *The catholic naturalisme of Pardo Bazán*, Chapel Hill, The University of North Carolina Press, 2.ª ed., 1971, pág. 143.

[28] «Una visita al "soldado viejo" (Casa y colecciones del General Nogués)», *Nuevo Teatro Crítico*, núm. 7, año I, julio de 1891, págs. 57-71. El nombre de «soldado viejo» procede del título del libro de Nogués: *Ropavejeros, anticuarios y coleccionistas, por un soldado viejo, natural de Borja.*

Leemos en *La Quimera:* «Solar quiere enseñarnos sus colecciones. Primero —estratagema— lo menos importante; dos retratos desglosados de la colección Carderera: Lope de Vega y Antonio de Solís, fronteros a dos copias de las clásicas jetas de Quevedo y Calderón.»

Nuevo Teatro Crítico: «Como hábil escenógrafo, el General empezó por enseñarnos lo menos importante de su hacienda (...) Lo primero que vimos, a mano derecha, según entramos en la habitación, fueron dos retratos, destacados de la notable colección Carderera: los aficionados recordarán que son los de Lope de Vega y Antonio de Solís (...) Con los retratos originales hacen juego dos buenas copias de las clásicas jetas de Quevedo y Calderón.»

Viene a continuación una enumeración de litografías de la guerra de la Independencia, que coincide en los dos textos, y enseguida la descripción de una estatua de Fernando VII:

La Quimera: «...la estatua de Fernando VII, que fue derrocada en Barcelona, allá por los años 35. Alzábase la estatua —explica el marqués— en el centro de un jardín, y por esa actitud mandona del brazo y la violencia con que la derecha señala el suelo, dijeron los catalanes, en excusa de haberla derribado, que el tirano les ordenaba "comer hierba".»

N.T.C.: «...la estatua de Fernando VII, que fue derrocada en Barcelona por los años 35. Alzábase la estatua en el centro de un jardín, y por la actitud mandona del brazo y la energía con que la diestra señala el suelo, dijeron los catalanes, en excusa de haberla derribado, que el tirano les ordenaba "comer hierba".»

Romualdo Nogués posee una cajita de rapé que persiguió durante dieciséis años; la descripción es exacta a la de la novela y allí también se destaca la perseverancia del coleccionista. El busto de Isabel II, que está sobre la chimenea de su gabinete, aparece descrito con las mismas palabras en la novela, y en los dos sitios se subraya que fue regalo de la reina al general Serrano «el que había de arrebatarla su corona» *(N.T.C.),* «el que había de arrebatarla el trono» *(La Quimera).*

Más objetos de la colección Nogués que aparecen en la de Solar: la portada del sagrario de las monjas Teresas, una madonna atribuida a Sassoferrato, los retratos de San Francisco de Borja y San Ignacio de Loyola, medallas de Jácome Trezo, y lo que los dos coleccionistas llaman «el ojo del boticario», lo que más estiman:

La Quimera: «Plata repujada, realmente magnífica; jarras españolas (nunca las había visto) sobredoradas, cinceladas. Me deslumbran; recuerdan los vasos sagrados de los pintores venecianos en las Cenas y en las Bodas de Caná.»

N.T.C.: «jarras españolas, de maciza plata, sobredoradas, cinceladas, repujadas; jarras que recuerdan por su materia y forma las que aparecen pintadas en los cuadros que representan el festín de Baltasar o en las cenas eucarísticas de los pintores venecianos.»

El cotejo entre los dos textos, nos sirve, además, para ver cómo ha mejorado el gusto artístico de doña Emilia, que en la novela critica lo que en el artículo alaba. Así encontramos que califica de «dulzarrona» a la madonna atribuida a Sassoferrato, y los retratos de San Francisco y San Ignacio, descritos con detalle y que le parecen en 1891 «notables», los despacha en la novela con una frase: «mucho betún, mucho ascetismo, mucho españolismo».

También es significativo cómo ha mejorado su modo de describir. Bien es verdad que no es igual un artículo de revista que una escena de novela, pero sorprende la rapidez, la agilidad con que en *La Quimera* presenta ambiente, personajes, objetos, y da viveza y animación a toda la escena.

No cabe duda de que la colección de Solar es, en gran parte, la de Nogués, pero no es la única, ya que lo que se califica de «el ojo del ojo» en la novela es una medalla con la efigie de Santa Catalina, que no se menciona en el artículo sobre la colección del general. Para acabar de complicar las cosas hay que añadir que gran parte de los objetos descritos habían pasado en la época en que escribe la novela a manos de José Lázaro Galdiano[29] en cuya casa doña Emilia pudo verlos de nuevo y añadir otros aún más valiosos, como la colección de relojes, los platos hispanoárabes y los otros objetos que califi-

[29] Véase Yolanda Latorre, «La colección Lázaro Galdiano y su relación con Romualdo Nogués y Emilia Pardo Bazán», *Goya,* núm. 216, Madrid, 1990, págs. 331-335.

ca de «tesoros»: un incensario, una naveta, una caja de óleos, un porta paz y la medalla de Santa Catalina, que por cierto tampoco aparece en los catálogos del museo Lázaro Galdiano.

Es posible, pues, que igual que en la colección de Solar de Fierro se mezclan piezas de distintas colecciones, el personaje se haya construido con rasgos de varias personas distintas, y que su historia, sobre todo en lo que se refiere a sus relaciones con Espina Porcel, entre ya en el terreno de lo puramente novelesco, de la invención, como sucedía en el caso del doctor Luz con Clara Ayamonte.

En cuanto a los médicos, está en primer lugar el doctor Moragas, que ya había aparecido como personaje en *La piedra angular* y *Doña Milagros,* además de algunos cuentos como «Planta Montes» y «La bronceada». Ha sido identificado como don Ramón Pérez Costales, médico de La Coruña, famoso por sus ideas liberales, sus conocimientos científicos y su filantropía[30]. Era el médico de la aristocracia de la ciudad y atendió a doña Emilia en sus partos, pero acudía también a la cabecera de cualquier enfermo, por modesto que fuese, si solicitaba sus servicios.

Conocemos los rasgos físicos del doctor Pérez Costales por cuatro retratos suyos de la época[31]: de Gerardo Meléndez y Gumersindo Pardo; de Picasso, realizado cuando el pintor tenía catorce años y estaba estudiando en la Escuela de Bellas Artes de La Coruña; y de Vaamonde. Este último es un óleo de 105×80 que lo representa ya en los sesenta años, con cabello y barba blancos.

De los otros médicos citados en la novela, aparece con su nombre el doctor Alejandro San Martín, muy conocido en la sociedad madrileña, tanto por el ejercicio de su profesión

---

[30] Véase sobre esta figura Antonio Couceiro Freijomil, *Diccionario Bio-Bibliográfico de escritores,* Santiago de Compostela, 1952. Para la identificación con Moragas véase Carmen Bravo-Villasante, *Vida y obra de Emilia Pardo Bazán,* Madrid, Revista de Occidente, 1962, pág. 186. Nelly Clemessy, *Emilia Pardo Bazán como novelista,* Madrid, Fundación Universitaria Española, 1981, pág. 252.

[31] José Luis Bugallal, *Cuatro retratos y cuatro retratistas de don Ramón Pérez Costales,* La Coruña, 1956.

como por su cátedra en la Universidad y sus numerosas publicaciones. El doctor Lemasis, que se cita junto con Moragas como médico de Marineda, es con toda seguridad también un personaje real, pero no he podido localizarlo, quizá por tratarse de alguien menos conocido que los otros dos.

El suelto del periódico del que hablé al comienzo, que anunciaba el carácter de obra en clave de *La Quimera,* concluía diciendo que eso haría al libro «objeto de gran curiosidad y de numerosos comentarios». Unamuno, que hizo la crítica de la novela, añade:

> Y ni lo uno ni lo otro. Sí, como curiosidad, sí; ese suelto habrá hecho que algún ocioso haya cogido *La Quimera* creyendo encontrarse con una especie de *Pequeñeces...* a la busca de crónica escandalosa, de gacetilla, de anécdotas, de algo ligerito y que no canse. Y al encontrarse con espíritu, con vislumbres de hondas inquietudes, con miradas al más allá, se habrá dicho, dejando el libro: ¡vaya una lata! Y no habrá faltado quien diga: ¡no lo entiendo! Es que no quieren nada con la quimera[32].

Unamuno ve con agudeza los temas serios que bajo el disfraz de crítica de costumbres, tras el anzuelo de las identificaciones, se encuentran en la novela y a ellos atribuye el escaso éxito del libro, a pesar de ser «ameno, claro, vivo y hasta picante» ya que, concluye, «en este inmenso garbanzal sólo se aprecia la amenidad que no es sino amenidad, y la claridad tras de la cual no se ve sino la ramplonería, que es el pan cotidiano de nuestro público».

Si en 1905 el atractivo morboso de encontrar «caras conocidas» en la novela no bastaba para mantener el interés del lector, mucho menos lo mantendría hoy. Desaparecidas las «reinas de la elegancia» y las «esculturales bellezas», olvidadas las joyas que provocaban la admiración y la envidia de los asistentes a las óperas del Real, arrinconados los peligrosos autos que corrían a treinta kilómetros por hora, enterrados en suma, los recuerdos galantes de mil novecientos, podemos

---

32 Miguel de Unamuno, «La Quimera según Emilia Pardo Bazán», *La Lectura,* t. II, 1905, pág. 424.

concluir este apartado diciendo que por fortuna, *La Quimera* no era sólo ni principalmente una novela en clave.

Lo que hoy nos atrae de la novela y nos obliga a avanzar en su lectura, pese a sus evidentes y molestos defectos, lo iremos viendo, como diría un autor de folletín decimonónico, en las páginas siguientes.

El «mal» de *Quimera*

La Quimera, novela psicológica

En las páginas del prólogo a *La Quimera,* tras aclarar lo que
en ella pueda haber de pintura de una sociedad, manifestó
doña Emilia de forma explícita y clara cuál había sido su propósito al escribir la novela: «Quise estudiar un aspecto del
alma contemporánea, una forma de nuestro malestar, *el alta
aspiración*»[1]. Varias veces y con parecidas expresiones lo repetirá a lo largo de los años en conferencias y artículos: anunciando la aparición de la novela en volumen, tras haberla publicado en la revista *La Lectura:* «Su asunto es el estudio de la
aspiración artística»[2]. En una exposición de pintura gallega:
«Aquel mito griego de la Quimera (...) me sugirió una novela,
donde estudié la aspiración, encarnada en un malogrado pintor gallego»[3]. En un artículo sobre dicha exposición: «Quise
estudiar un aspecto del malestar contemporáneo, la infinita
aspiración idealista»[4]...

Nos encontramos, pues, no ante una crítica social a la manera de *Pequeñeces,* que es la obra en quien todos piensan, sino
ante una novela psicológica: el estudio de un alma humana.
Y, al mismo tiempo, se trata de un estudio de psicología colectiva ya que el protagonista encarna un mal de la época, una

---

[1] Aunque documentada en los clásicos, la forma «el» del artículo ante adjetivos que empiezan por «a» tónica es un uso anómalo, que hoy se considera incorrecto. Véase la nota correspondiente en el texto de la novela.

[2] *El Gráfico,* núm. 13, 25 de julio de 1904, pág. 5.

[3] *La Quimera,* conferencia, Madrid, Imprenta de los Hijos de M. G. Hernández, 1912, pág. 24.

[4] *La Ilustración Artística,* núm. 1585, año 1912, pág. 318.

especie de nuevo «mal du siècle», cuyos rasgos aparecen en la literatura de este periodo, tanto en los autores, como en los personajes[5], y que tiene muchos puntos de contacto con el Romanticismo[6].

El símbolo de la Quimera

El punto de partida de la novela fue, según testimonio de la autora, el mito de la Quimera, que plasmó primero en una obra de teatro para marionetas, que un grupo de amigos «modernistas» le habían pedido para representarla[7]. En esta obrita, que incorporó a la novela a manera de introducción simbólica, aparecen los personajes de la leyenda clásica: Belerofonte, el héroe que había domado al caballo alado Pegaso, llega a la corte de Yobates con una carta sellada del rey Preto. En ella le da cuenta de que Belerofonte ha seducido a Antea, su esposa, e hija de Yobates, y le pide a su suegro que vengue la afrenta matando a Belerofonte. Yobates, para deshacerse

[5] La relación del protagonista Silvio Lago con otros personajes de novela romántica o decadente, como Giorgio Aurispa de D'Annunzio (*Il trionfo della morte*), o Fernando Ossorio de Baroja (*Camino de perfección*), ya ha sido señalada por Gonzalo Sobejano (*Nietzsche en España*, Madrid, ed. Gredos, 1967, pág. 183). Daniel S. Whitaker estudia su relación con el dandy de fin de siglo y con el personaje Des Esseintes de Huysmans (*A Rebours*), *La Quimera de Pardo Bazán y la literatura finisecular*, Madrid, Editorial Pliegos, 1988, páginas 34-39.

[6] La relación entre Decadentismo y Romanticismo la estableció la propia autora en una serie de trabajos en los que se ocupó de la literatura francesa de final de siglo: *Porvenir de la literatura después de la guerra*, Madrid, Residencia de Estudiantes, 1917, «Un poco de crítica decadente», *ABC*, 10 de enero de 1920, y alusiones desperdigadas en *El lirismo en la poesía francesa*, Madrid, Editorial Pueyo, 1926. En esta última obra se refiere de este modo al movimiento decadentista: «último brote del romanticismo individualista, y consecuencia la más lógica de esa enfermedad del ensueño, del amor propio, de eso que se ha llamado el mal del siglo» (pág. 409). Véase sobre este tema John Kronik, «Emilia Pardo Bazán and the Phenomenon of French Decadentism», *PMLA*, 81 (octubre de 1966), 418-27 y «Entre la ética y la estética: Pardo Bazán ante el decadentismo francés», en *Estudios sobre los Pazos de Ulloa*, Marina Mayoral (coord.), Madrid, Ediciones Cátedra-Ministerio de Cultura, 1989, págs. 163-174.

[7] *La Quimera*, ed. cit., pág. 16.

del héroe sin faltar a las leyes de la hospitalidad, lo incita a luchar con la Quimera, el monstruo híbrido que aterroriza a la ciudad. En la leyenda Belerofonte lucha con la Quimera, la vence y como premio se casa con Casandra, hija de Yobates y sucede a éste en el trono. La Pardo Bazán cambia el desenlace: Casandra, enamorada de Belerofonte, le advierte del intento de acabar con su vida, pero el héroe, que desea ardientemente luchar con el monstruo, desoye sus consejos, a pesar de que también la ama. Casandra entonces decide abandonar el palacio y correr su misma suerte. El combate tiene lugar y Belerofonte resulta vencedor, pero, muerta la Quimera, los enamorados se miran con extrañeza: nada los une, sólo advierten los inconvenientes de su situación, y cada uno se va por su lado.

La Quimera aparece así convertida en símbolo del ideal. Es ella quien impulsa al hombre al heroísmo, a las grandes empresas y también quien sustenta el amor. Al desaparecer la Quimera sólo queda la prosa vulgar de la vida, sin ilusiones ni idealismos.

No se agotaron en la obrilla de teatro las sugestiones del mito clásico y doña Emilia volvió a él en las páginas de la novela que nos ocupa[8]. En el primer capítulo aparece de nuevo el mito a través de otra versión literaria: el «Diálogo de la Esfinge y la Quimera» de *La tentación de San Antonio* de Flaubert[9].

---

[8] En la sección del periódico *El Heraldo*, titulada «Veraneo de autores», el 3 de septiembre de 1989, habla doña Emilia de sus proyectos literarios y anuncia su propósito de escribir «allá en octubre» la segunda parte de *El niño de Guzmán*, que nunca apareció. Y añade: «No era ésta la novela que yo tenía planeada a fines del año 1897, sino otra muy distinta, que había de titularse *La Esfinge*, y comprender una segunda parte titulada *La Quimera*. De *La Esfinge* existían ya sobre cien cuartillas.» De estos proyectos el único que llevó a término fue *La Quimera*.

[9] Doña Emilia admiraba profundamente *La tentación de San Antonio* a la que calificó de «obra imperecedera» y de «singular creación, que acaso, más que novela, debiera llamarse poema». En cuanto al «Diálogo» lo considera «una de las maravillas de la prosa y el simbolismo de Flaubert» (*La Literatura Francesa Moderna. El Naturalismo*, Madrid, Renacimiento, págs. 57 y 58).

La relación entre la obra de Flaubert y *La Quimera* ha sido estudiada por Francisca González-Arias, que llega a la conclusión, según mi juicio exagerada, de que la Pardo Bazán, habiendo asimilado la alegoría flaubertiana, enta-

En la obra de Flaubert la Esfinge simboliza la razón, y la Quimera la fantasía. Las dos son incompatibles, se atraen y se repelen al mismo tiempo y las dos resultan tentadoras para el santo. Las dos son igualmente destructoras. Dice la Quimera: «Si j'aperçois quelque part un homme dont l'esprit repose dans la sagesse, je tombe dessus, et je l'etrangle.» Y la Esfinge: «Tous ceux que le désir de Dieu tourmente, je les ai devoré»[10].

En la novela Minia Dumbría lee a Silvio un fragmento del «Diálogo», pero se detiene antes de que la Quimera manifieste su carácter destructivo, aniquilador. Fragmentado (y manipulado) de ese modo el texto de Flaubert, la Quimera vuelve a aparecer como símbolo del Ideal:

> Derramo en las almas las eternas locuras, planes de dicha, fantasías de porvenir, sueños de gloria, juramentos de amor, altas resoluciones...

Sin embargo, a lo largo de la novela, se desarrolla el aspecto destructor de la Quimera, que no aparece en la obra de teatro ni, tal como ella lo traduce, en Flaubert. Silvio dice al oír la lectura: «Triunfar o morir.» Y muere, pero no triunfa. Silvio deja no sólo la vida en el empeño sino cuanto en ella hay de apetecible y grato: familia, amigos, amor. Seducido por su quimera, obsesionado por su aspiración, se aleja de sus únicos parientes carnales, que se comportan de modo interesado, pero a los que tampoco Silvio ha dado motivos para que lo estimen. Los trata con mal encubierto desprecio, sin ningún cariño hacia su primo ni hacia los niños, y no mueve un dedo para mejorar su modo de vivir. Se aleja también de amigos como Cenizate, que se desvive por él y a cuya devoción co-

bla en su novela un original y creativo diálogo con el autor francés. Véase Francisca González-Arias, *A voice, not an Echo: Emilia Pardo Bazán and the Modern Novel in Spain and France*, Harvard, Doctoral Dissertation, 1985, y «Emilia Pardo Bazán and *La Tentación de Saint Antoine*, or la Countess and the Chimere», *Hispania: a Journal Devoted to the Interests of the Teaching of Spanish and Portuguese*, vol. 71, mayo de 1988, págs. 212-216.

[10] Cito por *Oeuvres,* I, París, Bibliothèque de la Pléiade, éditions Gallimard, 1962, pág. 191.

rresponde con absoluto desdén. Es desagradecido con la madre de Minia (recuérdese la escena en que le reclama el dinero que la baronesa le guarda para una emergencia), y, por último, la Quimera lo incapacita para el amor: ni ama ni es capaz de estimar y aceptar el amor que inspira a Clara Ayamonte. Y todo eso para nada, porque Silvio no alcanzará nunca lo que sueña, de modo que la Quimera lo destruye como hombre sin dejar que se realice como artista.

Hay que señalar que el carácter aniquilador de la Quimera sólo se manifiesta con tal virulencia en Silvio y no en Minia Dumbría, personaje que también recibe las visitas del «monstruo». ¿A qué se debe esa diferencia? Hay varias explicaciones. Una es de carácter fisiológico y está relacionada con las tesis del naturalismo[11]: Minia tiene buena salud, es una mujer sana, robusta y, al encarnarse en ella, la Quimera adopta formas saludables: constancia y dedicación al trabajo, defensa de los valores espirituales, creencia en el Ideal. Por el contrario, Silvio es un enfermo: su naturaleza es débil; su estómago y sus nervios, frágiles. La aspiración adopta en él formas patológicas, lo convierte en un neurótico. En la novela se sugiere incluso que esa aspiración desordenada y desmesurada mina su organismo y lo deja indefenso ante la tisis[12].

---

[11] El peculiar modo de entender el naturalismo de la Pardo Bazán ha sido puesto de relieve por toda la crítica que se ha ocupado del tema. Véase sobre este punto las obras de Mariano Baquero Goyanes, *La novela naturalista española: Emilia Pardo Bazán*, Universidad de Murcia, 1955, y *Emilia Pardo Bazán, Temas Españoles*, núm. 526, Madrid, Publicaciones Españolas, 1971. Walter T. Pattison, *El naturalismo español*, Madrid, Gredos, 1965, y del mismo *Emilia Pardo Bazán*, Nueva York, Twayne Publishers, 1971. Donald F. Brown, *The Catholic Naturalism of Pardo Bazán*, Chapel Hill, University of North Carolina, 1975. Fernando J. Barroso, *El naturalismo en la Pardo Bazán*, Madrid, col. Plaza Mayor Scholar, editorial Playor, 1973. Nelly Clemessy, ob. cit., y Maurice Hemingway, *Emilia Pardo Bazán, The Making of a novelist*, Cambridge, Cambridge University Press, 1983.

[12] Gómez de Baquero fue el primero en destacar el elemento patológico en la composición del personaje, primero en unos «Devaneos literarios» (*El Imparcial*, 31 de julio de 1905) y después en la crítica publicada en *La España Moderna*, octubre de 1905, págs. 167-175, ampliada más tarde en el libro *Novelas y novelistas*, Madrid, Editorial Saturnino Calleja, 1918. En el primero de los trabajos citados, que es un diálogo entre dos personajes, dice uno de los interlocutores: «Quien se come al pobre Silvio Lago no es la Quimera,

Hay otra explicación de tipo espiritual que se vincularía a corrientes artísticas de fin de siglo, como la del movimiento prerrafaelista [13], y que no excluye la anterior sino que se suma a ella: a Minia las creencias religiosas le sirven de antídoto contra la Quimera. Su fe, su esperanza en una vida eterna son un contrapeso a su deseo de inmortalizarse a través del Arte. En Silvio, que carece de sentimientos religiosos, la aspiración artística se mezcla con el terror a la nada, a la desaparición total. A la vista del sepulcro vacío Silvio es víctima de un ataque de angustia incontrolable, provocado no por un problema artístico sino existencial. Le dice a su protectora: «No concibo el fin de mí mismo: estoy por decir que la muerte me parece absurda.»

Lo que le espanta, en efecto, es el absurdo de una vida que va hacia el «vacío», hacia la nada. Y no es extraño que fuese Unamuno el primero que señaló la dimensión existencial del mal de Silvio:

> El pobre Silvio Lago padeció una gloriosa enfermedad mil veces más atormentadora que la tisis de que murió su cuerpo; el pobre Silvio Lago padecía ansia de inmortalidad [14].

Para Unamuno todo se reduce al deseo de inmortalidad; el arte es sólo un sustitutivo de la fe religiosa:

> Esa terrible fama de renombre y fama, que azotó a los espíritus en la antigüedad greco-romana, y que empezó a enloquecerlos en el Renacimiento, no es sino una enfermedad religiosa; es el modo de acallar la devoradora sed de persistencia eterna [15].

---

es la dispepsia (...) La Quimera es la expresión poética de una psiquis de enfermo.»

[13] Para la relación de *La Quimera* con las ideas del movimiento prerrafaelista véase Daniel S. Whitaker, *La Quimera de Pardo Bazán y la literatura finisecular*, ed. cit., págs. 49 y ss.

[14] Miguel de Unamuno, «La Quimera según Emilia Pardo Bazán», *La Lectura*, t. II, 1905, pág. 424. Recogido en *De esto y de aquello, Obras Completas*, t. V, Madrid, Afrodosio Aguado, 1952, págs. 214-227.

[15] Art. cit., pág. 426.

Esto es cierto, sin duda, pero también lo es que además de este hondo problema vital, común a todo el género humano, Silvio (y también Minia y doña Emilia) padecía de otro mal específico y más raro: aspiraba a dejar memoria de sí mediante la creación artística, tema al que Unamuno concede menos importancia en su crítica y que, sin embargo, es fundamental en la novela. En ella, ambos temas, el de la religión y el del arte, aparecen íntimamente trabados y sólo por claridad expositiva voy a tratarlos por separado.

La Religión, el Arte y la Vida

El alcance o la profundidad de las tesis religiosas de la Pardo Bazán ha sido uno de los puntos más debatidos de la crítica, ya que, junto a los que creen que doña Emilia siempre fue espiritualista y cristiana como Gómez Vaquero[16], otros como Clarín le negaron toda profundidad a su sentimiento religioso[17]. Para interpretar correctamente este punto hay que tener muy presente las contradicciones constantes del carácter de la autora, destacadas por Pattison hace mucho tiempo[18] y recordadas recientemente en un interesante trabajo por Maurice Hemingway[19].

Parece hoy fuera de duda que la Pardo Bazán evolucionó en sus ideas religiosas (y políticas) desde un catolicismo tradi-

[16] Andrenio (Gómez de Baquero), *Novelas y novelistas*, ed. cit., pág. 303. Dice textualmente: «Creo que la señora Pardo Bazán ha sido siempre espiritualista y cristiana.»

[17] En «Emilia Pardo Bazán y sus últimas obras» decía Clarín: «La religión, que es principalmente la capacidad de enamorarse del misterio, es lo más flojo en doña Emilia» y un poco más adelante: «En mi sentir, es el de doña Emilia un espíritu laico por excelencia, pero tenga el consuelo de que en esta idiosincrasia la acompañan muchos obispos», *Folletos Literarios, VII, Museum (Mi revista)*, núm. 1, Madrid, Librería de Fernando Fe, 1990, pág. 62.

[18] Walter T. Pattison, *Emilia Pardo Bazán*, Nueva York, Twayne Publishers, 1971. El primer capítulo del estudio acaba con estas significativas palabras: «In both life and literature, her ideology was a series of unassimilated and often contradictory views. This is what makes her intensely interesting as a person.»

[19] Maurice Hemingway, «Pardo Bazán and the Rival Claims of Religion and Art», *Bulletin of Hispanic Studies*, LXVI (1989), 241-250.

cional, vinculado al carlismo, hasta un catolicismo progresista, basado en las virtudes evangélicas y atento a los problemas sociales, vinculado al socialismo cristiano. Su viaje por Bélgica en 1901, cuyas impresiones recogió en el libro *Por la Europa católica,* fue decisivo en su cambio de postura. Sus malas relaciones con lo que podríamos llamar el catolicismo oficial español habían quedado ya antes de manifiesto en el prólogo a su edición de *Cuentos sacroprofanos* (1899). Se refiere allí a la «vidriosa e hipócrita suspicacia» con que fueron recibidos al ser publicados en periódicos y revistas, y llama «tartufos» a quienes se escandalizaron con ellos, señalando la diferencia entre los «verdaderos santos humildes, puros en su vida y ajenos a vanagloria» y los que van a la iglesia «encubriendo mal» un «satánico orgullo»[20].

A esto hay que añadir su simpatía por la figura de San Francisco que quedó plasmada en su biografía del santo y en múltiples referencias a su modo de vivir la religión[20 bis].

Junto a esta corriente de espiritualidad cristiana, que la inclina cada vez más al amor al prójimo, a la humildad y la colectividad, corre otra de signo opuesto, que ella califica de paganismo[21]. Con esa palabra quiere expresar su tendencia al es-

---

[20] *Obras Completas,* t. III, Madrid, Aguilar, 1973, págs. 1216-18.

[20 bis] Las huellas de la teología y la metodología franciscanas en los intentos de Minia Dumbría de acercar a Silvio a la fe han sido estudiados por Jennifer J. Wood, *Letras peninsulares,* primavera de 1989, págs. 109-121.

[21] Doña Emilia solía decir que «se sentía un poco pagana» y de ello deja constancia Unamuno en un artículo publicado a raíz de la muerte de la escritora, «Recuerdos personales de doña Emilia», *Nuevo Mundo,* 27 de mayo de 1921. Pero ese paganismo siempre convivió con la emoción religiosa y esa doble vertiente queda de relieve en el libro *Mi romería.* La autora comenta sus experiencias al asistir a una misa en San Pedro de Roma. Al comienzo lo que sentía era sólo placer estético: «la satisfacción del aficionado a música que asiste al estreno de una ópera del más excelso compositor y se encuentra dueño del mejor sitio». Y destaca ese rasgo «pagano» de su carácter: «He resuelto declarar sinceramente que éstas eran al principio mis impresiones para que la confesión sirva de castigo a mi frialdad y a mis ráfagas de paganismo.» Después contará con detalle la emoción religiosa, casi mística que la invade cuando llega el momento de la consagración: «No sentía la vida orgánica de mi cuerpo ni la función de mi cerebro (cosas que aún dormida, noto vagamente); no pensaba, ni discurría, ni comprendía, pero se me iba derritiendo el corazón, y un dulcísimo deliquio me vedaba mirar al altar mismo: involuntariamente levantaba los ojos a la cúpula, al torrete de luz que caía de

teticismo y al individualismo, es decir, su inclinación a estimar el logro de la belleza y la realización de la propia obra por encima de cualquier otro valor. O, dicho de otra manera, su consideración del arte como la más alta actividad humana. Ambas tendencias están reflejadas en la novela.

Las virtudes evangélicas, la caridad, la alegría y humildad de corazón, se encarnan en la baronesa Dumbría, la madre de Minia, que cuida con generosidad admirable al pintor hasta su muerte.

El carácter subjetivo, personal, misterioso, de las creencias religiosas, semejantes a un enamoramiento, queda de relieve en la «conversión» de Clara Ayamonte y se expone en forma discursiva por boca de Minia. Cuando Silvio le dice: «¿Cómo se arregla uno si los dogmas repugnan a la razón?», Minia replica:

> ¿Por qué me contesta usted *razón* cuando digo *azucenas?* La razón ¿le explica a usted el misterio de una azucena, que es el mismo misterio de la vida universal? ¿Es que no advierte usted hasta qué punto enraízan nuestros pies, aletean nuestros pulmones y descansan nuestros ojos en el misterio? No hay sino él; en él nos movemos, vivimos y somos.

Su cristianismo espiritualista queda de manifiesto en su diatriba contra la razón:

> ¡La razón! ¡Vieja chocha, sentenciosa, que no sabe sino cuatro casos de *sucedidos,* y cuatro máximas roídas de orín! Su báculo tiene mugre secular, sus pies los calzan zapatos con suela de plomo. Lo mejor que hace el hombre suele ser contra la razón. He oído que el mundo rueda porque le empuja la locura, o mejor dicho, la superrazón, que es fe.

La conversión final de Silvio ha sido estimada de muy diversa manera desde el momento en que apareció la novela. Algunos críticos, como Luis Morote, vieron en ella una solución de compromiso, que estropeaba la fuerza del final de la

ella.» *Mi Romería,* Madrid, Imprenta y Fundación de M. Tello, 1888, págs. 82 y 87.

novela[22]; o lamentan, como César Barja la sobrecarga de moralidad que entorpece la labor creativa[23]. Otros, por el contrario, consideran que es un final adecuado y congruente con el espíritu de la obra. Así Gómez de Baquero la pone en relación con *La sirena negra* y califica a ambas de «novelas de conversión y salvación de almas, en que más pronto o más tarde encuentra el pecador su camino de Damasco»[24]. También lo ve hoy de este modo Nelly Clemessy:

> El desenlace de *La Quimera* aporta el significado pleno al relato. La autora ha hecho de él una novela de la conversión de las almas. Es la primera, dentro de su obra, que reviste este carácter y dará tono a las otras dos que cerrarán la carrera novelesca de la Pardo Bazán[25].

Por mi parte, he de decir que la conversión de Silvio me resulta poco convincente: fracasados sus intentos de alcanzar la inmortalidad con su obra, persuadido al fin de la imposibilidad de llevar adelante su aspiración, se vuelve hacia la religión como un náufrago hacia un último bote salvavidas. No hay verdadera «iluminación», Silvio no descubre la Verdad, aunque doña Emilia quiera presentarlo así, sino que se aferra a la única esperanza que le resta de no desaparecer para siempre.

Si hablamos de conversión hay que pensar en Clara Ayamonte. Ella como más tarde Natalia Mascareñas, busca a Dios cuando fracasan en el mundo sus ansias de infinito. El amor humano aparece como un espejismo, un pálido reflejo de lo que será el Amor total, la unión mística finalmente conseguida. Su figura se contrapone no a Silvio, que es un caso aparte, sino a Espina Porcel, que engaña con drogas su has-

22 Luis Morote, «*La Quimera*: última novela de doña Emilia Pardo Bazán», crítica aparecida en *El Imparcial*, el 10 de junio de 1905 y recogida en *Teatro y novela*, Madrid, Librería Fernando Fe, 1906, págs. 211-221.

23 César Barja, *Libros y autores modernos,* 2.ª ed., Nueva York, Las Américas Publishing Company, 1964, págs. 318-19.

24 *Op. cit.,* pág. 305.

25 Nelly Clemessy, *La Pardo Bazán como novelista,* vol. II, Madrid, Fundación Universitaria Española, 1982, pág. 706.

tío, su sentimiento de vacío, y cuyo refinamiento esteticista, cuyas extravagancias, no son sino manifestaciones de un ansia inacabable, de una aspiración que no consigue satisfacer.

Me parece, pues, que en la novela queda patente la idea de que las creencias religiosas son una solución para el nuevo «mal du siècle»; pero no en lo que se refiera a la quimera del Arte. Los sentimientos religiosos no matan a la Quimera, sólo la apaciguan, la hacen soportable. En el primer momento de su conversión Silvio dice: «he palpitado por glorias y triunfos... ¡Engaño! ¡Polvo! ¡Nada!» Esas palabras parecen expresar un desprecio absoluto por todo lo anterior, una renuncia y el reconocimiento de un error. Pero inmediatamente el narrador se encarga de poner las cosas en el punto justo:

> Absuelto, Silvio experimentó una sensación de alivio, una sedación (...) Y vio —al través del velo de la lluvia que ahora caía mansa, en hilos continuos de cardado cristal, como las lágrimas que bañan una faz resignada, dolorosa— a su Quimera, antes devoradora, actualmente apacible, hecha no de fuego, sino de brumas suaves y de aljófares líquidos, de vapores transparentes y de claridad atenuadísima; y conformándose, sintiose reconciliado con el universo, con las Manos que lo guían.

En *Dulce Dueño,* su última novela, publicada en 1911, doña Emilia irá más lejos en sus posturas espiritualistas. La búsqueda de sí misma llevará a la protagonista, Natalia Macareñas, al desprecio de todos los bienes mundanales, a la renuncia total a la voluntad propia para unirse místicamente a Dios[26]. Pero Natalia no era una artista, como no lo es Clara Ayamonte. Ellas pueden encontrar la serenidad de espíritu en el claustro; Silvio y Minia (y doña Emilia) no: tienen que vivir y morir como artistas, sin renunciar a su Quimera, aunque, eso sí, deban someterla y domarla mediante la Fe. En la conferencia *La Quimera,* un texto de 1912, posterior por tanto a la última novela, la Pardo Bazán insiste en la necesidad de

---

[26] Véase mi *Introducción* a *Dulce Dueño,* Madrid, Castalia, col. Biblioteca de Escritoras, 1989, págs. 7-44.

que el artista siga fiel a los imperativos de su ideal hasta el fin de su vida. Y dice que así sucedió con Joaquín Vaamonde:

> Y hasta después de que la enflaquecida diestra no podía sostener los pinceles, siguió el pensamiento cabalgando en brazos de la Quimera espantable y divina, aquella de la cual no debemos apartarnos, aunque nos beba el tuétano y nos quebrante los huesos en su caricia letal.

Esa Quimera, hemos de suponer que ya domesticada por la Fe, es calificada de «santa» y se considera indispensable para la creación artística:

> Hay que insistir en que la Quimera es la levadura que hace fermentar el arte. Aliméntase el arte de ese afán soñador, de ese suplicio santo. Cuando un artista se calma, se aduerme en la indiferencia, renuncia a perseguir algo que rebasa la medida razonable, decid que su Quimera es difunta, y que él cree vivir, pero es otro inerte despojo, que debe quedarse tras una vitrina, como disecada ave del Paraíso.

La conclusión que se desprende de la novela es que el Arte queda al margen del contemptus mundi. Está por encima de la vida, es un valor superior que no puede despreciarse. Cuando Minia Dumbría intenta que Silvio piense en la muerte y se prepare para recibirla, le cuenta el apólogo del camellero árabe, que descubre el amargor y la muerte que se esconde en el pozo de la vida. Pero Silvio no suspira por la vida como valor sino como instrumento para realizar sus sueños de artista, y Minia, que comparte esos sentimientos, se siente «derrotada» por la respuesta del enfermo y no puede continuar su sermón moral:

> —La vida... —murmuró—. La vida no es joya de gran valer, aunque a veces encanta... Pero ¡el arte! ¡el arte! ¡Minia!
> Y la compositora, derrotada, no pudo sino responder:
> —¡El arte... sí! El arte... Eso es otra cosa...

¿Y qué es? No lo dice Minia, pero sí doña Emilia en la conferencia a la que antes nos referimos. La cita es larga, pero por ser la más clara y una de las últimas manifestaciones públicas de la autora sobre este tema, vale la pena reproducirla:

> Acaso el arte, en realidad, es lo único duradero, lo único eterno (...) caen los imperios, las civilizaciones pasan, las conquistas y las guerras seculares acaban por esfumarse en las nieblas de la historia; las mismas religiones, que tan hondamente agitaron la conciencia, que inspiraron tan sangrientos sacrificios, abnegaciones tan absolutas, llegan a su ocaso; los antiguos dioses no tienen un solo altar, un solo creyente... Y en cambio un fragmento artístico encontrado dondequiera, un friso de azulejos de babilónico palacio, una testa de mármol rota, un busto de barro, extraña beldad ibero fenicia, una oda que exhala un grito de amor, atraviesan los siglos, inalterables. Porque esto tiene el arte, para que podamos afirmar que no hay otra cosa como él, que en él se resume la flor, la esencia, la palabra cabalística de lo creado; que el tiempo no ejerce acción sobre él, que varía, sin duda, pero no mejora, pues desde su origen es íntegro y cabal, según la idea que ha expresado o la realidad que ha sorprendido.

A lo largo de su vida, sobre todo en cartas privadas, había manifestado doña Emilia su estimación del arte por encima de cualquier otra actividad. Maurice Hemingway en el trabajo citado más arriba espiga algunos testimonios muy reveladores: en carta a Giner de los Ríos le dice: «acaso no importa lo malo; sólo importa lo bello». Y en una primera versión de un artículo de 1904 sobre Goya se encuentra esta frase que posteriormente elimina al volver a publicarlo: «El fin más alto de la vida es la belleza realizada por el arte.»

Por eso me parece muy importante el testimonio de la conferencia de 1912, por su carácter público y porque lo mantuvo al publicarla. Su conclusión allí fue muy categórica, sin matizarla con acasos ni quizás:

> La aspiración artística es, pues, la más alta que cabe en el individuo y en la colectividad, como la estética debiera ser el fin sumo de las civilizaciones, que van descaminadas cuando no lo comprenden y anteponen a lo bello lo útil, o por lo útil prescinden de lo bello.

Pero el arte necesita de la vida para realizarse, no puede existir sin ella. *La Quimera* es también en este sentido la historia de una frustración. Silvio se aferra desesperadamente a la vida hasta el final y no sólo por lo que la vida es en sí, sino como único medio de dejar constancia de lo más valioso de sí mismo:

> No moriré de este mal; pero suponga usted, por un momento, que muriese... Es aterrador, Minia... ¿Qué quedaba de mí? Cosas que ya no responden a mi sentir. Ideas que ya rechazo... Y lo verdaderamente íntimo, lo que he ido descubriendo... ¡eso nadie lo sabría! ¡Eso iría conmigo al otro mundo!

Y a Minia le parece igualmente aterrador, a pesar de sus creencias religiosas. Toda la parte final de la novela es una pintura angustiosa de un ser humano que se resiste a desaparecer. Doña Emilia ha acertado a reflejar la desesperación de Silvio, pero no el consuelo de la religión. El comentario de Minia ante Silvio muerto —«dichosos los que yacen en paz»— suena a convencional, a poco sentido. Su gesto auténtico es irse hacia el armonio, buscar el refugio del Arte y dejar una huella más de su paso por el mundo.

Años después, cuando vuelve a sacar a la luz el tema de Vaamonde con motivo de la exposición de pintura gallega, el vitalismo de doña Emilia se hace más patente. El artículo de *La Ilustración Artística* acaba con este comentario:

> Y en esta Exposición gallega, que es una Exposición llena de juventud prometedora, donde abundan obras de artistas a quienes la muerte no dio tiempo, el recuerdo de aquel trágico destino me asalta... Para triunfar en arte, hay que poder vivir, en el sentido fisiológico de la palabra... ¡La vida![27].

---

[27] *La Ilustración Artística*, «La vida contemporánea», núm. 1585, año 1912, pág. 318.

Decía Gómez de Baquero en su crítica que al ser la aspiración artística rasgo muy poco común le falta a la novela «comunidad en el sentir» para llegar a un público amplio[28]. Yo no lo creo así. El deseo de dejar un nombre, de pervivir, es, como hemos visto, tan común al género humano que con facilidad cualquiera hace suyas, generalizándolas, las inquietudes del protagonista. Por otra parte, la personalidad del artista y muchos problemas que a éste se le plantean suele despertar la curiosidad y el interés del lector, aun de aquel que nunca se ha dedicado a una tarea artística. Por lo que a mí se refiere, he de decir que el mayor interés de la novela radica precisamente en lo que en ella hay de reflexión sobre la creación artística.

Plantea en primer lugar doña Emilia la vanidad de unir el cultivo del arte a la persona del artista: en la Edad Media el Arte era anónimo y en ese anonimato, que suponía comunidad de sentir, integración en su medio, estribaba su grandeza y la felicidad que proporcionaba a su cultivador. Con el personalismo llega la inquietud y la corrupción del arte:

> ¡Sea modesto, fórmese un corazón humilde y puro, como los de los grandes artistas desconocidos de la Edad Media... (...) ¿Qué falta hace el nombre? El arte anónimo es el Romancero, es las Catedrales... Usted de seguro está dispuesto a batallar por la victoria de unas letras y unas sílabas: *¡Silvio Lago!* Veneno de áspides hay en el culto al nombre. Por el nombre nos despeñamos tras la originalidad y el arte uniforme, poderoso, se acaba.

Unamuno, comentando estas palabras, dice en su crítica: «No le hagáis caso, como no se lo hizo Silvio; Minia, la compositora, es artista, y su dolencia, en el fondo, la dolencia de Silvio, sólo que en cuerpo robusto»[29]. Y en un alma creyente,

---

28 *Op. cit.*, pág. 310:
29 Art. cit., pág. 425.

como ya hemos visto. Y, desde luego, Unamuno tiene razón. Pocos discursos de Minia Dumbría resultan tan poco convincentes. No puede predicar con el ejemplo y tiene que reconocer que, pese a estimar tanto el anónimo, ella no se ha contentado con él, aunque sigue pensando que, vivido así, el arte «es un infierno».

Citaba Unamuno ejemplos de la *Divina Comedia* para demostrar lo común que es al artista el deseo de dejar un nombre; y doña Emilia, que no echaba en saco roto nada inteligente de cuanto leía, incorpora el argumento de Unamuno a su conferencia sobre *La Quimera,* y cita ella también a Dante y a los condenados que «entre las torturas mismas del Infierno» preguntan llenos de inquietud «qué suerte corren sus obras y si no las envuelve el olvido».

Este deseo de dejar una huella individual, ligada al propio nombre, aparece, pues, como primer rasgo distintivo del artista contemporáneo.

En la novela encontramos varias clases de artistas: los consagrados, como Minia y el maestro que Silvio desea ser (Sorolla); el artista de éxito, prostituido por intereses mezquinos, cuyo ejemplo es Marbley; los que aspiran a realizar una obra y luchan para conseguirlo, entre los cuales se encuentra Silvio y también Solano y otras mil figurillas que llenan con sus obras los salones de las Exposiciones anuales de Bellas Artes. Pero, fundamentalmente, estos tipos se reducen a dos figuras que centran el tema: Minia Dumbría, que aparece como el artista que ya ha realizado una obra imperecedera; y Silvio Lago, a quien la muerte impide hacer realidad su aspiración.

Lo primero que uno se pregunta al leer la novela es de dónde nace la seguridad de que Minia sea una verdadera artista, de que sus obras vayan a perdurar. En la novela se parte de ese hecho por razones de estructura; se trata de una oposición entre el artista que no llega a realizar su quimera y el que sí lo ha conseguido. Pero la pregunta subsiste: ¿qué criterios se han seguido para construir el personaje? ¿El de la aceptación social, el consenso de la sociedad en considerarla artista consagrada? ¿O es la propia seguridad de la artista, su autoestima?

La historia ha demostrado hasta qué punto se equivoca la sociedad en sus estimaciones artísticas: se equivoca alabando y encumbrando figuras que el tiempo destruye, pero se equivoca aún más rechazando al genio. Casi contemporáneo de Silvio Lago es Vincent van Gogh, que sólo vendió un cuadro en su vida.

El otro índice es el de la confianza en la propia obra, que Minia tiene y que a Silvio le falta. Comentaba Unamuno en su crítica: «El pobre Silvio Lago mantenía con dudas la fe en sí mismo, esta fe tan necesaria al artista.» Pero tampoco es éste un índice seguro: la fe en uno mismo, la seguridad en la propia obra se convierte con frecuencia en engreimiento y carencia de autocrítica. Pero lo terrible es, y en la novela queda patente, que sin esa fe no se hace nada, ni bueno ni malo: hay que creer, aunque uno se equivoque, porque si no crees no hay creación, falta el impulso vital necesario para embarcarse en la tarea.

Minia Dumbría —y creo que podemos decir que también doña Emilia— está convencida de su talento. En ningún momento a lo largo de toda la novela lo pone en duda. Ese convencimiento brota de forma natural, sin petulancia, de su propia seguridad y del consenso social. Por eso no rechaza con falsas modestias los elogios de Silvio a sus *Sinfonías campestres*. Y esa seguridad la convierte en una artista fecunda. Sin embargo, las dudas llevan a Silvio a la inacción. Desprecia la pintura al pastel, que es aquello para lo que obviamente está mejor dotado: tiene gracia, elegancia, soltura. En lugar de ahondar en esos rasgos que pudieran hacer de él un Fragonard o un Watteau o un Van Dyck —tan citado en la novela—, se debate y da palos de ciego empeñado en algo contrario a sus facultades, como es el arte de Sorolla. Al final, ya antes de que la tisis lo venza, se limita a desligar su aspiración de su trabajo cotidiano: por un lado sus deseos de una pintura original y recia; por otro, los retratos fáciles y halagadores que le permiten vivir y dilapidar el dinero.

Dice Silvio: «El dinero no hay hora ni momento en que no nos haga una falta horrible. Sin miaja de codicia somos esclavos de él. No es codicia necesitar aire respirable.»

Ya Minia le había advertido las servidumbres que arrastra

51

el dinero y varias veces insiste en la necesidad de ser austero[30]. Y Silvio no lo es. Se equivoca Unamuno cuando cree que Silvio lucha contra la necesidad: «Tuvo el pobre Silvio Lago que luchar y luchar retratando damas de alto copete. Era la lucha contra la necesidad.» Contra la necesidad luchó Mondrian, pintando con todo detalle tulipanes que le permitían dedicarse a crear su gran obra abstracta. Pero Silvio, no. Silvio se muestra incapaz no sólo de realizar la pintura que desea, sino incluso de poner los medios necesarios para ello: está cada vez más atado, más enredado por necesidades sociales que él mismo se ha creado. La baronesa Dumbría le riñe y con razón: tiene agujeros en las manos y junto con el dinero se le escapan sus sueños.

A través de los monólogos de Silvio, o de las conversaciones con Minia y con el sueco Linsöe, se tratan algunos puntos muy importantes sobre la creación artística: la importancia del trabajo constante, disciplinado, para llevar a buen término la obra; las etapas en el desarrollo de un artista, la relación con los maestros y los contemporáneos; la necesidad de encontrarse a sí mismo, el camino personal que debe seguirse...

Este último punto es el más debatido, ya que en él parece encontrarse la clave del éxito, la marca de los elegidos: una especial capacidad para expresar las cosas de un modo personal, diferente al de los otros. Silvio se pregunta con angustia:

> ¿Cuándo veré las cosas dentro de mí y en mí, iluminadas con luz oscura o brillante, que yo genere, y que sea luz después para otros? ¿Cuándo dejaré de sentirme subyugado por admiraciones y estrechado en brazos de una estética que sobaron los demás?

[30] Probablemente se trata de reflexiones que doña Emilia se ha hecho a sí misma, porque en la vida real ella lucha por ventajas materiales. Es curiosa la opinión de Robert E. Osborne sobre este punto: «Todo lector de sus escritos sabe demasiado bien que le atraen el dinero y el refinamiento. No es avara, pero aspira a lo que se puede conseguir con el dinero», *Emilia Pardo Bazán. Su vida y sus obras,* México, Ediciones de Andrea, 1964, pág. 118.

Pronto descubre Silvio que esa luz es un don innato que no puede adquirirse con trabajo ni constancia:

> Esto es lo desesperante para mí. Por momentos, en París, he creído en la virtud infalible de la paciencia y del trabajo intenso. Pero hay otra cosa, superior a lo que se hace reflexivamente. ¿Pueden todos los esfuerzos y paciencias del mundo formar un temperamento de artista como Rubens? No, eso es obra de la Naturaleza.

La originalidad del artista no está en el tema, en el pensamiento, sino en la expresión: una capacidad de ver las cosas y de transmitirlas de cierta manera personal, que Silvio, desalentado, confiesa a su amigo Linsöe que ignora cuál es:

> —...Tampoco el pensar antes que nadie una cosa vale ni sirve. El toque está en pensarla, y, sobre todo, en expresarla de una cierta manera...
> —¡Que yo ignoro cuál es! —fue mi triste comentario.

El personaje de Marbley sirve a la autora para plantear un tema más complejo de lo que parece a primera vista. Marbley representa al artista superficial que triunfa en la sociedad repitiendo lo que una vez le dio fama. Ya por boca de Silvio había aparecido el tema al criticar las exposiciones de arte:

> Los que exponen aquí (Salones de Bellas Artes), y los que he podido ver por ahí en exposiciones particulares, rehacen pálidamente el cuadro que hace veinte años les valió nombradía.

Con Marbley el tema se hace más dramático, porque el pintor es consciente de su decadencia[31]. Es un cínico, pero no un estúpido: «convencido, amargamente desengañado (...) iba a su fin sin escrúpulos». Y su fin no es la gloria, sino el provecho. Pero su cinismo no le libra del sufrimiento: ha te-

---

[31] Donald Fowler Brown ha señalado la influencia del personaje Bongrand, de *L'Oeuvre* de Zola, sobre Marbley: ambos se irritan cuando les recuerdan el éxito de una obra anterior que nunca más pueden repetir. *The Catholis Naturalism of Pardo Bazán*, Chapel Hill, The University of Nort Carolina Press, 2.ª ed., 1971, pág. 142.

nido talento, ya no lo tiene y la consciencia de ello lo convierte en un ser resentido y envidioso. La lección que Silvio aprende al conocerlo es que el talento no siempre dura lo mismo que la vida. En Marbley y en muchos es fruto juvenil, fuente que brota en la primera etapa de la existencia y después irremisiblemente se agota.

Todavía da otra vuelta de tuerca al tema del talento creador con la figura, esta vez real, del pintor belga Wiertz, que aparentemente reúne todos los rasgos externos del genio: facultades, vocación, entrega fanática a su tarea, y que «no era, sin embargo, capaz de pintar como un genio, y pintó como un loco raciocinador». Y Silvio, que sale del museo «asqueado» concluye: «Yo no podré, probablemente, ni pintar así. Tal vez no consiga ni disparatar de manera que salve mi nombre del olvido.»

Las dudas de Silvio acerca de su talento, frente a la tranquila seguridad de Minia, es quizá su único rasgo simpático, lo que humaniza su soberbia y lo acerca al común de los mortales. Porque Silvio duda, incluso, de lo que suele interpretarse como rasgo más seguro del talento: la vocación. «¿Y si yo no tuviese talento? ¿si, a pesar de mi vocación, de mi terca vocación, no tuviese talento ninguno?»

Y queda un último punto para comentar: el egoísmo del artista, que puede llegar a la crueldad de maltratar a quien lo estima para llevar adelante su obra. En la novela Silvio defiende su libertad —equivocadamente, pero esa es su intención— sin reparar en el daño que causa a Clara Ayamonte. Cuando muere Silvio, Minia se sienta al armonio a componer una nueva sinfonía, inspirada en lo que ha vivido, y doña Emilia se sienta a escribir una novela con Vaamonde por protagonista. Lo que nadie ha señalado y me parece evidente es que la Pardo Bazán fue tan despiadada con el pintor como Silvio Lago con Clara. Doña Emilia proporciona a Joaquín Vaamonde un recuerdo más amplio, más universal que el alcanzado por él mismo con su obra, apenas conocida fuera de Galicia[32]. Pero también ha vinculado para siempre la imagen

---

[32] Su obra está dispersa y no existen trabajos monográficos sobre él. Los únicos estudios son el de Juan Naya Pérez, «Joaquín Vaamonde» en *Generación*

del pintor real a la del insoportable Silvio Lago: un personaje egoísta, caprichoso, inestable, incapaz de llevar adelante sus deseos. Lo que ha quedado de Joaquín Vaamonde en sus cuadros al pastel es lo mejor de él: un artista elegante, refinado, idealizador del mundo femenino. Pero esa imagen contrasta violentamente, hasta el punto de parecer falsa, con la que nos ha dejado la novela. Nunca sabremos si fue real o inventada la escena en que Silvio pide que se lleven de su cuarto a su perra danesa, empeñada en jugar con él: «¡Que se lleven a esta fiera... Que me la quiten... Parece una mujer!»...

Verdadera o falsa, esa imagen se graba con la fuerza imperecedera de los aciertos artísticos. Y doña Emilia no dudó en crucificar al amigo, al protegido, al chico que se había acercado a ella para conseguir que su nombre pasase a la posteridad. Por encima de lo bueno está lo bello; por encima de la filantropía o la caridad, el arte. Y como base y sostén de todo, la vida.

doliente, Diputación Provincial de La Coruña, 1977. Y Francisco Pablos, *Pintores gallegos del novecientos,* La Coruña, Fundación Barrié de la Maza-Editorial Atlántico, 1981.

Las mujeres y la moral sexual

En sus ensayos o estudios teóricos sobre temas femeninos doña Emilia nunca sacó a relucir la cuestión de la sexualidad, probablemente por razones de prudencia o de cautela: bastantes enemigos le procuraban sus ideas literarias para echar leña al fuego con problemas morales. Sin embargo, desde *Insolación,* amparándose tras sus personajes, el tema sale a la luz en casi todas las novelas.

La postura más clara en este asunto la manifiesta en *Insolación,* obra de un momento de plenitud literaria y vital: su fama de novelista se ha afianzado tras la publicación de *Los Pazos de Ulloa* y *La Madre Naturaleza* y mantiene una relación estable con Galdós al tiempo que se ve solicitada por José Lázaro Galdiano, bastante más joven que ella. Todo esto debió de contribuir a que se decidiera a romper una lanza en público en pro de la igualdad de mujeres y hombres en cuestiones de sexualidad[1].

Por boca de Asís, la protagonista de la novela, defendió el derecho de las mujeres a manifestar su opinión acerca del atractivo físico de los varones. Por boca de Gabriel Pardo de la Lage, doña Emilia va más allá y critica la hipocresía social que alaba en los hombres la experiencia que condena en las mujeres. Hipocresía que hace extensiva al estamento religioso: no hay un pecado más para las mujeres. La benevolencia con que el confesor trata los pecados de amor masculinos es

---

[1] Véase sobre este tema mi *Introducción* a la edición de Espasa-Calpe, col. Austral, Madrid, 1987, págs. 9-36.

un reflejo de la moral social, no de un precepto religioso. El desarrollo de la trama da la razón a las tesis progresistas de la novela: la alegría y tranquilidad de Asís, asomándose a la ventana de su dormitorio con el hombre con quien ha pasado la noche, es una muestra del talante de la Pardo Bazán por aquellas fechas. El hecho de que los protagonistas hayan decidido casarse tras la noche de amor es, sin duda, una concesión a la moral de la época, lo mismo que algunos comentarios del narrador, pero no invalida las ideas allí expuestas y defendidas.

Este preámbulo era necesario antes de entrar en *La Quimera*, porque el tratamiento contradictorio que aquí recibe el tema sólo puede entenderse partiendo de la postura anterior.

Clara Ayamonte y sobre todo el doctor Luz serán los portavoces de las ideas sobre el tema de la sexualidad y no es casual la elección de un varón culto, serio y bueno para combatir los prejuicios sociales.

El doctor Luz se ha esforzado en hacer de Clara una mujer libre en un sentido profundo: sin falsos prejuicios, sin sentimientos patológicos de culpabilidad. Y así le dice (sus palabras aparecen reproducidas en la primera de las cartas de Clara a su padrino):

> De poco sirve poseer las condiciones de la libertad, si no tenemos un alma libre (...) No se trata de una precaución material para asegurar la libertad; yo quisiera ir más allá y liberarte en lo íntimo de la conciencia. Si fueses hombre, sería innecesario; la vida, para el hombre, es desde muy temprano escuela de libertad, hasta de licencia. Pero tú, ¡pobre mujer! dentro de ti misma están tus cadenas y tus hierros.

Ese sentimiento de injusticia ante la desigualdad social de hombres y mujeres en la cuestión sexual fue algo de lo que nunca abdicó la Pardo Bazán y en *La Quimera* insiste en ello. El doctor Luz previene a Clara de lo que va a suceder:

> Ahora empieza tu juventud, y es verosímil que se despierte en ti el sentimiento amoroso, con toda la intensidad que tu idealismo ha de prestarle (...) Cuando eso suceda, niña, es

57

preciso que tengas formada la convicción de que tan natural fenómeno y ... sus consecuencias, ni rebajan tu dignidad, ni quitan ni ponen a tu personalidad moral, mientras se desarrollen en el terreno de tu propio carácter, que es generoso y bellísimo. Tus pasiones, siendo como tuyas, en nada te deshonrarán.

Su recomendación de que oculte sus pasiones a los ojos de los demás es sólo una medida de prudencia. Lo importante es que en su interior ella no se sienta culpable:

> Si las sustraes a la malignidad del mundo, procederás con cordura, como procede el que se defiende de una fiera dañina; pero eso no es lo que importa: es que en tu interior no te creas humillada ni culpable porque te sucede lo que viene sucediendo a la humanidad desde su origen. Contra esa falsa, injusta preocupación, quisiera defenderte, pertrecharte.

Son las mismas ideas que Gabriel Pardo de la Lage defendió en *Insolación* y antes en *La Madre Naturaleza* cuando Manolita, su sobrina, tras su incestuosa relación con Perucho se siente culpable. Gabriel pide al cura que convenza a la chica de su error: «Hágale usted comprender que nada ha perdido, que no está ni infamada, ni maldita»...[2]. Pero Julián, el cura, no compartía las ideas de Gabriel, y Manolita acaba encerrándose en un convento.

En *Insolación* dirá Gabriel:

> Una mujer de instintos nobles se juzga manchada, vilipendiada, infamada por toda su vida a consecuencia de un minuto de extravío (...) La mujer se siente infamada, después de una de esas caídas, ante su propia conciencia, porque le han hecho concebir desde niña que lo más malo, lo más infamante, lo irreparable, es eso; que es como el infierno, donde no sale el que entra[3].

La actitud de Clara respecto a las enseñanzas de su padrino

---

[2] *La Madre Naturaleza*, Barcelona, Daniel Cortezo y Cía., editores, 1887, pág. 243.
[3] Ed. cit., págs. 121 y 123.

es semejante a la de Asís Taboada respecto a Gabriel Pardo de la Lage: primero se escandalizan y discuten sus ideas, pero al final se dejan convencer por la fuerza de sus argumentos. Hay, además, cierta similitud entre las escenas de las dos novelas, que se advierte, incluso, en las imágenes empleadas: «flechas certeras» son las palabras del doctor luz. «Saetas bien disparadas» las de Gabriel Pardo de la Lage. Comparemos los dos fragmentos:

> *Insolación:* Los dichos del comandante, que al pronto lastimaban sus convicciones adquiridas, entraban, sin embargo, como bien disparadas saetas hasta el fondo de su entendimiento y encendían en él una especie de hoguera incendiaria, a cuya destructora luz veía tambalearse infinitas ideas de las que había creído más sólidas y firmes hasta entonces. Era como si le arrancasen del espíritu una muela dañada: dolor y susto al sentir el frío del instrumento y el tirón; pero después un alivio, una sensación tan grata viéndose libre de aquel cuerpo muerto... Anestesia de la conciencia, con cloroformo de malas doctrinas, podría llamarse aquella operación quirúrgico-moral[4].

Obsérvese cómo el comentario del narrador intenta paliar la radicalidad del ataque a las ideas morales de Asís (que eran las de la sociedad de su época), que son calificadas de «muela dañada» y de «cuerpo muerto». Veamos ahora el fragmento de *La Quimera:*

> Encontraba placer en repetirte que no estábamos conformes, en refutarte (así lo creía) con argumentos de un exaltado romanticismo; y mientras lo hacía, allá dentro de mí, hasta lo más recóndito de mi pensar, como flechas certeras que rasgan la carne y cortan el hueso hasta el tuétano, penetraban tus razonamientos, tus ironías, tus indignaciones contra la mentira social, los convencionalismos absurdos y las leyes del embudo, aceptadas dócilmente por sus propias víctimas.

A Asís Taboada, además de las palabras de Gabriel, la convence su propia experiencia. El caso de Clara es diferente. Se

---

4 *Idem,* pág. 123.

deja convencer sobre todo por la idea de justicia que subyace en la actitud de su padrino:

> ...entre lo acerbo de tus enseñanzas venía lo tónico de la idea de justicia, que me habituaste desde la niñez a considerar eje del mundo moral; y a favor de esta idea, se infiltraban en mí las demás que de ellas deducías.

El desarrollo de la acción demuestra que las enseñanzas del doctor Luz, en vez de ayudar a Clara, la han perjudicado. A través de explicaciones y comentarios de un narrador nada objetivo se nos da la clave, que reducida a su esencia es la siguiente: los espíritus superiores necesitan soluciones trascendentes.

Los sentimientos de culpabilidad y «terror» de la madre de Clara «no se originaban de haber ofendido y engañado a ningún hombre, de haber quebrantado ninguna ley humana, sino de haber olvidado lo infinito, encenagándose en felicidades de arcilla».

El intento del doctor de apartar a Clara de la religión («el camino de la gran verdad») para evitarle inútiles escrúpulos ha sido vano, porque esa verdad se abre paso, en ciertos espíritus, sin necesidad de que «se la inculquen ni que se la prediquen». Pero con esto hemos pasado del tema sexual al religioso, que es otra cuestión.

En la novela no se condena la libertad que, en materia de relaciones amorosas, ha tenido Clara. Lo que se condena es el amor humano. Rechazada por Silvio, Clara se da cuenta del engaño en que ha vivido: «Lo vil, lo miserable, es esto que llaman amor. ¡Qué vergüenza!»

Clara Ayamonte no se avergüenza de haberse entregado a Silvio sino de haber depositado sus ansias de sacrificio, de ideal en algo tan bajo como el ser humano. Igual que sucederá a Natalia Mascareñas, Dios es el único objeto digno del amor de estos espíritus superiores, que «se equivocaron al entrar en los infiernos pasionales, donde encontraron la maldita llama y los sabores de ceniza de las manzanas del mar Muerto».

Excepto en *Insolación* la actitud de la Pardo Bazán sobre el amor humano es pesimista: o se trata de un espejismo o de un deseo irrealizable, como el amor de Perucho y Manolita, o el de don Benicio Neiras por doña Milagros. Y esa postura se acentuó con los años. Lo mismo hay que decir respecto a «las consecuencias» de ese amor, es decir, las relaciones íntimas que de él se derivan[5]. El modo de referirse a ello no parece dejar lugar a dudas sobre la opinión que le merecen: cieno, felicidades de arcilla, infiernos pasionales, sabor de ceniza... Lo único que cabe añadir es que esa descalificación afecta por igual a las dos mitades del género humano. Doña Emilia nunca se retractó de la tesis defendida en *Insolación:* no hay un pecado más para las mujeres.

---

[5] Desarrollo este tema con mayor amplitud en «De *Insolación* a *Dulce Dueño:* notas sobre el erotismo en la obra de Emilia Pardo Bazán», en *Eros Literario,* Editorial de la Universidad Complutense, 1989, págs. 127-136.

Estructura novelesca

El eje que estructura el discurso novelesco es el espacio en el que tiene lugar la acción. Ese papel preponderante fue subrayado por la autora dando un título a cada una de las partes en que se divide el relato: I Alborada, II Madrid, III París, IV Intermedio Artístico, V París, VI Alborada. La novela presenta una estructura circular y unas partes bien determinadas: empieza y acaba en el mismo lugar y se desarrolla en dos escenarios que pudiéramos llamar fijos: Madrid y París, con el intermedio de un viaje, cuyos puntos están también perfectamente fijados mediante epígrafes: Bruselas, Amberes, La Haya, Harlem, Amsterdam, Brujas y Gante.

La acción de la novela se articula siguiendo las relaciones del protagonista con tres personajes femeninos, vinculado cada uno de ellos en líneas generales a un espacio: Minia Dumbría a Alborada, Clara Ayamonte a Madrid y Espina Porcel a París. Aunque Espina aparece ya en Madrid y Minia es un interlocutor constante del protagonista, ya en persona, ya como destinataria de sus cartas, la relación de espacios y personajes es importante en la estructura de la novela.

Las determinaciones temporales no son tan precisas. La primera parte, Alborada, comienza una mañana de otoño, y se desarrolla a lo largo de varios días, a lo sumo una semana. En la segunda parte, Madrid, el diario de Silvio marca el paso del tiempo de noviembre a junio. En la tercera, París, faltan referencias exactas en cuanto al tiempo, indicando sólo que se desarrolla en el verano. El viaje que constituye la cuarta parte dura menos de dos semanas, según se indica al final del mismo: «El hombre que va a pasar la frontera francesa (...) no es el mismo que la ha pasado con dirección a Bruselas, hace próximamente dos semanas.» En la quinta parte nos encontramos ya en el otoño, a juzgar por las referencias a la helada y a Espina Porcel, de quien antes se ha indicado que regresaba de su veraneo «hacia mediados de octubre». La parte final empieza tras un lapso temporal impreciso. Dejamos de ver al protagonista en octubre, y es un mes de mayo cuando Minia recibe una carta de él. Suponemos que se trata de la primavera del año siguiente, pero no es seguro. Las labores del campo marcan la sucesión del tiempo en esa parte. Silvio muere al acabar el verano. Se habla de una «noche estival», pero también se dice que «la otoñada se acerca». Transcurren, pues, cuatro meses, más o menos.

La autora concentró así los cinco años de la historia de Joaquín Vaamonde en dos años escasos del discurso novelesco, aumentando la intensidad dramática del tema[1].

La precisión de las referencias espaciales y también, aunque menos, de las temporales, tiende a resaltar la sensación de estructura sólida, bien trabada, propia de las novelas anteriores de la Pardo Bazán. Sin embargo, *La Quimera* da la impresión de estructura deslavazada y creo que se debe a la pluralidad de las voces narrativas y la diversidad del tono empleado.

La primera parte está contada por un narrador en tercera persona, omnisciente neutral[2], es decir, que cuenta lo que sienten y piensan sus personajes, pero se abstiene de hacer comentarios. Comienza con una descripción del paisaje y a continuación una serie de escenas[3] que sitúan al protagonista en

---

[1] Empleo por su claridad y sencillez los términos «historia» y «discurso» en el sentido que lo hace Darío Villanueva en *El comentario de Textos narrativos: la novela*, Gijón, Aceña editorial-ediciones Júcar, 1989, págs. 15-17. Estos términos equivalen a los de «story» y «plot» de la crítica anglosajona, a los de «fábula» y «sujeto» del formalismo ruso y el «recit raconté» y «récit racontant» de la «nouvelle critique» francesa.

[2] Utilizo la terminología de Norman Friedman en su ya clásico estudio «Point of view in fiction: the development of a critical concept», *PMLA*, 70, 1955, 1160-1184.

[3] Sigo la distinción, comúnmente aceptada, que estableció Percy Lubbock en su libro *The craft of fiction*, Londres, 1921, entre «escenas», o partes dialogadas del discurso y «panoramas» o resúmenes del narrador.

un ambiente rural primero, y a continuación en uno aristocrático, que será el más habitual del relato. Aparece aquí un
personaje importante en la acción, que reaparecerá en otras
partes: Minia Dumbría.

La imprecisión temporal en la parte primera creo que es
recurso voluntario de la autora, ya empleado en *Insolación*. La
abundancia de escenas, al hacer más lento el discurso, provoca en el lector la impresión de que el tiempo transcurrido es
más largo, y así está más proclive a entender y aceptar la intimidad que se crea entre Silvio y Minia, rara entre dos personas tan distintas y que sólo se tratan un rato a lo largo de tres
días (Probablemente la autora no quiere falsear ese dato, ya
que en repetidas ocasiones afirmó que ese fue el tiempo que
en la realidad tardó. Vaamonde en pintar su primer retrato).

La segunda parte es la más embrollada en lo que se refiere a
la voz narrativa. Empieza con el diario de Silvio Lago; estamos, por tanto, ante un narrador en primera persona, que
cuenta los hechos desde su peculiar punto de vista, y que
marca el tiempo, de noviembre a febrero, muy imprecisa-
mente, con un apunte inicial del mes. Alterna el relato de hechos presentes, actuales o habituales, con otros del pasado:
«He visto el museo», «Mi comida es una desolación», «No experimento gran entusiasmo, en general, por la pintura antigua», «Me siento mal, muy mal, parece que dentro del estómago tengo una barra de plomo»... Así nos enteramos de los
primeros éxitos sociales de Silvio y de sus amores con Clara
Ayamonte.

A la narración en primera persona de Silvio sucede la de
Clara: a través de sus cartas al doctor Luz se nos da otra visión
de los hechos y sobre todo del personaje de Clara Ayamonte.
En teoría es este planteamiento muy interesante y un enri-
quecimiento de la perspectiva única[4], pero en la práctica no
está bien resuelto.

---

[4] Las técnicas perspectivistas se emplearon siempre en la narrativa, pero
se desarrollaron sobre todo a partir de las teorías de Henry James expuestas
en los prólogos a sus novelas y en el libro *The Art of the Novel*. Véase sobre este
punto el estudio de Mariano Baquero Goyanes, recientemente reeditado, *Estructuras de la novela actual,* Madrid, Castalia, 1989.

Doña Emilia no domina las técnicas de la introspección y falla sobre todo en el empleo del monólogo, en el que Galdós era maestro y que también Clarín manejó con sumo acierto. Los diarios de Silvio suenan a falso, sus coloquialismos no convencen y con frecuencia cae en el discurso o la digresión didáctica. Y lo mismo sucede con las cartas de Clara: para enterar al lector de su pasado se pone a contarle a su padrino sucesos que él, obviamente, sabe de sobra y en un estilo que queriendo ser familiar resulta ridículo:

> Al principio dedicaste toda tu ciencia —¡mira si es dedicar!— a robustecerme: tuviste que pelear como una fiera, mejor dicho como un héroe, con mi delicadísima complexión y mi propensión a recoger el contagio o el germen infeccioso que pasase (...) Mientras duraron mi niñez y mi primera juventud, me diste enseñanzas que revestían la sinceridad de la ciencia; y aunque no me mantuviste en ridículos y pueriles errores, por tal arte supiste respetar mi pudor, que mi imaginación se conservó limpia: más limpia acaso que la de muchachas a quienes se pretende rodear de misterios y mentiras ñoñas.

La Pardo Bazán se siente incómoda en estas narraciones en primera persona, e introduce en ellas otras voces mediante el diálogo, tanto en las cartas de Clara como en el diario de Silvio, donde encontramos verdaderas escenas dialogadas, similares a las de los relatos en tercera persona. Por ello, tras la última carta del doctor Luz, sin que veamos la razón, aparece de nuevo un narrador omnisciente en tercera persona, que marca el tiempo con el mismo procedimiento que el diario, es decir, poniendo al comienzo el mes de que se trata. Así se cuenta lo que sucede en los meses de marzo y abril.

Quizá el paso a la tercera persona no tenga más justificación que el cansancio de utilizar un procedimiento que no acaba de dominar, pero es posible que se deba a un deseo de objetividad o «impasibilidad» narrativa, caballo de batalla de la narrativa decimonónica[5]. En esa parte se cuentan dos suce-

---

[5] El deseo del autor realista de desparecer detrás de lo narrado fue formulado por primera vez de forma explícita por Flaubert, cuya repugnancia ha-

sos muy importantes de la historia: la ruptura de Clara y Silvio y la «conversión» (escena de los rayos X) de Clara. Es posible que doña Emilia quisiera contarlos desde el punto de vista de un narrador imparcial y no desde el de uno u otro de sus personajes. De todas formas, resulta torpe la forma de puntualizar el tiempo y, sobre todo, equívoca, porque se confunde con la continuación del diario que se reanuda en mayo.

El diario de Silvio del mes de mayo se contrapone al monólogo de Clara en las cuatro meditaciones. Se trata de nuevo de dos puntos de vista, no sobre los mismos hechos, pero sí de sucesos que se desarrollan al mismo tiempo: mientras Silvio se preocupa de situarse socialmente, Clara inicia su ascensión por el camino de la mística.

Las meditaciones de Clara dan paso inmediatamente a una narración en tercera persona en la que se nos cuenta la decisión de la dama de profesar, la confidencia del doctor Luz acerca de sus relaciones con la madre de Clara y el viaje hacia el convento.

De nuevo, para cerrar esta segunda parte, aparece la narración en primera persona del diario de Silvio durante el mes de junio. Cuenta sus impresiones sobre la profesión de Clara y el efecto social que produce. Y empieza a desarrollarse un nuevo personaje femenino: Espina Porcel. En esta parte final el monólogo de Silvio deja paso constantemente a otras voces, organizándose en escenas dialogadas.

La tercera parte está toda ella contada en tercera persona por un narrador omnisciente que hace ostentación desde el primer momento de su capacidad de saber lo que siente y

cia la intromisión del autor en la novela es proverbial. En carta a su amante Louise Colet le dice a propósito del libro que está escribiendo: «Estoy tratando de ser impecable y de seguir una estricta línea geométrica: ni lirismo, ni comentarios; la personalidad del autor, ausente.» Cito por Germán Gullón, *El narrador en la novela del siglo XIX,* Madrid, Taurus, 1976, pág. 14.

La Pardo Bazán comenta así ese rasgo: «Si exceptuamos a Daudet, todos los naturalistas y realistas modernos imitan a Flaubert en la *impersonalidad,* reprimiéndose en manifestar sus sentimientos, no interviniendo en la narración y evitando interrumpirla con digresiones o raciocinios», *La cuestión palpitante,* en *Obras Completas,* t. III, Madrid, Aguilar, 1973, pág. 627.

piensa su personaje: «Sentar el pie en la estación del Quai d'Orsay no causó a Silvio el efecto que se había figurado...» También al acabar nos aclara la razón que lleva a Silvio a escribir a Minia:

> No por necesidad afectiva, que sólo experimentaba en los momentos amargos, sino por no dejar evaporarse impresiones vehementes que hubiese deseado conservar intactas, Silvio escribió entonces casi a diario y largo a Minia Dumbría, con encargo expreso de que no rompiese las cartas y las guardase en un armario vetusto de Alborada, atadas con una cinta de seda, entre *lesta* y hojas de hierbaluisa, para reclamárselas alguna vez como si fueran «otra cosa».

Estas cartas constituyen la parte IV: el «Intermedio artístico» en el que vuelve, por el procedimiento epistolar, a la primera persona. En ellas establece un diálogo muy vivo y animado con su interlocutora ausente y también reproduce los diálogos que mantiene con su amigo Linsöe.

Esas cartas reflejan las mismas experiencias que la Pardo Bazán había ya contado a sus lectores, también en primera persona, en las páginas de *El Imparcial*[6]. Y que más tarde recogió en el libro *Por la Europa católica*.

Las partes quinta y sexta mantienen el narrador omnisciente en tercera persona sin que haya nada especial que comentar sobre este punto.

La mayor parte de la novela está escrita en tercera persona, como hemos visto, y resulta sorprendente que, interesándole indagar en la intimidad de sus personajes, haya renunciado a un procedimiento que maneja con gran maestría: el discurso indirecto libre, que tan buenos resultados le había dado para la introspección del personaje de don Julián en *Los Pazos de Ulloa*. Lo usa alguna vez, pero prefiere la inmediatez del directo, reproducido mediante comillas o con los signos del diálogo. Voy a poner un ejemplo de los dos procedimientos:

---

[6] En la sección titulada «Por la Europa católica» publicó en 1901 una serie de artículos en los que reflejó sus experiencias del viaje. Son, por tanto, anteriores a la primera redacción de la novela, que es de 1902, y pudieron influir en la elección de la primera persona para reflejar la experiencia artística del personaje.

Indirecto libre:

Para fondo de esta página Silvio pensaba estudiar la melancólica aridez de un arrabal trabajador de París. Pero no se atrevió, asaltado de escrúpulos de conciencia. ¡Un cuadro de composición! ¡Ridículas pretensiones! Dibujar, dibujar... lo otro vendría: estaba seguro de ello, vendría a su hora...

Directo:

En el taller, solo, con la cabeza de Bobita descansando en sus rodillas, esta idea víbora se le enroscaba en el corazón. «¿Y si yo no tuviese talento? ¿si, a pesar de mi vocación, de mi terca vocación, no tuviese talento ninguno?»

La reproducción de los pensamientos del personaje en estilo directo es mucho más frecuente y es posible que se deba a que el discurso indirecto libre es un procedimiento habitual en la novela naturalista y la Pardo lo asimila a esa etapa. Por ello se inclina en *La Quimera* por el discurso directo ya sea en monólogo, ya en diálogos.

La variedad de voces narrativas se corresponden con la variedad de tonos y estilos. La obrilla de teatro que sirve de prólogo tiene un tono elevado y un carácter simbólico que volvemos a encontrar en la novela en algunos pasajes: en la lectura de la obra de Flaubert al comienzo, en las cuatro meditaciones de Clara Ayamonte, y en el fragmento del sueño de Silvio, en el mes de junio de la parte II. En los diarios, por el contrario, se intenta un tono íntimo, coloquial, pero raramente se consigue. Es un discurso culto, con abundantes alusiones y recuerdos literarios o artísticos. Y lo mismo hay que decir de la voz del narrador omnisciente y de los diálogos. Tanto en la voz del narrador como en la de los personajes sorprende la cantidad de vocablos e incluso frases de otros idiomas que aparecen, sobre todo del francés e inglés.

La variedad de la construcción novelesca de *La Quimera* ha sido muy diversamente estimada por la crítica. Pattison considera *La Quimera* la mejor obra de la autora y cree que ejemplifica mejor que ninguna otra la fórmula literaria de la Pardo

Bazán: «an eclectic combination of Realism and Idealism»[7]. Otros, por el contrario, como Pérez Minik, ven en la construcción los mayores fallos de la obra:

> La novela es irregular y desacertada. Su composición hermafrodita, pues quiere participar de la medida de «unas memorias», del tono objetivo y hasta de la confesión lírica. La verdad es que con todos estos elementos dispersos nos encontramos con un rompecabezas, difícil de construir, ante la ausencia de una mano rectora que unifique y sedimente[8].

En mi opinión la novela tiene, en lo que se refiere a la construcción, algunos fallos claros a los que ya aludí: el paso injustificado a la tercera persona en la parte segunda, la utilización del procedimiento del diario para marcar el tiempo, y la torpeza en la introspección mediante el monólogo. A éstos podemos añadir la excesiva longitud de algunas escenas dialogadas, sin acción ni análisis introspectivo, como es la de Solar del Fierro enseñando sus colecciones a Silvio y Espina. Y, aunque está resuelto con habilidad, el Intermedio Artístico no deja de ser, desde un punto de vista estrictamente narrativo, un pegote, en el que se acumulan las opiniones sobre Arte y que muy poco aporta al conocimiento del personaje o de la historia que se está narrando.

A pesar de estos efectos, hay que decir en defensa de la autora que tuvo el mérito de abandonar, a los cincuenta años y cuando era una artista consagrada, la fórmula conocida y trillada de la novela realista para intentar nuevos caminos, más acordes con la nueva sensibilidad. De ninguno de sus colegas, excepto de Galdós, se puede decir otro tanto.

---

[7] Walter T. Pattison, *Emilia Pardo Bazán,* ed. cit., pág. 85.

[8] Domingo Pérez Minik, *Novelistas españoles de los siglos XIX y XX,* Madrid, ed. Guadarrama, 1957, págs. 124-125.

La construcción de personajes

Es un tema difícil de analizar en esta novela porque sobre ella gravita el peso de la autobiografía y de las claves, como ya vimos. Decir de Silvio Lago que es un personaje convincente, «de carne y hueso» parece una ironía, porque en efecto era una persona de carne y hueso. Y, sin embargo, es obvio que se trata de un personaje bien trazado y bien resuelto y que eso no depende de su vinculación a la realidad sino del arte de la novelista.

Unamuno llegó a afirmar y dio por cosa sabida que doña Emilia no inventaba sino el estilo, y que en todas sus novelas los personajes y temas estaban copiados de la realidad. Como la afirmación es muy curiosa transcribo íntegra la cita:

> Sabido es que el asunto y hasta el argumento de *La Quimera* y su desarrollo mismo, como el de las demás novelas de doña Emilia —entre las que acaso sobresale ésa— son tomados directamente de la realidad inmediata y concreta —porque hay otra—, y que la autora no inventa sino... lo más y mejor que se puede inventar: el estilo. Muchas veces le he oído que ella no inventaba ni personajes, ni caracteres, ni situaciones, ni escenas. Veía y miraba, oía y escuchaba, espiaba y observaba, y luego llevaba todo ello a sus ficciones. Para lo que se servía de una maravillosa memoria[1].

---

[1] Miguel de Unamuno, «Recuerdos personales de doña Emilia», *Nuevo Mundo,* 27 de mayo de 1921.

Creo que Unamuno desvirtúa y deforma los comentarios de doña Emilia sobre su forma de novelar. La escritora era, igual que sus colegas de generación, gran observadora de la realidad y partidaria de una novelística basada en esa observación y no en la fantasía, como ocurría en la novela romántica. En los *Apuntes Autobiográficos,* deja clara cuál es su posición sobre este punto:

> Aunque la afirmación sorprenda, yo no he *copiado* jamás ninguno de los (personajes) que en mis novelas figuran. Sobre que en ocasiones no es lícito ni delicado copiar, no es artístico nunca (...) Una crónica puede ser narración fiel y exacta de sucesos verdaderos y nada más; a la novela entiendo que no le basta, ni tampoco a la historia. Ni en una ni en otra caben falsedades: todos los elementos han de ser reales: sólo que la verdad se ve y resalta mejor cuando es libre, significativa, y creada por el arte[2].

Si existiese una biografía documentada de Joaquín Vaamonde[3] podríamos estudiar en qué medida o en qué sentido doña Emilia había manipulado los datos de la realidad, pero como no es así, pienso que para un análisis correcto del personaje hay que prescindir de su modelo y ajustarnos estrictamente a lo que aparece en la novela.

No podría decir si se equivocan quienes piensan que la condena moral o la antipatía que despierta en muchos lectores Silvio Lago surge en contra de las intenciones de doña Emilia, que habría pretendido exaltar y justificar a su protegido Vaamonde. O, si por el contrario, la autora, poniendo el arte por encima de cualquier otra consideración, lo que quiso fue crear un personaje de corte decadentista, en el que contrasta la apariencia atractiva con una baja calidad moral, una especie de don Juan, egoísta, ambicioso, que consigue el favor

---

[2] «Apuntes Autobiográficos», publicados como prólogo la primera edición de *Los Pazos de Ulloa,* Barcelona, Daniel Cortezo y Cía. editores, 1986, págs. 79 y 80.
[3] Ya hemos indicado antes que los únicos estudios son el de Juan Naya Pérez, «Joaquín Vaamonde», en *Generación doliente,* Diputación Provincial de La Coruña, 1977. Y Francisco Pablos, *Pintores gallegos del novecientos,* La Coruña, Fundación Barrié de la Maza-Editorial Atlántico, 1981.

de las mujeres, que las utiliza, que medra con su ayuda y que en el fondo las desprecia. Un hombre débil, incapaz de realizar sus sueños, brutal con los que están por debajo de él y servil con los poderosos.

De lo que no cabe duda es de que predominan los rasgos negativos sobre los positivos y que todos ellos se articulan en torno a una pasión fundamental, como sucede habitualmente en la novela realista[4]: la ambición artística, o, con palabras de la autora, la alta aspiración.

Los datos que el lector recibe sobre el personaje proceden, como es también normal en la novela del siglo XIX, de tres fuentes: la información que proporciona el narrador omnisciente, los comentarios de otros personajes y las palabras y acciones del personaje mismo.

En *La Quimera* predomina la tercera fuente de información, que es el camino de la novela del siglo XX: lo más importante del personaje nos llega a través de sus palabras y acciones. Es el lector el que saca conclusiones sobre su carácter y su catadura moral a la vista de sus actos.

Por lo que se refiere a Silvio Lago, son escenas fundamentales las de su relación amorosa con Clara Ayamonte, tanto la que pudiéramos llamar «de la seducción» (que Silvio cuenta en el diario) como la de la ruptura. En estas escenas lo que he llamado manipulación artística es más evidente que en otras, ya que resulta obvio que doña Emilia no pudo tener acceso a la realidad y por tanto son creaciones en su sentido más estricto.

En la escena de la seducción es sorprendente que, tratándose de la confesión en un diario, nos quedemos sin saber los móviles que impulsan al personaje a actuar. Queda constancia de su indiferencia, de su frialdad ante la mujer, de sus sentimientos de ridículo e incluso de repugnancia. La única sen-

---

[4] Comparto la opinión, con todas las salvedades y excepciones que el crítico establece, de A. Amorós, que, partiendo de la distinción clásica de Forster entre «round characters» y «flat characters» afirma: «lo normal en la novela del siglo XIX es el personaje "plano", unilateral, sólidamente construido y que, por ello, se recuerda con gran facilidad», *Introducción a la novela contemporánea,* Madrid, Cátedra, 1976, pág. 60.

sación grata que recibe es la del calor y la suavidad de la piel de nutria del abrigo de la dama. ¿Qué es entonces lo que le impulsa a conquistarla? Si comparamos estas confesiones con las páginas de *Rojo y negro* en las que Julián Sorel desnuda su alma, o más tarde con las de *A la recherche du temps perdu,* advertiremos la torpeza para la introspección a la que antes me he referido. Silvio da como única justificación de su conducta la rutina: «la rutina me obliga a murmurar al oído de Clara cosas tiernas». ¿Qué quiere decir con eso? ¿que se ajusta a lo que la sociedad espera de un hombre en esas circunstancias? ¿y de dónde procede tanto desdén y tanta repugnancia? Se pregunta Silvio «¿no hay en esto algo de anormal?». Y el lector se lo pregunta también.

La escena de la ruptura, contada por un narrador omnisciente, no aclara los móviles de su violento rechazo; sólo queda de manifiesto la impaciencia, «rayana en repugnancia» que la mujer le provoca. Y cuando de nuevo vuelve sobre esa escena en la conversación con Minia Dumbría, lo que aclara es las razones que le llevaron a negarse a la propuesta de matrimonio de Clara: quiere seguir siendo libre. Pero no explica los motivos de su cruel y agresivo comportamiento con la mujer que le estaba ofreciendo la posibilidad de realizar sus sueños de artista.

En sus monólogos, el personaje no se analiza: se define y se describe y tiene que ser el lector quien saque conclusiones por su cuenta. En la anotación del diario del mes de diciembre dice Lago:

> La mujer es un peligro en general; para mí, con mis propósitos, sería el abismo. Por fortuna, no padezco del mal de querer. Hasta padezco del contrario. No hay mujer que no me canse a los ocho días. Cuando estoy nervioso me irritan: las hartaría de puñetazos.

Inmediatamente nos informa —el procedimiento es muy tosco, muy poco sutil— de que esos sentimientos contrastan de modo chocante con su apariencia de galán romántico, que hace creer a las mujeres en un corazón sensible al amor. Y asegura que el engaño que provoca su aspecto es ajeno a su voluntad, aunque él lo refuerce con gestos, palabras y actitudes. Su actuación obedece, según parece creer, a una especie de fatalidad inevitable: seduce sin saber por qué lo hace. O quizá no quiere saberlo.

> ¡Concilien ustedes esto con mi cara soñadora y mis ojos llenos de vaguedad romántica, que tantos timos han dado involuntariamente! Lo malo es que no doy el timo sólo con los ojos; lo doy, sin querer tampoco, con la voz, con el gesto y con la frase. Y estoy notando el efecto, y pienso que no es un proceder honrado, y sigo adelante, y recargo la suerte... Fatalidad ya irremediable. No lucho...

En ocasiones, el narrador omnisciente justifica y da la razón al personaje en situaciones en que la mayoría de los lectores condenan su actitud. Así sucede en la escena en que Silvio va a pedir a la baronesa Dumbría el dinero que ella le tiene guardado. El narrador justifica la grosería de Silvio como una «reacción de poesía bohemia» (Silvio le dice a la baronesa: «ese dinero es mío» y «ahora me da la gana de llevármelo todo»). Y después se esfuerza en resaltar su arrepentimiento y su encanto (dice que sonríe a la dama «con la dulzura halagüeña de un niño»). Pero los esfuerzos del narrador no bastan para contrarrestar el peso de las palabras del personaje. La reacción del lector parece estar puesta en boca de Minia: «Yo en su lugar le mando a paseo.»

La Pardo Bazán no lleva hasta el fondo el análisis del personaje: pinta sus contradicciones, el contraste entre su apariencia y su interior, pero deja la interpretación al lector. Yo he hablado antes de misoginia, de odio a las mujeres. Algún crítico apunta hacia la homosexualidad[5].

La novela no proporciona ningún dato claro en este sentido. Creo que cualquiera de las notas que pudieran interpretarse así tienen también una explicación de otra clase.

La preferencia por los modelos masculinos obedece a su

---

5 Daniel S. Whitaker habla de «ambivalencia sexual» y pone en relación este rasgo del personaje con otros novelistas «decadentistas» como Huysman o Wilde. *La Quimera de Emilia Pardo Bazán y la literatura finisecular,* ed. cit., págs. 39-41.

deseo de realizar una pintura realista, fuerte, sin los amaneramientos a que le obliga el retrato femenino. Y éste puede ser también el motivo de su admiración en el teatro por la figura del maestrante de Ronda. Recordemos:

> A mi derecha tengo un gallardo, un magnífico maestrante de Ronda. Su casaca ceñida le presta arrogancia militar, bombeando y diseñando el bien formado pecho; sus calzones blancos modelan sus esculturales muslos. Mira con mezcla de interés y desdén a los palcos, sonríe de vez en cuando a una cara conocida, arquea las cejas de puro ébano, contrae una frente juvenil, encuadrada por el pelo negro alisado exageradamente, según el decreto de la moda. Se ve que tiene calor y que más bien se aburre que otra cosa... pero sería lástima que se fuese, con tan hermosa estampa.

La amistad con Linsöe tiene rasgos que se prestan al equívoco. Se conocen casualmente y se hacen amigos enseguida: «A mi lado, en la mesa del hotel, se sienta un viajero con el cual ligo inmediatamente.» Linsöe participa también del rechazo a la mujer:

> Desde que conozco la verdad en la belleza, no he cometido pecado impuro; huyo de la mujer como de un abismo; mejor diría, como se huye de una charca cuando se va vestido de blanco.

La primera reacción de Silvio es reírse: «El latino malicioso que hay en mí se echó a reír a carcajadas.» Después se da cuenta de que no son tan distintos: «Al fin y al cabo si yo no llego al extremo de abnegación de usted, el sueño de mi arte me domina hasta tal punto, que me ha privado de la facultad de amar. Y no he amado, ni amaré.»

La escena en que admiran el retablo de *El Cordero místico* pone de relieve la comunidad de emociones y la necesidad de comunicárselas el uno al otro de un modo físico, cogiéndose de las manos: «Nos apretábamos las manos de tiempo en tiempo, furtivamente.»

Como la homosexualidad es dudosa, yo prefiero la hipótesis de la misoginia de Silvio, que queda de relieve en escenas que son innecesarias para el desarrollo de la acción y que sólo sirven para subrayar rasgos del carácter del personaje. En este sentido me parece definitiva la escena en que Silvio pide que se lleven de su cuarto a su perra danesa, y muy significativo el adjetivo de «inexplicable» con que el narrador califica la actitud de Silvio:

> ...Luego retornaba a halagar a su amo, arrojándosele al cuello o mordiéndole y lamiéndole las manos consuntas, estremecidas bajo la lengua fresca y violenta del animal. Y entonces Silvio, con acento de hastío inexplicable, volvíase hacia la baronesa, implorando:
> —¡Que se lleven a esta fiera... Que me la quiten... Parece una mujer!

Frente a Silvio Lago se encuentran tres personajes femeninos mucho más someramene trazados: Minia Dumbría, Clara Ayamonte y Espina Porcel[6]. La novela se articula siguiendo las relaciones del protagonista con estas tres mujeres.

Minia es un personaje funcional: sólo se desarrollan los rasgos que la configuran como artista consagrada, en contraposición con el protagonista, que aspira a esa condición. Nada se nos dice de su pasado o de su vida sentimental. Apenas nada de su familia. Y de su carácter se destacan los rasgos que se oponen a los de Silvio: frente a la inestabilidad emocional y nerviosa de él, ella es «idólatra de *self control*»; frente a su imprevisión e imprudencia, la sensatez y buen sentido; frente al miedo a la muerte, el constante pensamiento de ella. El único rasgo que parece tener independencia de la función es la melancolía soñadora.

Clara tiene un mayor desarrollo como personaje y se teje en torno a ella toda una historia novelesca sobre su pasado y la relación con el doctor Luz. En la novela se destaca sobre todo su relación con Silvio, su carácter de «víctima», su generosi-

---

6 Sobre este punto dice Robert E. Osborne: «El estudio de estas tres mujeres es de sumo interés para el lector. Pocos novelistas españoles han superado este análisis de varios tipos de mujeres y, que yo sepa, ninguna escritora española ha hablado con tanta claridad de su sexo, por lo menos en 1905.» *Emilia Pardo Bazán, su vida y sus obras,* ed. cit., pág. 116.

dad frente al egoísmo del hombre, pero hay rasgos que son independientes de la relación con el protagonista y que veremos desarrollarse en personajes de novelas posteriores: el deseo de absoluto, la necesidad de vivir intensamente un ideal, el desengaño de los bienes mundanos. Creo que Clara Ayamonte es, en este sentido, un antecedente de Natalia Mascareñas de *Dulce Dueño*[7].

Espina Porcel es el personaje más libresco y menos convincente, y toda la crítica lo ha señalado desde la aparición de la novela[8]. Representa el estereotipo de la «femme fatale», muy común en las novelas de la época. El personaje está definido desde su aparición por boca de Silvio: «Percibo en ella bajo su estilo ultramodernista y decadente, elementos de la mentira estética de otras épocas.» Su decadentismo, nos dirá un poco más adelante, no es puramente formal, no se reduce a un modo de vestir, sino que ha configurado su propio espíritu y afecta a su vida entera:

> Trajes, galas... se las planta cualquiera; la superioridad no está en vestir como se viste en las decadencias, a lo bizantino y a lo arcángel; está en tener el alma ávida y exhausta a la vez que las decadencias forman.

La manifestación más evidente de su espíritu decadentista es el hedonismo, que abarca al mismo tiempo el afán de disfrutar al máximo del placer y el refinamiento estético, la pasión por la belleza. Desde el primer momento Silvio lo hará notar:

---

[7] Nelly Clemessy generaliza este rasgo al resto de los personajes de esta etapa de la autora: «Clara Ayamonte, como, por lo demás, todos los personajes de importancia de las últimas grandes obras narrativas de la Pardo Bazán, pertenece a ese tipo de héroes empapados de la necesidad de un más allá eterno». *Emilia Pardo Bazán como novelista*, t. I, ed. cit., pág. 392.

[8] Sobre los personajes femeninos dice Unamuno: «La pintura de estas dos últimas (Clara y Espina) es de lo mejor que *La Quimera* tiene, aunque a mí, por falta de experiencia de ese mundo, me parezcan algo en exceso novelescas ambas figuras, más la segunda. A Clara Ayamonte, tan delicadamente trazada, la comprendo mejor hasta cuando menos la comprendo. A la otra, a Espina, sencillamente no la puedo ver como algo real.» «La Quimera según la Pardo Bazán», *La Lectura*, t. II, 1905, pág. 430.

La veo anestesiada para el sentimiento y con histérica sensibilidad para el refinamiento del lujo delicado, del arte de vivir exaltadamente, agotando el goce.

La dependencia de la morfina y el sadismo de que da muestras son los otros dos rasgos que configuran su imagen de mujer fatal[9].

Tanto los tres personajes femeninos como el protagonista tienen en común la desmesura de sus aspiraciones. Incluso de Minia se dice que a menudo había deseado «recortar su espíritu encerrándolo en círculo más estrecho; en vez de tender a lo inaccesible, buscar el contentamiento que se viene a la mano». Y un poco más adelante, en comunidad de sentimientos con Silvio, dice: «No amamos sino lo infinito y lo triste.»

Podemos afirmar, por tanto, que los personajes principales de la novela —y el doctor Luz participa de esta categoría— representan formas distintas de la «alta aspiración» a que la autora se refirió en el prólogo. Aspiración que tiene carácter artístico en Silvio y Minia, sentimental en Clara Ayamonte, hedonista en Espina y científico en el doctor Luz, cuyo carácter de portavoz de la autora ya ha sido analizado en el apartado de la moral sexual.

El resto de los personajes constituyen un fresco de la sociedad de la época, resuelto con distinto acierto: mejor cuando critica que cuando alaba. En la pintura de las aristócratas se nota demasiado el deseo de halagar a las representantes de una clase social en la que la autora quiere ser plenamente admitida. Sin embargo, afila su pluma y consigue las mejores páginas de crítica costumbrista (sobre todo cuando se refiere a la clase media enriquecida o a los intelectuales de medio pelo) en la pintura del concierto en Madrid, en la visita a los modistas de París y en el banquete en casa de madame Melusine.

---

[9] Phoebe Porter ha estudiado recientemente los rasgos de la mujer fatal en las últimas novelas de doña Emilia: «The Femme Fatal: Emilia Pardo Bazán's Portrayal of Evil and Fascinating Woman», en las *Actas del 8.º congreso de Luisiana sobre Lenguas y Literaturas Hispánicas,* Gilbert Paoline (ed.), *La Chispa '87,* New Orleans, Tulane University, 1987, págs. 263-270. Sobre la vinculación de este tema con la estética de finales de siglo, véase Lily Litvak, *Erotismo fin de siglo,* Barcelona, Antoni Bosch, 1979, págs. 141-149.

Lengua y estilo

Si al hablar de la estructura novelesca habíamos advertido la variedad de elementos que entraban en la composición —diarios, cartas, narraciones en tercera persona omnisciente, monólogos, diálogos— mayor diversidad todavía encontramos en el uso de la lengua y de sus recursos expresivos.

Los rasgos más novedosos y que por ello resultan más llamativos son el intento de crear un lenguaje poético y la abundancia de palabras y frases en otros idiomas, rasgo que ya se encuentra en novelas anteriores, pero que ahora se intensifica.

La obrilla de teatro que sirve de prólogo es una primera muestra del nuevo camino estilístico de la autora. El lenguaje se caracteriza por el tono elevado, poético. Abundan las bimembraciones, las cláusulas simétricas y las construcciones paralelísticas, patentes desde el primer párrafo. Así lo podemos ver en el parlamento inicial de Casandra, donde, además, se produce un efecto de diseminación y recolección expresiva:

Diseminación:

...Tengo	mis ruecas mis arcas	de marfil de cedro	cargadas llenas	de lino de túnicas y de velos	finísimo bordadas sutiles
	los árboles las vacas	me dan		frutos en sazón densa y pura leche	

Recolección:

> Y yo ni hilo, ni me adorno, ni gusto las manzanas, ni voy al establo.

Veamos otro ejemplo de construcciones bimembres. Le dice Minerva a Casandra:

¿Cómo has abandonado	tus estancias tus jardines	atestadas de riquezas deleitosos
donde	músicos juglares	y rapsodas y acróbatas
porfían en inventar	canciones	y juegos...?

Un recurso que la Pardo Bazán utiliza constantemente para conseguir un tono poético es la anteposición de adjetivos y la postposición de pronombres («densa y pura leche», «oprímese mi corazón») que produce al reiterarse en demasía un efecto artificioso.

En esta obrilla teatral encontramos, incluso, puesto en boca del rapsoda que entretiene a Casandra, un poema en endecasílabos blancos, resuelto como un ejercicio de escuela, sin ninguna gracia especial.

Pese a sus esfuerzos y a su indudable dominio de los recursos expresivos de la prosa, la realidad es que doña Emilia no se mueve con soltura en el lenguje poético. Se nota demasiado el artificio, la plantilla a la que se ha ajustado, y también, a veces, se le rompe el esquema y aflora con fuerza el casticismo de su lenguaje habitual. Así la exhortación final de Minerva al héroe antes de la lucha con la Quimera («serenidad y puños, Belerofonte») parece más propia de los caciques que resolvían a golpes sus problemas electorales que de una diosa del Olimpo griego.

El carácter estereotipado de este tipo de lenguaje se hace más patente en las cuatro meditaciones de Clara Ayamonte, que reiteran machaconamente los mismos recursos. Gonzalo Sobejano atribuye su forma versicular al influjo de Nietzsche[1], patente también en el sueño de Silvio camino de los viveros, fragmento este último en el que la influencia formal se une a la ideológica.

Uno de los procedimientos más empleados en las meditaciones es la inversión del orden normal de los elementos de la frase, combinada con los paralelismos que ya hemos visto:

> Duendes   eran y agitaban el aire.
> Sombras   eran y arrastraban.
> Muertos   eran y dolían...
> Espectros eran y hacían gestos...

> Ángel me creía en mi orgullo y serpiente era.

> Enferma está, trastornadas tiene las facultades.

Abundan también las reiteraciones de palabras y formas verbales:

> Te llaman, te llaman, te llaman desde las tinieblas.
> He pecado, he pecado, he pecado.
> Arrancaré, limpiaré, despejaré, quemaré...

Aliteraciones de sonidos a manera de rima:

> Quiero ir ligera, volandera.
> Quisiera un cuerpo transido, paralítico, acardenalado, ulcerado, de nervios retorcidos por la enfermedad y maceradas y marchitas carnes.

Sin que podamos calificarlo de poético, también el lenguaje del narrador —en las partes de la novela en que se utiliza la técnica de narración omnisciente— participa de rasgos del modernismo: ritmo musical, abundancia de metáforas e imágenes, vocabulario arcaico y exquisito, sinestesias, frases cortas, sin verbo... Todos esos procedimientos suelen utilizarse

---

[1] «Las meditaciones expresan místicamente un proceso de acercamiento a la llama del amor divino, pero están modeladas en un estilo versicular que recuerda bastante al de *Also sprach Zarathustra,* en la buena traducción de Juan Fernández», *Nietzsche en España,* Madrid, Gredos, 1967, pág. 184.

en las descripciones, en las que se intenta reproducir sensaciones y estados de ánimo y en las que predominan las notas de color, aunque no faltan las sensaciones auditivas y olfativas[2]. Veamos algunos ejemplos:

> El Ángelus seguía sonando; sus lágrimas de plata caían en la atmósfera acolchada de bruma transparente.

> Un imperceptible orvallo, un soplo frío que extinguió la hoguera lejana del Poniente. La noche. Un globo de oro que al elevarse palidecía, se convertía en enorme perla gris y nacarada: la luna.

Encontramos en la novela el gusto, tan modernista, por los jardines melancólicos —recuérdense los «jardines dolientes» de Juan Ramón—, pero curiosamente, no siempre aparecen descritos con el estilo evanescente, de pincelada suelta del impresionismo modernista, como en el ejemplo anterior, sino con la sintaxis firme, sólida y bien trabada del realismo, característico de las novelas anteriores de doña Emilia. Así sucede en la descripción del jardín de Alborada, cuando Silvio está leyendo el libro de Flaubert:

> Por la abertura circular practicada en el follaje, se veía la señorial tristeza del jardín antiguo, de recortados bojes, de árboles ya senadores; y las zuritas, descolgándose de la repisa del hórreo-palomar, bajaban a trancos cortos, inquietas, las escaleras del estanque, para llegar a sumir el pico en el agua revuelta por el aguacero, y donde flotaban, con lentitud graciosa, peces de laca carmínea, de exótica estructura, de nadaderas azul empavonado, compatriotas de Taikum.

La adjetivación es modernista (árboles senadores, peces de laca carmínea, nadaderas azul empavonado), pero la estructu-

---

[2] Comentando el libro de Rubén *Cantos de vida y esperanza,* dice doña Emilia: «¿De qué se trata al describir en verso, y acaso en prosa? Sencillamente de producir una sensación semejante a la que produciría la contemplación de lo descrito.» Publicado en *La Ilustración Artística,* el 28 de agosto de 1905, recogido en Carmen Bravo-Villasante, *Emilia Pardo Bazán, La vida contemporánea,* ed. cit., pág. 231.

ra sintáctica, con abundancia de conjunciones que alargan el periodo, es la de la etapa anterior[3]. Lo mismo observamos en la descripción final que cierra la primera parte de la novela:

> Más allá del soto, bastante cerca sin embargo, apoyando uno de los extremos del semicírculo colosal en las honduras de la cañada que cobija la presa del molino, la zona polícroma del iris ascendía del suelo a lo más alto de la bóveda gris, y volvía a descender, diseñando un puente para titanes. No llovería más. Los aéreos colores, verdes, anaranjados, violados, de transparente y luminosa magnificencia, fueron apagándose con lentitud dulce; ya casi invisibles a fuerza de delicadeza, se esfumaron al fin completamente, y el paisaje quedó como abandonado y solitario, húmedo, escalofriado con la proximidad de la noche otoñal traidora y pronta en sobrevenir.

Un ejemplo más del gusto por los paisajes melancólicos es la descripción del atardecer que Silvio ve en el día de su segunda llegada a Alborada. Obsérvese la abundancia de sensaciones que reproduce y la riqueza de matices. Se trata de una descripción de carácter impresionista: la realidad ha perdido sus contornos precisos, las cosas parecen, no son, y, aunque todavía no llegamos a los extremos de Azorín o Virginia Woolf, se advierte esa vaguedad de la impresión en el uso del «como» («la claridad era mansa, como enlanguidecida») en las expresiones que matizan la observación de la realidad: «acaso», «se creería que»; e incluso en la manera de puntualizar —herencia del realismo— que «la ría engañaba fingiendo un lago cerrado por anfiteatro de colinas»; es decir, que la ría parece un lago, aunque no lo es.

---

[3] Comparto en líneas generales las ideas de Mary Giles sobre las diferencias de estilo de doña Emilia antes y después de *La Quimera*. Véase Mary E. Giles, «Pardo Bazán's two styles», *Hispania*, 48, 3 (1965), págs. 456-462. De la misma autora: «Impresionist techniques in descriptions by Emilia Pardo Bazán», *Hispanic Review*, XXX, 1962, págs. 304-316. (Trata de temas y motivos impresionistas, no de técnicas, propiamente dichas.) «Color adjectives in Pardo Bazán's novels», *Romance Notes*, 10 (1968-69), págs. 54-58. Sobre el lenguaje del modernismo, Guillermo Díaz-Plaja, *Modernismo frente a Noventa y Ocho*, Madrid, ed. Espasa-Calpe, 1966, págs. 186-192, y Gustav Siebenmann, *Los estilos poéticos en España desde 1900*, Madrid, Gredos, 1973, págs. 76-88.

Ansiosamente contempló el panorama. La tarde caía; el crepúsculo iba a ser interminable. Era difícil explicar en qué se notaba que el día tocaba a su fin; acaso en que la claridad era mansa, como enlanguidecida, velada por misterioso tul que no podía llamarse sombra. Todo reposaba tranquilo. El poniente se esmaltaba de nácares delicados, como los de las auroras. Los montes lejanos, la ría que engañaba fingiendo un lago cerrado por anfiteatro de colinas, se teñían de matices armoniosos fundidos suavemente, de pastel pasado. Bajo la terraza, las madreselvas y las grandes daturas venenosas aromaban intensas. El humo de las cabañas flotaba inmóvil en la paz del cielo y del suelo. Y, de lo alto de las acacias, llovían con regularidad, acompasadamente, las blancas florecitas, aljofarando la arena, y se creería que su descenso era una cadencia musical, un ritmo de melancolía. El lucero empezaba a ser visible. De la parroquia de Monegro vino el toque de oración.

Algunas expresiones, utilizadas tanto por el narrador como por los personajes, tienen un inequívoco regusto modernista. Así cuando habla de los pechos «arroyados de perlas», la «canción hialina» de la fuente, los ojos «puñales de ágata fría», el «cardado cristal» de la lluvia, el «tedio negro-humo», las manos «liliales», el «sol radioso» o la «forma radiosa» (por radiante). Algunas frases son especialmente llamativas. Así dice, refiriéndose al convento donde Clara va a profesar:

> Y las hojas de la puerta volvieron a cerrarse, la llave y los cerrojos a asegurarlas, archivando el arcano de Clara, celando entre sus valvas tristes y ásperas de ostra criadora la perla sentimental.

Dice de una plaza madrileña:

> La Puerta del Sol: está envuelta en una especie de vapor rosado y ardiente, que parece el hálito de una boca juvenil.

Para describir el rubor:

> Las palabras de su sobrina convirtieron en nácar rosa el marfil de la piel de la Ayamonte.

Para indicar que la protagonista bebe una copa de agua mineral, mezclada con vino rojo dice:

> Bebió de un sorbo su copa de Saint-Galmier, carminado con Burdeos.

Para expresar el temor del doctor Luz a que Clara se suicide:

> Formas del no ser temía para Clara.

Un cotejo entre dos imágenes parecidas de *Los Pazos de Ulloa* y *La Quimera* nos permite advertir la distancia que va en este aspecto desde el estilo realista al modernista:

> Parecía que la leñosa corteza se le iba cayendo al marqués, y que su corazón bravío y egoísta se inmutaba, dejando asomar, como entre las grietas de la pared, florecillas parásitas (*Los Pazos*).

> Bajo su aspecto de vividor distinguido, escéptico, es evidente que persiste el Amadís de antaño. El muro viejo brota alhelíes (*La Quimera*).

En la primera, para expresar la transformación experimentada por don Pedro Moscoso ante la expectativa de ser padre, encontramos elementos del mundo rural: corteza de árbol, florecillas silvestres. Desde el punto de vista formal destaca la trabazón de todos los elementos mediante el uso de la conjunción coordinativa «y». Además el nexo comparativo explícito —«como»— da lentitud a la frase.

En la segunda, para expresar los sentimientos amorosos de Valdivia, utiliza una referencia culta, libresca: el Amadís de Gaula. Desde el punto de vista de la forma hay que señalar que prefiere la unión paratáctica y que elimina el término real de la imagen, reforzando el efecto metafórico. Todo ello da una ligereza mayor a la estructura de la frase.

Encontramos también en *La Quimera* un gusto por las formas más cultas y a veces inusitadas de las palabras: «lineamientos» en vez de 'líneas', «pisar tácito», por 'silencioso'; forma «cordial», por 'con forma de corazón'; «medioeval» por 'medieval'; «nivoso» por 'de aspecto de nieve'; «lisura» en el sentido de 'sencillez', «urente» por 'ardiente'...

Algunas palabras parecen creación de doña Emilia ya que no se encuentran documentadas antes. Es el caso de «rezuquear», compuesto de «rezar» y sufijo despectivo a la manera de besuquear. Se encuentra documentado por primera vez en *La Quimera*[4] y posteriormente, en la forma «rezuqueo», en Galdós, *La vuelta al mundo en La Numancia,* Madrid, 1906, pág. 129 (cap. XIII) y en la propia Pardo Bazán en *Belzebú,* Madrid, 1912, pág. 290 (O.C.t. 40). Mayor dificultad presenta la palabra «ciápodos», cuya definición da la propia autora en la novela 'que tienen la cabeza junto al suelo', pero que no aparece documentada en ninguno de los diccionarios, ni enciclopedias que he consultado, así como en los ficheros de la RAE. Todavía peor es el caso de «trova», que aparece tres veces en la novela, sin que pueda saberse a qué se refiere. Dos veces aparece referida al marqués de Solar de Fierro: «Con su cutis marfileño y rosado, de vitela ligeramente tocada de miniatura; con su plateada trova enrollada alrededor de un rostro oval, sereno...» Al final de la novela evoca Minia la figura del marqués «con su romántica trova». Y en la descripción del retrato de Wiertz encontramos de nuevo la palabra: «tenía una figura romántica, con trova»...

Mención especial merece el uso de palabras y frases de diversos idiomas. Predomina el francés, pero abundan también en inglés, y hay ejemplos de italiano, alemán, latín y hasta hebreo. Las más numerosas son las expresiones francesas, lo que resulta comprensible dada la formación de la autora[5]. Aparecen tanto en el habla de los personajes como en la del narrador, incurriendo a veces en cierta impropiedad narrati-

---

[4] Agradezco a Pedro Álvarez de Miranda su ayuda para la consulta de los ficheros de la RAE, de donde proceden los datos que utilizo.

[5] Según cuenta en sus *Apuntes Autobiográficos,* se educó «en cierto colegio francés, muy protegido de la Real Casa, y flor y nata a la sazón de los colegios elegantes (...) como nos prohibían hablar español, las menos lerdas salimos de allí hechas unos loritos parlando francés a destajo». Publicados como prólogo a la primera edición de *Los Pazos de Ulloa,* Barcelona, Daniel Cortezo y Cía. Editores, 1886, pág. 16.

va, ya que en el caso de Silvio Lago su educación no parece propiciar el uso de palabras extranjeras.

Demuestra la Pardo Bazán en la utilización de idiomas una vasta cultura, pero no un conocimiento profundo ni del francés ni del inglés, ya que, en ambas lenguas las frases suenan con frecuencia a traducciones inversas; recuerdo a propósito de esto la opinión de Robert Osborne que, refiriéndose a la frase «Baby... shake hand» que aparece en *La sirena negra,* dice: «Ningún inglés diría esto»[6].

El uso de voces extranjeras parece que obedece a moda de la época y no a necesidades del idioma, que tiene sus propias palabras para expresar aquellos conceptos. Tal es el caso de las francesas: foyer, serre, baignoires, manoir, bouillons, bosse, paniers, cocotte, toilette, chauldes, y de las inglesas: gras, smart, gentleman rider, sportman, authoress, governess, shocking. Otras se deben, sin duda, a la influencia del mundo de la moda francesa: jaquette, deshabillé, terciopelo miroir, vert amande, paño prune, pailletés, premier... o de la cocina francesa: fondán, petits-fours[7]. Es posible también que haya influencia del vocabulario periodístico de la época en el que aparecen con frecuencia las expresiones inglesas high life, sport y season.

Más sorprendentes que las palabras extranjeras son los flagrantes galicismos en que incurre doña Emilia[8]. A veces explicables porque en castellano no existe una única palabra para designar el concepto o la cosa, como es el caso de «garzoneras» (< garçonnière) 'piso de soltero', pero que la mayoría de las veces son innecesarios e incluso se prestan a confusión. Así encontramos «cremerías» (< crémerie) por «lecherías», «flanistas» y «flaneando» (< flaner) por 'paseante' y 'paseando', «surmontar» (< surmonter) por 'coronar' o 'sobresalir', «clapotear» (< clapotage o clapotement) por 'chapotear',

---

[6] *Emilia Pardo Bazán. Su vida y sus obras,* México, Ediciones de Andrea, 1964, pág. 120.

[7] Agradezco a mi colega Covadonga López Alonso sus observaciones sobre el vocabulario francés de doña Emilia.

[8] Todos ellos van señalados en nota, así como las voces en otros idiomas.

aunque en este último caso, que designa el ruido del agua al golpear contra los muelles, la palabra francesa es más expresiva, más onomatopéyica, y eso explicaría el galicismo.

Curiosamente, sin embargo, doña Emilia traduce nombres de comidas francesas que la costumbre ha mantenido en el idioma original, por ejemplo, «mousse de foie gras», que la escritora traduce como «espuma de hígado graso». En otras novelas y en su libro de recetas de cocina traduce el «consommé» por 'consumido'.

El uso de voces de otros idiomas parece obedecer, además del gusto por los matices de la lengua, que no vamos a negarle a doña Emilia, a una vieja tendencia suya a hacer ostentación de cultura. El empleo del italiano se vincula a recuerdos de la ópera (así encontramos el «mile e tre» de don Giovanni) y la única palabra en alemán, «leitmotiv», está relacionada también con la música. Probablemente de su afición frustrada al estudio del latín[9] procede el uso de «fulvus» para expresar el color amarillo leonado; y de su gusto por los libros de medicina el nombre de «nevi materno» para el antojo o mancha de la piel, aunque la forma correcta es «nevo materno» o «nevus maternus». Estas deformaciones son frecuentes en la escritora, así como las pequeñas inexactitudes en las citas, porque doña Emilia se fiaba de su memoria a la hora de hacerlas y en ocasiones le fallaba.

Otra rareza del vocabulario que no quiero dejar de comentar es el uso de la voz hebrea «jibor», que significa 'fuerte', 'valiente'. No está documentada en castellano y tuvo que tomarla de alguna versión de la Biblia, lectura a la que fue muy aficionada desde la niñez.

Pero no todo en *La Quimera* son rarezas lingüísticas. Junto a los rasgos modernistas perduran otros del estilo anterior de la escritora, y entre ellos destacaremos esas expresivas imágenes en las que se mezclan elementos populares y palabras cas-

---

[9] Dice en los *Apuntes autobiográficos,* refiriéndose a sus años de adolescencia: «Pedí encarecidamente que me enseñasen latín en vez de piano: deseaba leer una *Eneida,* unas *Geórgicas,* y unas *Elegías* de Ovidio que andaban por el armario de hierro: no me hicieron el gusto, que reconozco era bastante raro en una señorita», ed. cit., pág. 20.

tizas. Dice sobre el arte de su tiempo: «el arte uniforme, poderoso, se acaba; sólo queda el picadillo, falta la redoma que nos integre y amase con el jigote la persona». De la pintura de Goya dice Silvio Lago: «¡Ese colmillo de jabalí, ese navajazo feroz de baturro airado!»

También perdura, y esto es una nota negativa, el laísmo, sólo explicable en una escritora gallega por su ardiente centralismo. Doña Emilia adoptaba los usos madrileños, siguiendo así la tendencia de la mayoría de sus colegas del siglo XIX. Aparecen tanto en el lenguaje de los personajes como en el del narrador. Así dice Silvio a propósito de la Ayamonte: «la falta chic (...) la corto el pelo (...) la aplico un bigotillo rubio (...) la enjareto una blusa». «Minia se encontraba entonces absorbida por trabajos que no la permitían despachar activamente su voluminosa correspondencia (...) las letras de Silvio no la llegaron hasta un mes después» «...a pesar de las apreturas de bolsillo, la compraba pasteles, galletas (...) la besaba con locura la piel suave del hocico».

Un rasgo que siempre encontramos en las novelas de la Pardo Bazán es el uso del lenguaje para caracterizar al personaje, no tanto como individuo aislado (uso del tic caracterizador: sería el caso de Antón el algebrista de *La Madre Naturaleza*) sino como miembro de una clase o grupo social. En *La Quimera* es muy patente el cambio de registro lingüístico al empezar la parte de los diarios. El tono se hace coloquial: Silvio llama «tío» y «tiazo» a Goya y Velázquez, dice que pintan de una manera «bestial», califica de «cochinas» a sus propias obras, «arría» dinero, al que llama «guita» y se «desmigaja» de risa leyendo la carta de un amigo. Más adelante, a medida que el personaje asciende en la escala social, su lenguaje se va haciendo similar al de los personajes de la clase aristocrática.

Los personajes de clase popular o campesina que aparecen en la novela hablan de un modo característico que permite identificarlos inmediatamente. Así sucede con la Churumbela, que reúne en sus cortas intervenciones los rasgos fonéticos más típicos del habla andaluza vulgar. Sobre esto cabe comentar que la Pardo Bazán dominaba los modismos fonéticos y de vocabulario de este lenguaje y por ello son frecuentes en su obra las apariciones de personajes andaluces, y no sólo en papeles episódicos sino de protagonistas, de modo que mantienen ese lenguaje característico a lo largo de toda una novela. Es el caso de Pacheco en *Insolación* (donde, además están las gitanas del ventorrillo) y de doña Milagros en la novela del mismo título.

Otros personajes caracterizados por el lenguaje son los primos de Silvio, campesinos gallegos. En este caso el conocimiento de las modalidades del habla es más profundo que en el del andaluz. Desde muchos años atrás doña Emilia consiguió crear para este tipo de personajes un lenguaje que no se limita a la mera reproducción de rasgos fonéticos o de expresiones típicas. En el aspecto formal recrea la estructura profunda del idioma gallego, de modo que aunque hablen en castellano uno tiene la impresión de estar «oyendo» otra lengua[10]. Por otra parte, suele elegir las escasas frases que pronuncian de manera que quede reflejado no sólo el carácter individual sino la manera de pensar y actuar del grupo. Así cuando Sendo dice que le trae a su primo «esta pobreza» y que «no se ha podido arreglar cosa mejor» está dejando de manifiesto la mezcla de sentimiento de inferioridad y de cautela, de falta de franqueza, características del campesino gallego de aquella época.

En la escena del banquete del «xeste», las frases —en discurso indirecto libre— del asentador y de los obreros apenas sí tienen dos o tres galleguismos, pero es suficiente para dar la impresión realista que pretende:

> ¡Que así se volviesen todas las piedras de la obra! ¡Que así se volviesen cuantas había sentado en su vida! ¡Y que cayesen riba de él! (...) ¡Que guisase así hasta esfarraparse de vieja! ¡Que nunca las manos se le cansasen de guisar!

A veces los rasgos sintácticos de esa lengua se contagian al lenguaje de personajes de otra clase social, como la baronesa

---

[10] La enumeración de los rasgos principales de este lenguaje campesino puede verse en mi prólogo a *Emilia Pardo Bazán, Cuentos y novelas de la tierra,* Santiago de Compostela, Editorial Sálvora, 1984, págs. 28 y 29. Véase también el prólogo a mi edición de *Los Pazos de Ulloa,* Madrid, Castalia, 1986, págs. 63-64.

Dumbría («A comer... que luego se hace noche») o de la voz narradora («No se habían atrevido a llegarse»).

Por todo lo que llevamos comentado, creo que *La Quimera* es desde el punto de vista de la lengua y del estilo una de las novelas más interesantes de la autora, y no por los resultados, sino por lo que tiene de tanteo, de búsqueda de nuevos caminos expresivos. En lugar de sestear felizmente en sus ya conseguidas posiciones, la Pardo Bazán se lanzó por las nuevas sendas del modernismo, y no creo que lo hiciera tanto por el prurito de estar a la moda, que es la crítica malintencionada que podría hacérsele, sino para experimentar por sí misma, como escritora, las posibilidades del movimiento. Que estuviera más dotada para el realismo naturalista es otra cuestión, pero en todo caso, su postura es signo de una capacidad de renovación y de una apertura de criterios muy estimables en un país tan dado a los fanatismos de todo tipo.

La Quimera, un cambio de rumbo

Es una opinión casi unánime de la crítica que *La Quimera* inicia o, al menos, consolida un cambio de rumbo en la manera de novelar de doña Emilia. La única excepción importante la constituye Donald Fowler Brown, que subraya las deudas de la novela con Zola y la interpreta como «a sort of contra to Zola's *L'Oeuvre»*. Su conclusión es que todavía en 1905 la autora no se ha liberado de la fascinación del maestro de Médan y sigue imitando sus personajes y discutiendo su estética[1].

Uno no se libera nunca de su pasado y en efecto en *La Quimera* quedan huellas de la corriente que tan profundamente influyó en la autora y en la novela española del xix. Y también quedan huellas del romanticismo y hasta del costumbrismo anterior[2]. Pero esto no es lo importante. Lo que diferencia y destaca a *La Quimera* de las novelas anteriores es precisamente lo que en aquéllas no existía o estaba apenas insinuado: los análisis psicológicos minuciosos, el interés por el

[1] Donald Fowler Brown, *The catholic naturalism of Pardo Bazán,* Chapel Hill, The University of North Carolina Press, 2.ª ed., 1971, pág. 144.

[2] Esas huellas han sido estudiadas por Daniel S. Whitaker en *La Quimera de Pardo Bazán y la literatura finisecular,* ed. cit., págs. 63-77. En realidad más que de huellas habría que hablar de la versión que da doña Emilia de escenas de tipo costumbrista —la comida del «xeste», por ejemplo— o de tipo romántico —escena de la confesión del doctor Luz a Clara sobre su verdadera relación. En sentido estricto no hay ni costumbrismo ni romanticismo en *La Quimera,* sino un aprovechamiento de técnicas del pasado, puestas al servicio de una concepción del mundo muy distinta.

esteticismo, las tendencias espiritualistas, la apertura al mundo del misterio y la irracionalidad, la defensa del Ideal contra la Razón, la valoración de lo poético en la novela, el estilo impresionista de las descripciones, la selección del vocabulario... A lo largo de los apartados anteriores hemos visto que tanto en lo que se refiere a ideas como a temas y formas, la obra se aleja de los esquemas del realismo naturalista para entrar en los de una literatura finisecular que llamamos para entendernos idealista y modernista.

La propia novela, acorde con su carácter de reflexión sobre la aspiración artística, ofrece testimonios de la postura de la autora sobre sus ideales estéticos a comienzos del siglo XX. En este sentido conviene recordar lo ya dicho varias veces: en cuestiones de arte, Silvio Lago es con frecuencia portavoz de doña Emilia, que representa en él su propia evolución. Fowler llega a decir que Silvio es la Pardo joven y Minia la Pardo vieja[3].

Silvio es al comienzo de la novela un realista convencido. Querría ser Sorolla y los maestros que admira son Velázquez, Goya y Rubens. Sus esfuerzos por acercarse a la realidad cristalizan en un cuadro, *La recolección de la patata,* que considera lo mejor que ha salido de sus pinceles. Hay que señalar, sin embargo, que su concepción del realismo pictórico es muy discutible, así como sus juicios sobre los pintores. Recordemos como ejemplo de visión superficial sus opiniones sobre Velázquez, de quien dice que se creía «un funcionario», que se limitaba a pintar lo que veía y que era «naturaleza pura». Pero dejando aparte esta visión, que es la de doña Emilia[4], la preferencia de Silvio por una forma de pintura que refleje la realidad en sus aspectos más inmediatos y palpables es evidente.

Es curioso que no sea Minia sino Espina, un personaje mo-

---

[3] *Op. cit.,* pág. 136. Véase también María Luisa Sotelo, «*La Quimera* de Emilia Pardo Bazán: autobiografía y síntesis ideológico-estética», *Homenaje al profesor Antonio Vilanova,* vol. II, Universidad de Barcelona, 1989, páginas 757-775.

[4] Mucho más matizadas son, sin embargo, las opiniones sobre Velázquez que publicó en sus artículos de «La vida contemporánea», en *La Ilustración Artística,* núm. 912, año 1899, pág. 394 y núm. 1211, año 1905, pág. 170.

ralmente negativo, quien le abre nuevas sendas estéticas. To-davía en la discusión entre Solar de Fierro y Espina sobre la superioridad de lo antiguo o lo moderno, Silvio se aferra a sus viejos criterios: para él lo importante es *lo real,* sea de la época que sea. Cuando Solar lo conmina a precisar qué es lo que él considera «real», haciéndole ver que «hay cien realismos dis-tintos», no sabe qué contestar y es Espina quien replica:

> ¡Cien realismos y todos horribles! Lo hermoso no está en lo real; si estuviese, viviríamos rodeados *naturalmente* de her-mosura, ¡y sucede lo contrario! Lo más hermoso, lo artístico, es lo que se diferencia de eso que anda por ahí. ¡Vaya con lo real! Si las mujeres nos dejásemos como la naturaleza nos ha hecho, seríamos hembras de monos.

La evolución de Silvio se inicia en París, donde entra en contacto con la pintura contemporánea, y su primer síntoma claro es la decepción que le produce Courbet y en la que se trasluce la de doña Emilia, quien, buena conocedora de la obra de Zola, debió de dejarse influir en un primer momento por los elogios del novelista al pintor:

> Había dado por hecho Silvio que entre los pintores mo-dernos le arrebataría Courbet, y comprobó sorprendido que el realismo, exagerado calculadamente, del discutidísimo *maître d'Ornans,* casi le molestaba. Era la transformación de su ideal propio lo que anulaba su admiración hacia Courbet, exaltada por los ditirambos de Zola. Se quedó Silvio pensati-vo cuando hubo notado que Courbet, antes, en su imagina-ción, rey de la pintura, no era, al verle de cerca, sino un «tem-peramento», un sujeto de cualidades mal aprovechadas y hasta estragadas por la estrechez de una fórmula.

En estos párrafos no se está cuestionando sólo a Courbet, sino principalmente a Zola, de cuyas teorías resuena un eco en la palabra «temperamento». Recuérdese que fue precisa-mente en el artículo «Proudhon et Courbet» donde Zola defi-nió la obra de arte como «un coin de la création vu à travers un temperament». Lo que doña Emilia no dice, y me sor-prendería que no lo supiese dado su conocimiento de la obra de Zola, es que los «diritirambos» de éste a Courbet dieron paso enseguida a críticas muy duras, en las que el novelista acusaba al pintor de haber perdido su fuerza, su carga social[5].

Silvio abandona el naturalismo sin haberlo llevado a la práctica y la Pardo Bazán se ve obligada a explicarlo; su temperamento exaltado es semejante al de algunas mujeres soñadoras que agotan una pasión sin haberla vivido en la realidad. Pero los resultados son los mismos:

> Silvio había agotado ya dentro de sí, antes de realizar obra alguna de cuenta, la virtualidad de una teoría estética, atravesando las landas del naturalismo y abandonándolas.

Si la actitud de Silvio hacia el realismo es puramente teórica y bastante confusa, lo mismo había que decir de su giro hacia las posturas idealistas. Se siente igualmente atraído por Millet y por Moreau, pintores casi antagónicos, para acabar proclamando, a la vista del *Cordero Místico* de Van Eyck la superioridad del arte religioso. Veamos las etapas sucesivas. En un primer momento, Moreau, erótico y decadente, se convierte en su nuevo ídolo:

> Silvio comprendió que su alma era del grupo poco numeroso a que perteneció el autor de *Salomé*. Almas complicadas, pueriles y pervertidas, misantrópicas y candorosas, modernas y bizantinas.

---

[5] A partir de 1866, año en que Courbet triunfó en el Salón de París, menudean las críticas al maestro, a quien acusa de dulcificar su realismo para hacerlo aceptable a la burguesía, y así escribe en el periódico *L'Evénement*, el 15 de mayo de 1866: «Courbet a rentré ses serres d'aigle, il ne s'est pas livré entier (...) Courbet, pour l'ecraser d'un mot, a fait du joli» (artículo recogido en el volumen *E. Zola, Mon Salon, Manet, Ecrits sur l'art,* París, Garnier Flammarion, 1970, págs. 80-81).

El artículo sobre Proudhon y Courbet está recogido en el volumen *Mes haines,* nouvelle èdition, París, G. Charpentier éditeur, 1880, págs. 21-40. Fue probablemente esta edición la que doña Emilia leyó, ya que corresponde a la etapa de su máximo interés por el escritor francés. El artículo está recogido actualmente en el tomo X de las *Obras Completas,* del Cercle du Livre Precieux, edición de Henri Mitterand, París, 1966-1970, págs. 35-46.

El artista atribuye a la influencia de Espina su evolución:

> Sin embargo —reconocía Silvio— esta mujer, su apari-
> ción a una hora dada en mi camino, fue el cambio de mi cre-
> do. Estoy divorciado para siempre del verismo servil, de la
> sugestión de la naturaleza inerte, de la tiranía de los sentidos.
> Soy libre y dueño de crearme mi mundo; ya no venero a los
> que se limitan a copiar...

No es, sin embargo, un cambio completo. Silvio tiende al
realismo, igual que doña Emilia, y se mantiene fiel a muchos
de sus principios; lo que sucede es que en esa tendencia primera, un tanto ruda y limitada, se ha insuflado una corriente
de espiritualidad, de idealismo. Y ambos son conscientes del
cambio que ello supone:

> Y comprobaba, en su tendencia perseverante al realismo,
> la infusión del ideal, la exigencia del espíritu, algo que va más
> allá del color y de la forma. El mundo ya no le parecía sola-
> mente tierra fecundada por el sol. En su superficie corría un
> agua encantada, y de su seno se alzaban embrujadas vegeta-
> ciones, arborescentes de oro y cristal.

Como un neófito que entra en una nueva religión. Silvio
siente que ahora él forma parte de una nueva corriente del
arte:

> Ahora era un idealista, un moderno, y lo que perduraba de
> sus devociones antiguas, lo que practicaba con mayor fana-
> tismo si cabe, era ese culto al dibujo firme...

En Silvio la pasión por el dibujo es una constante de sus
tendencias realistas, como en doña Emilia lo son la firme estructura de la frase y de la novela: un esqueleto sólido del que
le cuesta desprenderse y que ella identifica con el arte clásico,
del Renacimiento, un arte al que califica de viril, en contraposición a la debilidad, al afeminamiento del arte moderno.
Así en el sueño de Silvio, camino de los Viveros, se mezcla la

influencia de Nietzsche[6] con los arraigados gustos de doña Emilia por el arte clásico:

> ¡Y acabo de ver pasar en hirviente oleada, en imperial muestra, el Renacimiento! Eso, eso, sólo eso era el arte, no haremos nada que a eso se parezca. ¡Miserables de nosotros! Dibujo de atletas; modelado de escultores; colorido que es la sangre y la carne transportada al lienzo (...)
> Mira este irradiar de helénica alegría que el Renacimiento derramó en el mundo. Ten sangre, ten músculos, sé insensible al dolor, sé estoico.
> No seas de esos cobardes vacilante de la presente generación, impregnada de la mujer, de su piedad, de sus lágrimas, de su histeria.
> Sé varón. Te lo ordena el Renacimiento.

Verdaderamente doña Emilia hizo un gran esfuerzo de apertura mental para enterarse y apreciar el arte que se estaba haciendo en Europa. Le costó ya adentrarse en el impresionismo y el prerrafaelismo y no llegó nunca a disfrutar de lo más nuevo: fauves y expresionistas, a los que lanza una andanada por boca de la baronesa Dumbría:

> Esos retratos de la escuela moderna, exagerando la fealdad y con chafarrinones azules y verdes en la cara, vamos, ¡no concibo como hay quien se gaste una peseta en ellos!

No es, pues, extraño que el final de la evolución de Silvio sea... Millet: realista en la forma y de un blando idealismo en las intenciones. A la vista del campo al atardecer en Alborada, Silvio reniega una vez más de su *Recolección* y acepta la vinculación de belleza y religiosidad que Minia le propone:

> El cuadro es más hermoso, porque es religioso, Silvio —observó Minia.
> —Sí —respondió el artista—. Es la nota de Millet...

Ante el *Cordero místico* ya había proclamado la superioridad

---

[6] Ver Gonzalo Sobejano, *Nietzsche en España,* Madrid, Gredos, 1967, págs. 182-186.

del arte religioso. Pero Van Eyck no podía ser un modelo actual y Millet sí. Esa es también la evolución de doña Emilia, aunque como era mejor novelista que crítico de arte, fue más lejos en los resultados.

En 1905 la Pardo Bazán había dejado atrás las «landas del naturalismo» en las que, al contrario que Silvio Lago, había conseguido frutos granados; se estaba dejando tentar por las corrientes finiseculares: esteticismo, sensualismo, decadentismo a lo Gustave Moreau y a lo Oscar Wilde, vitalismo nietzscheano, y empezaba a encaminarse resueltamente hacia un espiritualismo que se afianzaría en *La sirena negra* para culminar en *Dulce Dueño*. Y, como había hecho con las tendencias anteriores, de todas las nuevas fue asimilando la más acorde con su manera de novelar.

Creo que lo más peculiar de *La Quimera* es precisamente ese carácter de obra abierta a influencias muy diversas. Ya he dicho varias veces a lo largo de este estudio que esa actitud de apertura me parece en sí misma estimable, al margen de los logros obtenidos, que, en este caso, no fueron escasos.

Doña Emilia no abdicó nunca de su actitud de curiosidad intelectual. A lo largo de su vida se fue enterando de lo que sucedía fuera de España, se lo contó a sus compatriotas y lo probó ella misma; labor que le valió más críticas que alabanzas[7], pero en la que perseveró hasta el final. Ella decía que los elegidos de la Quimera «sólo sienten la cortedad de la vida porque no da espacio para agotar el contenido del ensueño»[8]. Esas palabras se le pueden aplicar perfectamente: su larga y fructífera vida se le quedó corta para llevar a la práctica los proyectos a los que la arrastraba su inagotable entusiasmo por la cultura y por el arte. La novela que hemos venido analizando es una buena muestra de ello.

---

[7] La acusación de esnobismo y pedantería se hizo un lugar común. En carta a Valera decía Menéndez Pelayo, comentando el interés de doña Emilia por la novela rusa: «Hay en todo esto cierta inofensiva pedantería que a mí me hace gracia y que nace principalmente del prurito de aparecer siempre al tanto de la última palabra del arte y de la ciencia», *Epistolario de Valera y Menéndez Pelayo 1877-1905*, Madrid, Espasa-Calpe, 1946, pág. 368.

[8] Son las palabras finales de su conferencia sobre la Exposición de pintura gallega.

Emilia Pardo Bazán por Luis Bagaría, 1915

Criterios de esta edición

Doña Emilia publicó por primera vez *La Quimera* en la revista *La Lectura,* desde mediados de 1903 hasta fines de 1905. Acababa esta publicación, corrigió el texto y lo incorporó a sus *Obras completas,* en lo que yo considero la primera edición en libro de la novela. Por las críticas de los periódicos sabemos que en junio de 1905 estaba ya publicada.

Antes de comentar los cambios entre la edición en *La Lectura* y la edición en libro que he tomado como base, quiero señalar algunas irregularidades que he encontrado en las referencias a primeras ediciones de esta novela.

La ficha bibliográfica de la edición que yo utilizo es la siguiente:

> Emilia Pardo Bazán, *Obras Completas,* t. XXIX, *La Quimera,* Administración, Madrid, sin año, Establecimiento tipográfico de Idamor Moreno, 577 páginas, 19'5 cms.

He utilizado un ejemplar de esta edición que está dedicado por la autora «A su amigo el director de *La Época»,* lo que hace suponer que se trata de la edición de 1905, ya que en 1906 empieza a publicar la novela en ese periódico.

En la Biblioteca Nacional se encuentra un único ejemplar de *La Quimera,* que tiene veinte páginas menos, pero no por supresiones sino por distinta distribución del texto. Se trata de una edición posterior a la que yo utilizo, ya que he podido comprobar que tiene algunas variantes que no dejan dudas respecto a este punto. La ficha de esta edición de la Biblioteca Nacional es:

La Quimera, Obras Completas, t. XXIX, Administración, Madrid, sin año, Imprenta La Editora, 557 páginas, 19 cm.

Nelly Clemessy, por su parte, en el libro *Emilia Pardo Bazán como novelista,* ed. citada, pág. 887, da tres ediciones de la novela:

— *La Quimera,* 1.ª edición, Madrid, J. Moreno, 1905, 8.º
   (*O. C.,* t. XXIX).
— *Ídem,* 2.ª ed., Madrid, Renacimiento, s. a. 8.º (*O. C.,*
   t. XXIX), 557 páginas.
— *Ídem,* 3.ª ed., Madrid, Renacimiento, s. a. 8.º (*O. C.,*
   t. XXIX), 557 páginas.

La edición que mi estimada colega da como primera no he podido encontrarla en ninguna de las bibliotecas ni catálogos consultados.

En *The National Union Catalogue* se encuentra la ficha de una tercera edición (en la cubierta) de Renacimiento, sin año, y de 557 páginas.

Además de la edición en libro, doña Emilia volvió a publicar la novela, con interrupciones e intermitencias en *La Época,* en 1906, del 15 de septiembre al 31 de diciembre, y en 1907, de enero a abril. En este periódico había ya publicado el prólogo a la novela el 21 de septiembre de 1903, y, en 1905, la tragicomedia para marionetas «La muerte de La Quimera» que volvió a publicar el 17 de septiembre de 1906. La razón de estas publicaciones repetidas es la siguiente: al empezar la publicación en *La Lectura,* apareció, según ella misma cuenta, un suelto de un periódico asegurando que se trataba de una novela en clave. Esto provoca la réplica de doña Emilia, en forma de prólogo a la novela, explicando sus motivos y la clase de obra que es *La Quimera. La Época* publica este artículo-prólogo como una «primicia»: «La ilustre escritora doña Emilia Pardo Bazán nos favorece con las primicias del notable prólogo que ha escrito para su nueva novela *La Quimera.*» Pocos días después, publica en el mismo periódico, como obra independiente, la tragicomedia para marionetas. Al incorporar más tarde en la edición en libro esas dos piezas

—prólogo y obrilla de teatro— es natural que las vuelva a publicar en las sucesivas ediciones, aunque en el caso de *La Época* supusiera una repetición.

Reuniendo estos datos, la sucesión de las primeras ediciones fue, en mi opinión, la siguiente:

1) *La Lectura,* 1903-1905.
2) Administración, Imprenta de Idamor Moreno, 577 páginas (1905).
3) *La Época,* 1906-1907.
4) Administración, Imprenta La Editora, 557 págs.
5) Renacimiento, 3.ª edición, 557. (La cuentan como tercera porque no consideran las ediciones en revista y periódico.)

En cuanto a la prioridad cronológica de la edición de Idamor Moreno sobre la de La Editora, las variantes de esta última no dejan lugar a dudas sobre ello. Aunque poco, doña Emilia siguió corrigiendo el texto. A título de ejemplo citaré algunos de estos cambios. En *La Lectura* y en Idamor, Silvio pide a su primo en la primera entrevista, una taza de caldo y un poco de «torta» fresca, que se convierte en «bolla» en la edición de La Editora. Minia dice al pintor en las dos primeras versiones:

«Cuenta usted veintitrés años, batalla desde los catorce, y aún no ha carretado su grano de trigo».

En La Editora: «...aún no ha juntado sus granos de trigo».

En el monólogo de Valdivia, cuando confiesa a Silvio Lago las razones de su odio al pintor Marbley. En la edición de *La Lectura* y de Idamor le dice:

¡Que si yo tuviera valor para malquistarme con María, mi mayor delicia sería clavarle una bala, después de escupirle *Sé de fijo que me ha engañado con él,* y he de seguir recibiéndole, y he de tratarle como si tal cosa, y hasta dar almuerzos y comidas en su honor.

En la edición de La Editora, la frase subrayada ha pasado a ser: *«Sospecho que me ha engañado con él».*

La de Idamor es, por tanto, anterior, porque no parece lógico que vuelva a opciones ya desechadas.

El cotejo de la edición de *La Lectura* con la edición de Administración de 577 páginas, que podemos considerar la primera en libro, deja claro que la autora revisó el texto en profundidad antes de incorporarlo a sus *Obras Completas*. Sin contar con los cambios de puntuación, hay casi 1.500 variantes[1]. Estas variantes comprenden cambios de palabras, del orden de la frase, adiciones y supresiones de palabras, frases y párrafos, que llegan a la eliminación de un episodio completo que ocupaba varias páginas. La Pardo Bazán está dando la versión definitiva de la novela, aunque todavía haga alguna corrección posteriormente.

Los cambios de mayor envergadura obedecen a razones que son fácilmente comprensibles. El más importante es la supresión de un episodio —que puede leerse en los Apéndices— en el que Silvio, fuera de sí porque cree que la Churumbela le ha robado una petaca de plata, se muestra muy grosero con una clienta y acaba destruyendo el retrato a cuchilladas porque no le gusta como queda. Después aparece el marido de la aristócrata, que tranquiliza a la dama y justifica a Silvio diciendo que «a los artistas hay que dispensárselo todo, porque no son como los demás». El episodio tendía a subrayar rasgos del carácter de Silvio de forma demasiado tosca. La agresividad, la pérdida de control de los nervios, su labilidad emocional ya habían aparecido en el episodio inmediatamente anterior cuando está a punto de pegarle a La Churumbela. Por otra parte, su mala educación y sus bruscos cambios de humor quedarán de relieve en las escenas siguientes en casa de Minia, cuando pide el dinero a la baronesa. Por tanto, el episodio resultaba redundante.

Whitaker cree que la supresión de este episodio obedece fundamentalmente al deseo de la autora de apartarse de las teorías de Lombroso que consideraba al artista como una variedad del loco o del degenerado: «Doña Emilia, releyendo

---

[1] Whitaker, que ha estudiado los cambios respecto a la edición de La Editora, da 1470 variantes. Él la considera segunda versión, pero en realidad es la tercera, como ya he demostrado. Ver *op. cit.*, págs. 117-137.

esta sección en su manuscrito original, puede haber notado que estaba reflejando inconscientemente una opinión generalizada acerca de los artistas que ella misma había criticado en sus primeros escritos». (Obra citada, pág. 121.)

Sin desechar esa interpretación, yo creo que las razones estéticas han tenido un peso decisivo. El episodio es demasiado similar a los que lo rodean e insiste en rasgos de carácter que ya están suficientemente explícitos. La justificación del artista, que en el episodio suprimido corría a cargo del marido de la Salvatierra, pasa a ser incumbencia del narrador, que se dedica repetidamente a vincular la grosería de Silvio con su sensibilidad poética. Así, como ya comentamos en el capítulo de la construcción de los personajes, el narrador califica de «reacción de poesía bohemia» la desconsiderada forma en que Silvio exige su dinero a la baronesa. Y Minia alude de forma inequívoca a las teorías de Lombroso cuando califica a Silvio de «degenerado superior».

La supresión de ese episodio provoca la de todas las alusiones a él en las páginas siguientes, en la larga conversación entre Silvio y Minia. Algunas son irrelevantes y se refieren a chismorreos sociales, pero en otros parece haber un deseo de alejarse de las interpretaciones deterministas-naturalistas de épocas anteriores. Así, cuando Minia le reprocha su mala educación, él se justifica diciendo:

> ...a veces reaparece el obrero. No crea usted, los señoritos que me visitan tampoco brillan todos por su cultura y su cortesía. Bajo el frac, bajo la blusa, se esconde el mismo salvaje, el instinto desatado.

En este mismo sentido interpreto la supresión de una frase del doctor Luz que Clara reproduce en su primera carta. Después de decirle: «De poco sirve poseer las condiciones de la libertad si no tenemos un alma libre», la primera edición añadía: «Todo lo que nos sucede nace de nosotros, y es lo que nosotros somos, y por mucho que caminemos, no encontramos, al fin del camino, sino a nosotros mismos, niña.» Este especie de determinismo de la persona no encajaba con la defensa de la libertad de espíritu que preconizaba el médico.

· Algunas variantes pueden tener explicaciones diversas. En la primera versión, abochornado por su mal comportamiento con Clara, y acosado por el sablista Crivelo, «Silvio se paseaba con trajín de alimaña montés que acosan los cazadores». En la segunda, por el contrario, tras el teatral parlamento del sablista: «Silvio se aplacó.» ¿Se trata de subrayar los cambios bruscos de humor de Silvio o de eliminar recuerdos del naturalismo, donde abundaban las comparaciones del comportamiento humano con el animal?

Las variantes más frecuentes obedecen a dos tipos de motivaciones, en mi opinión: a un deseo de precisión y claridad; y a un deseo de belleza.

La búsqueda de la precisión la lleva tanto al cambio como a la supresión de palabras inútiles, o, por el contrario a añadir otras que aclaren o ensanchen la primera expresión. Veamos algún ejemplo: Cuando Minia le canta a Silvio las alabanzas del artista anónimo de la Edad Media, en la primera versión le decía que «En su celda, después del rezo, diseñaría lirios y mariposas». En la segunda puntualiza: «diseñaría y policromaría».

Cenizate critica ante Silvio la actitud de otros artistas y dice:

1.ª) El estribillo de que para ser artista hay que ser puercoespín, hablar en carretero...

2.ª) Hablar en carretero y en chulo.

Un buen ejemplo de sustituciones que buscan la precisión es la que se refiere a la calidad de los jardines parisinos en verano: «Lo húmedo y perfumado de sus limpios jardines» pasa a ser «lo regado y perfumado», con un adjetivo más ajustado a la realidad, pero estéticamente menos sugeridor. En este caso parece haber preferido la precisión a la belleza.

Otro buen ejemplo de búsqueda de la expresión más precisa es el cambio de «humillaciones» por «decepciones humillantes».

Las supresiones suelen tender a evitar redundancias: la actividad de París es calificada en la 1.ª de «no interrumpida, persistente». En la 2.ª deja sólo el adjetivo «persistente» que ya incluye en él al anterior. Cuando Silvio se justifica ante Minia por haber rechazado la proposición de matrimonio de Clara Ayamonte, le dice en la primera versión: «Ahora me permitirá que hable y me defienda.» En la segunda: «me permitirá que hable». Ya que todo lo que viene a continuación es, en efecto, una defensa de su actitud. En el episodio de la Calatrava y la Camargo la frase «Silvio sintió que se le desencadenaba, a pesar suyo, la cólera», destaca la lucha de Silvio entre su deseo de ser diplomático y los sentimientos, que *a su pesar* se imponen. Las frases siguientes repiten la misma idea: «Quería tratar con miramientos a las damas (...) pero cuando los nervios de Silvio se encalabrinaban, el demontre.» Consciente de esta redundancia, cambia la primera frase, que pasa a ser «Sintió que montaba en cólera», de manera que el contraste entre lo que siente y lo que quiere se manifiesta en el resto del párrafo. En la escena en que Silvio confiesa a Clara que llegaría a odiarla si se casase con ella, la voz narradora dice: «Ella vaciló, se esforzó y resistió para no desplomarse bajo el golpe.» En la edición en libro suprime «y resistió» que está implícito en el resto de la escena, puesto que no se desploma. Cuando Silvio explica el dominio que Espina ejerce sobre él, la primera vez dice «la mujer se apodera de mí, me tiraniza, me absorbe». En la segunda funde los dos verbos finales en uno: «se apodera de mí, me subyuga».

Algunas adiciones obedecen a motivos estructurales: con ellas anticipa algo que va a suceder y aumenta la cohesión interna del relato. Así, en el paseo en coche de Clara Ayamonte y su sobrina Micaelita, la chica adivina que su tía está interesada por un hombre, pero en la primera vesión se limita a decir: «Anda, cuéntame. Yo callo; ni con tenazas me arrancan tu secreto.» En la segunda, hace una pregunta que liga esta parte con el pasado de Clara y con el viaje en coche hacia el convento: «¿Es tu flirt Lope Donado, que te persigue?» En la conversación entre Minia y Silvio tras la ruptura con Clara, se añade un comentario de Minia que funciona como anticipación: «Clara será vengada; de eso estoy segura. De vengar a Clara se encargarán otras mujeres, que le aniquilarán a usted.»

La misma función tiene el comentario que hace Valdivia

en medio de sus confidencias a Silvio Lago sobre Espina. En la primera versión decía: «¿No es cierto que esa mujer tiene algo de irresistible? ¡Si usted supiera lo que he batallado para apartarla de mi pensamiento, para quitarme el vicio y la borrachera de su amor!» En la segunda intercala entre las dos frases esta otra: «Y, en el fondo, créame... ella no es responsable del mal que hace. Se encuentra sometida a una fatalidad.» Con este comentario anticipa lo que Silvio descubrirá por sí mismo más tarde.

Otras adiciones tiene el aspecto de comentarios de autor, aunque estén puestos en boca de Silvio Lago. En el relato que éste hace de la función de teatro, en la primera versión, al hablar del palco donde se sientan la duquesa de Flandes y Espina Porcel se limitaba a describir el contraste entre el atuendo de las dos mujeres. En la segunda añade un comentario que contiene una crítica velada a la sociedad de su tiempo:

> Y es toda la contradicción de la sociedad actual este palco: la alta representación de la casa de Flandes, lo puro, lo grandioso de la tradición, al lado de la equívoca cosmopolita; junto al oro sin aleación, el talco...

La adición de ese párrafo donde figura el adjetivo «grandioso» la obliga a cambiar el que había empleado en la primera versión para describir a la duquesa, que pasa de «grandiosa, larga de líneas» a «erguida, larga de líneas».

Entre los cambios que atribuyo a motivos estéticos los más abundantes se refieren a matices expresados por los adjetivos, aunque en alguna ocasión uno dude del acierto. Veamos algún ejemplo: «Era un mar amargo y hondo, sin límites» pasa a ser «océano amargo». Obviamente ha tratado de evitar la reiteración de sonidos, pero es discutible que suene mejor. En la descripción de Espina todos los cambios parecen obedecer a un motivo estético, a la aproximación a un modelo modernista: el pelo, que se había calificado por dos veces de «dorado», pasa a ser «áureo» y «de luz». Los ojos, de los que se había limitado a dar el color y notas negativas, se enriquecen con detalles que recuerdan las pinturas de los prerrafaelistas:

— «Sus ojos avellana, de estrecha pupila, ni son grandes ni muy luminosos.»

— «Sus ojos avellana, en que parecen hormiguear puntilleos de oro, no son grandes ni dulces.».

El modisto Paquín pasa de «envarado y altanero» a «envarado y engreído».

La «imaginación negra» con la que todo se tiñe «de hiel» pasa a «calenturienta» y a teñirse de «obscuro».

La calle «distinguida y solitaria» pasa a ser «anticuada y solitaria».

Para describir el cambio de color del rostro de Clara Ayamonte: «Las palabras de su sobrina convirtieron en carmín el rosado de la piel de la Ayamonte.» Y en la segunda, con estilo más modernista: «convirtieron en nácar rosa el marfil de la piel».

Para destacar la escasa importancia de la inspiración en el arte utiliza una serie de imágenes: «Lo que se hace sin aplicación es deleznable, banco de arena seca y suelta que el viento arrebata, resplandor momentáneo de bicho de luz en estío.» En la segunda versión el «bicho de luz» pasa a «luciérnaga» lo que aumenta la eufonía del párrafo, aunque también le resta originalidad.

Muchos cambios tienden a aumentar la expresividad:

Las señoras de «incierta edad y escasos atractivos» que acuden al estudio de Silvio Lago llegan, en la primera versión, con el genio «envenenado» por los burlones comentarios de las mujerzuelas del barrio. En la segunda, el disgusto se ha incrementado y el genio «enviborado».

Cenizate, el buen amigo de Silvio, le da un abrazo de felicitación, que se convierte en «fogoso abrazo» en la segunda versión, y de pelearse por él, por defender sus cuadros, pasa a pelearse «desesperadamente».

Wiertz, el pintor belga, evoluciona de «pintar» cosas horribles y macabras a «embadurnar».

Intentando expresar su fascinación por Espina Porcel, Silvio dice «Sentimos infinitas cosas que no se justifican», y en la segunda versión se subraya: «sentimos ahincadamente». Esta exacerbación del sentimiento, ese ahincado sentir, es rasgo frecuente en la segunda versión.

Por último, algún cambio puede que obedezca a razones sociales que hoy se nos escapan. En la versión primera Silvio hace una observación sobre el modo en que la gente nombra a las señoras de la aristocracia: «Noto que aquí nadie dice *la duquesa de Alba,* sino la Alba, la Fernán-Núñez, la Denia.» En la segunda mantuvo la referencia a la duquesa de Alba, pero sustituyó los nombres de las otras dos por los de la Osuna y la Laguna. Concha de la Laguna fue amiga de la Pardo Bazán y le ayudó a entrar en el mundo de la aristocracia, pero sobre los motivos que llevaron a la autora a elegir primero unos nombres y después a cambiarlos sólo podemos hacer conjeturas. Por lo que se refiere a la duquesa de Denia, su cita podía deberse al hecho de ser una de las aristócratas que se relacionaba con artistas y escritores. Por su palacio pasaban, según noticias de prensa, figuras como Núñez de Arce, Zorrilla y Echegaray. El motivo de la supresión pudo ser la muerte de esta señora en agosto de 1903.

Después de todo este trabajo comparativo más de un colega se preguntará por qué no doy las variantes de las ediciones a pie de página. Pues bien, la razón fundamental es que estoy convencida de que el investigador especializado necesita ver por sí mismo los textos completos, porque sólo así se pueden comprender las razones, o las manías, que llevan a un escritor a cambiar la versión anterior. El cambio de una palabra, o del orden de vocablos de una frase depende muchas veces de algo que se ha dicho páginas atrás: un giro que no conviene repetir, una expresión que a uno le suena a ya dicha. Y esto sólo se aprecia en un cotejo de los textos completos.

Para la mayoría de los lectores las más de mil cuatrocientas variantes de texto y otras tantas de puntuación que hay entre la 1.ª y la 2.ª edición, más las variantes entre la 2.ª y la siguiente, sólo servirían para entorpecer la lectura de una obra ya de por sí difícil. Por otra parte, creo que las referencias a los cambios son lo bastante explícitas como para facilitar el camino a investigaciones futuras.

El mismo criterio de facilitar la lectura se ha seguido en lo que se refiere a ortografía y puntuación. Se han suprimido los acentos de los monosílabos —á, é, sér, fé, etc.— y se han corregido las lecturas defectuosas que habían mantenido erratas como «caraqueño» por «caliqueño» o la falta de una línea completa de texto. En el capítulo de la puntuación he mantenido la que responde a un uso estilístico, pero he regularizado según criterios actuales los otros casos.

Por lo que se refiere a las notas al texto, he de decir que fue mi intención acercar al lector a la mentalidad de la autora y de la época, intentar aclarar el porqué de las numerosísimas referencias culturales, artísticas e históricas. Pero este tema de las notas es un terreno pantanoso en el que uno pierde pie fácilmente: se empieza explicando lo difícil y se acaba explicando lo obvio. En un texto en el que hay palabras y frases en inglés, francés, italiano, alemán, gallego, latín y hasta hebreo ¿dónde poner el tope? Por otra parte, parecía claro que los pintores Wiertz o Haes necesitaban una nota y, probablemente, Millais o Millet, pero ¿Hals, Rossetti, Van Eyck? ¿Y qué decir de Rubens o de Tiziano? Y para colmo de desazones cuando una sospecha que ha puesto infinidad de notas inútiles se quedan sin aclarar expresiones como esa «cuchara de bayeta», la «cebolla del verano», o la condenada «trova».

Repito aquí mi agradecimiento a mis amigos Cova López Alonso y Pedro Álvarez de Miranda, a quienes ya cité en el capítulo de la lengua. Y añado los nombres de M.ª del Mar Mañas e Íñigo Sánchez, por su valiosa colaboración en la consulta de datos en hemerotecas y bibliotecas.

Y para terminar: soy consciente del carácter profundamente subjetivo de mis interpretaciones a *La Quimera*. Es *mi* visión la que aquí queda plasmada, y la ofrezco con la tranquilidad que da el saber que es solamente una más entre las que se dieron en el pasado y las que darán en el futuro. Confío, eso sí, en que ayudará a algún lector a apreciar determinados aspectos de esta novela, y a algún investigador a profundizar en su estudio. Al contrario de lo que sucede en la creación artística, donde aciertos y errores son personales e intransferibles, el trabajo de crítica e investigación tiene la humilde ventaja de desbrozar el camino a los que vienen detrás, para que ellos puedan mejorarlo. Atraer la atención del público y de la crítica hacia esta novela, injustamente olvidada, ha sido la intención que ha guiado este trabajo. Espero haberlo conseguido.

Bibliografía selecta

I) Estudios sobre la autora y su obra

Baquero Goyanes, Mariano, *La novela naturalista española: Emilia Pardo Bazán,* Publicaciones de la Universidad de Murcia, 2.ª ed., 1986.
— *Emilia Pardo Bazán,* Madrid, Publicaciones Españolas, 1971.
— Estudio preliminar a la edición de *Un viaje de novios,* Textos hispánicos modernos, Barcelona, Labor, 1971.
Bieder, Maryellen, «En-gendering strategies of authority: Emilia Pardo Bazán and the novel», en Hernan Vidal (ed.), *Cultural and Historical Grounding for Hispania and Luso-Brazilian Feminist Literary Criticism,* Minneapolis, Institute for the Study of Ideologies and Literature, 1989, págs. 473-495.
Bravo-Villasante, Carmen, *Vida y obra de Emilia Pardo Bazán,* Madrid, Revista de Occidente, 1962.
— *Cartas a Galdós,* Madrid, Turner, 1978.
Brown, Donald Fowler, *The Catholic Naturalism of Pardo Bazán,* The University of North Carolina Press, Chapell Hill, 1957.
Clemessy, Nelly, *Emilia Pardo Bazán como novelista,* Madrid, Fundación Universitaria Española, 1981.
— Estudio preliminar a la edición de *Los pazos de Ulloa,* Madrid, Espasa-Calpe, 1987.
Cook, Teresa, *El feminismo en la novela de la Condesa de Pardo Bazán,* Publicaciones de la Diputación Provincial de La Coruña, 1976.
González Herranz, José Manuel, *Estudio introductorio a «La cuestión palpitante»,* Anthropos-Universidad de Santiago de Compostela, 1989.
Guillén, Claudio, «Entre la distancia y la ironía: de *Los pazos de Ulloa* a *Insolación»,* en M. Mayoral (coord.), *Estudios sobre Los pazos de Ulloa,* Madrid, Cátedra-Ministerio de Cultura, 1989, págs. 103-128.

GULLÓN, Germán, «La densidad genérica y la novela del ochocientos: *Los Pazos de Ulloa* de Emilia Pardo Bazán», *Anales de Literatura Española,* vol. 5, 1986-87, págs. 173-188.

HENN, Davis, *The Early Pardo Bazán. Theme and Narrative Technique in the Novels of 1879-89,* Liverpool, Francis ·Cairn Publications, 1988.

— «The Evolution of Pardo Bazán's Views of the Novel, 1879-91», *Neophilologus,* vol. 72 (3), julio de 1988, págs. 280-393.

HEMINGWAY, Maurice, *Emilia Pardo Bazán: the making of a novelist,* Cambridge University Press, 1983.

— «The religious content of Pardo Bazán's *La sirena negra*», *Bulletin of Hispanic Studies,* XLIX (1972), págs. 369-382.

KRONIK, John W., «Entre la ética y la estética: Pardo Bazán ante el decadentismo francés», en M. Mayoral (coord.), *Estudios sobre los Pazos de Ulloa,* edición citada, págs. 163-174.

MAYORAL, Marina, *Estudio preliminar a «Cuentos y novelas de la Tierra» de Emilia Pardo Bazán,* Santiago de Compostela, Sálvora, 1984.

— *Estudio preliminar a la edición crítica de «Los Pazos de Ulloa»,* Madrid, Castalia, Col. Clásicos Castalia, 1986.

— *Estudio preliminar a la edición de «Insolación»,* Madrid, Espasa-Calpe, 1987.

— *Estudio preliminar a la edición de «Dulce Sueño»,* Madrid, Castalia, Col. Biblioteca de Escritoras, 1989.

— «El tema del amor en las novelas de los Pazos», en *Estudios sobre los Pazos de Ulloa,* en M. Mayoral (coord.), Madrid, edición citada, 1989, págs. 37-50.

— «De *Insolación* a *Dulce Sueño* notas sobre el erotismo en la obra de Emilia Pardo Bazán», en *Eros Literario,* Madrid, Universidad Complutense, 1989, págs. 127-136.

OSBORNE, Robert S., *Emilia Pardo Bazán, su vida y su obra,* México, Ediciones de Andrea, 1964.

PAREDES NÚÑEZ, Juan, *Los cuentos de Emilia Pardo Bazán,* Universidad de Granada, 1979.

— *La realidad gallega en los cuentos de Emilia Pardo Bazán (1851-1921),* La Coruña, Edicións do Castro, 1983.

— *Estudio introductorio a la edición de «Cuentos completos» de E. Pardo Bazán,* La Coruña, Fundación Pedro Barrié de la Maza, Conde de Fenosa, 1990.

PATTISON, Walter T., *Emilia Pardo Bazán,* Nueva York, Twayne Publishers, 1971.

VARELA JÁCOME, Benito, *Estructuras novelísticas de E. Pardo Bazán,* Santiago de Compostela, Instituto Padre Sarmiento, 1973.

VARIOS, *Estudios sobre los Pazos de Ulloa,* M. en Mayoral (coord.), Madrid, Cátedra-Ministerio de Cultura, 1989. (Estudio de: Ricardo Gullón, Darío Villanueva, Marina Mayoral, Nelly Clemessy, Maurice Hemingway, Carmen Bravo-Villasante, Benito Varela Jácome, Claudio Guillén, Carlos Casares, Luis Mateo Díaz, María del Pilar Palomo, John W. Kronik, Juan Paredes y Francisco Nieva.)

VILLANUEVA, Darío, *«Los Pazos de Ulloa,* el naturalismo y Henry James», *Hispanic Review,* vol. 52, núm. 3, primavera de 1984, págs. 121-139

II) ESTUDIOS SOBRE «LA QUIMERA»

BRADFORD, Carole A., «Alienation and dual personality in the last three novels of Emilia Pardo Bazán», *Revista de Estudios Hispánicos,* t. XII, núm. 3, año 1978, págs. 399-417.

GILES, Mary E., «Impressionist techniques in descriptions by Emilia Pardo Bazán», *Hispanic Review,* XXX (1962), páginas 304-316.

— «Pardo Bazán's two styles», *Hispania,* 48, 3 (1965), páginas 456-462.

GÓMEZ DE BAQUERO, E., «Devaneos literarios. *La Quimera», Los Lunes de El Imparcial,* 31 de julio de 1905.

— *«La Quimera,* novela por D.ª Emilia Pardo Bazán», *La España Moderna,* octubre de 1905, págs. 167-175.

— «La última manera espiritual de la condesa de Pardo Bazán», en (Andrenio), *Novelas y novelistas,* Madrid, Editorial Saturnino Calleja, 1919, págs. 293-330.

HEMINGWAY, Maurice, «Pardo Bazán and Rival Claims of Religion and Art», *Bulletin of Hispanic Studies,* LXVI (1989), págs. 241-250.

INSUA ESCOBAR, Alberto A., «A través de un libro», *La República de las Letras,* núm. 3, año I, 1905, págs. 2-3.

LÓPEZ-SANZ, Mariano, *Naturalismo y espiritualismo en la novelística de Galdós y Pardo Bazán,* Madrid, Editorial Pliegos, 1985.

— «Moral y estética fin de siglo en *La Quimera* de Pardo Bazán», *Hispania,* 62, 1 (marzo de 1979), págs. 62-70.

MOROTE, Luis, *«La Quimera.* Última novela de Emilia Pardo Bazán», en *Teatro y novela,* Madrid, Librería Fernando Fe, 1906, páginas 211-221.

PORTER, Phoebe, «The Femme Fatale: Emilia Pardo Bazán's Portrayal of Evil and Fascinating Women», en Gilbert Paolini (ed.),

La Chispa '87, New Orleans, Tulane University, 1987, páginas 263-70.

SOTELO, M.ª Luisa, *«La Quimera* de Emilia Pardo Bazán: autobiografía y síntesis ideológica-estética», en *Homenaje al profesor Antonio Vilanova,* vol. 2, Universidad de Barcelona, 1989, págs. 757-775.

UNAMUNO, Miguel de, *«La Quimera,* según Emilia Pardo Bazán», *La Lectura,* t. II, año 1905, págs. 424-432. Incluido en *De esto y de aquello, Obras completas,* t. V, Madrid, Afrodisio Aguado, 1952, págs. 215-227.

— «Recuerdos personales de doña Emilia», Nuevo Mundo, 27 de mayo de 1921.

VARELA JÁCOME, Benito, «Hedonismo y decadentismo en *La Quimera* de Pardo Bazán», en *Eros Literario,* Madrid, Universidad Complutense, 1989, págs. 137-147.

WHITAKER, Daniel S., *«La Quimera» de Pardo Bazán y la literatura finisecular,* Madrid, Editorial Pliegos, 1988.

WOOD, Jennifer J., «Franciscan Morality and Spirituality in Emilia Pardo Bazán's *La Quimera», Letras Peninsulares,* vol. 2 (1), primavera de 1989, págs. 109-121.

ZEDA (F. Fernández Villegas), «Lecturas de la semana: *La Quimera», La Época,* 15 de junio de 1905, suplemento al núm. 19.743.

La Quimera

Prólogo

Había prescindido en mis novelas de todo prefacio, advertencia, aclaración o prólogo, entregándolas mondas y lirondas al lector, que allá las interpretase a su antojo, puesto que tanta molestia quisiera tomarse; y esta costumbre seguiría en *La Quimera* si, apenas iniciada su publicación por la excelente revista *La Lectura,* no apareciese en un diario de circulación máxima un suelto anunciando que «claramente se adivina, al través de los personajes de *La Quimera,* el nombre de gentes muy conocidas en la sociedad de Madrid, por lo cual el libro será objeto de gran curiosidad y de numerosos comentarios».

Desde *Pequeñeces,* se me figura que al público se le ha abierto el apetito. Fue *Pequeñeces* (tendrán que reconocerlo los más adversos al Padre Coloma) plato tan sabroso, que trabajo le mando al cocinero que sazone otro mejor. ¿Qué especias emplear? ¿Qué salsa componer? No vale cargar la mano en la guindilla, que no por eso saldrá el *carrick* más en punto. *Pequeñeces,* a la verdad, y es justo decirlo, alborotó sin recurrir a tratar de aberraciones, perversiones y demoniuras con que hoy las letras van familiarizándose. Por ley natural de la escala de sensaciones, se piden nuevos estímulos; vibra irritada la curiosidad, y la musa ceñida de negras espinas, la de la sátira social, que levanta ampollas como puños, aguarda su hora. A todo novelista que por exigencias del asunto tiene que situar la acción en altas esferas o sacar a plaza tipos más o menos semejantes a los que por ahí bullen, se le pregunta con ahínco: «—¿Nos trae usted la continuación de *Pequeñeces?* Eso sí que nos encantaría. Agotaríamos la edición...»

117

Reconozco que en la sátira social pueden hacerse maravillas. Remontémonos: ¿quién ignora que Dante, en la *Divina Comedia,* saca al sol los trapitos de sus contemporáneos y conciudadanos, sin omitir lo gravísimo (recuérdese su conferencia en el infierno con Brunetto Latini)? Los profetas de Israel, que iban clamando contra las iniquidades de su época, sin respetar ni a las testas coronadas, ¿qué fueron, descontada su sacra misión, sino *satíricos andantes?* La antigüedad, más realista cien veces que nosotros, no concibió el drama con personajes inventados; y los dramaturgos griegos fundaron su teatro en sucedidos históricos y en interioridades regias. En la *Odisea,* y aun en la *Ilíada,* hizo algo semejante Homero; Shakespeare (siguiendo las huellas de Sófocles y Eurípides), en sus dramas históricos dramatizó sucesos casi actuales y retrató a los reyes, reinas y magnates con relieve cruel. Creo que basta de ilustres ejemplos, y que no será desdeñar el género si declaro que no pertenece a él *La Quimera,* ni fustiga, palabreja tan en uso, a nadie, ni verosímilmente provocará, siquiera por ese concepto, comentario ninguno.

Si se me permite una breve digresión, antes de indicar, por mi gusto y no porque interese, qué idea desenvuelvo en *La Quimera,* observaré que quizás no se ha definido claramente la *sátira social,* y solemos confundirla con la *sátira de clase* y la *personal.* Sátira social es aquella que, en los vicios y faltas de las clases o de los individuos, sorprende los síntomas de decadencia y descomposición de la sociedad entera y se adelanta a la Historia: tales fueron algunas de Quevedo (no todas, ciertamente); tales, las famosas de Juvenal, donde resuena el toque de agonía del Imperio romano. Sátira de clase es la que ve sólo en el conjunto un factor, y a él endereza sus tiros. Así, Álvaro Pelagio lamentaba especialmente los pecados y desmanes de la clerecía. La sátira personal amontona, sobre pocos o sobre uno solo, las culpas de todos; es, de fijo, la más apasionada y sañuda, y, como ejemplo, citaré el *Paralelo* de Villergas[1] entre

---

[1] Juan Martínez Villergas (1816-1894) cultivó la novela y el teatro, pero destacó sobre todo como escritor satírico en prosa y verso. La cita se refiere al panfleto, publicado en 1851, *Paralelo entre la vida militar de Espartero y Narváez,* donde atacaba ferozmente a este último. Denunciado por Narváez, estuvo siete meses en la cárcel y salió gracias a una retractación pública. Sus ideas

Espartero y Narváez. Para ser víctima de esta última clase de sátira, es preciso descollar.

Pequeñeces, aun cuando dejase entrever fisonomías que, no obstante las protestas del autor, parecieron conocidas, tenía alcance de sátira social: censuraba un estado general, lo podrido de Dinamarca. Los demás novelistas españoles se han limitado a la sátira de clase (aunque haya en Galdós no poco de sátira verdaderamente *social* difusa). Y al escribir la sátira de clase (de la aristocrática, única que *como clase* ha sido satirizada en la novela), frecuentemente confunden a «la aristocracia» con «la buena sociedad», que no será todo lo contrario, pero tampoco es lo mismo.

Circunscrita la sátira al Madrid de los salones, deja de ser de clase y es, a lo sumo, de círculo o cotarro, degenerando en personal infaliblemente. Sin embargo, yo no he solido ver, en las novelas satíricas, esas semejanzas parlantes con Zutano o Mengano; y más bien sentí extrañeza al reconocer el corto tributo pagado a una realidad, ni difícil de observar, ni pobre en colores y formas sugestivas. Y discurriendo acerca de este efecto, doy en creer que la intención de la sátira estorba el paso a la verdad, como la caricatura al parecido, y que para pintar lo que fuere, altas, medianas o bajas clases o individuos, es de rigor atenerse a la verdad sencilla (no a la verdad *nimia*), y entrar en la tarea con ánimo desapasionado. Sobre todas las cosas deberá evitar el novelista el propósito de adular la maligna curiosidad y la concupiscencia de los lectores.

Viniendo a *La Quimera,* en ella quise estudiar un aspecto del alma contemporánea, una forma de nuestro malestar, el *alta aspiración*[2], que se diferencia de la ambición antigua (por más que tenga precedentes en psicologías definidas por la

---

republicanas y sus desmedidos ataques a políticos le ocasionaron destierros y problemas, pero al mismo tiempo, lo convirtieron en un escritor temido y muy popular en su época.

[2] El alta aspiración.—Es un uso anómalo. La forma correcta es: «la alta aspiración», ya que por ser la palabra «alta» un adjetivo no rige para ella la norma aplicable a los sustantivos que empiezan por «a» tónica. Sin embargo durante siglos se mantuvo en el uso lingüístico de los mejores escritores la forma «el» del artículo ante adjetivo que empiezan por «a» tónica. Salvador Fernández Ramírez recoge en su Gramática, entre otros ejemplos, «el alta sie-

Historia). La ambición propiamente dicha era más concreta y positiva en su objeto que esta dolorosa inquietud, en la cual domina exaltado idealismo. Es enfermedad noble, y una de las que mejor patentizan nuestra superioridad de origen, acreditando las profundas verdades de la teología, el dogma de la caída y la significación del terrible árbol y su fruto. El mal de aspirar lo he representado en un artista que no me atrevo a llamar genial, porque no hubo tiempo de que desenvolviese sus aptitudes, si es que en tanto grado las poseía; pero en cuya organización sensible, afinada quizá por los gérmenes del padecimiento que le malogró la aspiración, revestía caracteres de extraña vehemencia. Ignoro lo que el desgraciado joven hubiese hecho; conozco, en cambio, lo que le agitaba y enloquecía, cómo se dejaba arrastrar palpitante en las garras de la Quimera; y la batalla entre su aspiración y las fatalidades de la necesidad me pareció tanto más dramática, cuanto que, para un artista en quien la Quimera no tuviese fijos sus glaucos ojos, la situación de halagado retratista de damas hubiese sido gratísima y provechosa. El *rapín*[3] bohemio, soplándose los dedos en su solitaria buhardilla, no me importa tanto como este otro bohemio rápidamente puesto de moda y celebrado, invitado a las casas de más tono, envuelto en sedas y encajes, asfixiado de perfumes, pero agonizando de nostalgia, despreciándose y acusándose de traición al ideal, y resignándose a la suerte y a la caricia de los poderosos, sólo porque esperaba que le proporcionasen manera de encaminarse a la cima ruda, inaccesible, donde ese ideal se oculta. No de otro modo

rra» de Fray Luis de León, «el ancha vega» de Meléndez Valdés y «el ágil maestría» de Santos Chocano (*Gramática Española,* volumen preparado por José Polo, Madrid, Arco/Libros, 1987, pág. 142, nota 300).

Todavía en la edición de 1931 la *Gramática* de la RAE, aunque condena este uso admite «como licencia poética» casos como «el ardua empresa» o «el áspera condición». Sospecho que doña Emilia usa «el alta aspiración» por influencia de «el alta sierra» de Fray Luis, que es uno de sus poetas preferidos. El poema de Fray Luis en que aparece el ejemplo citado es la «profecía del Tajo» y la estrofa completa dice: «Acude, acorre, vuela, / Traspasa el alta sierra, ocupa el llano, / No perdones la espuela, / No des paz a la mano / Menea fulminando el hierro insano.»

[3] «Rapín».—Palabra francesa: alumno de una escuela de pintura. Pintorcillo.

el soldado en vísperas de combate huye de los brazos amantes para incorporarse a su bandera.

Mientras notaba día por día la curva térmica de la fiebre de aspiración en Silvio Lago; mientras obsesionaba mi imaginación *La Quimera,* la veía apoderada de infinitas almas, ya revistiendo forma sentimental (como en Clara Ayamonte,) ya imponiéndose a las colectividades en el anhelo de una sociedad nueva, exenta de dolor y pletórica de justicia; y conocí que el deseo está desencadenado, que la conformidad ha desaparecido, que los espíritus queman aprisa la nutrición y contraen la tisis del alma, y que ese daño sólo tendría un remedio: trasladar la aspiración a regiones y objetos que colmasen su medida.

Por la índole del trabajo a que Silvio Lago se dedicó, su medio social fue en efecto prontamente el más *smart*[4], y no negaré que su vida se prestaría a un picantísimo estudio de costumbres elegantes. A mí me atrajo en primer término el drama interior de su ensueño artístico; y por eso, lejos de sujetarme a la menuda realidad, no la he respetado supersticiosamente, adaptando lo externo a lo interno, procedimiento de todos los que pretenden reflejar la vida moral. No sería fácil aplicar nombres propios a los personajes de *La Quimera,* en el sentido que los curiosos exigen; y si asoman caras conocidas, se las ve tan normales y sonrientes como en visita o en el teatro; así las pintaba Silvio.

De la contemplación del destino de Silvio he sacado involuntariamente consecuencias religiosas, hasta místicas, que sin mezquinos respectos humanos vierto en el papel. No me complacen las novelas con fines de apología o propaganda; pero cuando, sin premeditación, se incorpora a la obra literaria lo que no quiero llamar *convicciones* ni *principios,* porque son vocablos intelectuales y militantes, sino *sentires* y *llamamientos;* si bajo la ficción novelesca palpita algún problema superior a los efímeros eventos que tejen el relato; si un instante el soplo divino nos cruza la sien, ¿por qué ocultarlo? ¿No es esto tan verdad como las funciones del organismo?

EMILIA PARDO BAZÁN

---

[4] «Smart».—Palabra inglesa: elegante, de moda.

SINFONÍA

LA MUERTE DE LA QUIMERA

(TRAGICOMEDIA EN DOS ACTOS, PARA MARIONETAS)

PERSONAJES

BELEROFONTE, hijo de Glauco, rey de Corinto .... 30 años.
YOBATES, rey de Licia .... 60 años.
UN RAPSODA .... 40 años.
UN PASTOR .... 20 años.
LA INFANTA CASANDRA, hija de Yobates .... 19 años.
MINERVA, diosa de la Razón.
LA QUIMERA, monstruo. (No habla.)

Acto primero

*(El teatro representa una sala baja del palacio de Yobates.
Al través de la columnata se ven los jardines.)*

ESCENA PRIMERA

(Casandra, El rapsoda.)

Casandra.—Bienvenido. A ver si con tus canciones me distraes un momento. Estoy enferma de pasión de ánimo. Dicen que soy feliz... Nada me falta: tengo mis ruecas de marfil cargadas de lino finísimo; mis arcas de cedro, llenas de túnicas bordadas y de velos sutiles; los árboles del huerto me dan frutos en sazón; las vacas, densa y pura leche... y yo, ni hilo, ni me adorno, ni gusto las manzanas, ni voy al establo... Oprímese mi corazón; y cuando la pálida Selene[5] cruza en su esquife de plata, y la brisa de primavera arranca perfumes a los nardos, siento que desearía morir, disolviendo mi alma en lo infinito.

El rapsoda.—Tu estado, Infanta, es igual al de todas las doncellas y los mozos de este reino, desde que vivimos bajo el terror de la Quimera[6], cuyo aliento de llama engendra la fie-

---

[5] Selene.—personificación de la Luna en la mitología griega.

[6] La Quimera.—Monstruo de la mitología griega. Tenía cabeza de león, por cuya boca arrojaba llamas, vientre de cabra y cola de dragón. Fue destruida por Belerofonte, ayudado por Minerva, la diosa de la Razón.

bre y el frenesí. El monstruo, a quien nadie se atreve, se habrá aproximado a los jardines de tu palacio, rondando tus establos o buscando quizás presa más noble, y te ha inficionado con ese veneno de melancolía y de aspiraciones insanas. ¿Cuándo un héroe, un nuevo Teseo[7], nos libertará de la Quimera maldita?

CASANDRA.—Te aseguro que yo no tengo miedo a la Quimera. Al contrario, me agradaría verla y sentir su inflamada respiración.

EL RAPSODA.—Ahí está el mal. La Quimera no es odiosa como el Minotauro. El ansia del misterio de su forma te consume. ¡Ah, princesa! Olvídala si quieres vivir. ¿Permitirás que, inmóvil ante ti como ante el altar de las divinidades, te recite una epoda?

CASANDRA.—¿Una epoda? No.

EL RAPSODA.—¿Un sacro peán? ¿Un alegre ditirambo?[8].

CASANDRA.—Tampoco. ¿Por qué no me recitas la historia de Calice?

EL RAPSODA.—Porque acrecentará tu pasión de ánimo.

CASANDRA.—Mejor. No quiero estar triste a medias, ni a medias regocijarme. Deseo ahondar en mí misma y rasgar el velo de mi santuario. Recita, recita esa historia de amor y lágrimas.

EL RAPSODA (RECITANDO):

Venus cruel, divina y vencedora,
mira a Calice, la infeliz doncella.

---

[7] Teseo.—Héroe de Atenas. Entre sus más famosas hazañas está la de haber dado muerte al Minotauro, el monstruo con cabeza de toro y cuerpo de hombre que habitaba en el laberinto de Creta y se alimentaba de carne humana. Teseo se orientó en el laberinto guiado por un hilo que le proporcionó Ariadna, hija de Minos, rey de Creta, y medio hermana del Minotauro, ya que éste era fruto de la unión de un toro con Pasifae, esposa de Minos y madre de Ariadna.

[8] Epoda, peán y ditirambo son distintas composiciones de la lírica griega. El epoda o epodo estaba formada por la combinación de un verso largo y uno corto. El ditirambo era de metro variado y en su origen estaba dedicado a Baco, dios del vino. El peán es, según el DRAE, un canto coral griego en honor de Apolo. Creo que estos nombres no están empleados con pretensiones de rigor arqueológico, sino para dar color local a la leyenda.

126

Fue su delito amar: y el insensible
a quien amó, la despreció riendo.
Ante tus aras, Madre de la vida,
Calice se postró: tórtolas nuevas
y corderillos tiernos ofrecióte.
Nada logró: que tú también, oh blanca,
pisas el corazón con pie de hierro.
Y Calice, una tarde (cuando Apolo
su disco de oro y luz sobre las aguas
reclina para hundirse lentamente),
sola avanzó hasta el seno misterioso
del azulado piélago dormido.
Abriéronse las ondas, y tragaron
el cuerpo de la virgen. ¡Oh doncellas
de Licia! ¡Traed rosas! ¡Traed rosas!
No lloréis, que Calice ya no sufre.

CASANDRA.—Gracias, rapsoda. Me has hecho mucho bien: estoy ahora triste del todo, y mi alma es como estancia bañada por la luna. Mas, ¿quién llega por el jardín?

EL RAPSODA.—Un extranjero, Infanta.

CASANDRA.—Ve y dile que pase, que en este palacio se ejerce la hospitalidad.

ESCENA II

(BELEROFONTE, CASANDRA.)

CASANDRA.—Extranjero semejante a los dioses, ¿qué buscas aquí? Pero antes de explicármelo, descansa y repara tus fuerzas.

BELEROFONTE.—Tu vista es al caminante fatigado mejor que el baño y el alimento sabroso. Vengo, Infanta, de la corte del rey Preto, esposo de tu hermana Antea, tan igual a ti en el rostro y en la voz, que me parece verla y escucharla.

CASANDRA.—Nos asemejábamos tanto, que cuando su esposo se presentó para llevarla al ara, yo, por chanza, me envolví en el velo nupcial, y los propios ojos del enamorado me

127

confundieron con ella. Mas, ¿quién eres tú? ¿No serás el divino Apolo, que disfrazado baja a correr aventuras entre los mortales?

Belerofonte.—Mortal soy, Infanta, y muy desdichado: la cólera de los inmortales me empuja lejos de mi reino y de mi patria. Mi noble padre es Glauco, rey de Corinto, gran jinete y domador; heredero soy de un corona, y vago por el mundo sin tener dónde recostar la cabeza.

Casandra.—La compasión, como un cuchillo que hiere sin lastimar, me atraviesa las entrañas. Tus males ya son míos. Extranjero, aquí encontrarás asilo y defensa hasta que la mala suerte se canse de perseguirte.

Belerofonte.—No se cansa. Como loba rabiosa, va tras de mí en las tinieblas. Pero aproxímate, y espantaré el dolor de la memoria. Pena olvidada es sombra sin cuerpo. Traigo para tu noble padre un mensaje de Preto, y quisiera entregárselo.

Casandra.—Ya se acerca.

ESCENA III

(Dichos, Yobates.)

Yobates.—¿Conoces tú a este extranjero, Casandra?

Casandra.—Hijo es de Glauco. Viene de la corte de Antea, y te trae letras de Preto.

Yobates.—Salud a ti. ¿Dónde está el mensaje?

Belerofonte.—Recíbelo (*le entrega las tabletas unidas*). Me ha encargado que lo abras a solas. Sin duda encierra altos secretos.

Yobates.—Cumpliré el encargo. ¿Qué hacías tú en el palacio de mi yerno? ¿Por qué no te quedaste al lado de tu padre, aprendiendo a sujetar corceles sin freno ni brida?

Belerofonte.—Rey de Licia, no ignoro las hazañas de mi padre. Probé a imitarlas en mi primera juventud, y me las hube con un corcel que no nació en la tierra. Dos alas blancas y luminosas arrancan de su lomo; sus fosas nasales destellan rayos de claridad y despiden vaho de ambrosía; está loco de ansia de libertad, y no hay ave que así cruce el azul espacio. No sufre ancas, ni jinete, ni palafranero. Con sólo agitar sus vibrantes alas, despide al atrevido que intente cabalgarle. Ansioso yo de gloria, un día trepé a la sierra en que pace el divino caballo. Hay en lo más inaccesible de las montañas, donde la nieve cubre los picos, valles diminutos que riega el deshielo, que el calor reconcentrado fecundiza, y en que una hierba virgen, jamás hollada, crece con frescuras de flor. Allí, lejos de la bajeza humana, gusta de retozar Pegaso. Oculto detrás de una peña, esperé a que se hartase del pasto delicioso; y cuando estuvo ahíto, por sorpresa le eché a la cerviz pesada cadena, y, asido a ella, cabalgué. Furioso el corcel, relinchando de ira, coceaba y se encabritaba; apretaba yo los muslos; mis manos se agarraban a las alas, paralizándolas; mis talones le hincaban el doble aguijón en el ijar. Por momentos creí ser lanzado al precipicio; pero ya dos hilos de sangre rayaban el bruñido flanco del corcel, y, trémulo, espumante, sudoroso, tuvo que darse por vencido y domado. Entonces ofrecí el Pagaso a mi protectora Minerva. Dos veces ha intentado quitárselo Apolo, envidioso de tan inestimable don.

CASANDRA.—Padre, la clemencia de los inmortales nos ha traído a nuestro hogar un héroe.

YOBATES.—¡Un héroe! ¡Sea cien veces bienvenido! Y dime, extranjero igual a Marte, ¿no has encontrado en tu camino al monstruo que nos tiene atemorizados? ¿No has visto a la Quimera?

BELEROFONTE.—Me han hablado de ella los pastores en las majadas y los enfermos expuestos al borde del camino. Cerca del templo de Haifestos he sentido su resuello ardiente en la espalda. Me volví, y nadie había.

YOBATES.—¿Por qué dejaste el palacio de tu padre? Ahora me acuerdo de haber oído referir una historia... ¿No fuiste tú quien sin querer atravesó con un dardo el corazón de tu hermano Belero?

BELEROFONTE.—Pues es preciso decirlo, sí: yo fui ese desventurado. Los dioses, oh Rey, nos tejen la tela del existir; suponemos que caminamos, y es que invisibles manos nos impulsan. En la Acrópolis de Corinto hemos elevado un templo a la Fatalidad. La diosa tiene los brazos de plomo, las manos

129

de bronce, y en una lleva el martillo y en otra los clavos de diamante que fijan nuestro destino. Nuestras culpas involuntarias nos pesan como voluntarias: Edipo, sin delito en la voluntad, vagó ciego y perseguido por las furias; yo vago expatriado y sin familia.

YOBATES.—En el umbral de mi puerta la Fatalidad se detiene. Te haremos grata la vida. ¿No es cierto, Casandra?

CASANDRA.—Hilaré para tus ropas, y te daré miel de mis colmenas.

YOBATES.—Ahora, refrigérate y descansa. En esa estancia hay una pila de mármol, agua clara, aceite perfumado para ungirte, túnica y sandalias para mudarte, mientras se prepara el festín. Salve, Belerofonte, mi huésped. (*Sale* BELEROFONTE *por una puerta lateral.*)

ESCENA IV

(DICHOS, *menos* BELEROFONTE.)

YOBATES.—Ya que se ha retirado, descifraré el mensaje de Preto.

CASANDRA.—Te dirá que honres a Belerofonte como al propio Apolo.

YOBATES.— Eso será. Veamos. (*Abre las tabletas; una pausa, en que descifra.*) ¡Dioses! ¿Qué acabo de leer? ¡Desgracia, afrenta sobre nosotros! ¡Maldición al hijo de Glauco!

Casandra (*le arranca las tabletas y descifra*): «Belerofonte el fratricida[9] ha deshonrado a tu hija y mi esposa Antea. Arbitra medio de darle segura muerte apenas llegue a tu palacio.»

---

[9] Belerofonte, el fratricida.—Belerofonte era hijo de Glauco, dios marino, y mató involuntariamente a su hermano Béleros. Se desterró entonces a la corte de Pretos, rey de Argos, quien, por envidia de sus hazañas, lo envió a su suegro, Yobates, rey de Licia, con unas tablillas donde le pedía que lo matase. Yobates pidió a Belerofonte que luchase contra la Quimera, pensando así cumplir el encargo, pero el héroe venció al monstruo y se casó con la hija del rey, sucediéndole en el trono.

La Pardo Bazán da una versión modificada del mito griego, acorde con sus ideas sobre el tema.

¡Ah! (*Cae desvanecida.* Yobates *la sostiene y la saca afuera por otra puerta lateral, frontera a la que acaba de cruzar* Belerofonte.)

ESCENA V

(Belerofonte, Yobates.)

Belerofonte.—He oído un grito... Era la voz de tu hija... ¿Corre algún peligro Casandra?

Yobates.—Ninguno. Grita de terror porque imagina ver llegar a la Quimera. Es preciso que tú seas el héroe encargado de exterminarla.

Belerofonte.—La exterminaré, si me concedes llamarme esposo de tu hija.

Yobates.—Después de que hayas vencido a la Quimera, puedo prometértelo todo.

Acto segundo

(Los jardines del palacio de Yobates. Una estatua de Eros.)

ESCENA PRIMERA

(CASANDRA, BELEROFONTE. *Viste aún el traje de viajero.*)

CASANDRA.—¿Nadie nos ha seguido? ¿Nadie nos espía?

BELEROFONTE.—Nadie. Rumor de hojas agitadas por el viento de la noche es lo que escuchas, amor mío, y sombras movedizas de ramas es lo que tomas por cuerpos de perseguidores.

CASANDRA.—Tengo miedo, miedo delicioso.

BELEROFONTE.—Acércate a mí. No tiembles. Aquí hablaremos libremente. ¿Qué es lo que tanto ansías decirme?

CASANDRA.—Casi no lo recuerdo. Antes de verte componía mil discursos para recitártelos; y ahora que estoy a tu lado, ni una sola frase se me ocurre. Sin embargo, algo grave... *(Dando un grito.)* ¡Ah! Sí, ¡ya sé, ya sé! ¡Huye, huye cuanto antes de este palacio! Mi padre tiene encargo de darte muerte.

BELEROFONTE.—¿Encargo? ¿A mí?

CASANDRA.—Las tabletas que trajiste contenían un mensaje de Preto... ¿Comprendes? *(Pausa,* BELEROFONTE *guarda silencio.)* ¡Veo que comprendes! *(Con horror.)* ¿Era cierto?

BELEROFONTE.—Sí, Casandra. No he de mentir; cierto era.

CASANDRA.—¡Mi hermana!

132

BELEROFONTE.—Te amé en ella antes de amarte en ti misma. Es tan hermosa como tú, pero tú, piadosa virgen, por dentro eres blanca como el vellón de las ovejas de tu aprisco; a ti, no a ella, aspiraba mi espíritu, ansioso de algo muy grande. La propuse que siguiese mi errante destino y rehusó: no quería dejar el palacio donde es reina, el lecho de marfil, las ricas estancias con artesonados de cedro. No me quería.

CASANDRA.—Yo iré adonde tú vayas, y pisaré tu huella con los pies descalzos. Si esposa, esposa; si amante, amante; si esclava, esclava. La helada Escitia y la Libia ardorosa, infestada de áspides, me son iguales contigo. Descender al reino de las sombras reunidos, ¡qué alegría! Tu vista fue para mí como filtro de maga. Quisiera bajar a lo más secreto de tu espíritu, como bajan al fondo del Océano los buzos para traerme las perlas de mis collares.

BELEROFONTE.—Baja, y sólo encontrarás tu imagen celeste. Casandra, mañana a esta misma hora huiremos de aquí juntos.

CASANDRA.—¿Mañana? No; hoy mismo, ahora. ¿No ves que quieren hacerte morir? Pronto, pronto. Conozco el camino hasta la selva: he ido allí con mis rebaños. Te guiaré.

BELEROFONTE.—Antes de arrebatarte de aquí como el milano a la paloma, tengo que cumplir mi destino heroico: tengo que vencer y exterminar a la Quimera.

CASANDRA.—¡A la Quimera! ¿Pero no ves que ése es el medio que han elegido para enviarte al reino de las sombras? Nadie vencerá al monstruo. Hace pedazos a quien se aproxima. No irás: te sujetaré con mis brazos.

BELEROFONTE.—Iré y la venceré. Presiento que la sombría Diosa que me guía, la más poderosa de todas, la Fatalidad, cuyo templo se eleva frente al palacio de mi padre, ha decretado que yo extermine al endriago. La sola idea del peligro y del horrendo combate, la perspectiva del momento en que hundiré mi espada hasta el puño en el escamoso pecho de la Quimera, mientras sus garras de acero pugnarán por clavarse en mi cuerpo y resbalarán sobre la tersura de la coraza, ¡ah! estremece mi corazón de gozo y de locura, como a la virgen el abrazo del esposo. Casandra, Casandra mía, ¿de qué nos sirve haber sido concebidos en el vientre de nuestras madres y haber visto la luz de Apolo y gustado el tuétano y el añejo vino, si hemos de vivir en cobarde oscuridad? Antes morir joven, espiga segada verde aún, que envejecer en miserable inacción. Déjame ir a la Quimera. La adoro con rabia: ¡de otro modo que a ti!, ¡pero también, también la adoro!

CASANDRA.—Yo siento igualmente una especie de atracción extraña por el monstruo. Quisiera conocer su aspecto terrible. ¿No sabes? Desde que apareció por estos contornos, mi padre no me permite salir al aprisco ni visitar los establos. Teme que encuentre al monstruo y sufra la suerte de otras doncellas, que arrastró a su cueva para devorarlas. Y yo, sin pavor, anhelo verla: mis ojos tienen sed de ella, como tienen sed de ti.

BELEROFONTE.—Muerta te la traeré y a tus pies arrojaré sus despojos. Y mañana, a esta hora...

CASANDRA.—¡Juntos!

BELEROFONTE.—Para siempre.

CASANDRA.—¡A pesar de todos!

BELEROFONTE.—De todos y de todo.

CASANDRA.—De aquí a mañana, ¡cuánto tiempo!

BELEROFONTE.—Acortémoslo. No me separo de ti hasta que amanezca.

CASANDRA.—De aquí al amanecer, ¡qué corto plazo!

BELEROFONTE.—Ya declina la luna.

CASANDRA.—Y el aroma del nardo es menos penetrante.

BELEROFONTE.—Todavía embriaga.

CASANDRA.—Desfallece con él mi espíritu.

BELEROFONTE.—¡Qué silencio tan dulce!

CASANDRA.—Oigo los latidos de tu corazón.

BELEROFONTE.—No; es el tuyo.

(*Mutación.—Sitio solitario y salvaje, donde se ve la entrada de la cueva de la* QUIMERA.)

ESCENA II

(Casandra, Minerva.)

Casandra.—Aquí debe de ser. Veo la boca del antro. Escondida detrás de aquellos peñascales asistiré al combate; y si mi amado perece, saldré a entregarme al monstruo para que me haga pedazos también.

Minerva.—¿Cómo en este paraje hórrido, Infanta de Licia? ¿Cómo has abandonado tus estancias atestadas de riquezas, tus jardines deleitosos, donde músicos y rapsodas, juglares y acróbatas, porfían en inventar canciones y juegos con que entretenerte? ¿Ignoras cuánto valen la paz y el honor de que disfrutas? ¿No piensas en la aflicción de tu padre, si la Quimera te destroza? Vuélvete.

Casandra.—¿Quién eres para hablarme así?

Minerva.—Un numen.

Casandra.—No me suena tu voz cual suena la de los númenes y los oráculos. Voz me parece de la tierra, de la pedestre prudencia y de la senil sabiduría. Los númenes deben alentarnos, cuando un generoso arranque nos alza del suelo. Quizás entonces nos parecemos a los númenes. ¡Númenes somos quizás!

Minerva.—¡Insensata! ¡Nadie me ha desdeñado que no se haya arrepentido! Otro consejo, y desóyelo si quieres. La Quimera va a salir de su guarida...

Casandra.—Sí; percibo el sofocante calor de su resuello.

Minerva.—Olfatea la presa. Apártate, huye: la atrae tu presencia.

Casandra.—¿La tuya no?

Minerva.—No. Para ella soy invulnerable.

(*Salen* Casandra *y* Minerva.)

ESCENA III

(BELEROFONTE *armado con coraza, espada y escudo, un* PASTOR.)

PASTOR.—Estamos en la madriguera del monstruo. Esa es la entrada. Te he guiado bien; ahora déjame volver a mi aprisco. Me tiemblan las rodillas, y un sudor helado corre por mi frente. Yo no soy héroe, sino pobre pastor.

BELEROFONTE.—No temas, quédate sin miedo. La Quimera va a perecer. Verás su cuerpo deforme tendido en tierra. ¿No te agrada la lucha? De pastores de ovejas han salido pastores de pueblos.

PASTOR.—Cuando la Infanta Casandra venía al aprisco, y con sus propias manos ordeñaba las ovejas, yo deseaba haber conquistado un reino, para que no se burlase de mí y no me abofetease si la cogía por la cintura. Por temor al monstruo hace tiempo que no viene. ¿Volverá si la Quimera sucumbe? Entonces dame espada y escudo. Antes que tú, pelearé.

BELEROFONTE.—A tus rebaños, pastor. No son para ti estas empresas. Déjame solo. ¿No oyes un ronquido extraño? ¿no percibes tufaradas de boca de horno?

PASTOR.—¡La Quimera se revuelve en su antro! Mi vista se nubla, mis dientes castañetean... (*Huye despavorido.*)

ESCENA IV

(BELEROFONTE, MINERVA.)

MINERVA.—Alienta, hijo de Glauco, domador del corcel divino. Libra a la tierra de ese endriago que trastorna las cabezas y me impide hacer la dicha de la humanidad, apagando su imaginación, curando su locura y afirmando su razón, siempre vacilante. Muerta la Quimera, empieza mi reinado. Invisible estaré cerca de ti. Cuando el monstruo se te venga encima, no busques su vientre ni su pecho; métele la espada con rapidez por la abierta boca. Serenidad y puños, Belerofonte.

136

ESCENA V

(BELEROFONTE, *después la* QUIMERA.)

BELEROFONTE.— Un traqueteo horrible estremece la cueva. Ya se siente cerca el ruido... ¡Qué bocanada ardiente! Me abrasa... Mi sangre se incendia... ¡Ya asoma... Dioses! El cielo se oscurece... ¡Ah!

(*La* QUIMERA *se arroja sobre* BELEROFONTE, *que vacila, pero se rehace, e introduce la espada por la boca del monstruo. Lucha breve. La* QUIMERA *exhala un rugido pavoroso, de agonía.*)

BELEROFONTE.—¡La espada se derrite al ardor del hálito de la Quimera! ¡El metal quema sus entrañas!

(*Cae la* QUIMERA, *expirante. Se retuerce y queda inmóvil.*)

ESCENA VI

(BELEROFONTE, MINERVA, CASANDRA.)

BELEROFONTE.—¿Por qué he luchado con ella? ¿Por qué la he matado? He corrido un riesgo espantoso, inaudito. ¿Quién me ha metido a mí en tal empresa?

CASANDRA.—¿Por qué estoy aquí? ¿Cómo se me ha ocurrido dejar mi palacio magnífico, mi lecho de marfil cubierto de tapices de plumón de cisne? Ahora tengo frío, y las asperezas de la sierra me han lastimado las plantas. ¡Cómo me duelen!

BELEROFONTE.—Y en el palacio de Yobates quieren asesinarme vilmente, a traición. ¡No seré yo quien vuelva allá! Desde aquí mismo me pongo en salvo. (*Vase por la izquierda sin mirar a* CASANDRA.)

CASANDRA.—Ea, yo regreso a mis jardines. Allí me lavarán los pies y me servirán leche y frutas. Me siento desfallecida de hambre. ¿Estaría loca, para no mandar que me esperase ahí

137

cerca el carro, cuyos caballos enjaezados de púrpura me trasladan de una parte a otra tan velozmente? En fin, no habrá más remedio que andar a pie. ¡Es divertido! *(Vase por la derecha.)*

MINERVA *(ya sola).*—¡Gloria al héroe! ¡La Quimera ha muerto!

I

Alborada[10]

Los últimos tules desgarrados de la niebla habían sido barridos por el sol: era de cristal la mañana. Algo de brisa: el hálito inquieto de la ría al través del follaje ya escaso de la arboleda. En los linderos, en la hierba tachonada de flores menudas, resaltaba aún la malla refulgente del rocío. El seno arealense[11], inmenso, color de turquesa a tales horas, ondeaba imperceptiblemente, estremecido al retozo del aire. La playa se extendía lisa, rubia, polvillada de partículas brilladoras, cuadriculada a techos por la telaraña sombría de las redes puestas a secar, y festoneada al borde por maraña ligera de algas. A la parte de tierra la limitaba el parapeto granítico del muelle, conteniendo el apretado caserío, encaperuzado de cinabrio[12].

---

[10] Alborada.—La primera parte de la novela se sitúa en torno a la residencia familiar de verano de la Pardo Bazán: las Torres de Meirás, finca que en la novela recibe el nombre de Alborada. Desde esta finca se ve a lo lejos la ría de La Coruña, ciudad que recibe el nombre de Marineda en la obra de la escritora.

[11] Seno arealense.—Areal o Arenal es el nombre que da a Sada, un puertecillo situado en una hermosa bahía, que se ve desde las Torres de Meirás. En los *Apuntes autobiográficos* que precedían a la primera edición de *Los Pazos de Ulloa*, Barcelona, Daniel Cortezo y Cía. editores, 1986, la autora explicaba las razones que la llevaban a utilizar nombres inventados: «Primera: precaver objeciones fundadas en cualquier inexactitud material que yo cometa (...) Segunda: eximirme del realismo servil (...) Tercera: más libertad para crear el personaje» (págs. 78-79). Estos criterios los mantuvo hasta el final de su vida.

[12] Encaperuzado de cinabrio.—El cinabrio, mineral compuesto de azufre

Un muchacho de piernas desnudas, andrajoso, recio, llevaba del ronzal a un caballejo del país, peludo y flaco, a fin de bañarlo cuando el agua está bien fría y tiene virtud. Volvió la cabeza sorprendido, al oír que le hablaba alguien y ver que un señorito bajaba corriendo desde el repecho de la carretera de Brigos[13] hasta los peñascales, término del playal.

—¡Rapaz! ¡Ey! La panadería de Sendo, ¿adónde cae?

—Venga conmigo, se la enseñaré —contestó en dialecto[14] el muchacho, tirando del ronzal del jaco y volteando hacia al caserío en dirección a la plaza—. Por callejas enlodadas, donde cloqueaban las gallinas, guió al forastero hasta la panadería, situada frente a la iglesia parroquial. La puerta del humilde establecimiento estaba abierta. El forastero echó mano al bolsillo y dio una peseta a su guía, que se quedó atónito de gozo, apretando la moneda en el puño, temeroso quizá de que le pidiesen la vuelta. Al ver que el forastero entraba en la panadería sin acordarse más de él, besó la peseta arrebatadamente, la escondió en el seno y partió disparado.

La tienda del panadero, estrecha, comunicaba con la cocina y el horno; éste, con un salido a la corraliza. En la tienda no encontró el forastero a nadie. Un olor vivo y sano a cocedura, a pan nuevo, le alborotó violentamente el apetito. Una mujer todavía joven, sofocada y arremangada de brazos, se le presentó, saludándole con un «felices días nos dé Dios».

—Muy felices, señora... ¿Está Rosendo?

—¿Que le quería?

—Soy su primo Silvio, el que ha venido de Buenos Aires —contestó el forastero—. Quería... nada; verle.

—¡Ay, Jesús!... Siéntese... Haga el favor de aguardar un instantito.

---

y mercurio, de color rojo oscuro, no es utilizado en la construcción; se trata, pues, de una expresión metafórica para destacar el color rojo de los tejados.

[13] Brigos.—«Briga» es una voz celta que significa 'fortaleza' y forma parte de los nombres de ciudades fundadas por este pueblo (Conimbriga > Coimbra). Quizá «Brigos» sea la aldea de Castro o la de Castelo, cercanas ambas a Sada.

[14] En dialecto.—La Pardo Bazán minusvaloraba la lengua gallega y la catalana, a las que consideraba erróneamente dialectos, y era partidaria del uso del castellano en toda la nación.

Y, exagerado por la emoción el acento cantarín y mimoso de la tierra, gritó, metiéndose adentro:

—Sendo... ¡ay, Sendo! ¡Ven aquí, hom...!

Apareció el panadero, sudoroso, empolvado de harina —y no dijera nadie, al pronto, sino que era el propio Silvio, o un hermano gemelo. La misma finura de tipo; ambos de ojos azul grisiento, de menudo bigote dorado, de tez blanca, de cara oval, de pelo alborotado, sedoso, rubio ceniza. Mirándoles más despacio, se advertía que, bajo iguales máscaras de carne, la cara verdadera, espiritual, era no sólo diferente: opuestísima. Sendo, al reconocer a Silvio, se había parado, receloso de lo desconocido; Silvio avanzaba con los brazos abiertos.

—Y luego... ¿Tú por aquí?... —murmuró el panadero con retraimiento y precaución.

Silvio comprendió. Su sensibilidad sufrió un arañazo leve. ¡Pobre primo! ¡Temía que viniesen a explotarle! Se apresuró a situarse en terreno despejado.

—Sí, hombre... Vengo de Brigos, de casa de Moleque. Voy a Alborada...

—Vamos, ¿a las Torres? —asintió Sendo, tranquilizándose, con entonación respetuosa. ¡Buena señal! Cuando Silvio iba a las Torres...

—Y como no quiero llegar allí sin haber almorzado, me daréis una taza del caldo, ¿eh? y un poco de torta fresca. Vengo a pie: estoy cansado. Toma —añadió precipitadamente— esto lo compré en América para tu chiquilla mayor. ¿Dónde anda?

Era un dije de oro bajo, con rubíes falsos y perlitas. La panadera exhaló un suspiro de admiración y placer.

—Están ella y los hermanos en el arenal a se divertir, los pobriños. Mientras se cuece hay que espantarlos de aquí, que no dejan trabajar a uno. Sólo tengo al de pecho; descansa como un santo en la cuna. ¿Lo traigo?

—No —replicó Silvio—. Antes de irme los veré.

—A ver luego[15] el caldo, mujer —ordenó Sendo imperiosamente.

---

[15] A ver luego el caldo.—«Luego» no tiene aquí valor temporal de 'des-

141

Salió la frescachona a trastear por la cocina, y sentáronse los dos primos en la tienda, en sillas de paja desventradas y sucias. Hablaron. Cada tres minutos les interrumpía un parroquiano, pidiendo un mollete de a libra o una rosca de trenza. Levantábase el panadero a despachar y cobrar, y era lento en retraer el coloquio adonde lo cortaban; no obstante, con habilidad y sorna aldeana, al fin lo retraía. ¿Qué tal le había ido a Silvio allá en esas tierras donde tanto dinero se gana? ¿Traería, de seguro, un capitalito?

—No... —y Silvio reía—. ¡Aquí os figuráis que allá llueven billetes de Banco! Allá también hay ricos y pobres... Yo no emigré por hacer fortuna.

Viendo la sombra de preocupación que nublaba el gesto del primo, añadió prontamente, con algo de nerviosidad:

—Al principio... ¡pch! me fue muy mal. Ahora ya ganaba para vivir. No pido limosna. ¿Dices que al segundo hijo le pusisteis mi nombre? Ahí tienes para comprarle dulces...

Tendió un billete de última fila, de a veinticinco. El panadero, radiante, después de varios «no te molestes», lo recogió. Así como así, él iba a dar de almorzar a Silvio, ¡a obsequiar también! En una vuelta, se acercó a la cocina, y por lo bajo:

—María Pepa, mujer, si hubiese sardinas del pilo... Es loco por ellas. Traerás un *neto*[16] de vino tinto de lo mejor, ¿eh, mujer?

Serían las once cuando María Pepa dispuso la pitanza, en la mesa de la cocina. Al ver sobre el mantel gordo y rugoso la fuente de barro llena de sardinas asadas, plateadas y negruzcas, Silvio sintió que se le henchía de saliva la boca. Su estómago flojo, estropeado por privaciones y miserias en la primera edad, tenía súbitos antojos de golosina, como los niños y los enfermos, y le encaprichaban especialmente los platos

---

pués' o 'a continuación', sino el de encarecimiento, equivalente a «pues», propia del adverbio gallego «logo».

La Pardo Bazán reproduce con gran habilidad los vicios de lenguaje que cometen los gallego-parlantes incultos al utilizar el castellano.

[16] Un neto.—Palabra gallega: es una medida equivalente a medio litro.

ordinarios, los sencillos condumios regionales. Se arrojó a las sardinas; ayudadas por la torta caliente, sabíanle a pura gloria. El vinillo del país, acidulado, hacía un maridaje delicioso con la carne blanca, salada a granel, de los peces. María Pepa, lisonjeada, se reía de ver al primo devorar.

—Coma, coma, que le preste, ya que le gusta... ¡Mire qué afición le llevan, Jesús!

—Dile a tu mujer que me hable de tú, y que se siente a almorzar con nosotros —suplicó Silvio.

—Tienes cortedá —rió Sendo—. Como es la primera vez que te ve, hombre... Ya almorzará ella luego, ende acabando de servirnos...

—Pero yo no me conformo. Es un favor que te pido. Que se siente. Anda, María Pepa; cuéntame de tus chiquillos. ¿Los crías tú?

—¿Y luego? ¿Quién me los ha criar? —exclamó la frescachona.

—Uno por año, ¿eh? ¿Como la tierra?

—Cuasimente, sí señor; uno cada año... no siendo el año que estuvo mi esposo muy malísimo de calenturas.

—¿Y trabajas siempre, aunque sea embarazada o criando? —preguntó Silvio escanciando un vaso lleno a María Pepa.

—¡Ay! ¡Qué remedio! Señorito... Los pobres...

—¿Señorito? Me llamo Silvio. Me has dado unas sardinas, María Pepa, que no las trocaría yo por ningún guiso de cocinero francés. Sendo, tu mujer vale mucho. Me parece que sois felices y que os lleváis como ángeles; ¿no es cierto?

—¡Ay! Eso sí, alabado Dios —respondió Sendo por su mujer, la cual, avergonzada se sofocó más—. Riñas no hay aquí. ¡Siquiera tiempo a reñir tenemos! Como nunca falta qué hacer... Pero, y entonces tú —porfió suavemente, con la insidiosa blandura del país—, ¿no traes de allá para vivir descuidado? Si yo me fuese *allá* a amasar pan, algo traería; puesto ya un hombre a pasar el charco, ¡caraina!

—Ya te dije que no iba en busca de cuartos —replicó Silvio, engolfado en una escudilla de caldo de berzas y patatas con espeso de harina de maíz—. ¡Vaya un caldito! ¡Qué antojo tenía de él, así como lo hace María Pepa!

Sendo miraba a su primo, no atreviéndose a preguntarle por qué se embarca un hombre cuando no va en busca de cuartos.

—Algún día —sonrió Silvio, a quien la beatitud del estómago alegraba el pensamiento— puede ser que tenga cuartos de sobra aunque no los busque. Entonces os pido a mi ahijado, ¿eh?, y me lo dais, y lo educo y hago de él una persona.

—¿Y tus hijos? Te casarás —objetó Sendo prudentemente.

—No me casaré. Sólo me casaría con una como María Pepa, lo mismito. Una que sepa hacer estos caldos —añadió.

—¡No se burle! —arrulló cantando María Pepa. Oyóse el llanto de una criatura; corrió la madre al dormitorio, y un segundo después se desabrochaba el justillo y acercaba al mamón a un seno gordo, tenso, de venas azuladas. Silvio, ahíto, dilatado de bienestar, contemplaba el cuadro: la mujer, morena, sana y dorada como el pan, lactando a un chicazo que pegaba manotadas a la teta y se volvía curioso, con la boca untada de leche.

—¿Quién sabe si ésta es la felicidad? —pensaba—. Al menos, es la ley de naturaleza.

Así que su crío se puso que no le cabía gota más, la madre, engreída por la expresión de simpatía de los ojos de Silvio, le llegó el pequeño a la cara mendigando la alabanza y el beso. El pequeño olía a descuido y a lo que huelen los nidos de paloma. Silvio, perturbado en su digestión y en su refinamiento, se hizo atrás. Instantáneamente se le desvaneció la ilusión idílica, ese sueño que es el reverso de la megalomanía; soñar con ser menos, recordando la aspiración, espejismo de luchadores fatigados.

—¿Sabrá aquí algún chiquillo el camino de Alborada, para que me guíe? —articuló con sequedad impaciente.

—El nuestro, el mayor, puede ir —ofreció Sendo.

—No, no; prefiero otro. No va a volverse solo el niño.

—Deja pasar la fuerza del sol, hombre. A tal hora, en Alborada estarán almorzando.

*

144

A una revuelta de la carretera empezó a emerger, de la ramazón tupida del castañal, el alminar de las torres de Alborada. Poco a poco, la mole del edificio entero: parecía ascender, todo blanco, de piedra granítica; al mismo tiempo olores finos, azucarosos, de flores cultivadas, avisaron a los sentidos de Silvio. Llamó a la campana de la verja y esperó, bañándose en un ambiente saturado de esencia de magnolia. Tardaron bastante en abrirle: los perros, a distancia, presos, ladraban tenazmente.

Cuando entregó, para solicitar una entrevista con «la señora», la carta de presentación del doctor Moragas, notó despechado un encogimiento que le enfriaba las manos y le enronquecía la voz. Con lúcida fidelidad recordaba que en Marineda, antes de pensar en emigrar a la Argentina, todavía adolescente, entre colegiales, había dibujado una caricatura insultante de aquella mujer, en quien deseaba ahora encontrar eficaz auxilio. Angustiado, volvió a ver el mugriento pupitre del colegio, los trazos de lápiz sobre el papel; oyó las risas... ¿Dónde pararía la caricatura? ¿Tendría noticia de ella la célebre compositora? ¿Si le recibiría con desdén o con repulsa severísima?

La aprensión de Silvio creció al dejarle solo el criado en una sala baja, amueblada de caoba y cretona, cubiertas las paredes de retratos viejos, bituminosos. En un ángulo aparecía el piano, resguardado de la humedad por una manta de seda rameada y entretelada. Los objetos ejercían sobre Silvio sugestión profunda; la sencilla sala, el instrumento confidente de la inspiración artística, le impresionaron. Prestó oído: creía escuchar pasos, taconeo, roce de faldas, y repitió en sus adentros: «Este es un momento muy solemne... Tal vez decide de mi porvenir... Entran.» Entraba, sí, un singularísimo perrillo, ladrando aguda y hostilmente; su extrañeza atrajo a Silvio, le distrajo. El chucho parecía uno de esos asiáticos monstruos de bronce que guardan las puertas de los santuarios japoneses. La idea de tomar un apunte se apoderó de Silvio; y ya buscaba su lápiz y su diminuto álbum, cuando, al volverse, vio a una dama que le saludaba y le ofrecía asiento.

La reconoció. Apenas cambiada por los años transcurridos, era la baronesa de Dumbría, madre de la compositora.

—Tal vez sea difícil, al menos en algún tiempo, que pueda usted retratar a mi hija —declaró, leída la carta que servía de presentación a Silvio—. Minia anda siempre escasísima de tiempo, y... además... La verdad: tantos retratos la han hecho, y tan medianos todos... que siente aversión hacia los retratos. En fin, vamos a ver... La diré... Aguarde usted aquí.

Se alejó la baronesa. Silvio, entre tanto, descorazonado, apuntó en dos de sus actitudes extrañas al asiático monstruo. Al cuarto de hora, otra vez pasos, y la baronesa expansiva, triunfante.

—Minia dice que aquí dispone de algunos ratos libres, y que si usted tiene tanto empeño y cree que eso le puede ser útil, por su parte, con mucho gusto... Pero es aquí, fíjese usted bien: en Madrid, Minia no tiene un instante... ¿A ver ese dibujo? ¿Es Taikun?

—¿Es japonés, señora? —preguntó a su vez Silvio, algo animado ya, respirando mejor.

—Japonés... e inglés. Vino preñada su madre a bordo; parió en Gibraltar... ¡Qué gracioso el dibujito! Y ¡qué aprisa!

El efímero elogio dilató más el pecho de Silvio; se colorearon un poco sus mejillas mates, rasuradas de una barba leve.

—En ese caso, señora baronesa, ¿qué día y a qué hora he de volver para la primera sesión? No molestaré mucho; a falta de otro mérito, tengo la mano ligera...

—¿Volver? Se quedará usted aquí. ¿Había usted de estar haciendo viajes a Marineda o a Brigos? ¡No faltaba más! Voy a disponer que le preparen habitación. Las Torres son bastante grandes... ¿Ha traído usted papel y lápices? Caballete lo tenemos aquí.

—Proyectaba traerlo todo mañana de Brigos. Es mejor que me vaya, y vuelva con los trastos; ¿no le parece a usted?

—Nada de eso. ¿Tiene usted el hormiguillo? Un propio a Brigos al instante. La distancia es una bicoca. ¿No ha venido usted a pie?

—Pondré dos letras entonces, señora, ya que tan buenas son ustedes, a la hija de mi tutor, Lucía Moleque, a fin de que entregue mi caja, mi blusa, los rollos de papel...

—Eso es... Que le envíen lo preciso. Venga usted por aquí a mi escritorio... ¿Ha almorzado usted? ¿Quiere refrescar? ¿Cerveza?

El corto día de otoño expiraba cuando el propio regresó de Brigos. Hasta las primeras horas de la tarde del siguiente, no se empezó el retrato al pastel. Silvio, no obstante, no había perdido la noche anterior. A la luz artificial, sobre la maciza mesa de caoba de la sala había bocetado ligeramente, a la pluma, la cabeza vigorosa, de incorrectas facciones, de Minia Dumbría. Libre ya de aprensiones pueriles, jugó con la figura de la compositora, de la cual se estaba apoderando en una caricatura humorística y respetuosa, de extraordinaria semejanza. Diseñó también otra vez a Taikun, y a las once, cuando se retiró a su cuarto, notó que se encontraba en Alborada como si hubiese pasado allí la vida entera.

Los preparativos, la colocación del modelo, se discutieron a la mesa, a la hora de almorzar. Era preciso graduar la luz por medio de cortinajes; y al plantearse la cuestión del traje, Minia contestó que no tenía en Alborada ningún cuerpo escotado.

—Lo improvisaremos —añadió—. De cualquier manera.

Sencillamente recogido el pelo, rodeados los hombros de una nube de tul blanco sujeta con cintas anchas color de mar, *posó* resignada la compositora. Suponía que el retrato iba a salir desastroso.

Silvio disponía febrilmente sus lápices de pastelista ante el pliego de papel grisáceo fijo en el tablero con doradas chinches. La prolongada blusa de dril le daba semejanza con un obrero. Guiñó las pupilas, frunció el ceño, contrajo la frente, registrando en el modelo con avidez líneas y colores, y valiéndose de las yemas de los dedos mucho más que de los lápices, principió sin delinear, aplicando ligeras manchas. Dijérase que era la nebulosa de una cabeza y un busto lo que nacía, vago y fino sobre el muerto fondo cenizoso.

Minia no fijaba la vista, ni aun por curiosidad, en el trabajo del pintor. Sus ojos de miope descansaban en el familiar paisaje que encuadraba la ventana. La cañada suave, el bosque de castaños, la espesura de pinos, las tierras de labor segadas, todo tostado y realzado con oros rojos por la mano artística

147

del otoño, y a lo lejos el trozo de ría como fragmento de rota luna de espejo, entraban una vez más por su retina en el alma, y la adormecían con sorbos de beleño calmante. El oleaje de notas musicales que en ella se agitaba, aplacábase ante la naturaleza. Y eran los únicos instantes en que Minia reposaba algo; no percibía la música como tensión y esfuerzo de facultades, sino que la sentía como un río fresco, como baño de dulzura, y repetía mentalmente versos de Fray Luis.

> El aire se serena...
> ¡Oh desmayo dichoso!
> ¡Oh muerte que das vida! ¡Oh dulce olvido![17].

Llegó a prescindir enteramente de que la retrataban, porque la idea del retrato más bien era desagradable; de un modo mecánico, conservaba sin embargo la *pose*. La voz de Silvio la restituyó a la tierra.

—¡Qué expresión tan bonita, señora! ¿Quiere usted mirar un momento?

Ya la nebulosa iba concretándose. Surgían la cabeza, los hombros blancos. Sonrió la compositora...

—Veo que me hace usted favor. Lo apruebo. Siempre hay que proceder así cuando se retratan mujeres.

Como si le hubiesen pinchado en el punto sensible, saltó Silvio, en un impulso de los que no sabía reprimir, desatándose a hablar, emocionado, nervioso.

---

[17] El aire se serena.—Es la oda a Francisco Salinas de Fray Luis de León. Ha unido el primer verso de la composición y los dos primeros de la estrofa 8.ª:

> El aire se serena
> Y viste de hermosura y luz no usada,
> Salinas, cuando suena
> la música extremada
> por vuestra sabia mano gobernada.
> ....
> ¡Oh desmayo dichoso!
> ¡Oh muerte que das vida! ¡Oh dulce olvido!
> Durase en tu reposo
> sin ser restituido
> jamás a aqueste bajo y vil sentido.

—¡Pues si ese es mi delito, señora! ¡Mi delito! Usted de seguro comprende... Yo hermoseo a cuantas pinto: a usted, proporcionalmente, no la favorezco casi. Se me figura que así la respeto más. ¡La doy a usted toda su edad, su corpulencia, y su misma expresión, la misma! Suavizo un poco las líneas.

—¡Falta hace! —interrumpió Minia festivamente—. No sé qué alfarero me amasaría la cara; escultor no pudo ser.

—¡Bah! ¡Las líneas! —continuó Silvio—. Corregir líneas, corregir tonos del cutis, hacer de lo ajado lo suavemente pálido y de las remolachas rosas... eso, cualquiera sabe. Más difícil es infundir un alma en caras que no la tienen. El intríngulis es meter esa belleza del ensueño y del pensamiento en fisonomías de modelos que están rabiando porque el vestido sienta mal o porque el corsé aprieta. ¿Verdad que los retratos siempre parece que nos cuentan algo, algo muy melancólico y digno o muy amoroso? En cien casos, es que el retratista presta al modelo el espíritu de que carece.

—Según —respondió Minia, interesada por la teoría—. Hay pintores muy realistas, por ejemplo, don Vicente López[18], y un flamenco antiguo, Franz Hals[19], que retratan la naturaleza animal y la expresión vulgar... ¡Y hacen prodigios... Vaya!

Silvio, pensativo, se limpiaba los dedos con el pañuelo. Sus labios palpitaron al nombre de los dos pintores.

—¡También lo haría yo! Es decir, ¡qué disparate de vanidad! ¡No se ría usted de mí...; también yo probaría a hacerlo! Eso es lo bueno, lo bueno: la verdad, sin trampas ni artificios. ¡Dichosos los que no necesitan falsificar nada! A veces, señora...

---

[18] Vicente López.—Pintor valenciano (1772-1850) que sucedió a Goya como pintor de cámara de Fernando VII. Su especialidad fue el retrato y se caracteriza, como señala doña Emilia, por el cuidado en los detalles. Su mejor obra es, probablemente, el retrato de Goya anciano que se encuentra en el Museo del Prado.

[19] Franz Hals.—Pintor holandés (1580-1666), influido por Rembrandt, destacó por el vigoroso realismo de sus retratos populares. Una de sus más famosas obras es *La Gitana,* que se encuentra en el Museo del Louvre. En la parte IV de la novela, Intermedio artístico, la autora expondrá con detenimiento, por boca de Silvio Lago, sus opiniones sobre este pintor, a quien compara con Quevedo y la novela picaresca.

—Mis amigos me llaman Minia —advirtió ella benignamente, apiadada por lo que ya iba adivinando.

—Mil gracias... Decía que a veces leo en los periódicos que echan el guante a un monedero falso, y me asombro de que no prendan a los infelices que sofisticamos lo más sagrado, el arte. ¡Envidiable suerte la de usted! Contra la corriente de los convencionalismos; desdeñando ataques y groserías, escribió usted sus famosas *Sinfonías campestres,* empapándose en el sentimiento aldeano: en la realidad. Así han llegado a todas partes, por la verdad que contienen. En Buenos Aires las oí tocar, las vi aplaudidas. Como la necesito a usted, no digo más: creería que soy un adulador...

Los ojos de Minia, pequeños, durmientes, se llenaron un momento de infinito.

—¿Allí las oyó usted?

—Todas... Y me conmovían mucho. Usted y yo hemos nacido en el mismo pueblo, en Marineda. Mientras no salí de él... experimentaba hacia usted hostilidad. No sé por qué; sería porque hablaban de usted continuamente... y yo era un niño, y a esa edad no sobra la benevolencia. ¡Al contrario! Después, cuando me vi tan lejos... la nombraban a usted, o a cualquier persona o cosa de la tierra... y me entraba alegría.

—¿Quiere descansar un momento? Me va usted a contar eso; su vocación, sus viajes.

—No, señora —negó él en seco—. Perdone... Primero he de poner el retrato a cierta altura.

—Como guste; usted es quien ha de dispensar —respondió Minia en tono de cortés indiferencia.

—¡No adopte expresión enojada! La de antes, la de antes —suplicó Silvio, contrito, apurado como si le acaeciese la mayor desventura.

—De eso sí que no respondo... ¿Quién se acuerda de lo que producía esa expresión? Intentaré pensar en lo mismo que pensaba...

Volvió a descansar la mirada en el paisaje; quiso perderse, confundirse, diluir su personalidad en las lejanías color amatista de los montes que formando anfiteatro lo cercaban. No pudo: el conocido murmurio de notas, la efervescencia musical, era invencible. Hubiese deseado estar sentada ante el piano, traduciendo todo lo que —con la vaguedad del boceto al pastel en que se afaenaba Silvio— hervía dentro de su cerebro fácilmente excitable. Como la ola tras la ola, y aun del modo continuo y presuroso que cae el surtidor en el tazón, los elementos de un poema sinfónico apuntaban y se desvanecían.

—¡La expresión de antes! —pensaba para sí—. Si éste es artista, si posee sensibilidad, no ignorará que no nos bañamos dos veces en la misma agua[20], ni se reproduce el mismo minuto de nuestra vida.

Silvio, entre tanto, voluntariosamente, trabajaba; tenía, en efecto, la mano ligera, la afluencia del toque, la justeza rápida de la entonación; el parecido con el modelo se establecía desde el primer instante, y de sus yemas febriles, ágiles, embadurnadas, salían al papel matices deliciosos, medias tintas de una armonía suave, comparable a la de los celajes cuando amanece, claridad ligeramente velada de niebla perlina. Su colorido encarnaba, pero encarnaba por un estilo inmaterial. Aquel pastel, que reproducía una cabeza de mujer, ni joven ni hermosa, un rostro enérgico, lleno de imperfecciones, era, sin embargo, elegante a la moderna, exquisitamente elegante, por la manera de estar *puesto,* y tenía lo blando y fino del natural idealizado.

Una serie de exclamaciones admirativas de la baronesa de Dumbría, que acababa de entrar, hizo levantarse a Minia. Se situó ante el caballete. El pastelista interrumpió su tarea: esperaba ansioso. La compositora, echándose atrás, dijo solamente:

—Bien, bien. No tema usted que le diga «¡qué bonito!». Los planos de la cara son esos: la simplicidad del conjunto me agrada.

Y volvió a posar, arreglándose las gasas medio descompuestas.

*

[20] No nos bañamos dos veces en la misma agua.—Alusión a la filosofía del cambio, de Heráclito, y a uno de sus célebres aforismos: «Nunca bañas dos veces tus pies en el mismo río.»

Ya no estaban en la sala baja de la torre, de anticuado mobiliario, de paredes cubiertas por bituminosas pinturas. Era en la terraza, bajo la bóveda de ramaje de las enormes acacias, de las cuales, no con violencia de remolino, sino con una calma fantástica, nevaban sin cesar miles de hojitas diminutas, amarillo cromo. Bajo la alfombra de la menuda hojarasca que moría envuelta en regio manto áureo, desaparecía el enarenado del suelo completamente. Los sillones de mimbre que ocupaban Minia y Silvio se adosaban a la baranda de hierro enramada de viña virgen, sombríamente purpúrea; Taikun, echado en la postura de las liebres, insólita en los canes, atrás las dos patas saliendo de enormes bombachos de pelambre fosca y fulva[21], levantaba de tiempo en tiempo su cabeza de alimaña de pesadilla, y mosqueaba el plumero de su cola.

—Tiene usted que perdonarme —decía Silvio— aquella negativa exabrupto. No quería adelantar nada mientras usted no se convenciese de que no soy enteramente un desgraciado sin pizca de disposición. ¿Qué podrían interesar a usted las ambiciones y las ansias de esos míseros que no poseen elementos para llevarlas a la realidad? Y usted me creyó uno de ellos.

—Así es —respondió Minia lealmente, dejando sobre la mesa de piedra el libro.

—Lo comprendí. Yo soy muy listo; nada se me escapa. ¡Ay, lo que pensará de mi presunción! Pero no importa, es cierto. Ejercito una especie de adivinación de los pensamientos y las intenciones. Conozco a los demás acaso mejor que me conozco, y de una palabra o un gesto deduzco... ¡Asusta lo que deduzco! Usted quería darme despachaderas, y si no es por la baronesa...

—No extrañe usted mi recelo. Siempre un retrato.

—Sí; entendido... En fin, gracias a Dios, no está usted quejosa del suyo.

—Al contrario. Contentísima.

---

[21] Fulva.—Voz latina. Es el adjetivo fulvus-a-um 'amarillento', 'leonado'. En *Dulce Dueño*, volverá a emplearlo: «Dionisos, con el fulvo y manchado despojo del tigre sobre las morenas espaldas tersas y recias» (Madrid, Castalia, Col. Biblioteca de Escritoras, 1889, pág. 63).

—Me atreveré entonces... Echaré mi memorial... Deseo que ese retrato se lo lleve usted a Madrid y lo vean sus relaciones; quizás alguien me encargue alguno, y modestamente pueda sostenerme allí, estudiando. No tengo otra esperanza en el momento presente.

Minia reflexionó antes de contestar:

—Mi madre conoció a su padre de usted, y conoce a su tutor. Por ella supe... Temprano fue usted huérfano. ¿No le quedaron medios de fortuna?

—Pocos... Hoy casi nada. No me importa. Mi problema no es de dinero. Es decir, necesito el preciso para vivir y trabajar: no busco la riqueza por la riqueza. Aunque tengo mil caprichos refinados, me falta la casilla de la codicia. Se reiría usted si supiese cómo administro. ¿Bohemio? No; no es la nota bohemia. Es que no encuentro ningún goce en el dinero guardado. ¡Guardar! ¡Qué estupidez! Para cuatro días que se vive... Lo que me reste de la escasa hacienda de mis padres, que será una miseria y rentará unos perros, lo liquidaré a escape...

—¿Le atrajo a usted el arte desde niño? ¡Porque es usted bien joven...!

—Veintitrés... —pronunció Silvio.

Minia le consideró. Era todavía más juvenil que de veintitrés la cara oval y algo consumida, entre el marco del pelo sedoso, desordenado con encanto y salpicado en aquel punto de hojitas de acacia. El perfil sorprendía por cierta semejanza con el de Van Dyck... [22]. Se lo habían dicho, y él se recreaba alzando las guías del bigote para *vandikearse* más.

—A los dos años pedía por favor que me permitiesen ver dibujar. A los catorce marché solo y sin amparo a Buenos

---

[22] Van Dyck.—Pintor flamenco (1599-1641) que vivió en Inglaterra. Es proverbial la elegancia de sus retratos, entre los que destaca el del rey Carlos I de Inglaterra que se encuentra en el Louvre. El Museo del Prado posee una excelente colección de obras de este pintor.

Además del parecido físico entre Vaamonde y Van Dyck —que probablemente sólo doña Emilia advirtió— hay similitudes en el desarrollo de su actividad artística, ya que Van Dyck fue el pintor de una aristocracia idealizada, a la que él representaba con unos rasgos de elegancia y gracia que no siempre estaban en el modelo. Y esa fue la clave del éxito de Vaamonde.

Aires, porque mi tutor había resuelto que yo siguiese la carrera militar; decía que pintar es oficio de holgazanes. En Buenos Aires... ¡qué lucha! ¿Se lo cuento a usted todo? Sí, sí; con usted, desde el primer momento, he deseado la confesión. Se me agotaron los recursos. Tuve hambre. Trabajé de peón de albañil, sirviendo cal y yeso para ganar una tajada de tasajo. Desde entonces tengo el estómago endeble; el día que digiero bien estoy de excelente humor. Lo malo no es haberse estropeado el estómago... Es que vi la vida tan en crudo, en feo y en duro, que se me despellejó el corazón y crió callo. ¿Se da usted cuenta?... Después embadurné frisos, escocias[23]... decoré... tonterías: pabellones, tocadores, galantes... Últimamente ya me las arreglaba mejor, gracias a los retratos y a alguna tablita. ¡Volver a Europa! ¡Dibujar mucho! ¡Oler lo que se guisa en tres o cuatro talleres de París y de Londres!

—¿Y quién le ha amaestrado en el pastel?

—¡Bah! Nadie. ¡El pastel! ¡gran cosa! Dedos, dedos y mucha triquiñuela y mucha picardigüela en el pulpejo; eso sí... Mejor que nadie conozco yo que todo cuanto hago no vale un pepino. Agradable, agradable, bonito, bonito... ¡Bonito! ¡Peste! Ansío subyugar, herir, escandalizar, dar horror, marcar zarpazo de león, aunque sólo sea una vez.

Minia meditaba, una meditación palpitante.

—¿De modo que vocación, no profesión?

—¡Vocación... o delirio!, una cosa que parece enfermedad. Me posee, me obsesiona.

—¿Y... finalidad? —interrogaba precavidamente, con tactación médica.

—¿Finalidad? Ninguna. ¡Por hacerlo! —afirmó Silvio, cuyos ojos color de humo claro relucieron con reflejos de acero desnudo—. Creo que ni por la gloria, es decir, lo que así se llama. ¡Por la dicha de hacerlo! Hágalo yo, y venga luego... lo que venga. Todo lo demás... ¡pch! ¡Ser alguien! ¡Ser fuerte, ser fuerte!

Y las lindas facciones se crispaban y el rubio ceño se fruncía de un modo violento, casi torbo. La compositora guarda-

---

[23] Escocias.—Molduras cóncavas, más anchas en su parte inferior.

ba silencio, el silencio de las cuerdas del arpa que aún retiemblan sin sonar.

—Malo, malo —dijo por último—. El caso está bien caracterizado. Todos los síntomas. Espero, en interés de usted, que rebaje la calentura.

—¡La padezco desde que nací, acaso! Si no es para eso, no tengo interés en existir. No crea usted: a ratos... se me quita la fe. Ayer mañana, por ejemplo, al venir de Brigos, me detuve en Areal. Tengo allí un pariente, hijo de una hermana de mi madre, panadero... Yo venía desfallecido: me dio caldo, *pifón*[24] y sardinas, y vi a su mujer y su patulea de criaturas. Se quejan de la suerte, de escasez, pero están sanos y son dichosos a su manera. Envidié esa manera.

—Tenía usted razón en envidiarla —afirmó lentamente Minia—. Sólo que es un sentimiento inútil. La envidia no nos aproxima una pulgada a lo envidiado.

—Ni yo me aproximaría. Son fantasías, mandolinatas pastoriles. Cada cual ha de vivir su destino; el suyo, nunca el ajeno —declaró Silvio—. No soy viejo, pero ya estoy en las horas irrevocables. De aquí salgo a volar; de aquí... a Europa. Cuando subí por esa calle tan larga de magnolias, y pasé debajo de estas acacias que llueven gotas de oro, y me hicieron esperar en la sala, frente al piano, presentí (soy muy supersticioso y fío en los *avisos*) que me encontraba en ocasión decisiva y que este rincón del mundo guarda para mí la clave de lo venidero...

—¡Pobre criatura! —murmuró Minia sin mirarle.

—¡Le doy a usted lástima! Vamos, entiendo. Es que no cree usted que poseo condiciones de triunfador.

—Ni lo creo ni dejo de creerlo... Ignoro. Con lo que usted es capaz de hacer, sospecho que tiene asegurado el cocido, un cocido sano, suculento, quizás una comida sólida... ¡y eso es mucho, amigo! ¡Triunfar! ¡Dar ese zarpazo que usted sueña! El arte está espigado. La genialidad, la inspiración, si las viese usted en forma de improvisación, se equivocaría... Es el error de nuestros artistas: quieren sorprender a la ninfa dormida,

---

[24] Pifón.—Voz gallega: vino flojo y de poca fuerza que se deja beber (Dic. Galego Castelán de X. L. Franco Grande).

ser faunos nervudos. Y lo que deben ser es caballeros andantes, cumpliendo mil hazañas oscuras, mil pruebas, antes de desencantar a la infanta. ¡Si al menos hubiese infanta! Se dan casos de encontrar en vez de infanta una bruja. ¿Y sabe usted lo más curioso? Al artista caballero andante, después de tantas heroicidades y de pelear con siete endriagos, lo mejor que le puede suceder no es acertar con la infanta, sino acertar consigo mismo, y autodesencantarse.

—¿No podré yo? —Silvio cruzaba las manos con angustia.

—¡A saber!... De antemano córtese usted las alas de cera; disciplínese la voluntad; precava el desengaño. ¡Beba cada día un sorbo de decepción: el vaso entero, de una sentada, es dosis mortal! Un sorbo es muy provechoso; aunque mejor sería no necesitarlo, no haber soñado, y ser como los ciápodos[25], que tienen la cabeza junto al suelo, lo más bajito posible; rasando la tierra; tanto, que sus pelos se vuelven raíces.

—Habla usted así porque ya ha llegado.

—¡Hablo así porque estoy en un momento de sinceridad, virtud o cualidad antipática por esencia, presencia y potencia...! Y quizás estoy en un momento de sinceridad, porque anochecerá pronto, porque el aspecto del campo es solemne, y la humareda de las cabañas flota con magia sobre el telón de selva. El paisaje, en mí, determina el estado de alma. No me haga usted caso.

Silvio, al contrario, se impresionó. Era un océano amargo y hondo, sin límites, lo que se asomaba a los ojos, a la fisonomía de la compositora, lo que gemía en su voz. Creyérase escuchar el murmurio fúnebre, amplio, del mar de Cantabria.

—¡Aun así! —exclamó el artista—. ¡Aunque me cueste eso y más!

—¡Taikun! —llamó Minia, cambiando de tono, recluyéndose en sí—. ¡Aquí, monigote! Vamos, quieto... Ya tienes la

---

[25] Ciápodos.—En los ficheros de la RAE aparece el texto de *La Quimera* como única referencia para la voz ciápodos. Parece una creación de doña Emilia formada sobre la voz griega ποδός 'pie' e ισχιας que, a través del latín «scias» da el castellano «cía» 'hueso de la cadera'. (Ver dic. RAE, voz «cía».)

lana llena de hojas, tonto; ven, te las quito para que te luzcas —y con placidez afectuosa, volviéndose al pintor—: Su aspiración de usted, ¿conformes, supongo?, es incompatible con la felicidad, que consiste en desear cosas accesibles, pequeñas, vulgares, corrientes, en cultivar manías inofensivas y oscuras, como reunir variedades de claveles y tulipanes, coleccionar botones o hebillas de cinturón... Y usted renuncia a ser feliz: convenido. ¿Renuncia usted también al triunfo? ¡Ah! Renuncie. ¡Sea modesto, fórmese un corazón humilde y puro, como los de los grandes artistas desconocidos de la Edad Media... y quizás...! Usted, hoy pastelista, sería antaño miniaturista y monje. En su celda, después del rezo, diseñaría y policromaría lirios y mariposas; nacería una primavera en la vitela, un jardín sobrenatural como el del *Cordero místico* de Van Eyck[26]. Cuando sonase el *Angelus,* ¡que está sonando ahora!, ¿no lo oye? allá en la parroquial de Monegro, vería usted entre el azul de las lejanías una figura escueta, virginal, y un ser de alas tornasoladas, divino: ambos descenderían de sus pinceles a la página del horario... Nadie conocería su nombre de usted: muda la infame fama... la imprenta por inventar... ¡Oh delicia! ¿Qué falta hace el nombre? El arte anónimo es el Romancero, es las Catedrales... Usted, de seguro, está dispuesto a batallar por la victoria de unas letras y unas sílabas: ¡*Silvio Lago!* Veneno de áspides hay en el culto del nombre. Por el nombre nos despeñamos tras la originalidad, y el arte uniforme, poderoso, se acaba; sólo hay el picadillo, falta la redoma que nos integre y amase con el gigote[27] la persona.

—¿Y usted se ha contentado con arte anónimo?

—No... Por eso he recibido en mitad del pecho todas las puñaladas. El arte anónimo era como el sayal: vestidura idéntica, que identificaba aparentemente. Dentro latía el corazón,

---

[26] Van Eyck.—Huberto (1366-1426) y Juan van Eyck (1386-1440) son los fundadores de la Antigua Escuela Flamenca. Se refiere al políptico de la Adoración del Cordero Místico, de la catedral de San Bavón en Gante, obra fundamental de Juan (hoy más estimado que su hermano). Al final de la novela se vuelve a comentar largamente esta obra por boca de Silvio Lago.

[27] Gigote.—En sentido estricto es un guiso de carne picada rehogada en manteca, pero por extensión se aplica a cualquier otra comida picada en trozos menudos (DRAE).

el cerebro funcionaba, la inspiración nada perdía. Hoy... es un infierno. Y en usted, además, ¡la complicación económica! Cuenta usted veintitrés años, batalla desde los catorce, y aún no ha carretado su grano de trigo, pendiente de que en Madrid le demos a conocer por... por el aspecto industrial... ¿Me excedo?

—No, no; siga... ¡Al fin, alguien que me habla así! Pegue usted fuerte, no duele; al contrario.

—Le damos a conocer, retrata usted... ¿a cuánta gente necesitará retratar?

—Cuatro retratos al mes, a doscientas pesetas; ocho o diez días de trabajo... y me bastará. Los restantes veinte días... para dibujar mucho; academias, desnudos. ¡Dibujar! la ortodoxia, la probidad de la pintura. Así que dibuje... como aspiro, ¡a un estudio de notabilidad! ¡a postrarme ante Sorolla, por la luz, el aire, la pincelada!

—¿Sorolla?[28] —repitió con extrañeza Minia.

—¿No le admira usted? ¡Pinta tanto o más que Velázquez!

—No se trata de pintura ni de admiración. Sorolla es enteramente adverso, me parece, a los gérmenes que usted lleva en sí. Cada cual debe abundar en su propio sentido, desarrollar sus tendencias. ¿No estima usted la elegancia, la distinción? ¿No era Van Dyck, ante todo, un aristócrata?

—No; yo sólo estimo la fuerza. O pintaré como un hombre, virilmente, o soy capaz de pegarme un tiro.

El *Angelus* seguía sonando; sus lágrimas de plata caían en la atmósfera acolchada de bruma transparente. Los obreros que trabajaban en terminar la torre de Levante, la más alta de las tres de Alborada, se escurrieron de los andamios y cruzaron

---

[28] Joaquín Sorolla.—Nacido en Valencia (1863-1923), estuvo pensionado en Roma y triunfó muy pronto en su carrera artística. Sus obras fueron premiadas con la medalla de oro en exposiciones internacionales de París, Berlín, Munich, Viena, Madrid... de ahí que en la novela se hable de él como de un maestro indiscutible. Según testimonio de doña Emilia era el pintor más admirado por Vaamonde: «Su ídolo, Sorolla, y la pincelada viril, amplia, fuerte, con luz plena y realidad hasta brutal.» *La Ilustración Artística,* 3 de septiembre de 1900, recogido en Carmen Bravo-Villasante, *La vida contemporánea,* Madrid, Magisterio Español, 1972, pág. 94.

en fila de hormiguero dando las buenas noches, zuequeando y haciendo crujir la arena. Eran picapedreros, mozos la mayor parte; y el sábado les alborozaban la cobranza, el descanso, el baileteo en perspectiva. Oscurecían la terraza con sus cuerpos vestidos de telas pobres; olían acremente a sudor; el ambiente se enturbió cuando ellos desfilaron.

—Tal vez éstos —observó Silvio—, si consiguen lo que se proponen, si llevan adelante sus colectivismos, traerán, andando el tiempo, otra etapa de arte anónimo. Encasillados los artistas, cubiertas sus apremiantes necesidades, trabajarán sin exasperación de la vanidad, sin el aguijón del nombre. En Buenos Aires he conocido a bastantes socialistas... Los anarquistas, sin embargo, nos salvarán del anonimato, idea a que no me puedo habituar.

—Porque es usted todavía medio chiquillo. Si vive y paladea las ambrosías... ya me contará el sabor de boca que le dejan.

Un imperceptible orvallo, un soplo frío que extinguió la hoguera lejana del Poniente. La noche. Un globo de oro que al elevarse palidecía, se convertía en enorme perla gris y nacarada: la luna. Y la gran escenógrafa traía su telón romántico preparado, la fachada lateral de las torres toda en sombra, el frontispicio luminosamente blanco, los detalles de arquitectura adquiriendo un realce y una significación de misterio, el bosque ensanchado por la oscuridad, las acacias más grandiosas con su desmelenado ramaje, y allá en último término, el valle anegado en una nebulosidad azul que borraba los contornos y le daba apariencias de lago encerrado entre nubes y vapores de una delicadeza etérea.

*

El domingo siguiente oyeron misa en la capilla de Alborada. Llovía, llovía; plantas y flores se bañaban voluptuosamente, agradecidas; el otoño había sido bochornoso y seco. De las fauces de piedra de las gárgolas, un chorro continuo descendía a estrellarse en la enarenada tierra. El capellán no consintió, sin embargo, quedarse a comer en espera de la escampada. Despachado el caliqueño[29], trasegado el último sorbo de agua donde se disolvían caramelosos residuos de azucarillo, se encasquetó el sombrero de ala ancha, se colgó el rudo capotón, y encajándose a lomos de su montura, salió hacia la carretera, a trote corto, protegido por un paraguas monumental. Silvio presentó a Minia una hoja de álbum con la donosa caricatura ecuestre del clérigo.

—¡Pobre hombre! —sonrió la compositora—. ¡Bah! Su misa vale exactamente como si la dijese Lacordaire[30], que era tan elocuente y tan apuesto. Nuestro corazón es soberbio; lo tenemos asediado por los sentidos. No nos basta Cristo en cuerpo y sangre; nos lo ha de consagrar un cura pulido, un cura *bien*, que no sea ese casi labriego, con tierra entre las uñas.

—¡Quién tuviese fe religiosa! —suspiró Silvio—. A mí el corazón, como le dije a usted, se me ha encallecido: otro inconveniente para ser el monje miniaturista, apacible en su celda.

—Sí, la fe era una de las felicidades; y probablemente, la única que no sabe a ceniza. Suponer que hoy no cabe tener fe, es igual a suponer que ya no nacen las azucenas aunque las sembremos. No repita usted esa muletilla cargante de la fe deseada e inaccesible. Humildad, purificación, preparar el nido a la golondrina: ella vendrá.

—¿Y si no se comprenden ciertas cosas?... Vamos a ver: ¿cómo se arregla uno si los dogmas repugnan a la razón?

Minia guardó silencio un instante. Silencio desalentado. La paralizaba aquel argumento pobre y mísero, pero que, para ser rebatido, exige una transfusión de alma del creyente al incrédulo; y pensaba que las almas son solitarias, incomunicables, huertos cerrados, selladas fuentes... Silvio se equivocó: creyó que Minia, vencida, callaba por imposibilidad de

---

[29] Caliqueño.—En acepción familiar «cigarro puro de ínfima calidad» (Enc. Universal Sopena).

[30] Henri Lacordaire.—Religioso francés considerado como el más importante orador sagrado del siglo XIX (1802-1861). Obsérvese que las citas van configurando el personaje de Minia como una mujer culta, con la misma cultura y gustos que la Pardo Bazán.

contestar; y se excusó, temeroso de incurrir en desagrado.

—No debí discutir de tales materias con usted...

—¡Discutir! —repitió Minia alzando los hombros—. No hay discusión de este género que no sea un esfuerzo estéril; ¿sabe usted por qué? Por la misma causa que impide a los enamorados, en la mayor ansia de íntima comunicación, trocar espíritu por espíritu. Somos *nosotros mismos;* lo somos desesperadamente, fatídicamente, hasta la última gota, la última fibra. Y lo inefable es lo que más nos guardamos: el pomo de esencia divina, incrustado de gemas que fueron llanto, lo queremos en el seno a toda hora, tibio de nuestro calor. Diga usted, Silvio: ¿discutiría usted acaloradamente de estética con Dalín, el bizco, que tiene en Areal un almacén de paños y zarazas? ¿O con el cura que acaba de decirnos la misa?

Silvio se puso encendido hasta las orejas.

—Soy, según eso, ¿como Dalín? —pronunció resentido.

—No; al contrario: es usted una naturaleza afinada, quintaesenciada; está usted en las cimas; su vehemente aspiración artística le sitúa en la región donde habitan los aguiluchos: podrán volar, o cansarse, o caer atravesados por el plomo; aguiluchos eran, con pico y garras... No se sobresalte usted: lo único que quise expresar es que un lado, un aspecto de su sensibilidad permanece tan rudimentario como la sensibilidad estética de Dalín el bizco. Usted no ha perdido la fe; no la siente: no perdemos un brazo cuando se nos queda tullido. No le ha faltado a usted sino negar el milagro y es milagro todo. ¿Por qué me contesta usted *razón* cuando digo *azucenas?* La razón, ¿le explica a usted el misterio de una azucena, que es el mismo misterio de la vida universal? ¿Es que no advierte usted hasta qué punto enraízan nuestros pies, aletean nuestros pulmones y descansan nuestros ojos en el misterio? No hay sino él; en él nos movemos, vivimos y somos. Él nos refresca, nos arrulla, desarrolla nuestro embrión en las entrañas que nos abrigan y disuelve nuestro cuerpo en la fosa que nos recoge cuando caemos, no siempre tan sosegadamente como las hojas amarillentas de las acacias. ¡La razón! ¡Vieja chocha, sentenciosa, que no sabe sino cuatro casos *de sucedidos* y cuatro máximas roídas de orín! Su báculo tiene mugre secular; sus pies los calzan zapatos con suela de plomo. Lo mejor que hace el hombre suele ser contra la razón. He oído que el mundo rueda porque le empuja la locura, o mejor dicho, la superrazón, que es fe. La razón, en arte, es el neoclasicismo académico; en ciencia, los sistemas que cierran el paso a la libre indagatoria. ¿Quién ha reunido en haz, a modo de cordeles de disciplina, los dictados de esa lógica con la cual nos quieren azotar? No lo sé. Nadie. Cada cual con su razón[31], que decía el gran dramaturgo; y es que a la razón, si la concedo mucho, la concedo que sea (como la fe) esperanza, otro subjetivismo.

—¿Y si los subjetivismos se contradicen? —arguyó Silvio.

—Calma, y a vivir; ya se concertarán cuando usted necesite, de verdad, creer, y más todavía esperar; y esa hora llega para todos los que no son Dalín el bizco, ni se reducen a roncar, comer y digerir con pachorra...

—¡No hable usted mal de la digestión! —imploró festivamente el pintor—. Digerir es la beatitud.

—¡Contento se quedaría usted si una sibila le predijese que su único porvenir era perfeccionar la función digestiva!

—¡Quién sabe lo que eso vale! ¡Sin eso, me río de lo demás! —respondió Silvio con alarde de prosaísmo brusco—. ¿Sabe usted que escampa y clarea? Voy a leer un rato en el cenador de las pasionarias. ¿Me presta usted el librito que leía ayer?

—¿*La Tentación de San Antonio*?[32]. Voy a casa y se lo envío.

*

Provisto del volumen; sorteando los charcos que la tierra embebía poco a poco, el artista se refugió en el largo cenador tupido de trepadoras; allí no se oía más ruido que el cadencio-

---

[31] Cada cual con su razón.—Es posible que aluda a *Cada cual, lo que le toca* de Francisco de Rojas.

[32] La Tentación de San Antonio.—Obra de Gustave Flaubert (1821-1880) publicada en 1874, después de haber trabajado en ella durante un cuarto de siglo. Obtuvo un gran éxito de venta a pesar de la hostilidad de la prensa de París. Esta obra influyó en algunos aspectos de *La Quimera*, como veremos enseguida.

so del caño de agua desahogando en el pilón semicircular para afluir después al estanque. Silvio alzaba la cabeza de vez en cuando; el chorrito ritmaba sus ideas, al menor soplo de aire, gotas frescas se descolgaban de las ramas; algunas se detenían en la cabellera del lector. Por la abertura circular practicada en el follaje, se veía la señorial tristeza del jardín antiguo, de recortados bojes, de árboles ya senadores; y las zuritas, descolgándose de la repisa del hórreo-palomar, bajaban a trancos cortos, inquietas, las escaleras del estanque, para llegar a sumir el pico en el agua revuelta por el aguacero, y donde flotaban, con lentitud graciosa, peces de laca carmínea, de exótica estructura, de nadaderas azul empavonado, compatriotas de Taikun.

—Las palomas —calculó Silvio— de seguro acostumbran beber en este pilón, y las estorbo. Me apartaré para que no tengan recelo.

Se desvió. Era exacto. Apenas las aves vieron franco el camino, se precipitaron, se atropellaron al borde del pillón semicircular, riñendo a picotazos por la vez, como las aguadoras en las fuentes públicas. El pintor, abandonado el libro, sacó su carterita y su lápiz y apuntó el rebullicio de las aves, el pilón sobre el cual se erguían esbeltas y lanceoladas, semejantes a plantas de mayólica, las lustrosas hojas y las flores duras y tersas de los *arum* o cartuchos. Encontrábase en lo mejor del apunte cuando llegó la baronesa.

—Hoy no se va usted: el tiempo está inseguro; a lo mejor cae otro chaparrón.

—Baronesa, ya abuso de su hospitalidad; mejor sería irme ahora, aprovechando la mañana.

—¿Sin almorzar? ¿Está usted en sí? En Alborada no es costumbre despachar a la gente con el estómago vacío. Pero, ¿qué prisa tiene usted?

—¡Si al menos me utilizara usted para algo! ¿Quiere permitirme que la retrate? Ha quedado un pedazo de papel, y lápices no faltan.

—¡Bah! Descanse; no se ocupe en retratar viejas... y al pastel mucho menos. Ya me retratará usted otra vez, si Dios quiere. Porque se me figura que usted, vuele adonde vuele, ha de recaer aquí... aunque sea sin ganas.

—Ganas sobrarían; pero aún más de irme lejos, hacia donde encuentre lo que tanta falta me hace. ¡Tengo que trabajar mucho!

—Para esa vida de trabajo, salud, salud y salud es lo que conviene. Quédese usted aquí hasta que nos vayamos a Madrid; duerma, coma y engorde. Hoy le daré a usted pimientos fritos, que le gustan, y empanada de robaliza[33], ¿se entera? Y muy rica que estará, si la amasan con manteca fresca, como he dispuesto.

—Lo que me gusta —declaró Silvio riendo de complacencia— es la cordial franqueza que encuentro aquí. ¿Son así las señoras en Madrid? ¿Cómo son?

—¡Qué sé yo! ¡Las hay de mil maneras! En fin, no sea usted tonto, y píntelas a todas muy guapas. Así ganará usted dinero; ¡el dinero es tan indispensable!

—¿Usted cree, baronesa, que me saldrán retratos en Madrid?

—Todo será que las señoronas se den unas a otras al santo y seña y que usted las saque preciosas. Esos retratos de la escuela moderna[34], exagerando la fealdad y con chafarrinones azules y verdes en la cara, vamos, ¡no concibo cómo hay quien se gaste una peseta en ellos! ¡Para verse más horroroso de lo que uno es! Figúrese: la gente se muere; al cabo de algunos años, nadie se acuerda ya de cómo era nadie; y siempre un retrato bonito...

—¡Ay! ¡Si comprendiese usted cómo me carga lo bonito, señora!

—¿Cómo? Pues no es usted especialista en...

---

[33] Robaliza.—Es el mismo pescado que se llama lubina en otras partes.

[34] La escuela moderna.—Se refiere al grupo de pintores cuyo líder era Henri Matisse (1869-1954) a quienes a partir de 1905 se dio el nombre de «fauves», 'fieras'. El apodo surgió de modo accidental cuando un crítico francés viendo en el salón de otoño de París, en 1905, una estatua de Donatello rodeada por las obras de los nuevos pintores, exclamó: «Donatello au milieu des fauves». El fauvismo fue el punto de arranque del arte moderno y uno de los movimientos más interesantes del siglo xx. Aunque las críticas a estos pintores están en boca de la baronesa y no de Minia, reproducen la opinión de doña Emilia, que no llegó a estimar el arte de esta escuela.

—¿En mentiras?... Ya le dije a su hija de usted...

—¡Ah! mi hija... ¡Le aconseja a usted mal, de seguro! ¡Es tan novelera aquella cabeza! De fijo no le predica a usted para que en primer término se gane el dinerito...

—No por cierto... —repuso riendo otra vez el pintor—. No es eso lo que me predica. A mí tampoco el interés, así, descarnadamente, como interés, me arrastra. No voy para millonario. Quisiera ganar, a ver si junto para estudiar en Francia, en Inglaterra, donde se pinta... en gordo. Tengo necesidades; pero al mismo tiempo sé pasarlo mal, y hasta ayunar...

—¡Ayunar! ¡Eso es locura! Lo primero, la buena comida.

—¡Si viese usted qué poco me dura un duro! —continuó Silvio con indolencia indiferente—. Ahora venderé unas finquillas...

—¡Vender! —clamó la baronesa, horripilada—. ¡Por Dios, conserve usted lo que haya heredado, poco o mucho! Su madre de usted tenía alguna renta. Casitas...

—¡Pch! Casi no recojo un céntimo de ellas. Entre reparos, contribuciones, administración... En fin, para que no ponga usted esa cara tan asustada, conservaré una casa, muy pequeña, en Zais, donde mi padre pasaba los veranos. Tiene su huerto, ¡vaya! y agua, y tres perales... Si algún día me hago célebre y opulento (dos bicocas), ahí me vendré a disfrutar. Su hija de usted dice que si he de acabar retirándome a Zais[34bis], que empiece por el final y me ahorraré un mundo de penas. ¡Tal vez!

—¡Sí, sí, tal vez estoy en lo firme! —exclamó Minia, apareciendo precedida de Votán[35], el corpulento danés—. ¡Vo-

---

[34 bis] En la pequeña localidad de Vilaboa, cercana a La Coruña, hay una finca en la que vivió Joaquín Vaamonde y donde era asiduamente visitado por la Pardo Bazán. En la actualidad la finca está rodeada de una muralla alta y consta de la casa, un mirador, un cenador, jardín y huerto. Probablemente el personaje se refiere a este lugar. Agradezco a P. Carré la información sobre esta finca.

[35] Votán.—El perro danés se llamaba Ortog en la primera versión de la novela publicada en *La Lectura*. Aunque existe un Votan en la mitología de los pueblos de Méjico y América Central, creo que el nombre procede del

tán, al agua, pícaro! —mandó imperiosamente. El perro ladró de entusiasmo, tomó vuelo, y se oyó el chapoteo de su zambullida en el estanque—. ¿Pues quién lo duda? ¿No espera usted en Zais tranquilidad y reposo? Cóbrese usted adelantado. Ninguna cosa buena debemos aplazar: nos la podría escamotear el destino. No, no; por si acaso... ¡Eh! ¡Votán! ¿Qué es eso de querer salir? Quietecito en el agua. Así; ¡guapo perro!

—¡Qué afán de desalentar a la gente! —exclamó la baronesa.

—¿Desalentar? Sí; ¡cualquiera desalienta a cualquiera! No vaticinamos para desalentar; se habla, como se grita cuando se recibe un golpe: es involuntario. ¡Afuera, Votán! Basta de baño, buen mozo... Y a sacudirte lejos, ¿eh? lejitos, que nos rocías. ¡Allá, allá! Oiga usted, haragán de artista, ¿no quería usted ilustrarme hoy un plato al humo? ¿hacerme una caricatura?

—Con la cabeza enorme y los pies invisibles —respondió Silvio—. En cambio, me interpretará usted al piano una de sus *sinfonías campestres.*

*

Silvio, recostado en el sillón, entornados los párpados, se encontraba todavía bajo el conjuro de la música, mejor dicho, de las músicas interiores que una combinación de sonidos evoca. La compositora, sin alardes de *virtuosismo,* sin descoyuntar las notas ni obligarlas al paso al través de aros ni al salto mortal; sencillamente, de corazón, acababa de derramar en

---

Wotan germano, señor de la guerra y jefe de las walkirias, popularizado a través de *El anillo de los Nibelungos* de Wagner.

En una de sus crónicas de *La Ilustración Artística,* decía doña Emilia: «Mil veces se me ha ocurrido dudar si es atributo de admiración o muestra de desprecio el dar a un animal el nombre de una celebridad humana. Hay los dos casos, pero me inclino a que el primero es más frecuente.» (Publicado el 5 de agosto de 1902. Recogido en *La vida contemporánea,* ed. cit., pág. 140.)

Como nos consta la admiración de doña Emilia por Wagner, a ello hay que atribuir el nombre del perro, además de a cierta pedantería esnobista.

las ondas del aire, temblantes aún, el aroma rústico de la tierra germinatriz. Silvio había percibido el olor húmedo de las fragas, después de que la lluvia las viste con una capa de hongos de terciopelo castaño y fulvo; el de los saúcos en floración, equívoco, extraño; el de las agridulces fresillas silvestres: el de la recién guadañada hierba; el de las colmenas, que reúne el deleite de la miel al misticismo del cirio; el de madera apolillada, caduca, que se exhala de los viejos Pazos; el del humo que envuelve a las casuchas sin chimenea en túnica de gasa gris; el del mosto nuevo, que emberrenchina; el del rancio Borde, que conforta; y, dominando a todos, hercúleo, bravío, el del mar de Cantabria, sal, yodo, fósforo, vitalidad disuelta en la respiración, y también nostalgia, la melancolía de las playas y las costas; sentimiento de penumbras, inquietud de las razas antiguas superiores y decadentes... Y Silvio escuchaba la cavernosa risa de Poseidón, agrandada hasta el bramido al retorcerse en las volutas de la caracola, y recordaba estrofas de Heine, la *Pregunta* del mar del Norte[36]: «Explicadme el arcano...»

A lo lejos, en la paz de la tarde, el chirrido de un carro de bueyes penetró por la ventana abierta; a distancia no es inarmónica la queja interminable del eje sin ensebar. Silvio creyó que oía tan familiar ruido por primera vez, y lo escuchó con alma, con sentimiento, asociándolo a la música. Su imaginación se pobló de imágenes conocidas que, en aquel momento, eran rudimentos de arte; vio labriegos y labriegas de duras piernas desnudas, arrancando del pardo terruño la patata; javanes sudorosos, dejando caer el mallo sobre la extendida

---

[36] Pregunta del mar del Norte.—Se refiere a los *Poemas del Mar del Norte* (1825-26) obra con la que Enrique Heine (1798-1856) renueva la lírica alemana, tanto en sus formas rítmicas como en la temática. La cita es imprecisa, recuerdo de lecturas, como suele suceder en doña Emilia. Pertenece al poema titulado «Preguntas» del segundo ciclo de poemas del libro:

> Enturbiada la mente por la duda
> y relajado el corazón de hastío
> frente al mar, en la noche solitaria,
> interroga a las ondas un mancebo:
> «¡Oh, aclaradme el enigma de la vida!»...

(Selección y trad. de José Fuentes Ruiz, Madrid, 1947, pág. 206.)

mies, viejas rugosas, a frunces, como manzanas tabardillas, rezuqueando[37] o pidiendo limosna; vio en el playal a los pescadores, negruzcos de cuello y cara, blancos de espalda y pecho, jalando del *bou*[38], que, como bolsa rellena de monedas de plata, quiere reventar al peso argentado de la sardina.... Un transporte, una especie de deliquio de un instante, puso al artista de pie, le obligó a acercarse a la ventana, porque en la habitación no entraba aire suficiente para respirar: ahogábase; pero el dogal era tan suave, que la sofocación parecía caricia.

—¿Qué tiene usted? —preguntó Minia levantándose del taburete.

—Que me veo ya cómo he de ser dentro de pocos años; con la obra realizada, ¡con mi obra! Haré en el lienzo —añadió palpitando— lo que usted en la música. Interpretaré la luz, el color, la esencia de este país, que no ha tenido intérpretes, hasta la fecha, en la pintura.

—Verdad es, y quisiera darme cuenta de la causa —asintió Minia—. Aquí no se han producido pintores... Ello es que apenas los produjeron las demás regiones de la zona cantábrica. Casto Plasencia[39] ha sorprendido bien el tono de los verdes húmedos de Asturias. Beruete[40], que es un realista since-

---

[37] Rezuqueando.—Es una forma derivada de rezar con sufijo despectivo, a la manera de «besuquear» o «lloriquear». Es posible que se trate de una creación de doña Emilia. En los ficheros de la RAE aparece sólo el texto de *La Quimera* para la voz «rezuquear», pero se encuentra la voz «rezuqueo» en un texto del año siguiente de Pérez Galdós, *La vuelta al mundo en La Numancia*, Madrid, 1906, pág. 129 (cap. XIII), y de nuevo en la Pardo Bazán en *Belzebú*, Madrid, 1912, pág. 290 (*O. C.*, t. 40). Dada la estrecha relación entre los dos escritores, es muy posible que Galdós use «rezuqueo» por influencia del rezuquear de doña Emilia.

[38] Jalando del bou.—Es una forma de pesca que se realiza con dos barcas, apartadas la una de la otra, que tiran al mismo tiempo una red, arrastrándola por el fondo.

[39] Casto Plasencia.—Casto Plasencia (1848-1890), a pesar de la referencia de la autora a los paisajes asturianos, fue más conocido por sus cuadros mitológicos, entre los que destacan *El rapto de las Sabinas* y *Venus y el Amor*. Fundó en 1889 una colonia artística en Asturias en la que participó también el pintor Agustín Lhardy y Garrigues.

[40] Beruete.—Aureliano de Beruete y Moret, pintor y crítico de arte madrileño (1845-1912) fue un paisajista famoso, que destacaba por la riqueza

ro, ha reproducido exactamente algunos paisajes de aquí: vea usted en mi estudio una *Ribera de Vigo*...

—Muy buena, muy seria —exclamó Silvio con la ardiente espontaneidad que caracterizaba sus elogios a los del oficio—. Sólo que yo no me reduciré al paisaje. Lo completaré con el hombre. Revelaré todo lo que hay aquí; la poesía bucólica de este pedazo del mundo, como otros, por ejemplo usted, la revelaron en la música y en el verso. Descubriré la hermosura de esta ninfa dormida, para que se la admire. Me conquistaré un reino. Haré verdad, verdad. ¡Hurra! ¡Sólo de pensarlo bailo!

Como lo dijo lo hizo. ¡Hip! Rompió a danzar, a lo marioneta, uno de esos bailes ingleses extravagantes, cómicos —zapateando el piso con las botas gruesas de becerro, y castañeteando sus dedos largos, huesudos, ágiles, habituados a tender el color—. La compositora le miraba danzar, y, en vez de reírse, experimentaba una especie de susto. El repentino arrebato de Silvio descubría la nerviosidad mal dominada, profunda como una lesión orgánica, el desequilibrio de aquel temperamento de artista. Lo desmedido del júbilo, la imposibilidad de moderarlo, parecíanle a Minia —idólatra del *self control*[11]—síntoma de debilidad. «¿Es lo físico? ¿Es lo moral lo que se opondrá a que este muchacho de dotes tan extraordinarias llegue a ser artista completo? ¿O me equivoco, y no sé reconocer en el desequilibrio la marca del genio? ¡Ojalá!» Deseó, con piedad inmensa. «¡Dios le dé también el método, la paciencia, la perseverancia!»

Silvio ya se sentaba, secándose la frente con el pañuelo, acortado el resuello, entrecortada la risa, excusándose.

—No me diga usted nada; conocida es esa fiebre...

----

del color. Algunas de sus mejores obras pueden admirarse en el Museo de Arte Español del siglo xix de Madrid. De él escribió la Pardo Bazán: «Su estilo absolutamente verídico no le impide ser poeta de la naturaleza, porque no se ha encerrado en una deliberada y sistemática visión de lo vulgar ni de lo feo, sino que, sin dejar de reproducir aspectos severos y sencillos de la realidad, otras veces descubre rincones de una belleza encantadora.» (*La Ilustración Artística*, núm. 1434, año 1909, pág. 410.)

[41] Self control.—Expresión inglesa «dominio de sí mismo», «auto control». La afición de doña Emilia a utilizar frases en francés o inglés aumentó a lo largo de los años.

Es que hay momentos... hay ideas... ¡Si se me ocurre que yo podría abrirme mi surco, el mío, el mío sólo! Porque el resto... patarata. Seguir a éste, al otro, al de más allá... porquería. ¿Verdad que sí?

—¡Sí, criatura! Seguir, nada más que seguir, no vale la pena. Sólo que por ahí se principia. ¡Y se ha pintado tanto, y se pinta tanto y tan bien, que no será bagatela eso del surco propio! Calma, calma; aspirar; pero con serenidad resignada de antemano; si no, va usted a padecer como un réprobo.

—No importa sufrir. Se sufre por algo, ¡qué diantre! ¿Quiere usted hacerme el favor de abrir este libro de Flaubert y que leamos un poco en él? Ahí, ahí, en las últimas hojas... el diálogo de la Esfinge y la Quimera...[42]

Minia hojeó, sujetó al fin con el pulgar la página donde principia el diálogo.

—¿Traduce usted bien a libro abierto? —preguntó la compositora.

—No; me costaría trabajo.

—Entonces, yo...

Y Minia, con su voz llena y clara, recitó. Veíase que el paisaje se lo sabía de memoria; el libro servía únicamente para darle la certeza de no comerse un renglón ni un vocablo... Excepto los que suprimiese de propósito.

---

[42] Diálogo de la Esfinge y la Quimera.—Está en el libro de *La tentación de San Antonio*, antes mencionado. Doña Emilia admiraba mucho este fragmento del que dice en su obra *La Literatura Francesa Moderna, El Naturalismo, O. C.*, XLI, Renacimiento, s. a., pág. 58: «Una de las maravillas de la prosa y el simbolismo de Flaubert.»

La traducción es, sin lugar a dudas, de la propia Pardo Bazán que conocía bien el francés, pero que utiliza a ratos un estilo coloquial que no se parece en nada al original. En el texto de Flaubert leemos:

Le Sphinx: Pour demeurer avec moi, tu est trop folle!
La Chimère: Pour me suivre, tu est trop lourd!

En esas frases hay un ritmo y un empaque poético que han desaparecido en la traducción de doña Emilia, quien, por fortuna, esta más afortunada en otros fragmentos del Diálogo que en estas réplicas con aire sainetero:

La Esfinge: ¡No te quiero conmigo, loca de atar!
La Quimera: ¡Ahí te quedas, pesadota!

Cito por Flaubert, *Oeuvres*, I, París, Bibliotheque de la Pléiade, Éditions Gallimard, 1962, pág. 190.

«Y frontera, a la otra orilla del Nilo, he aquí que aparece la Esfinge. Estira las patas, sacude las vendas de su frente y se tumba vientre a tierra.

»Saltando, volando, espurriando fuego por las fosas nasales, azotándose las alas con su cauda de dragón, la Quimera de glaucos ojos gira y ladra.

»Los anillos de su cabello, de un lado se entretejen con el vello de sus ancas, de otro barren la arena y oscilan al balancearse el cuerpo.

»*La Esfinge. (Inmóvil, mira a la Quimera.)* —Detente: ¡aquí!

»*La Quimera.*—¡Jamás!

»*La Esfinge.*—¡No corras tanto, no vueles tan alto, no ladres tan recio!

»*La Quimera.*—¡No te vuelvas a llamarme, para que al fin te calles muy buenas cosas!

»*La Esfinge.*—¡No me soples fuego a la cara, no me ladres al oído: de piedra soy!

»*La Quimera.*—¡No me atraparás, pavorosa Esfinge!

»*La Esfinge.*—¡No te quiero conmigo, loca de atar!

»*La Quimera.*—¡Ahí te quedes, pesadota!

»*La Esfinge.*—¿A dónde bueno tan aprisa?

»*La Quimera.*—A dispararme por las revueltas del laberinto, a cernerme sobre las cimas, a rasar los mares, a brincar en el hondón de los despeñaderos, a agarrarme a la faldamenta de las nubes. Con mi rabo arrastradizo rayo la arena de las playas; las colinas remedan la forma de mis hombros. Y tú, ahí, eternamente quieta, o dibujando alfabetos en la arena con las uñas de tus garras...

»*La Esfinge.*—Es que guardo mi secreto: calculo y reflexionó. El mar se revuelva en su lecho, los trigos ondean, las caravanas pasan, el polvo vuela, desmorónanse las ciudades y la mirada fija de mis pupilas, más allá de los objetos, escruta inaccesibles horizontes.

»*La Quimera.*—¡Yo soy rauda y regocijada! Descubro al hombre deslumbrantes perspectivas, paraísos en las nubes y dichas remotas. Derramo en las almas las eternas locuras,

171

planes de dicha, fantasías de porvenir, sueños de gloria, juramentos de amor, altas resoluciones... Impulso al largo viaje y la magna empresa... Busco perfumes nuevos, flores más anchas, goces desconocidos...»

. . . .

Detúvose Minia: su instinto femenil[43] la impedía continuar, y, por otra parte, ya había recitado los párrafos decisivos. Silvio, con los ojos muy abiertos, conteniendo la respiración, bebía el contenido del diálogo maravilloso. El hálito de brasa de la Quimera encendía sus sienes y electrizaba los rizos de su pelo rubio ceniza; las glaucas pupilas del monstruo le fascinaban deliciosamente, y su cola de dragón, enroscándosele a la cintura, le levantaba en alto, como a santo extático que no toca al suelo. El artista se echó atrás, alzó los brazos y suspiró desde lo más secreto del espíritu:

—¡Triunfar o morir! Mi Quimera es esa, y excepto mi Quimera... ¿qué me importa el mundo?

Callada como la Esfinge, que enmudece justamente porque sabe, Minia se levantó; Silvió la siguió, pues la compositora le había hecho una seña con la mano. Tomó hacia la derecha; caminaba despacio, sin volver la cabeza atrás.

Empujó la puerta de la sacristía que comunicaba con la sala, y estaba semioscura, alumbrada por una lamparilla de aceite ante un crucifijo tétrico, de tamaño natural, de cabellera de mujer, también natural, enredada, como empapada de sudor; y de allí cruzó a la capilla, donde negreaba el alto retablo de talla borrominesca[44], en contraste con la blancura de las paredes caleadas y del granito de los arcos. Dirigióse al de la izquierda, que era un sepulcro. En la imposta del arco apa-

---

[43] Su instinto femenil le impedía continuar.—Se detiene cuando la Quimera está a punto de manifestar su carácter destructor: «Si j'aperçois quelque part un homme dont l'esprit repose dans la sagesse, je tombe dessus, et je l'étrangle» («si encuentro en alguna parte un hombre cuyo espíritu reposa en la sabiduría, caigo sobre él y lo estrangulo»), ed. cit., pág. 191.

[44] Borrominesca.—A la manera de Borromini (1599-1667), escultor y arquitecto que colaboró con Bernini en las obras de San Pedro de El Vaticano. El adjetivo se utiliza para calificar una obra de estilo barroco, recargado.

recían, toscamente cortadas en el granito, las piñas de pino bravo y las veneras, símbolo de toda la naturaleza de Galicia, las selvas y las costas; el hueco que había de ocupar el sarcófago encontrábase vacío. La mirada de Minia, deteniéndose en aquel hueco y volviéndose después hacia el artista, fue tan elocuente, que Silvio entendió igual que si leyese un rótulo escrito en clara letra.

—¡La única verdad!... —murmuró.

—¿Es usted de los que encuentran desconsoladora la perspectiva del no ser? —articuló bajito Minia, que se cubrió la cabeza, por respeto al lugar sagrado, con el chal de lana ligera que llevaba al cuello para preservarse de la humedad.

—Francamente, ¡sí! No concibo el fin de mí mismo: estoy por decir que la muerte me parece absurda —y miró al arco de nuevo, como si le fascinase—. Mejor dicho, ¡ni aun consiento pensar en eso! Déjeme usted que cargue conmigo la Quimera y me lleve a la luna, al sol, a las islas fantásticas... —repentinamente horripilado, se echó atrás y gritó—: Salgamos de aquí. Ese hueco vacío me hace señas también... ¡Vámonos: al aire, al soto... adonde se vea cielo!

Ya en el soto, paseando por ancha calle abierta entre castaños y alfombrada de hojas y secos erizos entreabiertos, Minia, arrepentida, pidió excusas y bromeó para disipar la impresión que empalidecía más las mejillas delgadas de Silvio.

—Acabo de cometer una tontería. No recordé que es usted supersticioso... Procedí impremeditadamente al enseñarle la *isla de reposo*[45], que dijo Espronceda... Me parecía tan estético

---

[45] Isla del reposo.—La cita pertenece al Canto I de *El Diablo mundo* de Espronceda, pero no es muy exacta. Lo que Minia le ha enseñado a Silvio es un sepulcro y la voz que en el poema se llama a sí misma «isla de reposo» es una personificación de la Muerte:

> Débil mortal, no te asuste
> mi oscuridad ni mi nombre;
> en mi seno encuentra el hombre
> un término a su pesar.
> ....
> Isla yo soy de reposo
> en medio el mar de la vida,
> y el marino allí olvida
> la tormenta que pasó;

mirarla sin temor, y hasta recostarse en ella, y deshojar en ella rosas como homenaje a las Parcas, a quienes pintan feas y viejas, pero que deben ser, en realidad, unas ninfas seductoras. A mi edad, bueno... cabría que uno se impresionase... ¿A la de usted? A su edad la marea de la vida sube, sube, y es calor en las venas, intrepidez en el corazón. ¡Bah! ¡Está usted entregado a las carcajadas y a los ladridos de la Quimera!

—Le juro a usted —declaró Silvio— que nunca creería que iba a sucederme cosa tal; debe de haber pasado por mí algo que no sé explicarme. En América he velado a compañeros muertos, he presenciado escenas realmente trágicas, y me considero insensible... y lo soy en mil cuestiones: de una insensibilidad de hipnotizado, según la frase de un médico amigo mío. ¡Nunca nos conocemos! Lo que usted me enseñó nada tiene de espantoso: un arco románico de piedra labrada, parecido a los de San Francisco de Brigos... Un hueco vacío... ¿Será por eso, por *vacío*, por lo que me espantó? Sudo frío aún —añadió, enjugándose con la mano las sienes.

—Mi pañuelo —y la compositora se lo presentó, estremecida también. Siguieron andando, pausadamente, metidos en sí; un espectáculo atrajo sus miradas. Más allá del soto, bastante cerca sin embargo, apoyando uno de los extremos del semicírculo colosal en las honduras de la cañada que cobija la presa del molino, la zona policroma del iris ascendía del suelo a lo más alto de la bóveda gris, y volvía a descender, diseñando un puente para titanes. No llovería más. Los aéreos colores, verdes, anaranjados, violados, de transparente y luminosa

----

Soy la virgen misteriosa
de los últimos amores,
y ofrezco un lecho de flores
sin espinas ni color;
y amante doy mi cariño
sin vanidad ni falsía;
no doy placer ni alegría,
mas es eterno mi amor.

(*El estudiante de Salamanca. El Diablo mundo*, edición de Robert Marrast, Castalia, pág. 198.)

magnificencia, fueron apagándose con lentitud dulce; ya casi invisibles a fuerza de delicadeza, se esfumaron al fin completamente, y el paisaje quedó como abandonado y solitario, húmedo, escalofriado con la proximidad de la noche otoñal traidora y pronta en sobrevenir.

II

Madrid

(Hojas del libro de memorias de Silvio Lago.)

Noviembre.

Después de pasarme ocho días en la destartalada fonda de la calle de Atocha, al fin encuentro un taller, a precio aceptable, en la de Jardines. Tiene el defecto de que esa calle es del número de las que Balzac llama *chauldes*[46], y aun de las que echan lumbre: en mi vida he visto junta tanta paloma torcaz, y de plumaje tan sucio. No me importa lo que me arrullan cuando me retiro de noche; pero ¿y si acuden a retratarse bellas señoras? En esta calle no entran coches: las bellas señoras tendrán que cruzar a pie, rozando con las pájaras y oyendo sus retahílas... No hay qué hacerle: no hallo cosa mejor, dentro de mis posibles. Traía unas dos mil pesetas para empezar a vivir —primer plazo del importe de mis cuatro terrones; el resto no se cobra hasta qué sé yo—; pero he encontrado aquí a Crivelo, el pobre Crivelo, con su mujer, los niños, la suegra, el ama, y sin un céntimo: como que acaba de establecer una

---

46 Chauldes.—Francés: forma antigua del adjetivo «chaudes» 'caliente' (< calidus). Es una metáfora para referirse a barrios habitados o frecuentados por prostitutas. Durante todo el párrafo mantiene el tono metafórico: «palomas torcaces» por 'rameras', «plumaje» por 'vestimenta o gestos', 'arrullar» por 'provocar o insinuar'.

litografía... y tuve que arriar setecientas y pico, porque a no ser de bronce... Tiene razón la baronesa de Dumbría, al llamarme *el de la mano horadada*. Razón: y sin embargo, me ataca los nervios al darme consejos de economía; es como si a una adelfa la dijesen: «Maldita, sé garbanzo, que te conviene mucho.»

A propósito de garbanzos: mi comida es una desolación, y apenas digiero. Ando a salto de mata, hoy en un bodegón[47], mañana en Fornos[48]; me desayuno con salchichón o queso; no tengo tetera, no tengo té, no tengo una criada que me ponga a hervir agua —¡el té, una de las contadas cosas que me sientan admirablemente!—. Me acuerdo de Alborada como los hebreos de las ollas de Egipto. La portera sube a arreglarme la cama en un diván, a tropezones; estas mujeres son muy astutas: ha visto que mis muebles se reducen a dos caballetes, una caja de lápices y veinte libros; que *luzco* un gabán raído, que no me ha visitado sino Crivelo... y olfatea propinas de cesante. La daré por adelantado dos duros, para que comprenda que el hábito no hace al monje.

Estoy, pues, en plena bohemia. Lo más bohemio es el frío. Me trajeron ayer un braserito. ¿Qué pinta un braserito en este inmenso taller? Se filtra un aire glacial por los paineles de cristales sin maderas ni cortinas; y la tubería de la chubersqui[49], sin chubersqui, aumenta la sensación polar. ¡Brrr! Aunque merme el fondo (vaya un fondo), habrá que comprar chubersqui. No: y lo diabólico es que después de la chubersqui necesitaré carbón. Las chubersquis debieran criar su combustible, como el borrego su lana.

He visto el Museo. Volví de él aplanado y loco (estados que parecen difíciles de asociar). Entré a las diez, con ánimo de pasar dos horas, y a las tres todavía estaba allí, desfallecido y sin enterarme del desfallecimiento. Al volver a casa me har-

---

[47] Bodegón.—Sitio o tienda donde se guisa y dan de comer viandas ordinarias (DRAE).

[48] Fornos.—En el Madrid de 1900 había algunos cafés donde se servían comidas de buena calidad. Uno de éstos era Fornos.

[49] Chubersqui.—Estufa para calefacción de forma cilíndrica que suele funcionar con carbón. Es una deformación del nombre del fabricante, Choutbertsky. El DRAE lo registra hoy como «chubesqui».

té de mortadela y queso de Gruyère: primeros momentos de estupidez: la digestión penosa del boa[50].

Entre los afanes de la pícara función fisiológica, restos de la fiebre de la mañana, un devaneo sin tregua, que va y viene, y vuelve y se enreda en tres nombres: Goya, Velázquez, Rubens.

Orden, orden, señora cabeza mía. ¿Qué piensa usted de esos tres tiazos?

En primer lugar, no experimento gran entusiasmo, en general, por la pintura antigua. Nos han fastidiado bastante con la admiración de lo antiguo, negro y embetunado y con luz falsa. Los antiguos eran otros embusteros, igual que yo. Hasta nuestro siglo, y bien adelantado, no se supo lo que era verdad. Y no la tragan, no la tragan los condenados burgueses. ¡La luz cruda, dicen! ¿La quieren cocida, guisada? Mejor se pinta hoy que se ha pintado nunca. Y si es así, ¿por qué me he vuelto del Museo destrozado de asombro?

Con Velázquez me pasa que reniego del cerebro. Ese tío no pensaba; lo que hacía era *copiar*, pintando de una manera bestial: la pincelada, la santa pincelada, el santo natural, el santo dibujo, y fuera ideas, que son una peste.

Velázquez no debió de sentir calenturas. Velázquez se reiría de nosotros. Sano, equilibrado, cortesano, creyéndose un funcionario y no un genio, no buscaba originalidad: ¿para qué? La originalidad es una tontería. Pintar más que Dios[51] y dejarse de originalidades. Si *pintásemos*, ¿eh? ¡digo *pintar!*, ya me entiendes, Silvio, ¡qué falta nos hacía discurrir! La natura-

---

[50] Boa.—Se trata de un error. Confunde «la boa» 'serpiente' con «el boa», que es una especie de larga bufanda de plumas o piel que se usaba como adorno o abrigo, muy habitual en la época de la novela y hoy reducido al mundo del espectáculo.

[51] Pintar más que Dios.—Era una expresión habitual del pintor Vaamonde, según el testimonio de doña Emilia. Así en su conferencia «La Quimera», pronunciada en el Centro Gallego con motivo de la exposición regional de pintura, en mayo de 1912, dijo, refiriéndose a Joaquín Vaamonde: «Su mayor empeño era dibujar, como él decía con irreverencia involuntaria y pintoresca, más que Dios» (*La Quimera*, Madrid, Imprenta de los hijos de M. G. Hernández, 1912, pág. 29). También en *La Ilustración Artística*, en su sección de «La vida contemporánea», núm. 1.585, 1912, pág. 318, escribe refiriéndose al mismo pintor: «Su mayor afán era dibujar "más que Dios".»

leza no presume de original, ni discurre; el sol, la luna, son lo más trivial. Velázquez es naturaleza pura.

Da gusto cómo trata a los dioses. Su Marte, un soldadote velludo; su Vulcano, algún herrero de la Ribera. ¿Y el chucho de las Meninas? Silvio, ¿te contentarías con haber manchado ese chucho?

¡Qué bárbaro soy! ¿Pues no estoy diciendo para mí: no, no me contentaba?

Prefería ser Goya. El equilibrio y la indiferencia de Velázquez, bien; el desate de Goya, mejor. ¿Por qué mejor? No lo sé explicar; pero me gustaría tener un modo *mío* de sentir el natural, y me gustarían esas rarezas de sátiras y de delirios, el infierno y el cielo, el amor, la muerte, la horca, el fanatismo, los asnos dómines, las duquesas histéricas y tísicas, con colorete, las familias reales retratadas hasta el alma, hasta la misma médula de sus huesos, enseñando la sensualidad de la reina y la inepcia bonachona del rey. Me gustaría haber sido el primero a sorprender la luz rubia y acaramelada de las primaveras madrileñas, y los grises tonos, vaporosos, de las épocas de pelo empolvado y sedas tornasol. Me gustaría ser el primero que interpretase el colorido de España. ¡Goya! Sus cuadros patrióticos, sus *fusilamientos,* telones —telones divinos. ¡Qué arranque! ¡Qué ímpetu! ¡Ese colmillo de jabalí, ese navajazo feroz de baturro airado!—, ¡ah, qué envidia!

¿Y Rubens? Cuando me acuerdo de mis pastelitos, de mis cochinas cromotipias[52], y pienso en la carne flamenca de Rubens, me daría de cabezadas contra la pared. Materia, materia; esplendor de la carne: y arrodillarse y adorarlo.

El realismo de Rubens es más natural que si nos presentase gente pobre y famélica. Sus hombres sanguíneos, de barba terciopelosa, y sus mujeres de senos de manteca y nalgas rosa té, eran gente rica y bien alimentada; y así quisiera yo desnudar y pintar a la *high-life*[53]. Afuera tules. La carne, compacta,

---

[52] Cromotipia.—En sentido estricto la cromotipia es el procedimiento de imprimir en colores, o la lámina así obtenida (DRAE). Silvio no imprime, sino que pinta al pastel o al óleo, por tanto usa la palabra en sentido metafórico y peyorativo: sus cuadros son como estampitas, comparados con los de Rubens.

[53] High-life.—Palabra inglesa: «Clase alta.»

fresca; albérchigos y pavías. Verano de la vida; y por debajo de esa piel tan bruñida y elástica, y por esas venas (¿no es triste que no tenga *venas* la gente que yo retrato?), por esas venas, circulando, el hierro y el calor de los siete pecados capitales.

De todo esto saco en limpio... poca cosa: que quisiera ver Velázquez, Goya o Rubens, ¡un nene! ¿Qué soy? Nada. Un farsantuelo; y ni aun mis farsas puedo hacer. Porque ¿quién va a venir a retratarse en esta calle sospechosa, en este taller desmantelado, sin un trapo antiguo, sin un sitial coquetón, sin alfombra... sin estufa?

No: estufa la habrá mañana, ¡viven los cielos!

Hoy tirito. La noche cae, y como no he de comer —no era la digestión del boa, era la indigestión—, no salgo; me quedo en mi rincón, me refugio en la alcoba, envuelto en mi poncho gaucho, que me sirve de manta de viaje y de cama. Me siento mal, muy mal; parece que dentro del estómago tengo una barra de plomo; la cabeza me duele... Trataré de dormir. A cerrar los ojos, a no acordarse de nada. ¡Qué nuca y qué hombros los de la *Hilandera!* Lo asombroso de Goya, el misterio de las pupilas de su retratos: tienen *húmedo radical*... Bueno, ahora lo de ene[54]: bascas, escalofríos... ¿Si enfermaré de veras?... ¡No me faltaba más que eso!

Quebrantado aún (¡qué indigestión, señores! ¡Yo creo que fue de admiración más que de otra cosa! Es bobo y ocioso admirar a los que ya pasaron: ¡arte nuevo, nuevo!), voy a la Sociedad de Acuarelistas a dibujar. Empiezo a conocer algunos del oficio; muchachos como yo, tal vez con las mismas esperanzas que yo. ¡Puede que no tan quiméricos! Les veo que fuman, ríen, hablan de mujeres, piensan con ahínco en algo más que el arte. Hay uno, sin embargo, rabioso, emberrenchinado como yo: se profesa *impresionista*[55] (¡qué diablura!) y se

---

54 Lo de ene.—Expresión familiar: «lo inevitable» (DRAE).

55 Impresionista.—El movimiento impresionista tuvo su origen en Francia en el último tercio del siglo XIX. El nombre procede de un cuadro de Claude Monet titulado *Impression au Soleil levant,* expuesto en 1874, y tuvo al comienzo una intención burlesca, pero en 1905 la escuela impresionista era respetada en todo el mundo culto. La exclamación de Silvio probablemente

llama Solano. Tiene unos ojos que giran, que miran azorados, insensatamente: ojos de raposo cogido en la trampa.

Me han preguntado mis proyectos. No les he contado palabra de verdad. Me daba vergüenza confesarles que espero a que las bellas señoras me hagan con sus deditos una seña: «Retrátanos... y que salgamos arrebatadores, celestiales.» ¿Y si, además, por encima de todo, ¡humillación doble!, ni aun eso encontrase; ni aun le comprasen al charlatán sus mentiras, su agua de rosa y su blanquete?

A bien que saldré de dudas pronto. Las de Dumbría me escriben que antes de principios de diciembre llegan.

Entre tanto, como no debo perder tiempo, y como la labor de noche en la Sociedad no me basta y quisiera aprovechar algo las mañanas, que me paso tumbado en el diván leyendo o haciendo castillos en el aire —me determino a llamar una modelo y un modelo. Cuestan, pero no hay cosa mejor para formarse la mano y adelantar en estudios útiles— una mano, una pierna, la cabeza, el torso.

Por suerte, en la tienda de marcos, donde me surto de lienzos, pinturas, pinceles, un caballete mecánico, comprendo que no se darán prisa a pasar la cuenta. Les he insinuado que los meses de Navidad y primeros de año no son a propósito para pagos, y enseguida comprendieron: debe de estar acostumbrados, por su clientela de artistas, a morosidades. Y si no, ¿cómo me las arreglo? Porque parece que no son nada estas fornituras —tubitos, frasquitos, pinceles, palitroques— y sólo el caballete representa un desembolso de treinta y cinco duros. El amigo que me he echado en la Sociedad, un chico paisajista, Marín Cenizate, que me ha tomado un apego decidido y se dedica a aconsejarme y protegerme, al saber mis adquisiciones me dice que anduve precipitado; que como la miseria entre nuestros compañeros, en el Rastro y en las casas de préstamos encontraría por cuatro cuartos el caballete y las cajas. No le quise responder: «es que la tienda no me cobra ahora, y lo de lance se pagará al contado». La penuria de dinero, a veces, obliga a gastar doble.

_____

refleja más los gustos pictóricos de doña Emilia, muy tradicionales, que los del pintor Vaamonde, que en su obra tiene rasgos impresionistas.

La modelo... ¡pch!, un desnudo regular: de la cintura abajo, algo de morbidez; los brazos magros, los hombros puntiagudos, las manos encanalladas. Para estudiarla sinceramente y a trozos no me importa; pero si alguno quiere meterla en cuadros de ninfas o de damas, ¡con esas manos, a morir!

No sería yo quien me consagrase a damas o a ninfas, y eso que desde mi llegada a Madrid me parece que siento menos la naturaleza, y la verdad áspera y plebeya no me seduce tanto. Aquí no hay campo, y la ciudad, ni moderna ni majestuosamente antigua, no me atrae. Recorro sus calles, sus paseos, nunca salta la nota que me agradaría tomar. Vamos, ya estoy maduro para mi campaña de retratos.

El desnudo del viejo, infinitamente mejor que el de la mujer. Es un setentón que sería muy terne en sus mocedades, y que en vez de criar grasa se ha desecado lo mismo que un gajo de uvas colgado al sol. Se ha convertido en un Ribera[56]. Creía yo que aquellos claroscuros y aquellos tonos de Ribera eran falsos. No: en la piel del viejo encuentro el mismo ocre amarillo, la misma tierra de Siena, la misma sombra calcinada de los ascetas riberescos; y su vello y su barba y su pelambrera —a las cuales los artistas la hemos prohibido tocar: es nazareno— son del mismo gris plomo, con toques blanco plata y los tonos y reflejos de una armadura. Al estudiar al viejo, cargo la paleta de colores a la española; mi pincelada se hace amplia, fuerte, y me voy al estilo franco y a las grandes masas. Hasta me sugiere asuntos castizos y anticuados; ayer le boceté de San Jerónimo, con su pedrusco en la derecha.

*

Final de noviembre.

¡Llegan, llegan las de Dumbría! Preciso era; porque se me iban acabando el resuello y la esperanza, y además, en todo

---

[56] Ribera.—(1591-1652). Alude a la fase tenebrista del pintor, la más conocida, pero no única, ya que Ribera evolucionó hacia un tratamiento más luminoso del color, como puede comprobarse comparando el *San Andrés,* de su primera etapa, con *El sueño de Jacob,* de tonos dorados, casi venecianos, ambos en el Museo del Prado.

este mes no he comido cosa que digiriese; noto el estómago tan frío, que —se lo conté ayer al hermano de mi amigo Cenizate, que es médico— padezco una aprensión rarísima (él la calificó de alucinación, engendrada por la dispepsia): la idea de que me lo cruza, sin interrupción, una glacial corriente de agua.

Como he adquirido una tetera, me inundo de té para digerir las porquerías; estoy muy nervioso, sueño dislates, y de día miro mi taller desmantelado, mi casa sin muebles, mis perchas sin ropa, y los planes de atraer aquí al gran mundo, y al gran mundo femenino, se me representan como delirios de la calentura.

Por cierto, a propósito de este delirio, que la carta de ayer de mi romántico amigo de Marineda, Florencio Goizán, es para desmigajarse de risa. Me ha cogido en un día de los de humor más negro, y me lo mitigó... Hay párrafos deliciosos.

«¡Mortal tres veces feliz!» —me escribe—. «De este aburrimiento, este rincón donde no se puede ni soñar en ilícitas aventuras —porque detrás de cada vidriera hay una vieja atisbando—, te envidio el jardín que ya empieza a brotar en tu taller. ¡Qué jardín! Desde la altanera flor de lis purpúrea, hasta la original orquídea modernista, no habrá flor de estufa que ahí no pueda lucir en el caprichoso búcaro oriental. ¡Qué mujeres, Cristo! Ya las miro subir tus escaleras con el corazón palpitante; llamar a tu campanilla con trémula mano enguantada de Suecia[57]; entrar con ese delicioso ruge-ruge de sedas que él solo estremece; inundarte el taller de oleadas de *ideal* y de *brisas rusas;* reclinarse negligentes en el sofá Luis XV, mientras tú te hincas de rodillas a sus pies sobre un almohadón de terciopelo y empiezas a contar tus ansias. Habrás dispuesto (naturalmente, es de cajón) el refresco en el velador árabe; allí sus emparedados, sus bombones, y allí su vino de Málaga. Y

---

[57] Enguantada de Suecia.—Es una expresión frecuente en doña Emilia para referirse a los guantes de piel suave y flexible. En *Dulce Dueño* encontramos: «Mi mano es mi guante, de Suecia flexible», «Renuevo los guantes, de Suecia flexible» (Madrid, Castalia, col. Biblioteca de Escritoras, 1989, págs. 131 y 181).

si llegase impensadamente el celoso marido, la dama adoptará *pose* en el estrado, tú agarrarás tus lápices, el retrato seguirá viento en popa, y aquí no ha pasado nada, caballeros.

»Lo más sabroso ha de ser eso: engañar a un necio orgulloso de los retratos. ¡Porque cuidado que es socorrido! No es pretexto sólo; es ardid de guerra. Si yo fuese padre, amante, marido, cualquier día consiento que tú *la* retrates y estéis solitos bebiéndoos a tragos largos la mirada horas enteras. Vamos, se necesita ser memo. ¡Ya que la memez es epidémica, incurable; triunfa, mortal tres veces feliz! No te pares en barras, no te achiques al tropezarte con las rimbombantes genealogías: la mujer es mujer, ya nazca en áurea cuna, ya en el arroyo; el flecherillo todo lo iguala; los antepasados de coraza o ferreruelo no se alzan de sus tumbas, y tú acuérdate de Goya, que prefirió pintar mejillas ducales y borrar luego con los labios el carmín[58], a legar a la posteridad un nuevo título de gloria. ¡Ah! ¡Quién pudiese estar en tu lugar unos meses siquiera! Desgarra encajes de Venecia, arruga sedas de Lyón, desabrocha collares de perlas, descalza esquifes de raso, y compadece a los amigos que se pudren leyendo cartas sin timbre y sin ortografía, no llevando sus ambiciones más arriba del taller de costura, los dedos picados y el zapato de cuero gordo. Más suerte tienes que un ahorcado; es de esperar que sepas agotarla, y que en el verano, a la sombra de los castaños de Zais o en la playa de Riazor, nos refieras episodios. ¡Digo, si es que te dignas volver a las natales costas, y no te arrastra el torbellino del gran mundo hacia la isla de Wight[59] o los arenales de Trouville!»[60].

Así, copiado al pie de la letra.

¡Gastan imaginación en Marineda, vaya si la gastan! ¡Y lo cómico es leer esto en el camaranchón que llamo taller amue-

---

[58] Goya... borrar luego con los labios el carmín.—Se refiere a las supuestas relaciones íntimas del pintor con la duquesa de Alba a quien, según se decía, maquillaba para las fiestas.

[59] Wight.—Isla de la costa sur de Inglaterra muy visitada por la belleza de sus macizos montañosos y acantilados. Cuenta con numerosos balnearios.

[60] Trouville.—Trouville-sur-mer. Era lugar de veraneo de los parisienses. Se puso de moda sobre todo a partir de 1830 en que algunos pintores pasaron al lienzo sus paisajes.

blado, con una estufa que no tira y el caballete mecánico, y visitado sólo —a tanto la hora— por la modelo, la Eladia, que deja caer, al desnudarse, un corsé muy usado, color lagarto mustio, del cual reniego!

—¿Chica, no tienes más corsé que éste?

—No, ñorito...

El tono es tan triste, que arrío dos duros para un corsé nuevo y blanco; al otro día sube con el antiguo. Que su madre está enferma, que tuvo que comprar una medicina «barbaridá de cara...» ¡Bien, adelante! De rabia, la coloco, borrajeo un apunte, y me sale regular; la modelo, destacándose sobre la luz de la vidriera y ajustándose el corsé, con un movimiento airoso de los brazos hacia atrás. No la vuelvo a dar propina: la guita se me va que vuela.

*

Diciembre.

Me he reanimado al ponerme al habla con las Dumbrías. Me hicieron cenar allí la noche de la llegada, las provisiones que traían en el tren, que me supieron a gloria, y eran, sobre poco más o menos, lo que hubiese comido en mi taller —fiambres, pastas—. ¿Por qué digerí mejor ya? ¿Es que mis nervios mandan en mí tan absolutamente?

A la siguiente mañana me llamaron por teléfono —el teléfono del despacho de aguas minerales, en el piso bajo de mi casa—, para avisarme que vendrían a visitar mi instalación. Han venido, impresionando a la portera, que al cabo ve aquí unas señoras; se han reído mucho de ver cuántas cosas me faltan.

—Supongo —dijo Minia— que estará usted encantado porque esta escasez es poesía.

—No tal —grité—. ¡Ay, los soñadores! ¡Señora, esa fantasía de usted! Estoy perramente, y es imposible, aunque llegasen a enterarse de mi existencia, que ninguna dama ponga los pies en tal desván.

—Muchísimas gracias, por la parte que nos toca...

—Bueno; ustedes, es otra cosa. Ya me entienden...

186

Horas después llamaron a la puerta y entraron dos mozos cargados de trastos. Las Dumbrías, que justamente acaban de arreglar un salón-biblioteca y de cambiar parte de su mobiliario, me remitían estantes para libros, cortinas, una cama de madera, un sofá, algunas sillas. «No nos caben en casa», decía el billete. «Vaya usted a comer a las ocho, y no espere buen trato, estamos desorganizadas todavía... No tenemos más convidado que usted...» Interpreto: puedo ir con esta ropa. ¡De perlas, la ropa! Es la misma con que vine de Buenos Aires; la hice a principios del verano de allí, que es el invierno de aquí, y por consiguiente, ahora, en otro invierno, después de dos veranos empalmados, porque en mayo me vine a España, cualquiera adivina el aspecto que ofrece, y lo que abrigará. «Poesía, poesía...», dirá Minia... «Pulmonía...», digo yo. Y además, el único gabán se ha vuelto del color indefinible del corsé de la modelo. Habrá que equiparse. ¿Habrá...?

Al salir de casa de Dumbría para ir a dibujar a la Sociedad, una digestión completamente feliz me despeja la cabeza. En fin, el caso es que dentro de unos quince días, el tiempo estrictamente indispensable para «arreglar» algo, darán tres reuniones por la tarde, a las cuales yo no asistiré; expondrán el retrato de Minia, y malo será —opina la baronesa— que no salten encargos.

—Sea usted, al principio sobre todo, muy transigente. Cobre poco: en Madrid no se atan los perros con longanizas; las necesidades de apariencia de la vida son muchas, y los más ricos y empingorotados miran al microscopio lo que gastan. Préstese usted a ir a las casas a trabajar; vale más, ya que tiene usted el taller en malas condiciones...

—Pero la luz...

—La verdadera luz son los cuartos. Déjese de historias.

De modo que ya se revela mi porvenir. Subir escaleras como los maestros de piano, esperar en la antesala a que me mande pasar la señora, retratar con luces de interior y a la hora que me ordenen... Y lo más vil es temblar, no a esas humillaciones, sino a que no llegue el caso de sufrirlas; a que, al exponerse mi retrato, se encojan de hombros y pasen a tratar de asuntos de actualidad, riéndose del mamarrachista y de la indiscreta bondad de las que le protegen. Ahora se me figura que infaliblemente sucederá esto último. En mi crisis de desaliento, me *siento* sufrir y rabiar, no por lo que temo que va a pasarme, sino (me ocurre muy a menudo) por cuanto de malo me ha pasado en la vida. Lo repaso, lo recuerdo, lo rumio, y las contrariedades difuntas resucitan; ni aun las grandes, no: las pequeñas, las ruines. Quisiera trocar mi suerte, ser carpintero o herrero, no hallarme aquí, emprender un viaje, recluirme en Zais; a pesar del contento del estómago, mi cerebro se ensombrece, y de puro nervioso echo chispas como los gatos. ¡Miseria, nulidad de la vida!

*

Orden, orden: a escribir sin temblequeo de pulso.

Salí de casa (con el pie derecho, por si acaso), y cuidé de sentar también el pie derecho, ante todo en el portal de Dumbría.

Asistí a los preparativos. Acomodé yo mismo el retrato sobre un caballete dorado, y *drapeé*[61] la tela antigua, tul bordado de flores empalidecidas, con el cual hicimos un pabellón gracioso, arrugado por mano de artista, al marco dorado y color madera. Me alejé, me acerqué, le corrí, le encontré al fin el punto de vista bueno; y al sonar las cinco, me escondí, con huida de gamo al través de los matorrales, en las habitaciones interiores: Minia se reía, afirmando que en Madrid, cuando se avisa para las cinco, ni un alma antes de las seis y media. Y así fue. A las siete, apostándome impaciente detrás de una cortina, escuché un zumbido de colmena, y destacándose de él, palabras sueltas, exclamaciones. Servían el chocolate, y lo que pude entender se refería a tal operación gastronómica. «Qué bueno es este bizcochón...» A las ocho fue acallándose el mosconeo de la gente; a la media, silencio, y las señoras de las casa que venían a buscarme, con el rostro destellando satisfacción. A mi interrogación muda, Minia alzó un dedo.

---

[61] Drapée.—Lo utiliza como galicismo, pero es palabra castellana, utilizada sobre todo en el mundo de la moda para referirse a los pliegues de los trajes. Según el DRAE drapear es «colocar o plegar los paños de la vestidura, y más especialmente, darles la caída conveniente».

—¿Un encargo?

—Uno solo, por ahora...; pero vale por cien. ¡Trae trébol de cuatro hojas! La condesa de la Palma[62]. Lo mismo fue fijarse en el retrato, que exclamar: «Envíeme usted sin tardanza ese prodigio.»

—¿Ha dicho *prodigio?*

—Textualmente.

—¿Y cómo es esa señora?

—Como le podía a usted convenir que fuese la primer gran señora[63] que pide que la retrate. Moralmente, encantadora; culta, de una cortesía y una lealtad en sus amistades, que escasean; con prestigio, con relaciones sobradas para imponerle a usted. Físicamente, un tipo para pastelista: rubia, blanca, ojos azules, facciones menudas, sonrisa de inteligencia, malicia mundana en la expresión. Ya aceptado por esa señora, podemos quitarle a usted los andadores. Ella le guiará. No se alarme usted, no alteramos el programa: habrá otros dos chocolates; verán mi retrato cuantos creamos que es conveniente para usted que lo vean; pero el paso inicial está dado con suerte.

—Con el pie derecho —murmuré, acordándome de mis precauciones, y sintiéndome tan gozoso que me volvía niño—. De pronto, una inquietud.

—¿Así de ropa, cómo me presento en casa de la condesa?

—¡La condesa, ya le he dicho a usted que es buena e inteligente! —insistió Minia—. No será ella quien se fije en eso; es decir, fijarse sí, no se le escapará; pero se dará cuenta de lo na-

[62] La Condesa de la Palma.—Es la condesa de Pinohermoso, según el testimonio de la propia autora: «La primera señora que quiso ser retratada por el todavía desconocido artista fue la condesa de Pinohermoso, incansable en protegerle, recomendándole y elogiándole.» Art. cit de *La Ilustración Artística,* del 3 de septiembre de 1900, pág. 93. Ver Introducción.

[63] La primer gran señora.—La forma normal es «la primera gran señora». El adjetivo ordinal primero/a sufre apócope, tomando la forma primer, cuando precede a un nombre masculino, incluso con adjetivo interpuesto, pero ante nombres femeninos no debe producirse la apócope. Existen, sin embargo numerosos testimonios de este uso, desde el Siglo de Oro hasta hoy. Manuel Seco en su *Diccionario de dudas* cita ejemplos, entre otros escritores, de Galdós, Pardo Bazán, Cela, Salinas y Valle-Inclán.

tural del hecho y no se burlará ni por asomos. No por ella; por conveniencia general, encárguese usted algo. Le hace a usted tanta falta como los pinceles.

¡Minia llama *algo* a un traje completo de sociedad, con abrigo; otro traje de mañana, corbatas, camisas, botas, guantes, el demonio! No hay remedio, el sastre sea conmigo. Parezco un pobre vergonzante: así no me *admitirían*. ¡Ah, mi gabán verdoso, mi pantalón color nuez, con rodilleras, mi sombrero blando, de fieltro, mi pelaje de artista! ¡Yo que aborrezco el frac!

Paciencia; si he de llegar a ser, a revelarme, necesito subsistir, y la subsistencia así viene, y entretanto a adelantar, a adquirir impecable dibujo; el colorido, después. Se me figura que he conquistado hoy el pan, y he vuelto a casa con el júbilo innoble de un perro que caza un hueso circundado de piltrafas.

*

Fin de diciembre.

Además del retrato de la Palma —que, en efecto, es como me la ha descrito Minia— han salido de los dos chocolates de casa de Dumbría otros encargos: una señora quiere el retrato, de cuerpo entero, al óleo, de sus niños; otra, un pastel con manos y busto, envuelto en pieles de chinchilla.

¡Al óleo! Mi conciencia protesta. No sé pintar al óleo. En el pastel me desenredo; en el óleo estoy a ciegas. Antes de pintar al óleo un retrato, debo ir a lavarles los pinceles a Sala[64] o a Sorolla, y a barrerles el taller dos años, después, hablaríamos. El óleo es la única *pintura* positiva. Estuve a pique de negarme en seco. Las quinientas pesetas de cada retrato al óleo me subyugaron. La baronesa de Dumbría no se explicaba mis escrúpulos; Minia, sí; ¡pero, quinientas! y con el sastre amenazando...

---

[64] Emilio Sala.—Pintor nacido en Valencia (1850-1910). Pertenece a la escuela realista y gozó de fama y estimación en su época. Se especializó en cuadros de historia y retratos.

En *La Época*[65], por primera vez, leo mi nombre, flanqueado de epítetos lisonjeros. Es una crónica de las reuniones de Dumbría; elogían el retrato de la compositora, anuncian el de la Palma, recuerdan las tradiciones aristocráticas del pastel, consignan que después de la muerte de Madrazo[66] no ha quedado en Madrid un retratista de damas y pronostican que ese retratista puedo ser yo.

¡Lagarto, lagarto! Otro es mi sueño...

El Imparcial[67] también me dedica un párrafo. Me llama «modesto artista». ¡Modesto! ¡Rayo! Modesto, no; ¡cargue Satanás con la modestia!

A la siguiente noche, en la Sociedad, mientras Cenizate me suelta un fogoso abrazo de felicitación, percibo en los demás, y especialmente en los que creía algo amigos míos, una ironía y una sorpresa malévola, gestos impertinentes. En un grupo se dan al codo y ríen; en otro bajan la nariz y se chapuzan en el dibujo. Solano, el impresionista, me da la espalda. No existo. ¿Envidia ya? ¿Envidia de qué? *Ellos* lo único que deben envidiar es la gloria; eso sí que lo envidio yo, con rabiosos transportes y con respeto fanático a los gloriosos (si es contradictorio, también es verdad). ¿Pero envidiarme el pan, y un pan tan triste? ¡Miseria, miseria, miseria!

---

[65] La Epoca.—El 25 de enero de 1895 se alude a Vaamonde en los Ecos de Sociedad de este periódico, al hablar del salón de la Pardo Bazán: «enriquecido últimamente con dos notables retratos, uno de la célebre escritora y otro de su hija menor, debidos a un joven y distinguido pintor gallego, D. Joaquín Vaamonde». Cinco años después (20 de agosto de 1900) el mismo periódico al dar la noticia de su muerte dice: «Considerábase a Vaamonde como el sucesor de Madrazo.»

[66] Madrazo.—Se refiere Federico de Madrazo y Kuntz (1815-1894), el más famoso de los Madrazo y el mejor pintor de la familia. Se calcula en más de seiscientos los retratos realizados. Todas las personalidades de la época posaron para él, desde Isabel II a Bravo Murillo o Gertrudis Gómez de Avellaneda, la divina Tula.

[67] El Imparcial.—Las crónicas de sociedad por aquellas fechas las hacía «Montecristo», pseudónimo de Eugenio Rodríguez de la Escalera, de quien dice Melchor de Almagro San Martín: «Monte distribuirá sus adjetivos y adverbios al agua de rosa, por las crónicas que publica en *El Imparcial*, no según las cualidades que las personas mencionadas reúnan verdaderamente, sino por aquellas otras que convenga atribuirles» (*Biografía del 1900*, 2.ª ed., Madrid, Revista de Occidente, 1944, pág. 257). El adjetivo «modesto» indicaría así que Vaamonde —Silvio— todavía no había triunfado.

Además de la envidia, percibo otra cosa todavía más mortificante, ¡el desprecio!

La simpatía de mis compañeros me animaba. Hoy parece que me miran por cima del hombro; no desdeñan mis aptitudes: desdeñan al tránsfuga, al intrigante.

—No hagas caso —aconsejó Cenizate cuando salimos juntos—. Tonterías. Uno de esos amaneramientos de taller. El estribillo de que para ser artista hay que ser un puercoespín, hablar en carretero y en chulo, no tratar sino a las modelos. Mejor si te llevan en palmas en los salones y te sonríen las deidades.

—¡Éste ya se figura...! ¡Otro como Goizán!

La Palma —noto que aquí nadie dice *la duquesa de Alba,* sino la Alba, la Osuna, la Laguna—, la Palma me acoge con bondad suma, y está muy contenta de su retrato, del parecido, de todo. Su casa es un palacio, en una calle anticuada y solitaria, donde se ignora el ruido de los tranvías. En otras épocas se celebraron allí grandes bailes; ahora sólo tertulias íntimas, tresillos, tal cual comida, según me dice la misma condesa. Ella ha hablado de mí a su círculo, y espera decidir a alguna *elegante* a que se deje retratar, en cuyo caso me pondré muy rápidamente de moda. Pregunto qué elegantes son ésas, y en qué se diferencian de las otras damas; si son más bonitas, más ilustres, o se visten por otro estilo; qué tienen de particular para que si se encaprichan le pongan a uno en candelero. La Palma sonríe; sus ojos azules chispean picaresca e indulgente jovialidad.

—Amigo artista —me dice en su correcto y reposado tono habitual—, no quiero adelantarle a usted impresiones de sociedad, porque usted no es de los que necesitan que les den la sopa con cuchara de bayeta[68]. Me alegraría mucho, por usted, que Lina Moros[69] consintiese; es una hermosura... ya verá us-

[68] Cuchara de bayeta.—Por el contexto se entiende que la expresión significa 'alabar' o 'tratar con especial miramiento'. Pero no está registrado su uso en los diccionarios que he consultado, ni parece, como en otros casos, un calco de expresiones francesas o gallegas.
[69] Lina Moros.—Probablemente la marquesa de Alquibla, de quien Zorilla decía que era «la Alhambra hecha carne». (Ver Introducción.)

192

ted. Con Lina Moros triunfaría usted en toda la línea. Le conviene a usted retratar a esas bellezas profesionales.

Pedí detalles, rasgos.

—¡Aguarde usted! Si tengo aquí la fotografía.

Quedé deslumbrado. Aunque conozco las triquiñuelas de los fotógrafos de alto copete, y cómo *ponen* y cómo hacen... lo propio que yo hago, ¡infeliz de mí!, sé también hasta dónde alcanza esa habilidad; sé descontarla. No es mujer, es una hurí. Las huríes me figuro yo que se diferencian mucho de los ángeles: estos tranquilizan y aquéllas solivantan. La Palma ve el efecto y me embroma.

—No vaya usted a prendarse; Lina hace estragos...

¡Prendarme! No tengo confianza bastante para explicarle a la condesa mi interioridad en estas materias; lo único que se me ocurre es exclamar:

—La semana que viene espero adecentarme; y entonces, ya que es usted tan bondadosa para mí...

El miércoles pruebo; el sábado me traen sólo el traje de diario y el abrigo, lo que me corría más prisa. Las corbatas, las camisas, ¡maldición!, hay que abonarlas al contado. Mi bolsa, escurrida como tripa de pollo. Suerte que la Palma me envía en un sobrecito billetes, el precio de su retrato. Los óleos de los chicos adelantan: van desastrosos... pero, ingreso en puerta. ¿Será verdad que el pan se ha conquistado?

Al retirarme de la Academia me acompaña siempre Cenizate; charlamos de mis esperanzas, y se toma por ellas interés vehemente. Frustrado en cuanto artista (se me figura que no irá más allá de lo que hace hoy, paisajitos grises, con troncos rojos, una lamedura de Haes)[70], teniendo lo suficiente para vivir porque es económico, ha concentrado en mí la ilusión que tal vez no siente ya por cuenta propia. Un modo de engañarse a sí mismo como otro cualquiera, el imponer en cabeza ajena los sueños. Ello es que Cenizate se pelea desesperadamente por mí, defiende mis pasteles —que atacan sin haber-

---

[70] Haes.—Carlos de Haes (1829-1898). Pintor belga afincado en España. En 1857 obtuvo por oposición la plaza de profesor de paisaje en la Escuela Superior de Madrid y poco después fue elegido miembro de la Academia de San Fernando. Es un típico representante de la pintura burguesa de la época.

los visto— y se pasa en mi taller las horas muertas forjando planes y enunciando hipótesis. «Has de tener que abrir las ventanas para que se vayan los perfumes de tanta clientela...» Todo el mundo me envuelve en perfumes... y aquí no huele sino a carbón de cok y a colillas de cigarro. Ayer, por la tarde, subió con un recado de la portera, y Cenizate saltó: «La *señá* marquesa de Regis, por el teléfono, que cuándo podrá el señorito pasar por su casa...» ¿Marquesa de Regis? No sé quién es... Buenos oficios de la Palma, ¡de fijo! «Lo ves?» repetía Marín. Por la noche, en el café, viéndome en un instante de abatimiento, me interrogó:

—¿No estás contento, ahora que los peces pican?

—¡Contento! Lo estaré así que me vea por el mundo adelante, metido en harina de verdadero trabajo. No cuentes en la Sociedad ni esto: sobra con la batahola de los periódicos. Solano es capaz de escupirme a la cara...

Cenizate se encogió de hombros, repitiendo: «¡Solano, Solano!...» en tono de mofa. Entró un chiquillo, uno de esos golfitos industriales al menudeo, y se nos arrimó insinuante. Creí que iba a ofrecernos fotografías libidinosas. No; eran tablitas procedentes de cajas de puros, donde una mano febril había indicado, a manchas de abigarrados colorines, un árbol, una casa, una pared sevillana con azulejos y tiestos, una cabeza de chula con orejeras de claveles.

—Dos pesetillas, señoritos... Pintás a la mano, firmás... Pá adornar la sala, señoritos...

Mi amigo me agarró del brazo riendo con maligna satisfacción, señalándome a la «firma», una T gótica.

—¡De Solano! —exclamó—. ¡Que sí, hijo, que las conozco a la legua! Se embadurna tres o cuatro en otros tantos minutos todos los días, sin firma, con esa T que significa *Trigo*... y tiene infestados los cafés, el Rastro y la calle de Alcalá... ¡Y el tupé de torcerte la cara a ti porque retratas marquesas! ¡Es un fantoche! Y no llega: te digo yo que no llega. No tiene miaja de talento, y muy mal gusto: ¡un cursi, un cursi!

Me puse encarnado y compré sin regatear la media docena de tablas al chiquillo. Que viva Solano, porque —aunque no lo crea Cenizate— él mendiga más altivamente quizás que yo. Tiende la mano en la calle, yo en los palacios.

Estreno mi ropa. ¡Parezco otro! Voy a casa de Regis. La marquesa, señora a la antigua, madre de familia cariñosa, quiere un retrato de la mayor de las muchachas, guardar el recuerdo de cómo era antes de casarse —la boda está fijada para la primavera—. Pastel género romanza de Tosti[71]: traje rosa, escote virginal, bandós Cleo[72], rostro inclinado a la derecha, sonrisa cándida. Ventajas: la señorita vendrá a mi taller con la miss, y la despabilaré en dos sesiones, y podría en una, porque esto es coser y cantar; pero desmerecería; lo creerían demasiado fácil. Y adivino la escena: reunión de familia admirando la «preciosidad», apretón de manos del padre, felicitación y palmada en el hombro del novio, marco Luis XVI, pago a tocateja. Por teléfono: la Palma; ¡Lina Moros consiente! Pero esta semana, imposible; dos comidas de Embajada y Legación, acostarse tarde, cansancio... Y la semana que viene, pruebas en la modista, baile de casa de Camargo... Ya me avisará. Con mi facultad de leer entre líneas, leo de corrido: «hacerse valer un poco; no se le abre a la gente la puerta así de golpe». Y experimento de antemano hacia la beldad una prevención hostil, una antipatía nerviosa, complicada de atracción. Sus líneas me incitan a estudiarla; su carácter... ¿qué sé yo? ¿ni qué me importa? Otro hombre, sobre tal base, tendría la mitad del camino andado para enamorarse como un pelele.

Minia me llama por teléfono. Bajo al prosaico despacho de aguas minerales, que parece una zahúrda, y comunico, después de bregar cinco minutos con las telefonistas.

—¿Oye?

—Oigo.

—¿Sabe que *La Época* ha vuelto a dedicarle un buen retazo de *Ecos?*

---

[71] Tosti.—Francisco Pablo Tosti (1846-1916) Compositor y maestro de canto italiano, autor de canciones napolitanas que se hicieron famosas en todo el mundo, como «Addio», «Marechiare», «La canzone d'Amaranta». En 1880 fue nombrado profesor de canto de la familia real inglesa. Compuso también melodías en inglés: «Goodbye» y «For ever».

[72] Bandós Cleo.—El peinado que hizo famoso la bailarina belga Cleó de Mérode (1881-1966); raya en el centro de la cabeza con el pelo cubriendo las orejas. Se llamó en toda Europa «a lo Cleo».

—¿Sí? Lo deploro. Yo ahora quiero cuartos; fama no, no.

—Es lo mismo para el caso. Un periódico de *allá*, de la región, también habla de usted.

—¡Sea por Dios!

—Hay además para usted dos recados, y con apuro. Esto va más aprisa de lo que creíamos: viento en popa. Dice mi madre que esta noche tenemos... Aquí un mosconeo en el teléfono, envolviendo el nombre de platos clásicos en la tierra y la invitación adivinada.

—Iré, iré, y así me enteraré de los recados.

Dos retratos más: el de la vizcondesa viuda de Ayamonte, el del menorcito de los niños de Fadrique Vélez... Nombres de ruido sonoro, que parece que acarrean historia.

—Como no saben sus señas —advirtió Minia— aquí preguntan; en este papelito encontrará usted la dirección de ambos clientes para que con ellos se entienda usted. ¡Lleva usted trazas de hacerse de oro! Hablan de usted en el *foyer*[73] del Real

---

[73] Foyer del Real.—Es palabra francesa que designa el lugar a donde acudían los espectadores del teatro para fumar o beber en los entreactos. Aunque la cita sea amplia transcribo la descripción que hace Almagro San Martín del «foyer» del Real un día de ópera:

«El "foyer", con sus columnas de cartón piedra, sus alfombras de la Real Fábrica y su "buffet" en un ángulo, tras la abierta escalera que conduce a los palcos entresuelos, se convierte ahora, a la salida de la ópera, en un verdadero salón aristocrático de fiesta grande; quiere decirse en el "argot" mundano, fiesta a que se invita la lista completa de toda la gente "conocida", o sea la sociedad con cierta benévola amplitud, que no existe en las fiestas pequeñas, donde se extrema la selección (...)

Como aquí no existe la costumbre de que las damas garbeen en los entreactos por los pasillos o salones del teatro, como en París, Londres, Berlín u otras capitales, las nuestras aguardan esta hora de la reunión en el "foyer" para saludarse y charlar animadamente. Muchas señoras dan orden a sus cocheros de pasar los últimos, si les es posible, con objeto de prolongar este cotorreo de última hora tan divertido, en que se dan y reciben noticias, se comentan las mundanidades, se disparan flechas envenenadas y Eros, de frac, hace diabluras entre corazones parapetados tras sedas, encajes y finas ropas interiores trascendiendo a perfumes de Coty o Guerlain, que son ahora los de moda.

A la puertecilla del "foyer" que da al callejón por donde llegan los carruajes, protegida por una cortina de yute rojo para cortar la corriente helada que viene de la calle, se coloca un ujier de librea azul y botones dorados, quien, por cierto, simultanea este puesto de anunciador de carruajes con el de ordey en las tertulias. Ayer, en el té de casa de Camargo, en dos o tres grupos era usted el asunto predilecto. Las sensacionistas, que corren tras la mariposa de la novedad, van estando pirradas por conocerle a usted.

—Si ven mi taller, salen pitando.

Esta idea me tuvo desvelado toda la noche. Me revolvía en la cama furioso, al observar cómo mis actos se acompasan servilmente a la marcha de la realidad, mientras mi espíritu sigue abrazado a la Quimera. En teniendo mis cuatro o cinco retratos al mes para vivir, debiera bastarme y consagrar todas mis fuerzas a lo íntimo; y he aquí que en mi cerebro, excitado por el insomnio, danzan y contradanzan proyectos inspirados por lo que viene de fuera; mejoras en mi instalación, en armonía con los gustos y las exigencias de esa multitud que va a echárseme encima, y que al proporcionarme recursos me impone desembolsos. Los recursos por ahora son semifantásticos, y lo otro urge.

Recorro con Cenizate algunas tiendas de anticuarios. Llevo una lista de lo más apremiante.

Sofá (Luis XVI o Imperio).

Dos sillones (ídem).

Un tapiz para el suelo.

Un mueble que sirva de escritorio.

Un par de taburetes o sillas bajas.

Después de mil regateos, y a plazo de mes y medio la cuenta (sin garantía alguna, estos anticuarios parecen confiadísimos), me decido por dos fraileros, cuatro sillas de laca y seda

---

nanza del Ministerio de Estado. Sucesivamente, se separa un poco de la puerta, avanza unos pasos hacia el interior del "foyer" y grita estentóreamente, para que su voz no sea apagada por el rumor de las conversaciones y el trueno de los coches bajo la bóveda (...) Van saliendo las llamadas, con unas carreritas apresuradas para que "no pase el coche", pero en realidad para dárselas de jóvenes y lucir un poco el arranque de las pantorrillas.

Es costumbre que galantes donceles ofrezcan el brazo a las damas hasta la puertecilla de salida y el callejón cubierto por el cual cruzan los coches, donde ellas se despiden del "cavallier servant" con una amable sonrisa, sin poder alargarle una mano, ocupadas ambas en recogerse la cola y cargar con el abanico y los gemelos de teatro, amén muchas veces de algún gran cartucho de bombones o del programa de la representación.» *Biografía del 1900,* ed. cit., págs. 82-84.

brochada, un canapé Imperio, una alfombra pequeña y viejísima, pero de colorido grato, un contador[74] italiano aparatoso —falso quizás—, dos o tres Talaveras[75] recompuestos y un arcón tallado, basto, que me servirá de carbonera. Todo ello, cerca de dos mil pesetas. Probablemente me han trufado; entiendo poco de regateo, y Cenizate menos, a pesar de sus alardes de inteligencia y sus reiterados «con esta gente hay que ser muy escamón... Entre gitanos... No te fíes...». El engaño no me importa; lo malo es que actualmente no tengo un real, y sacar de la yema de los dedos tantas pesetas se me figura imposible.

Llegan las adquisiciones. La secatona portera, a quien tengo solícita a fuerza de chorrear propinas, las acomoda a mi gusto, arregla, barre. El camaranchón se transforma. Con mis estudios y bocetos, sujetos por tachuelas, alegrando la pared; con la guitarra y los palillos en panoplia; con los cuatro trastos antiguos, bien agrupados, formando un rincón caprichoso que no me canso de mirar, esto es ya nido de artista. Salgo, me lanzo a la calle del Caballero de Gracia y compro una palmera y una camelia en flor. Es el toque que faltaba. Y aviso a las de Dumbría, que vengan a admirar...

Minia y su madre, que me inspiran una especie de culto, a veces me exasperan: me entran tentaciones de contestar desagradablemente a lo que me dicen. Noto esta propensión desde que estoy en Madrid, y no la pude reprimir cuando se resistieron a aprobar mis gastos.

—Sillas, bueno; pero sillas de a diez pesetas —declaró la baronesa—. Así nunca tendrá usted un fondo para un imprevisto.

—Se ve que no quiere usted ser libre y dominar al destino —advirtió Minia—. No me alarmaría este mueblaje si no revelase su adquisición que no tiene usted paciencia para esperar a ver reunido el dinero. Derrochando, se ata usted de manos y pies. Lo que nos hace dueños de nosotros mismos es la

---

[74] Contador.—Especie de escritorio o papelera, con varias gavetas, sin puertecillas ni adornos de remates (DRAE).

[75] Dos o tres Talaveras.—Jarrones de cerámica de Talavera de la Reina. Los más estimados eran los del siglo XVII.

moderación en los deseos, y mejor si se pudiesen suprimir. Es la filosofía de la pobreza franciscana, que va segura y posee el mundo.

Lo que me irrita es justamente la conformidad de estas ideas con las mías; con las mías íntimas, y que no practico porque no puedo. No hay cosa que nos fastidie, a ratos, como encontrar encarnado en otra persona el dictamen secreto de nuestra conciencia. Ante Minia me avergonzaré de mis pasteles comerciales como de una desnudez deforme. Su mirada, a un tiempo llena de serenidad y de incurable desencanto, es un espejo donde *me veo*... y me odio.

Esto se formaliza. A mi taller, ya amueblado con cierta coquetería, me atrevo a citar a los parroquianos; ¿vendrán? Por ahora se resisten. El menorcito de Fadrique Vélez es un querubín: me han contado que es fruto de amor, no de la coyunda, y en una familia contrahecha y esmirriada, forman extraño contraste su gallarda figura, sus bucles rubios y su tez de madreperla. Le retrato vestido de terciopelo azul, cuello de encaje de Irlanda, bucles a lo Luis XVII... La madre, que no se aparta de allí mientras trabajo, se extasía y devora con los ojos al retrato y al modelo.

La Ayamonte es la primer[76] alta señora que consiente en acudir a mi casa. La propondré sesiones cortas y más numerosas; si no, cree el buen público que esto se hace como buñuelos... y lo peor es que acierta. Además, he de reservarme horas para mi dibujo y mis estudios de óleo.

Una modelo nueva —he despachado a la del corsé feo; la he estrujado ya hasta el alma... que no tiene. Me queda de ella un estudio mediano: *Ajustando el corsé;* ¿qué más había de quedarme?

La de ahora no gasta corsé. Gitana —auténtica—, y veinte años. Tipo de raza admirable. Pelo azul, aceitoso, mordido por peinetas de celuloide imitando coral; tez de cuero de Córdoba —negra soy, pero hermosa, hijas de Jerusalem[77]—;

---

[76] La primer.—Debe decir «la primera alta señora». Es el mismo caso de «la primer gran señora», ya comentado en nota 63.

[77] Negra soy, pero hermosa.—Son las primeras palabras de la Esposa en el Canto I de El Cantar de los Cantares: «Negra soy, pero hermosa, hijas de

dientes de chacal joven; nariz y labios de escultura egipcia; y, como está fresca aún, senos parecidos a dos medias naranjas pequeñas, bruñidas por el sol.

Cualquier combinación con esta zíngara hace *asunto*. El pañolito de espumilla y el mazo de claveles tras la oreja; la montera y la chaqueta del torero; el cigarro entre los labios; sobre todo, la tela de seda rayada, amarilla y marrón, imitando el tocado de las esfinges. Con él, su perfil adquiere la nobleza de lo secular y primitivo, la precisión del camafeo; sus ojos se ensombrecen —¡Pobre Churumbela! (la llamo así). Cuando yo fije, en pedazos de lienzo o de cartón, todos los aspectos de su típica figura y los clave en la pared, como el entomólogo sus colecciones, me aburrirá. Es muy pedigüeña, muy lagotera, y siempre la manía de decir la buenaventura, y de pronosticarme fortunones y noticias felices que *van a yegá po el correo!*

Enero.

Más recados. El teléfono de Dumbría y el de Palma empiezan a activarse para mí. De esta semana saldrán diez o doce encargos por lo menos. La Ayamonte viene; ¡al fin pisa mi taller una de las consabidas y esperadas deidades! Se lo agradezco tanto, que me propongo esmerarme en su efigie, y así se lo digo en términos penetrados de agradecimiento entusiasta. Aún no he acabado de hacerlo, cuando me pesa; conozco que acabo de dar base a una situación embarazosa. ¿Embarazosa? ¿Por qué? En fin, tonterías...

La Ayamonte es viuda, acaudalada, libérrima; parece contar de treinta y seis a treinta y siete años. ¿Fea? ¿guapa? Al pronto, insignificante. Fijándose (como tiene que fijarse el retratista para sorprender lo que late en la fisonomía), produce impresión; atrae. Es descolorida, y cuando se emociona, aún

Jerusalén, como las tiendas de Cedar, como los pabellones de Salomón.» La Pardo Bazán fue una gran lectora de la *Biblia* desde su infancia, según nos dice en sus *Apuntes autobiográficos:* «los tres libros predilectos de mi niñez, y esto sin que nadie me encareciese de propósito su valor, fueron la *Biblia*, el *Quijote* y la *Ilíada*» (ed. cit., pág. 21).

se pone más pálida; los ojos, pardos; el pelo, que ha debido de ser rubio, ahora es de un castaño muy suave, apagado, sin ondulaciones, fino y limpio, revelando el esmero de la mujer cuidadosa. Viste bien, pero la falta *chic*. (El *chic* lo adivino yo; tengo ese don fatal de inclinarme al *chic*, y a la vez lo detesto, porque el *chic* es la mueca de la belleza.) Pero lo que me llama la atención de esta mujer, que a primera vista pasa inadvertida, es que encuentro en su cara la misma expresión que en la mía, lo cual crea una especie de semejanza.

Nadie notará este parecido, que no está en el dibujo ni aun en el color; yo, sí. Con la imaginación, la corto el pelo y se lo revuelvo como el mío; la aplico un bigotillo rubio, *vandikista*[78], sobre el labio superior; la enjareto una blusa... y se me figura un hermano —mayor o menor, ¿quién sabe?— porque las mujeres vestidas de hombre rejuvenecen, cuando no son del todo viejas. Así la fantaseo... mientras pongo sobre el papel gris las primeras placas de color.

Si en vez de escribir este libro de memorias hablase con alguien, miraría lo que dijese, no me llamaran fatuo. Aquí, ¿qué más da? Me confieso conmigo mismo.

La mujer es un peligro en general; para mí, con mis propósitos, sería el abismo. Por fortuna, no padezco del mal de querer. Hasta padezco del contrario. No hay mujer que no me canse a los ocho días. Cuando estoy nervioso me irritan; las hartaría de puñetazos. ¡Concilien ustedes esto con mi cara soñadora y mis ojos llenos de vaguedad romántica, que tantos timos han dado involuntariamente! Lo malo es que no doy el timo sólo con los ojos; lo doy, sin querer tampoco, con la voz, con el gesto y con la frase. Y estoy notando el efecto, y pienso que no es un proceder honrado, y sigo adelante, y recargo la suerte... Fatalidad, ya irremediable. No lucho; ¡a luchar, lucharía para no disolverme en los crueles brazos de la Quimera!

Cuanto más tierno e insinuante me pongo al exterior, más crudas se alzan en mi interior las protestas de mi desdén hacia ese instinto natural que, convertido en ideal, tanto disloca

---

[78] Vandikista.—Al estilo del que usaba Van Dyck y el propio Vaamonde.

a la especie humana. ¡Darle a *eso* trascendencia, existiendo el arte!

Al caso: la Ayamonte, desde las primeras palabras que hemos cruzado, comprendo que se ha conmovido algo por mí.

¿Hay tonto que no se dé cuenta de estas cosas? ¡Bah! Transparente es el vidrio, el agua, los tules... Más transparente un alma de hembra. Nunca he dudado; equivocarme... raras veces. Por lo mismo que no me importa, que no me ciego, adivino, adivino... Hasta he solido prever cómo va a desarrollarse todo; qué trámites mediarán, que incidentes, qué bordados llevará la orla. Lo cual me enfría más aún. Y miro a la Ayamonte, y siento de antemano el tedio de lo ya conocido; y ella nota que la miro —de otra manera que como se mira para retratar—, y absorbe en mi mirada qué sé yo cuántos quintales de ilusión...

El retrato es de tres cuartas partes de cuerpo; más bajo de las rodillas. Discutimos el traje, la posición, mientras yo descanso de haber indicado[79] ligeramente la cabeza. Convenimos —con efusión de temprana complicidad— que retrataré despacio, despacio... La Ayamonte me ruega que no la avise ningún miércoles, es el día que almuerza en casa de su hermana la señora de Mendoza; ni ningún viernes, es el día en que saca a paseo a la sobrinita, una criatura de diecisiete años a quien tendré que retratar. ¿El traje? ¿Terciopelo negro, raso gris, chiné rosa?

—¡Qué colores para usted! —grito desesperado—. ¿No tiene usted algo crema... algo marfil?

—Marfil, marfil... Sí, un traje de verano, con mucho encaje y moños de cinta nacarada.

—Ése. Y perlas.

A la segunda sesión, envía una cesta; dentro, el traje. Las perlas las trae ella misma, en su bolsa de brochado. Pasa a vestirse a un cuarto que he habilitado para tocador... de cualquier modo, ¡buen tocador te dé Dios! Polvos, horquillas, y sobre una mesa de pino, un espejo de siete pesetas... Tarda

---

[79] Indicado.—La palabra correcta y usual es «esbozado».

poco: no es mujer de coquetería, cuando se presenta en el taller, la felicito, y empalidece.

El conjunto me satisface: los tonos marfileños de la piel los suavizan el encaje y la carlanca[80], de perlas redondas y menudas; el pelo liso es una nota intensa y dulce; las manos, admirables, de un dibujo perfecto; y al considerarla atentamente, así en conjunto, comprendo el interés de su figura, la expresión apasionada y soñadora de los ojos y los labios. ¿Mentirá esta cara, como miente la mía? Dentro del género, este retrato puede ser más que los otros; ¿por qué no intentar que resulte algo delicado y serio? Trabajo, pues, con empeño, guiñando los párpados, alejándome, acercándome, reposando y conversando. La voz de la Ayamonte es simpática, afectuosa, algo velada; la emoción la enronquece enseguida; su conversación revela cultura extraordinaria en mujer, hasta sensibilidad artística; advierto que es la suya una organización fina y nerviosa hasta lo sumo. ¿Se parecerá en esto también a mí?

—¿Señora, no ha notado usted que... es ridículo, no se burle... que hay una vaga semejanza entre la expresión de su cara y la mía?

—Quiera Dios, en favor de usted, que sólo en eso nos asemejemos —contesta con calma triste.

—¿Tan mala es usted por dentro?

—Mala... no. Malaventurada.

Pausa.

—¿Malaventurada...? —repito mientras empiezo a indicar muy en esbozo las tintas amarillentas del blando y rico encaje, para entonar mejor después el rostro.

—...ísima —afirma sonriendo un poco.

---

[80] Carlanca.—Lo emplea con el sentido de collar ancho y ceñido al cuello. El significado exacto que recogen los diccionarios es el de «collar ancho y fuerte, erizado de puntas de hierro, que preserva a los mastines de las mordeduras de los lobos» (DRAE). Sin embargo, en la época, se debía de dar ese nombre a las gargantillas anchas, porque en Almagro San Martín, en una descripción de la marquesa de Esquilache, encuentro una expresión parecida: «Impertinentes en ristre, plumas enc abeza, descotada, alto collar "perro" de perlas, apretado al cuello...» (*La pequeña historia. Cincuenta años de vida española (1880-1930)*, Madrid, Afrodisio Aguado, 1954, pág. 83).

No me resuelvo a insistir, y la miro, vertiendo mis pupilas en las suyas. Se demuda, se estremece. Visiblemente se ha estremecido.

¿Qué haré? ¿Seré tonto si cuando se levante para mirar al retrato no la paso el brazo por el talle, o más bien la tontería consiste en meterme en la camisa de once varas del galanteo?

*

La Ayamonte me avisa que está algo indispuesta y no vendrá en unos días. Acuden otras señoras, sin preocuparse de la calle; no he notado más síntoma de aprensión en ellas sino que al apearse del coche (lo he visto por la ventana) se remangan mucho el traje y pisan con melindre.

Emprendo la cromotipia de la Sarbonet, una regordeta campechana, teñida de caoba; en realidad, lo que quiere retratar es su abrigo, de chinchilla y armiño verdadero. Tantos pellejos dan unas notas bonitas al lado del raso fofo, a ramos, del traje, y saco de esta mujer vulgar un pastel de los mejores, en el cual hay algo de brío. Me siento de buen humor; tomamos confianza. La Sarbonet descubre el retrato empezado de la Ayamonte, y me cuenta mil chismes. La conoce desde pequeña.

—Pretenciosa, espiritada, romántica... La ha educado del modo más estrafalario su tutor...

Aquí, tos afectada.

—¿Tutor? —repito para estirar una lengua que no lo ha menester.

—Tutor, padrino... ¡qué sé yo! El famoso Doctor Luz, Don Mariano; el último figurín de la medicina, el que me quiso curar la jaqueca con masaje... No se ría usted, ¡que guasón! Si no amasa él; si envía una amasadora muy borrica, que le pega a uno cada cachete... En fin, que el doctor era el amigo de la casa; que asistió a la madre de Clarita en el parto, de resultas del cual murió; que apadrinó a la chica; que, según dicen, ayudó a salvar la fortuna, algo comprometida por las tonterías del Coronel, el... papá, que, por fortuna, también se las lió pronto; y lo cierto es que Clara tiene una posición excelente. Sólo que, ¡la educación! Aquella cabeza es una olla de grillos; tantas cosas raras aprendió... Leyó cuanto quiso, estudió extravagancias... pero...

Mohín púdico, que la cae a la Sarbonet como a un galápago una mitra.

—Pero... corrección... y religiosidad... ni pizca! Más *shocking!*[81].

Cambio de frente, inspirado por la cara que yo debía de poner:

—Y... ¿quién la arregló el traje? Ella no sería: se viste como una portera...

*

Ya voy teniendo en mi taller, no sólo a los que se retratan, sino a algunos curiosos, aficionados, inteligentes, ociosos, *flanistas*[82], cronistas, *sportmen*[83]. Vienen desperdigados; no tertulian. Desde el primer día he establecido rigorísticamente que si hay una señora retratándose, no se pasa. Los encargos arrecian, he abierto un libro con fechas, plazos, indicaciones. A no ser así, no me entendería.

Ello es verdad, este caso inverosímil ocurre; me he puesto de moda en un par de meses, y llevo camino de que se me disputen, pues ya comienzan los recaditos avinagrados, las esquelas imperiosas, los gritillos nerviosos, por teléfono, que indican la exasperación del deseo. «¿Qué dice? ¿Que no puede hasta dentro de dos semanas? ¡Pero si para entonces tengo que irme a Sevilla! Ahora, ahora mismo.» Según creen personas expertas, no deja de contribuir a este apuro el rumor de que voy a subir los precios. Noto que en Madrid la gente, al abrir el portamonedas, hace un esguince involuntario. Es que la vida moderna entra aquí con sus exigencias y refinamientos y no encuentra preparados ni los bolsillos ni las voluntades; se ha trabajado poco, se ha vegetado entre orgullo e

---

81 Shocking.—Inglés: escandaloso.

82 Flanistas.—Extraño galicismo derivado, probablemente del francés «flaneur», ya que el verbo «flaner» 'callejear' es poco habitual.

83 Sportmen.—Inglés «deportistas».

inercia, esperando quizás estacionarse en el periodo de la alcarraza y el coche de colleras[84], mientras en Europa se multiplica el goce y los automóviles echan demonios; las fortunas aquí deben, pues, de ser mediocres, y, en general desproporcionadas con la posición y las ansias de confortable[85]. La gente vive la pantalla: palcos, coches, trapos quizás, y lo que no tiene que ver con esto (mis pasteles, verbigracia) es un renglón extraordinario... Total, que me asaetean a prisas, por si subo. Total, que debo subir.

No por eso espero mejorar mucho mi situación económica. He cobrado dos o tres retratos ya, he dado un tenpaciencia a los anticuarios y estoy con el agua al cuello. Aún no he podido abonar la factura del sastre, que ya me la ha presentado políticamente una vez; las cuentas de carbón y plaza, administradas por la portera hinchan; el de la tienda de marcos también echa sus indirectas; y hay mil imprevistos, y el segundo plazo de la venta de mis cuatro terrones aún falta tiempo para que llegue a mi poder. Y entretanto mi estudio se ve visitado por gente de buen tono; a veces me deslizo a ofrecer una taza de té incorrectamente servida, cachifollada, entre el revoltijo de los lápices, los bocetos, las paletas cargadas y las cajas de colores; me han invitado a algunos saraos; no he ido, tengo pocas ganas —y evitaré prodigarme y ser pintor faldero, al menos en este respecto—. ¡Ah!, el mote de pintor faldero sale de la Sociedad de Acuarelistas, donde cada vez soy más impopular; los bombos de Monteamor[86] en *La Época* me cuestan ver muchas caras de cuerno y muchos gestos burlones. Por Cenizate sé lo que de mí se murmura. Nunca seré nada; no tengo de talento ni tanto así; soy un adulador, un degradado; me ensalzan porque intrigo, porque mi

---

[84] La alcarraza y el coche de colleras.—La alcarraza es una vasija de arcilla porosa que refresca, por evaporación, el agua que contiene. El coche de colleras era el tirado por mulas guarnecidas con colleras, especie de collar de adorno o protección. Los cita como símbolos de una época de escasa evolución, como si dijese: el periodo del botijo y del carro.

[85] Ansias de confortable.—Doña Emilia adapta a su manera la palabra francesa «confort», que aún hoy sigue sin ser admitida por la Academia.

[86] Monteamor.—Puede ser *Montecristo,* pseudónimo de Eugenio Rodríguez de la Escalera, el cronista de sociedad de *El Imparcial* y *La Época.*

tipo afeminado encapricha a las señoras —a las bribonas, es lo literal—; sigo la brillante carrera de retratista guapo... etcétera.

Nadie se acusa con mayor severidad que me acuso yo; pero, al fin y a la postre, cuando me azotan así, es cuando me sublevo. ¿Qué hicieron ellos, vamos a ver; qué hacen, qué harán? ¿Se nos prepara una nueva generación de gran altura? ¿Dejan tantas obras maestras las Exposiciones? Ellos y yo, por ahora, garrapateamos, manchamos, tanteamos... Acaso ellos, en mi pellejo, descubierto este filón de los retratos fáciles, no continuarían abrasándose, como yo, en el ansia devoradora de *lo otro...*

Al enterarme de estas chismografías bohemias, no pegué ojo en toda la noche; me levanté temprano, con el estómago revuelto, amarilla la tez; me parecía tener calentura; di orden a la portera de que despachase a todo el que viniese, diciendo que me encuentro algo indispuesto y no puedo recibir —a pesar de ser el día en que me pide otra vez sesión la Ayamonte—. Y, dominando un jaquecón que me parte las sienes, atiborrándome de té, con el pulso temblón, vuelvo de cara a la pared los retratos empezados, sin precauciones para no borrarlos, y cogiendo un lienzo, armando mi paleta, empiezo a bocetar un cuadro al óleo: *Recolección de la patata en la Mariña.*

Este cuadro puedo decir que lo tengo en apuntes, en notas tomadas directamente, aldeanas. Al volver a verlas, después de tanto tiempo y tan lejos de donde las recogí, ¡qué alegría! —me parecen fuertes y sinceras. La vieja que se cubre con el paraguas de algodón azul; la mozallona que se inclina al suelo marcando sus groseras formas; la otra labriega, niña y rubia, figurita mística quemada y curtida ya por el sol y la labor; y sobre todo, el paisaje, un paisaje sin engañifas ni trapacerías; el terruño bermejo, craso, destripado por el azadón y enseñando sus riñones, las patatas; allá en el fondo, el *cómaro*[87] que limita el predio. Y los colores chillones de las ropas, y el verde insolente de la vegetación, y el cielo brumoso y la augusta

---

[87] Cómaro.—Voz gallega: faja de terreno que se deja sin cultivar alrededor de las tierras de labor para que sirva de separación entre ellas.

verdad. Me embriago componiendo, olvido las mezquindades ajenas y propias; el cuadro adelanta; me parece que lo saco de mis entrañas; lo besaría.

A las doce, la portera me sube un par de huevos estrellados y un chorizo frito.

—Déjelo usted ahí...

Ni lo miro. Incansable, continúo. Una contracción del estómago, una onda de salida en la boca, me avisan de que la bestia pide su ración. Trago los huevos fríos (¡Están atroces!), y vuelta al cuadro. ¡Es que sale bien de veras! A las dos, la velada voz de la Ayamonte en la antesala:

—¿Que está enfermo?

—No, señora; un poco indispuesto ná más... Se ha acostao.

Y la voz, enronquecida:

—Si se empeora, avíseme, calle... número... Anochecido, volveré a preguntar.

¡Al diablo! A mi recolección de patatas. Sin moverme, he pintado desde las siete de la mañana hasta las cuatro de la tarde; y ya no veo, siento vértigo, me duele todo; pero el cuadro está ahí, planteado, completo, faltando únicamente pormenores de ejecución. Me enderezo; las piernas me tiemblan; oscurece ya, y tambaleándome me dirijo a mi alcoba, me acuesto, me quedo dormido con sueño profundísimo, de piedra.

¡Las diez de la noche! Duermo ha largo tiempo. Despierto aturdido, en la oscuridad. Doy luz eléctrica, y miro el reloj. Alboroto a la portera.

—Pronto, algo de comer... Al café de más cerca... Chuletas, magras, tortilla...

—Esa señora, la el retrato, dos veces ha venido a preguntar...

Una esquela a la Ayamonte, para fijar sesión. Que la lleven mañana temprano. Devoro la cena con placer de cerdo; me acuesto, lastrado, y otra vez el sueño brutal, abrumador, como un mazazo. Esto ha sido una orgía nerviosa, y claro, al salir de ella, la sedación se impone.

*

Febrero.

¡Incidente! La Ayamonte acude puntual al otro día, a la dos y media, a pesar de que hace un frío espantoso y cae una ligera nevada.

—¿Cómo ha atravesado usted? Caliéntese esos piececitos... Prolongaremos la sesión, porque hoy no vendrá, de seguro, nadie más que usted. Las demás modelos, con este día, y atravesar a pie la calle de Jardines...

Lo que he dicho es casi una inconveniencia. Lo noto, porque la veo fruncir el ceño; sus pupilas se llenan de sombra. Viene envuelta en pieles: *jaquette*[88] de nutria, abierta sobre un corpiño de raso negro; boa muy largo, manguito enorme.

¡Por Dios! No se vista hoy, señora —murmuro para hacer olvidar mi tontería—. Se agriparía usted otra vez. Estudiaremos las manos. ¿Me permite usted que...?

Avanzo y se las coloco; a mi proximidad la veo conmovida, y escucho distintamente, al través del raso, el salto impetuoso del corazón.

—Vamos, ya está... Me quiere... —pienso con marmórea indiferencia.

Y, en alto, la sarta de imbecilidades:

—Descansemos. Hablemos un momento... ¿Verdad que usted me lo permite? Tiene usted una mano divina. En vez de besarla, me bajo y rozo con la boca la frente descolorida, tersa, el lacio pelo.

Primero, el movimiento instintivo, sin cálculo, de echarse

---

[88] Jaquette.—Voz francesa que designa un tipo de chaqueta, distinta según sea de hombre o mujer. En todo caso se trata de una prenda ajustada.

Ofrezco, a título de curiosidad, la enumeración del vestuario de un «dandy», en donde aparece la prenda: «El verdadero "dandy" ha menester de muchos más trajes que un frac y una levita, como es un buen surtido de americanas, una o dos "jaquettes", diversos trajes de deportes: golf, tennis, equitación, "yachting" y muy pronto el de automóvil; algún "smoking" para la media gala, abrigos de todas clases —los de pieles son muy caros—, calzado, desde el escarpín de baile a la bota de cartera y botones, pasando por la de caña clara, la de elásticos para uniforme, los botines de piel de Rusia... El cuento de nunca acabar.» (Almagro San Martín, *Biografía de 1900,* ed. cit., pág. 249.)

atrás; luego, una sonrisa de resignación, aceptando probablemente la fatalidad de que el sentimiento haya de concretarse en el gesto eterno, monótono, sin diferencia ni respeto a la categoría de las almas. Yo, que por lo mismo que no siento hondo soy apremiante, nada trovador, veo la sonrisa, sé comprenderla, y adopto una actitud en que hay respeto y arrullo: medio sentado, medio inclinado, la rodeo el talle con un brazo, y mi mano busca el calor y la suavidad de la nutria. Acaso el contacto con la densa piel del animal es lo único que me produce grata sensación. Por lo demás, empiezo a encontrar que todo esto es ridículo, y que lo mejor sería estudiar las manos concienzudamente. Mientras discurro así, conservando mi dura lucidez, la rutina me obliga a murmurar al oído de Clara cosas tiernas, los inevitables «¿Verdad que tenía que suceder?», los «¿a que no te lo figurabas cuando entraste aquí?» La chubersqui, mal arreglada hoy, calienta poco; y el frío, que me engarrota bajo la blusa de dril, es lo que me impulsa a acercar la cara a otra cara fría también como el hielo, y por la cual veo, con asombro, deslizarse despacio, glaciales, perlinas, dos lágrimas.

Con un movimiento de desagrado, compruebo en mi interior la extraña impresión de siempre: el instintivo desprecio hacia la mujer que se me rinde. ¿No hay en esto algo de anormal, no es una inferioridad de mi alma? ¿O es que me ha embrujado, al nacer, la celosa Quimera?

*

La Vizcondesa de Ayamonte, al Doctor D. Mariano Luz Irazo, en Berlín.

Madrid.

Padrino mío querido: ¿a quién sino a ti ha de volver los ojos la pobre Clara, cuando se ve otra vez envuelta, arrebatada por lo que tú llamas *mi huracán?*

Bien sabes que no tengo a nadie más, padrino. Y mira si es triste repetir esta verdad, al punto en que el huracán sopla y me lleva en volandas. Los condenados por pasión, en el remolino del Infierno de Dante, van siquiera dos a dos, eternamente enlazados; a fe que eso sólo convertirá el infierno en cielo. ¡Ay del que gira y gira suelto a incalculable distancia de quien debiera ser su compañero hasta más allá de la vida terrestre!

Veo desde aquí la cara preocupada y ceñuda que pones. Ahora te explicas por qué he dejado pasar tres o cuatro semanas conformándote con postales lacónicas como telegramas. Padrino: aunque te quiero más y de otro modo que a un padre —¡ya lo creo! ¡con qué padre se tiene semejante confianza!—, y a pesar de todas tus doctrinas, experimento siempre confusión, sobre todo en los comienzos, mientras dura la penumbra y la indecisión del amanecer, y me da a un tiempo alegría y pena que te enteres, con encontrarme segura de tu indulgencia admirable de filósofo y de tu cariño infinito, tan probado.

¡Cuidado que te debo favores en este mundo! Déjame que los recuente: si no es por agradecerlos, no: si es por acariciarme el corazón con la memoria de que alguien me ha querido de veras y me seguirá queriendo sin cambio ni tibieza posible. Si la desgracia de quedar huérfana tan temprano pudiese compensarse, me la hubiese compensado tu abnegación. Al principio dedicaste toda tu ciencia —¡mira si es dedicar!— a robustecerme: tuviste que pelear como una fiera, mejor dicho, como un héroe, con mi delicadísima complexión y mi propensión a recoger el contagio o el germen infeccioso que pasase. ¿Te acuerdas de mi ataque de angina diftérica?[89]. ¿Querrás creer que constantemente te veo inclinado sobre mi camita, como eras entonces, con la tez morena, las barbazas negras, el pelo revuelto, negrísimo también, la frente pequeña, que ya surcaban precoces arrugas? ¡Ahora ha nevado sobre tu frente inteligente, y estás más simpático aún, padrino!

---

[89] Angina diftérica.—Es lo que comúnmente se llama difteria, una enfermedad infecciosa que afecta sobre todo a los niños y provoca una grave inflamación de las mucosas nasales y faríngeas que puede llegar a producir la muerte por asfixia. El empleo del término médico, tan preciso, es un rasgo típico del estilo de doña Emilia, gran aficionada a los estudios de medicina.

En aquel tiempo eras joven. ¿Por qué no te casaste? Nadie me quitará de la cabeza que por mejor consagrarte a mí. Al mismo tiempo que tratabas de formarme una sangre rica, unos pulmones anchos, me cultivabas —¡con qué precauciones de floricultor!— el entendimiento. Sin sujetarme a promiscuidades de colegio, enemigo de conventos, me educabas en casa, trayéndome aquella *governess*[90], la célebre y buena Miss Butter (a la cual ni tú ni yo reconocíamos la menor autoridad pedagógica), sólo para que me custodiase, a estilo dueñesco, cuando me daban lección profesores varones, escogidos. Y después de las lecciones, tú charlabas conmigo, me metías libros en las manos, me los quitabas apenas creías que me fatigaba la lectura, me llevabas a jugar en el Retiro, al concierto. El método lo aborrecíamos. Me decías tú:

—El estudio es igual que la comida. Si el estómago no está preparado, no apetece, no secreta el juguito que lo dispone a la función... se indigesta lo que se come.

En cambio, no me pusiste trabas ni anteojeras. ¡Qué de cosas aprendí, al correr de mi capricho, tan diferentes de las que suelen formar «la educación de las señoritas!». «Nada de método» repetías. «Tú no has de seguir carrera; sólo necesitas conocimientos varios, útiles, hermosos, para que te sazonen el vivir y te afirmen la razón. No me he de meter yo en acotártelos. Tu instinto es buen guía, porque tienes mucho pesquis, Clara.» Pesquis yo, ¡pobre padrinito!...

Y toda esta independencia intelectual que me otorgaste, unida a solicitud incansable para facilitarme el aprender, a cuidados exquisitos para crearme «un cuerpo y una cabeza» —¡la frase es tuya!— quisiste que la disfrutase igualmente en el terreno material; te volviste por mí lo que jamás has sido, hombre práctico y calculador; defendiste con dientes y uñas, hecho un curial, la herencia embrolladísima y casi perdida de mi madre, y me la sacaste a flote; y... vamos, ¿crees que no lo sé? ¡Si entre tú y yo no hay nada secreto, Doctor del alma! Para ir colocando a interés los réditos de mi hacienda, con tu noble trabajo de gran médico sufragaste los gastos de la casa, los míos personales... ¡Ni en un ochavo se mermó mi caudal!

---

[90] Governess.—Inglés: institutriz.

Por ti me encuentro rica. Y mira si estoy convencida de tu ternura, que no me pesa ese beneficio que te debo. Me has enseñado que en materias de dinero la delicadeza es un grado de la moral, y el grado superior la supresión de la idea misma de delicadeza por el cariño. El tuyo, ¡tan puro, tan santo!, se ha revelado para mí en ese aspecto más. Mientras yo viva, no tengo hacienda: la tenemos. Pero no alimento esperanzas de darme nunca el gusto de corresponderte en este particular. Acuñas mucha moneda con esa sabiduría portentosa; y aunque derroches en suscripciones, libros, aparatos y viajes a las clínicas, siempre te sobra para traerme finezas caras de París.

Mira: donde he visto más de relieve el alcance de tu bondad para mí, no es en ninguna de estas cuestiones... Es en algo tan íntimo y tan singular, que sólo de ti para mí puede conferirse, porque nadie, ¡nadie! sería capaz de entenderlo, de interpretarlo con la elevación en que tú lo colocas... ¿Verdad que ya adivinas?

Mientras duraron mi niñez y mi primera juventud, me diste enseñanzas que revestían la sinceridad de la ciencia; y aunque no me mantuviste en ridículos y pueriles errores, por tal arte supiste respetar mi pudor, que mi imaginación se conservó limpia: más limpia acaso que la de muchachas a quienes se pretende rodear de misterios y mentiras ñoñas. Entretenían mi imaginación tantas cosas; me distraías tanto; ¡estaba yo tan fuerte y tan alegre! Por experiencia he sabido lo que es la vida blanca. Padrino, es muy bonita. Huele bien; huele a los ramos de violetas y reseda que me ponías sobre el tocador.

Recordarás cómo se arregló mi boda, en la playa del Sardinero[91]. No tenías tú gana ninguna de que me casase tan pronto; pero la parentela de mi madre, las tías San Benedicto, Teresa Vegarica, puede decirse que me llevaron de la mano al ara para unirme a mi primo Víctor Ayamonte. Lo del parentesco era lo que a ti te escocía más; confesabas que el primo reunía condiciones: gallarda figura, caudal bastante, carácter

---

[91] Playa del Sardinero.—En Santander. Se puso de moda sobre todo a partir del verano de 1861 en que la reina Isabel II fue a tomar baños de mar allí.

agradable y franco, vicios ignorados... «Pero, si tuvieseis hijos, el parentesco puede jugarnos una partida serrana...» En fin, con tu espíritu de respetar las decisiones ajenas, no te opusiste cerradamente, y yo fui al altar gustosa, lisonjeada por el novio simpático y fino, que me envidiaban todas; sin poner más condición sino que tú seguirías viviendo conmigo. Recordarás cómo se opusieron las necias de las tías; vamos, que armaron una gresca y soltaron unas pullas... ¡Brujas más raras! Y yo empecé a entusiasmarme con Víctor cuando exclamó. «Déjalas, primita, déjalas. ¿Quién va a gobernar en nuestra casa, ellas o tú? Mándalas a freír espárragos. Eso de que la parentela se meta a disponer en lo más íntimo, sólo en los dramas se ve... El padrino, ¡vaya!, habitará con nosotros. Haré excelentes migas con el padrino.»

Recapacitando, yo afirmaría que los dos años escasos que duró mi matrimonio fueron felices. No hubo tiempo de que se acusase la profunda, irreductible diferencia de aspiraciones entre Víctor y yo; no hubo tiempo de que su afición al bullicio y su ligereza le apartasen de mí. En veintiún meses sólo vi su amenidad de trato, su gracia de pájaro, su inagotable buen humor. Me trataba amigablemente; quería llevarme consigo a todas partes. A ti te respetaba y te profesaba una deferencia y una fe que le ganaban, si no mi corazón entero, mi simpatía. Su hermana Adolfina, la hoy señora de Mendoza, era para mí una amiga; y sabes que todavía lo es: amiga superficial, amiga que no me pesa... Gentes así no marcan huella en el suelo. Las envidio. Conservo de Víctor el recuerdo que se tiene de una visita grata, en que no nos hemos aburrido un minuto, sin conmovernos un instante; su muerte fue la única impresión honda que de él he recibido. ¿Qué tendrá la muerte, padrino, que así lo solemniza y lo engrandece todo?

La de Víctor fue trágica; tragedia sencilla, de la realidad, pero que no por eso dejó de abrir surco en mí; según tu parecer, hasta trastornó mi equilibrio... ¿Te acuerdas? Todas las tardes salíamos Víctor y yo a pasear en coche; él guiaba. Aquella tarde quiso probar un potro andaluz, ya domado, según decían. Tú recelabas que yo asistiese a la prueba; y Víctor, con su finura y su complacencia de costumbre, se adhirió a tu opinión. «No, chiquilla, no vienes... ya sabes que te llevo siempre; hoy no. Padrino acierta en eso como en todo.» Hora y media después nos traían en parihuelas un cuerpo inerte, cubierto del polvo de la carretera. En la frente, con amoratada huella, se señalaba la herradura del caballo...

Cuando me viste envuelta en crespones, callada y abatida, el egoísmo del afecto se despertó en ti. «Oye —me decías—, no repruebo la tristeza, si sirve de algo; pero, estéril, debemos combatirla como enfermedad; y lo es. ¡A viajar! Te vienes conmigo, por Europa...» Viajamos; me enseñaste Italia, Suiza, parte de Alemania... En este memorable viaje empezaste a desarrollar tus teorías, que tanta influencia ejercitaron sobre mi destino. Al principio les encontraba el amargor de la quina; poco a poco, mi palabra se habituó a ellas, y hasta las saboreó.

—La casualidad —dijiste— te ha dejado viuda a los veintiún años. Soltera, no me atrevería a hablarte así hasta los treinta. Viuda, es otra cosa. Lee el Código, y verás que la mujer no es dueña de sus acciones hasta que enviuda. Lógicamente, todas debierais desear la viudez.

—Lo que es yo...

—Ya sé... Has sentido a Víctor muerto, más que le has amado vivo. El caso es frecuente, y también se da el contrario. Tus sentimientos son propios de tu idealismo. Víctor, difunto, no tiene defectos; lo que había en él de peligroso para tu porvenir, no saldrá a luz. A lo presente. Triste o contenta, eres libre, ¡libre! ¿Comprendes el alcance de la palabra? Y no sólo eres libre por la situación legal en que te hallas, sino por la posición social; porque la fortuna es libertad, y la clase elevada, libertad también si se saben aprovechar sus privilegios y hasta sus formulismos. Sin embargo, niña, la deliciosa esencia de la libertad no has de extraerla de esas circunstancias externas, sino de tu voluntad misma, de tu ánimo resuelto a no dejarse encadenar. De poco sirve poseer las condiciones de la libertad, si no tenemos un alma libre.

¡Ya ves que no he olvidado tus palabras! Me decías esto en Ginebra, en la terraza del hotel, desde el cual veíamos la azul extensión del lago. Te habían servido el café, y entre sorbo y sorbo, antes de encender el cigarro, desarrollabas la idea que yo al pronto no comprendía.

—Padrino —exclamé—, ¿eso significa que, para no enajenar mi libertad, no debo volver a casarme? Te aseguro que si hay algo que esté a mil leguas de mi pensamiento...

Tardaste en responder. ¡Cómo se te anudaban en la garganta las frases! Con decisión de operador, al fin fuiste penetrando en los tejidos, cortando y resecando lo que te parecía que me dañaba.

—No es eso precisamente; no se trata de una precaución material para asegurar la libertad; yo quisiera ir más allá y libertarte en lo íntimo de tu conciencia. Si fueses hombre, sería innecesario; la vida, para el hombre, es desde muy temprano escuela de libertad, hasta de licencia. Pero tú, ¡pobre mujer!, dentro de ti misma están tu cadena y tus hierros. No te alarmes. Ahora empieza tu juventud, y es verosímil que se despierte en ti el sentimiento amoroso, con toda la intensidad que tu idealismo ha de prestarle...

—¡No lo quiera Dios! —exclamé.

—Supón que lo quiere... —contestaste con la voz atascada por la faena de encender tu Londres[92]—. Cuando eso suceda, niña, es preciso que tengas formada la convicción de que tan natural fenómeno y... sus consecuencias, ni rebajan tu dignidad, ni quitan ni ponen a tu personalidad moral, mientras se desarrollen en el terreno propio de tu carácter, que es generoso y bellísimo. Tus pasiones, siendo como tuyas, en nada te deshonrarán: si las sustraes a la malignidad del mundo, procederás con cordura, como procede el que se defiende de una fiera dañina; pero eso no es lo que importa: es que tu interior no te creas humillada ni culpable porque te suceda lo que viene sucediendo a la humanidad desde su origen. Contra esa falsa, injusta preocupación, quisiera defenderte, pertrecharte...

—Padrino —dije de muy buena fe—, se me figura que no llegará el caso. Contigo, y dueña de mí, es como seré dichosa.

Sacudiste la cabeza, sonreíste.

----

[92] Encender tu Londres.—Es una variedad de los puros Partagas: Londres Extra.

—El caso llegará. Y aun es fácil que sea, no caso, sino *casos!*

¡Ay, padrino! Me pareciste brutal; protesté con enojo. Si no lo has olvidado, perdónalo. Me levanté, y dejándote solo en la mesa, me puse de codos en la baranda. Anochecía: algunas luces empezaban a brillar en las quintas que rodean el lago y lo ciñen de verdor con las altas coníferas de sus parques, la nieve de los picachos, en segundo término, era como reflejo vago, luminoso, que de repente vino a colorear de rosa y naranja el último rayo frío del sol; debajo de mí, casi a plomo, una barca se deslizaba por el Lemán[93], acercándose al embarcadero: un barquero remaba, y una pareja de turistas (sin duda jóvenes, aunque ya la semioscuridad confundía sus figuras) ocupaba el fondo de la embarcación, a popa. Me pareció que iban embelesados en coloquio de amor, y me quité de la baranda, irritada y descontenta de ti, de mí, de todo.

En algún tiempo no volviste a tocar la conversación peligrosa; seguimos viajando; recorrimos otros lagos, otras ciudades... y con habilidad que me admira en ti, dado tu modo de ser franco y directo; no desperdiciando ocasión; aprovechando los recuerdos y las impresiones de historia y de arte, humorísticamente unas veces, con apasionamiento otras, fuiste trayéndome al terreno en que deseabas situarme, y gastando con la lima de una discusión serena mis ingenuos radicalismos. Penetraban en mí tus doctrinas de un modo insensible; si me hubieses preguntado entonces, respondería con sinceridad que nos encontrábamos en completo desacuerdo y que tú sostenías cosas del todo antipáticas para mí. Encontraba placer en repetirte que no estábamos conformes, en refutarte (así lo creía) con argumentos de un exaltado romanticismo; y mientras lo hacía, allá dentro de mí, hasta lo más recóndito de mi pensar, como flechas certeras que rasgan la carne y cortan el hueso hasta el tuétano, penetraban tus razonamientos, tus ironías, tus indignaciones contra la mentira social, los convencionalismos absurdos y las leyes del embudo, acepta-

---

[93] Leman.—Lago de Suiza, atravesado por el río Ródano. Es un paisaje muy del gusto de la Pardo Bazán, que vuelve a sacarlo en *Dulce Dueño*.

das dócilmente por sus propias víctimas[94]. Dos razones imagino, que se aunaron para predisponerme a recibir tan amargo evangelio. Una, que me parecía inadaptable a la realidad, pues yo había decidido que nunca semejantes doctrinas tendrían para mí aplicación práctica, y las escuchaba como el terrestre, que ni sueña en embarcarse, oye bajo los plátanos de un paseo el relato de naufragios que le hace un atezado marino. Otra, que entre lo acerbo de tus enseñanzas venía lo tónico de la idea de justicia, que me habituaste desde la niñez a considerar eje del mundo moral; y a favor de esta idea, se infiltraban en mí las demás que de ella deducías.

Tuviste el acierto de aparentar creer que no me habías convencido; y cuando volvimos a Madrid renunciaste a tus predicaciones, dejando que lo sembrado germinase poco a poco, al calor de la vida, la gran germinatriz. El retiro que me imponía el luto se hizo menos severo. No ignoras quién empezó a sacarme de mis casillas. La propia hermana del muerto, Adolfina Mendoza, que me encontraba ridícula con mis eternas lanas y mis paseos por la Moncloa y el Pardo:

—Hija, todo lo que se exagera... Año y medio pasado... Ya debías usar seda y *pailletés*[95] negros... Ea, mañana vengo y te llevo a casa de mi modista.

Insensiblemente dejé el crespón; mi juventud pareció renacer al soltar la librea de la muerte. Sin razonar la causa, me sentí alegre, dispuesta a sacar partido de lo más insignificante, para gozar como una chiquilla. Adolfina aprovechó mis buenas disposiciones. ¡Qué admirado estabas tú de verme tan disipada!

—Me gusta que te diviertas, niña... pero el vértigo de Adolfina no está en tu naturaleza; te cansarás.

---

[94] Víctimas.—La escena es semejante a la que tiene lugar en *Insolación* entre Asís y Gabriel Pardo de la Lage. En ambas la crítica de la hipocresía social y la defensa de las mujeres en cuestiones de moral sexual está puesta en boca de un hombre. Incluso hay imágenes parecidas «flechas certeras» aquí y «bien disparadas saetas» en *Insolación*. (Véase mi comentario a esa escena en la Introducción a la edición de Espasa-Calpe, col. Austral, págs. 28-29 y el texto en pág. 123.)

[95] Pailletés.—Francés: telas bordadas de lentejuelas o perlas (Larousse). Paillete es lentejuela.

Se realizaron tus presunciones; a fines del invierno, sentí necesidad urgente, física, de calma y soledad, y nos refugiamos en Toledo, donde pasamos aquel febrero delicioso, con tiempo espléndido, recorriendo callejas y revolviendo historias. El fondista, al hablar de ti, me decía: «Su papá...» Nos reíamos; saboreábamos el bien de encontrarnos solos, libres del visiteo, del mentireo, de la frivolidad, de la nada. Una tarde, sentados en el admirable Miradero, volviste a la tema antigua. «Revístete de fuerzas, pequeña, porque amaga la crisis... Te acercas a los veinticinco años. Experimentas ansia de reconocerte a ti misma; te vas a reconocer por el sentimiento. Este afán de huir de Adolfina y del mundo es un mal síntoma...» Te contesté chanceando, y nunca supiste que aquella misma noche, al encerrarme en mi habitación, al abrir, como siempre, la ventana, antes de mi aseo nocturno, vi claro mi arcano, y sufrí el primer acceso del mal que acabará conmigo...

No revistió el acceso forma penosa; al contrario. Fue una exaltación, una embriaguez dulce y violenta de mi espíritu, que comunicaba a mi cuerpo ligereza y fluidez, desprendiéndolo, por decirlo así, de la tierra. Aquel cielo sombrío que la ventana encuadraba, figurábame yo tener alas para cruzarlo. En estados de ánimo así conciben los hombres las empresas y reputadas imposibles, los altísimos hechos, las sublimes locuras.

Pasé la noche desvelada por mi venturosa fiebre, y al otro día tú me viste tan descolorida, que resolviste la vuelta a Madrid, donde te reclamaban tus tareas profesionales. Mira: en Madrid, ¡ve tú a adivinar por qué!, la noche de Toledo, la revelación de mi estado de alma, se me antojó que era devaneo de la imaginación; que no respondía a nada real. La frialdad absoluta con que veía a los galanes de sociedad, me tranquilizaba enteramente. Aún no había yo observado entonces este rasgo característico mío: el extremo del indiferentismo hacia los indiferentes. A él debo el respeto con que se me trata, a pesar de murmuradores. Tal vez los galanes creen que cuando ellos no nos impresionan, es que no somos impresionables.

¡Ay, Dios! Esta carta se alarga hasta lo infinito, y es hora de llevarla al correo... Se continuará, padrino; escríbeme, confórtame. Lo necesito más que nunca.

CLARA

*

El Doctor Mariano Luz Irazo, a la Señora Vizcondesa de Ayamonte, en Madrid.

Berlín.

Niña de mi alma: a pesar de que ando loco de quehacer con los estudios y experiencias objeto de mi viaje, contesto a correo vuelto a tu carta, que he quemado, y en la cual me dejas a oscuras de lo que hoy te sucede. No me sorprende tu proceder: conozco su origen. Es el pudor, una creación artificial y, sin embargo, fuerte como los instintos naturales en el alma femenina. Deseas hablarme de lo único que hoy existe para ti, y te da vergüenza, y lo retardas con esas excursiones por el pasado. ¿Creerás que engañas al padrino? Ya es viejo, pequeña; y, además, ¡su terrible profesión le ha dado tantas ocasiones de analizar!

Tú habrás oído por ahí, a los profundos psicólogos y psicólogas de salón, que pierden el pudor las mujeres cuando quieren de veras más de una vez. Si esas mujeres son de tu temple, di que, por el contrario, la susceptibilidad pudorosa se les exagera. A tu inteligencia no se oculta la razón.

Clara, Clara querida: tu mal consiste, te lo he dicho y te lo repito, en un exceso de elevación moral unido a una sensibilidad demasiado refinada. Ojalá —no me llames bruto— fueses una mujer de más bajas y materiales inclinaciones. Lo inferior se encuentra dondequiera. Lo inaccesible es ese ensueño tuyo, esa aspiración ardorosa que trae de la mano el desengaño y la caída del cielo. Cuando te he visto en el suelo, magullada, palpitando, rotas las alas, he lamentado que seas ave y no insecto ni alimaña. Así, sin más retóricas.

Si fueses hombre, a tu edad no padecerías ya tales anhelos, y tendría tu vida direcciones objetivas, algo que la llenase y en que gastases tu actividad y tus fuerzas. Ya ves, a mí me ha sucedido eso. Sentí... como cualquiera; sufrí, no desengaños, pero dolores, y el trabajo y la ciencia me salvaron. Eres mujer: no tienes refugio.

No necesito aplicar a tu alma los rayos con que registramos pulmones, arcas de pechos y cañas de huesos en esta sorprendente clínica. Te he estudiado día por día; te conozco. Y tu viejo padrino, al conocerte, te quiere más, con piedad y ternura más sagrada. Tus males proceden de que eres superior, en la esfera del sentimiento, a las mujeres que te rodean, y que, como Adolfina, no conocen sino los estímulos de la vanidad o la impulsión orgánica. Tú padeces de una *idealitis crónica*. Este padecimiento no es vulgar; sólo ataca a privilegiadas organizaciones. Yo esperé que, pasada la primera juventud, pactarías con la realidad en una forma o en otra... ¡En la que te fuese más grata y fácil! Veo que no: y ante el hecho, me inclino, pues para ti, la realidad, la sola, es ese mundo que llevas dentro.

¿Qué te podrían decir mi experiencia y mi cariño que no te diga el recuerdo de tan rudas decepciones? Y mira, Clara, decepciones han sido; pero no acuses a los que te las causaron: acusa a tu exigencia de grandeza, de heroísmo sentimental, parecida a la del artista que en cada modelo fantasease la perfección absoluta de la forma. Tú eres inteligente; y cuando tu corazón no está interesado, sabes observar los defectos y miserias de la gente con la agudeza propia de tu sexo. Así que interviene la pasión, esta facultad queda abolida. El que encarna tu ideal es un ser aparte: le supones todas las cualidades y excelencias de tu magnánima condición, todas las vibraciones exquisitas de tu alma soñadora; le vistes la cota del paladín, o le cuelgas alitas, o le rodeas de aureola, y con la sinceridad más generosa, das por hecho que está bebido el filtro, y que como Tristán e Iseo[96], cruzaréis la existencia sin atender

---

[96] Tristán e Iseo.—Personajes de una leyenda medieval, refundida en poemas épicos y romances en infinidad de ocasiones. Tristán conduce a Iseo a reunirse con su prometido, Marke, tío de Tristán. Por error, ambos jóvenes beben un filtro amoroso, destinado a Marke, y se enamoran. Tras diversos episodios desgraciados los enamorados acaban muriendo. En 1859 Wagner

más que a la virtud del conjuro. ¿Qué ha de suceder, niña eterna? Ellos son hombres, muñecos de barro, de ese barro que cada hora desorganiza —¡si lo sabrá un médico—, de ese barro concupiscente en que bullen gusaneras de apetitos y mezquindades... ¡Barro! Ni aún. El barro se conserva, la obra del alfarero prehistórico llega a nosotros. El barro humano es limo corrompido. No puede darle consistencia ni el fuego de la pasión más sublime.

¿Qué nuevos martirios se te preparan? Si mi presencia puede servirte de algo, a pesar del compromiso de honor profesional en que estoy metido, a pesar de ciertos ensueños —también los tengo yo—, lo plantaré todo y me largaré. Aciertas: no tienes más que a mí; dispón de mí: me harás dichoso. Y, en todo caso, escríbeme sin ambages. Ya estarás persuadida de que deploro y maldigo tu mal; pero te quería inculcarte, anticipadamente, para evitarte inútiles torturas morales, en nuestro viaje por Suiza, y después, y siempre... Estímate, estímate mucho: la estimación propia es el tónico más eficaz que conozco. Adiós, enfermita mía. Te daría su salud, su prosa, y no su edad, tu amantísimo padrino,

MARIANO

*

La Vizcondesa de Ayamonte, al Doctor D. Mariano Luz Irazo, en Berlín.

Madrid.

Padrino querido: me defines muy bien en la carta que acabo de recibir, y, con todo, un alma es selva tan oscura, que voy sospechando si hay en la mía rincones donde no penetran tus rayos X. El día en que Toledo me asomé a aquella ventana, y sin fijar en nadie mi pensamiento sentí la revelación de la pasión con todo su poderío, lo que me causó una

---

compuso la ópera *Tristán e Iseo* que volvió a poner de moda la leyenda medieval y convirtió a los dos amantes en símbolos del carácter inevitable del amor y la muerte.

alegría extraña fue reconocerme capaz de sentir tanto, tanto. Descubrí tesoros, que me asustaron, pues todo lo inmenso asusta; pero me inundó un regocijo como el que experimentan los héroes al convencerse de su valor. Los horizontes de mi vivir, hasta entonces vacío y sin sentido, se dilataron, irisándose con tintes mágicos. Ya ves, yo a ningún hombre quería; después de aquella memorable noche, aún tardé bastante en concretar mis indeterminadas esperanzas; la revelación fue, pues, de mí misma, de las profundidades de mi propio corazón.

Al pronto no me di cuenta exacta de esto, padrino. Equivocándome, busqué fuera de mí el manantial que en mí brotaba tan abundante y, a mi parecer, tan puro. Me lo enturbiaron; pisotearon su nacimiento... Culpa mía fue, seguramente, porque mi locura igualó a la del que, poseyendo una perla única, quisiese descubrir la compañera en la primer joyería que encontrase. Yo tendré, allá en cualquier país, mi compañero; mas ni él sabrá de mí, ni yo de él. El filtro de Tristán e Iseo se bebe, pero no lo beben dos juntos. Uno solo, padrino[97].

Cansado estás de conocer los episodios de mi historia. Hemos convenido en ponerles una cruz negra, emblema de lo que murió; el caso es que no basta querer enterrar las cosas. Murió, sí, lo mejor: la ilusión, la fe, la ternura. No murió lo infinitamente malo, lo que ha depositado en mí un sedimento que tal vez ni sospechas... Te afligiría, padrino, si te metiese en las cuevas sombrías de mi pensamiento. Hacía tiempo que te hallabas contento viéndome descansar y reponerme de aquel último golpe, el más traidor y el más imprevisto. No podrás adivinar qué género de trabajo lento, insensible, se producía en mí, ni cómo la desesperación desordenada de los primeros instantes, que tanto te dio que hacer como médico, se transformaba en la apatía sorda, en la depresión hondísima, predecesora de las grandes crisis. Así calificas tú este fenómeno... y en mí, ¿lo has adivinado?

---

97 Uno solo.—En la leyenda medieval sí lo beben los dos. Este filtro que sólo bebe uno se parece más a la teoría stendhaliana de la cristalización, del amor como una idealización del enamorado.

Vamos a lo presente. Sin ambages: quiero otra vez. Es un artista genial, joven, cuyas facultades no han podido desenvolverse y afirmarse todavía. La necesidad de subsistir le obliga a dedicarse a un trabajo que forzosamente ahogará los gérmenes de su gran talento. Retrata al pastel, adulando a sus modelos, y no le queda tiempo ni tiene medios de luchar como corresponde para ganar su puesto al sol de la gloria.

La prueba, padrino del cambio que se ha verificado en mí, es el propósito que tengo y que sólo depende de tu aprobación. Se acabaron las tonterías, el empeño de encontrar la otra perla. Giro en el remolino del Infierno, pero giro suelta, ya lo sé. Mejor dicho: lo presiento, lo comprendo, y lo único a que aspiro hoy, ya que mi mal es incurable, es a que me permitan hacer bien al ser querido. He pensado ofrecer a este artista (el hombre más desinteresado de la tierra) mi mano. Con ella va la fortuna, el medio de realizar su vocación. Conozco lo arriesgado del paso que voy a dar; conozco que enajeno mi libertad, y cometo (así te expresarías tú) la única locura hasta la fecha milagrosamente evitada. No puedo menos. Me avasallan con violencia dulce dos sentimientos: ansia de purificación y anhelo de sacrificio. Es la forma actual de mi apasionamiento; ahora mi fuego arde así. Cierta de no encontrar en los demás la abnegación, la descubro en mí, en mis propias entrañas.

Padrino, espero tu consejo..., y lo temo, porque me quieres demasiado, con excesivo egoísmo amante. Entiéndeme, padrino; explícate, por Dios, mi sentir; no me protejas contra lo que me ha de hacer algo menos indigna de esa estimación de mí misma, que tanto recomiendas a tu

CLARA

*

El Doctor Mariano Luz Irazo, a la Señora Vizcondesa de Ayamonte, en Madrid.

Berlín.

Clara querida, allá voy. Salgo mañana: y no salgo hoy mismo, porque debo despedirme de mis colegas y de algunas personas que me han dispensado atenciones. Lo dejo todo; me falta tiempo para llegar junto a ti. Eres en este momento mi enferma de más peligro.

¡Casarte! Ahí es nada, criatura... ¿De modo que mientras yo preparaba sueros en la clínica, tú adoptabas esa resolución insignificante? ¡Y pensar que no se me pasó por las mientes que esto tenía que suceder, que el día en que fantasees hacer un bien muy grande a *alguien* con la entrega de libertad, hacienda y persona, no serías tú quien se privase del gustazo de la inmolación! ¡Es tan delicioso el frío del cuchillo a la garganta!

Allá voy. Lástima no poder ir en globo. Voy, no a imponerme, sino a cumplir el deber de observar y exponerte lo observado. Veremos qué artista genial, qué hombre «el más desinteresado del mundo» es ese. Sí que abundan los desinteresados. No te enfades conmigo, tirana, si una vez más me viese precisado a pisarte con suela doble las florecillas de la ilusión. Hasta pronto; te quiere tanto el padrino, que por abrazarte antes manda a paseo sin protesta sus alquimias endiabladas. Tuyo,

MARIANO

*

Marzo.

En el taller de Silvio, a las tres de la tarde de un día marzal, de esos de cielo azul agrio y frío puntiagudo, acaban de entrar dos damas, cuyo saludo seco y altanero, en contestación al obsequioso del retratista, evidencia cierto espíritu agresivo. El origen del mal temple de las señoras se descubre por la exclamación de la más alta, la marquesa de Camargo:

—¡En qué calle vive usted!... ¡Qué escalerita!

La malicia ya afinada de Silvio interpretó. A las señoras bien tratadas por la naturaleza, había él notado que no las molestaba el trecho de calle equívoca que era preciso cruzar a pie para llegar a la casa. Pasaban retadoras o reservadas, provocando o desdeñando el dicharacho procaz de las mujerzuelas. En cambio, las clientes de incierta edad y escasos atractivos llegaban siempre al taller irritadas contra la calle y la subida, enviborado el genio por las desvergüenzas oídas al abandonar el coche protector. «Habré de mudarme», pensaba Silvio; y en alto:

—Busco otro taller, con ascensor... No lo he encontrado por ahora...

La verdad era que, a pesar de la afluencia de retratos, andaba todavía alcanzadísimo de moneda, sangrando por los sablazos de parásitos y zánganos como Crivelo, convencido de su incapacidad para la crematística. A fuerza de sermonearle la baronesa de Dumbría, había resuelto hacerla su depositaria, y la confiaba, al cobrar un retrato, pequeñas sumas. Era el tesoro de guerra, para mudanza, viajes, enfermedades posibles...

La otra dama, rechoncha, mal ceñida, de faz lunar, era la duquesa de Calatrava, ex belleza del reinado de Alfonso XII. La obesidad, desbaratando las facciones finas, apenas permitía adivinar lo que pudo ser el antaño gracioso semblante; y ayudaba a desfigurarlo espesa capa de blanquete y dos tiznones que se proponían agrandar los ojos. La Camargo, flaca, cobriza teñida, de tez estropeada por el artritismo, bien corsetada, silueta aún elegante y juvenil, indignó a Silvio un poco menos.

«A ésta» —calculó— «escogiendo bien la trapería y sacando partido del talle... Pero el otro fardo, ¡en cuántas triquiñuelas va a meterme! Tendré que reconstruirla según sería en 1876... No transigirá con menos... ¡Y el escote! Lo adivino. Veo asomar los encantos, como dos medias vejigas de grasa... Habrá que acudir al vaporoso boa de plumas o al socorrido abrigo de pieles, negligentemente echado...»

Mientras hacía para sí estas reflexiones crudas, Silvio, defiriendo a una indicación de las dos damas, enseñaba los retratos comenzados, los volvía de cara, los traía a la luz. Y las señoras sonreían, cuchicheaban burlonamente:

—¡Ay, Celia Jadraque! Mira las perlas del hilo. No han engordado poco. Parecen las que venden en *La Ciudad de Constantinopla* a peseta la sarta. ¿Las vio usted por vidrio de aumento?

Silvio, nervioso ya, no respondía, y seguía exhibiendo sus pasteles.

—¡Lina Moros! —exclamó la Camargo—. ¿Ha venido por fin? Pues si nos dijo que, a pesar del empeño de la Palma, no vendría; que no la daba la gana de estarse aquí las horas muertas aburriéndose.

Por toda respuesta, Silvio, crispado, colocó a ambos lados del primer retrato de Lina otros dos en preparación: uno de blanco, vivo contraste con la beldad morena; otro, con traje ceñido, oscuro, que moldeaba las airosas formas estatuarias. La Camargo y la Calatrava se miraron, y el comentario fue una ligera carcajada.

—¡Clarita Ayamonte! —dijeron después, al presentar Silvio un alto cuadro, casi de cuerpo entero—. ¡Qué bien está! La hace usted mucho más guapa, y lo que nunca fue, muy elegantona. Ella siempre valió poco, y está atropellada como si tuviese cincuenta años; pero así y todo hay parecido, además de una creación poética.

Silvio sintió que montaba en cólera. Quería tratar con miramiento a las damas, muy influyentes en sociedad: la Calatrava, por el altísimo copete, la Camargo por el círculo escogido que sabía formar a su alrededor; pero cuando los nervios de Silvio se encabrinaban, el demontre. En su interior resolvió:

—«Si éstas suponen que he de retratarlas...»

Justamente, un segundo después la Calatrava manifestó su deseo. Lo hizo con cierta displicencia, segura de dispensar un favor.

—Vendríamos... La hora se la avisaríamos a usted por teléfono cada vez... Porque si no, no seríamos nada exactas, ¿verdad, Angustias? —añadó, volviéndose a la Camargo—. En esta época del año no sé cómo se arregla; está uno *de un ocupado*... ¡Es terrible!

—Lo siento en el alma, duquesa —respondió Silvio expeditivamente—. Ni fijando hora ustedes, ni fijándola yo, me sería posible, en mucho tiempo, encargarme de su retrato. Yo estoy *de un agobiado* de encargos, que ustedes no se pueden formar idea...

—¡Ah! —repuso, mordiéndose el labio y dando al codo a su amiga, la Calatrava. Un instante la sorpresa las paralizó. Ya se entendían las dos para una retirada hábil, que no dejase transparentar despecho, cuando la puerta del taller dio paso a un caballero de buen porte, no atildado, de aventajada estatura, de madura edad, de pelo y barba grises, casi blancos; y las dos damas le saludaron con ese afable apresuramiento que en Madrid, tierra de gente expansiva, se tributa a los que han estado ausentes, al regresar.

—Doctor, Doctor... ¡Bienvenido!

—¡Gracias a Dios! —repetía la Camargo—. ¡No nos estaba usted haciendo poca falta! Yo no he tenido un día bueno mientras usted rodó por esos mundos... ¿Puede usted ir mañana a mi casa?

—Desde luego, marquesa...

—¿Viene usted a admirar el retrato de la ahijada...?

—No a eso sólo —declaró Luz, saludando a Silvio y presentándose con sencillez a sí mismo—. Vengo a que también me retraten a mí: digo, si el artista está conforme...

—¿Pues no he de estar? —gritó aturdidamente Silvio, emocionado—. No sabe usted qué satisfacción es para mí. ¿Cuándo desea que empecemos?

—Dé usted las gracias, Doctor —pronunció la incisiva voz de la Calatrava—. Es una distinción extraordinaria la que merece usted. Acaba de desahuciarnos a nosotras porque no tiene hora disponible...

Silvio clavó sus ojos garzos, oscurecidos por la irritación, en la dama, y dijo categóricamente, con la franqueza palurda que en ocasiones le subía, irresistible, a la boca:

—El Doctor es persona que trabaja mucho: yo respeto su trabajo y le sujeto el mío. Ustedes, en cambio, estarán tan desocupadas dentro de un año como ahora.

Rióse Luz, invadido por repentina simpatía; y la Camargo, saludando para despedirse, soltó en voz agridulce:

—La prueba de que estamos desocupadas Leonor y yo, es que hemos venido a perder el tiempo. Doctor, adiós. No se moleste, Lago...

Las acompañó Silvio, algo volado, hasta la puerta. En el recodo del pasillo, la Calatrava, desdeñándose de parecer picada y de guardar un silencio que lo demostrase, cuchicheó:

—Por lo visto, retrata usted a Clara y a lo que resta de su familia...

—No entiendo, duquesa.

—Es usted muy nuevo en estos círculos —lanzó la Camargo, que no quiso guardarse la pulla.

Las dos salieron, dando a la puerta, que Silvio no tuvo la ocurrencia de cerrar, seco porrazo. El pintor, no obstante, había comprendido, recordando insinuaciones transparentes de la Sarbonet; alzó los hombros, y minutos después buscaba en la fisonomía, bien delineada e interesante, de Mariano Luz, semejanzas con la mujer que le abrumaba a fuerza de pasión. La conclusión fue ésta:

—Me gusta más él que ella. Él, con esos mechones grises, arremolinados, esa tez morena, esa frente pequeña y surcada, tan inteligente, tiene una cabeza de estudio. Loado sea Dios. Descansaré de encajes y rasos.

*

Era el final de un almuerzo, en casa de Palma, en la *serre*[98], a la hora del café. La condesa llamaba con discreto siseo a Silvio, y le arrinconaba cerca de una palmera cuyo tronco surgía de un embrollo de tela rameada, de colorido suave.

—Venga usted aquí, venga usted aquí, picarillo... Me han contado muchas cosas... ¡Todo se sabe!... En primer lugar, ¿qué ha hecho usted a Angustias Camargo y a Leonor Calatrava, que tan furiosas las tiene? Ahí está una cosa que deploro: las dos nos convenían mucho para la campaña; y si van diciendo pestes de usted, y que recibe usted a la gente punto menos que a tiros...

—¡Dios mío! Condesa, exageraciones. He tratado a esas señoras como debía, con respeto; lo único que hice fue negarlas turno. Francamente, prefiero otros modelos: de ahí no se saca una aleluya. La Camargo parece un mango de escoba tiznado

---

[98] Serre.—Aunque el nombre es francés y su acepción principal es 'invernadero', en la época de la novela designaba un salón en el que se recibían visitas y en el que había plantas, pero no exclusivamente. En el libro de Montecristo *Los salones de Madrid,* prologado por doña Emilia, pueden verse las «serres» del hotel de S. A. R. la infanta Eulalia de Borbón y la de los marqueses de Valdeterrazo.

de almazarrón, y la Calatrava un *clown* acabado de enharinar. No hay tintas posibles con ese par de cutis.

Divertida y sin querer confesarlo, la Palma protestó:

—¿Y para qué sirve el arte, la mañita? Hay que congraciarse con cierto círculo; ya sabe usted que es reducidísimo, y una sola enemiga nos puede hacer mucho daño.

—Con protectoras como usted nada temo. ¡Déjelas usted! Así que desaparecieron del taller, me puse de buen humor. ¿Se representa usted mis apuros ante los huesos de los codos de Angustias Camargo? Cuando veo a esa Angustias, ¡me entran unas ídem!

Sofocada de risa, la Palma se llevó a Silvio más lejos, a un rincón solitario del gabinete árabe que con la *serre* comunicaba.

—Ha tomado usted tierra muy pronto; admirada me tiene usted —dijo al artista—; no he visto a nadie que cayendo aquí de improviso se desenrede y conozca las menudencias de sociedad como usted. ¡Indudablemente ha nacido usted para retratista de elegancias! Pero conmigo no valen disimulos; me han informado perfectamente. Lo que ocasionó que a usted se le atragantasen Angustias y Leonor fue que dijeron algo poco amable de la simpática viuda...

—¿Qué viuda? —murmuró Silvio, algo atortolado.

—Vamos, hágase usted de nuevas... Clarita, Clarita... No, es aparte; hizo usted bien en defenderla...

—Pero si ni la atacaron, ni la defendí...

—¡Es muy buena Clara! —declaró la condesa con su seria indulgencia de mujer intachable—. Es buena, a pesar de la educación desastrosa y sin freno recibida de su padrino, que será un sabio profundo, no lo niego, pero en ese particular...

—¿Padrino? —recalcó Silvio con afectada ingenuidad, que velaba una curiosidad caprichosa.

—¡Cuando digo que ha tomado usted tierra demasiado pronto! ¡Nada se le escapa a usted! —replicó la Palma—. A un lado maledicencias e historias añejas. Clarita vale mucho. La pobre no ha encontrado, por ahora, quien fije definitivamente su corazón. ¡Si usted lo consiguiese, tengo el presentimiento de que sería usted muy dichoso! Además, su posición...

—Pero, ¿de dónde sacan todo eso? —protestó Silvio—. Quisiera yo averiguarlo... ¡Pues es una friolera!

—Amigo artista, los impulsos del querer nos venden... Acababa usted de negarles turno a Angustias y Leonor, y entra Luz y todo se acaramela usted y se lo concede inmediato.

—Ya lo creo. ¡Cien turnos! Condesa, ruego a usted que se moleste en subir mis escaleras y ver el retrato del Doctor. ¡He sido tan feliz con ese trabajo! Una cabeza viril, seria, algo que he podido *retratar* y no *contrahacer*... Un estudio de lo real... Es lo primero de que, en el pastel, estoy menos descontento; lo único que expondría sin gran bochorno. Minia Dumbría lo pone por las nubes... y cuidado que Minia es implacable. ¡Y el modelo! De ése sí que estoy prendado. Nos hemos entendido. Me ha tomado cariño en pocos días. Con él, al fin del mundo... —añadió sin desconcertarse bajo la mirada azul, penetrante, de la dama, que, cortando el aparte con su maestría de salón, retrocedió lentamente hacia la *serre,* a depositar sobre una mesilla la taza de porcelana blasonada donde aún se enfriaba un tercio de café.

A la misma hora, Clara Ayamonte se disponía a sacar a paseo a su sobrina Micaela Mendoza. Mientras Adolfina enseñaba a su cuñada algunos trapos de reciente adquisición, y la instaba a tomar parte en un abono a unos jueves de moda —«real orden de Julieta Montoro; hija, no hay remedio, no se puede faltar»— la muchacha se prendía el sombrero, se calzaba los guantes, pedía el manguito, y un cuarto de hora después, en la estrecha berlina de Clara, al trote del bonito tronco flor de romero, bajaban inundadas de sol por la Carrera de San Jerónimo, hacia el Prado[99]. Frente al Hotel de Rusia, Cla-

---

[99] Hacia el Prado.—Veamos a través de la descripción de Almagro San Martín cómo se desarrollaba el paseo en coche en 1900:

«Ahora comienza el paseo de coches del Retiro hacia las cuatro de la tarde. Suben los vehículos velozmente al trote largo de sus caballos y bajan con lentitud, de suerte que llegan a integrar una masa compacta, a manera de cerrada y larga línea de tribunas desde las cuales se puede, con toda comodidad, mirar y ser mirado.

De repente, próxima ya la caída del sol, como si improvisadamente hubiese circulado una orden secreta o declarado algún peligro inminente, echan a

ra hizo parar el coche, saltó a la acera, entró en casa del florista, cuyo escaparate es una fiesta de primavera en pleno invierno, y salió con dos gruesos ramos de violetas y gardenias y un mazo de rosas rubí y tallos diminutos de combalaria. El coche se inundó de perfumes; Micaela bajó el vidrio y acomodó su ramillete en la ranura, ostentándolo.

—Tía Clara, a ti hoy te pasa algo. Estás muy guapa, muy sonrosada; te relucen los ojos y has comprado doble surtido de flores. Siempre las compras sólo para mí, diciendo que son propias de mi edad...

Clara rió, excusándose.

—No, a mí no me engañas —insistió la chiquilla—. Yo no me las trago como mi madre. Te pasa algo. Moritos en la costa, ¿eh? Y qué tal: ¿es digno del honor de ser mi tío? Anda, cuéntame. Yo callo; ni con tenazas me arrancan tu secreto. ¿Es tu flirt, Lope Donado, que te persigue?

—¡Qué aprensión tan graciosa! Figúrate; las flores son para ti y para Adolfina; tú se las entregarás al subir a casa. Ya sabes, Micaelita, que estoy fuera de juego complementamente. Amoríos, a las niñas como tú.

—¡Quiá! ¿Me mamo yo el dedo? La edad de las emociones es la tuya; a la mía no hay sino sosera. Yo vegeto, y un día me entrecasarán... Ea; que entre mis papás y yo, nos casaremos; digo, me casaré, ellos ya están casados hace rato; la prueba a la vista la tienes. ¿Emociones a mí? Ni las siento ni las concibo. Dicen que después aparecen las malditas. Pienso hacerles la cruz. Emocionarse para desemocionarse, y vuelta otra vez a la noria, y sube en cangilón de abajo, y baja el cangilón de arriba, y disgusto va, y disgusto viene, y tener ojeras y enfer-

<hr />

correr todos los carruajes por la calle Olózaga abajo, hacia la Castellana, en cuyo lugar se repiten las escenas del Retiro, con la ventaja, para la contemplación recíproca, de ser este sitio menos amplio que el parque. Y como no basta con las repetidas vueltas para saciar el ansia de verse y remirarse, arrean otra vez los coches, ya con los faroles encendidos, calle de Alcalá adelante, hasta desfilar de nuevo, muy despacito, entre las Cuatro Calles y la Puerta del Sol, por el pequeño trozo de la Carrera de San Jerónimo, cuyas aceras se cuajan de gomosos, que, a su vez, contemplan ávidamente a las bellas. Algunas personas descienden en Lhardy para beber sólo una copa de jerez.» *Biografía del 1900*, ed. cit., pág. 194.

marse de un qué sé yó cardiaco... No, tía; ¡no hay tío que valga eso!

—¿Cuán es para ti la felicidad? Porque tendrás alguna aspiración, criatura —pronunció reflexiva la Ayamonte.

—¿Aspiración? Quisiera un marido rico, rico. Eso nunca estorba; después, muy bonita casa, jardín, instalación de verano en Zarauz o por ahí, viajecito de otoño, mil comodidades, sus fiestas en invierno; pero menos jaleo que mamá, menos pingos, y en cambio, un cocinero; ¡oh ideal! Soy golosa... —y pasó su lengua roja y húmeda por los labios.

—¡Pasión de vejez! —exclamó con extrañeza Clara—. ¿A los diecisiete no cumplidos! —y, transigiendo, indiferente, añadió—: Al volver iremos a Lhardy[100].

*

Recorrían la larga avenida solitaria del Prado, dirigiéndose a Recoletos, donde ya bullía la gente mesocrática, trapitos al sol, paseando o sentada cara a los coches, curioseando ávidamente un perfil conocido, un abrigo de última. La berlina torció hacia el Retiro. Los cascos de los caballos percutían con ruido rítmico, pleno, el suelo raso, bien nivelado; el correaje de los arneses crujía de flamante; ligera espuma revolaba sobre los frenos. Una impresión de superioridad, de existencia amplia y lujosa, surgía, no sólo del paso raudo de los trenes, sino del parque, esmeradamente cuidado, del noble aspecto de la vegetación, de las plantas raras, lozanas, fuertes, de las canastillas en temprana florescencia, de las blancuras de estatua entrevistas sobre el verdor del *grass*[101]. Ni siquiera formaba contraste la aparición de los dos o tres golfillos mimados, privilegiados, que postulaban familiarmente, llamando a los aristócratas por su nombre, poniendo cara de risa, colocando chistes de teatro y almanaque, porque allí, entre los señorones, no vale pordiosear con lástimas. Los golfillos,

---

[100] Lhardy.—Restaurante famoso en Madrid. Perteneció al pintor y grabador Agustín Lhardy y Garrigues (1852-1918). Era moda acudir a tomar allí el aperitivo después del paseo en coche.

[101] Grass.—Inglés: césped, hierba.

conocedores de su clientela, iban limpios, lavados, y deslizaban entre su postulación al oído de alguna señorita: «Por ay viene el sito Andrés, a caballo... Junto al Ángel quedaba.» A Micaela Mendoza nada tenían que avisarla los golfos correveidiles. Era de esas hijas de madre bulliciosa, a quienes en los primeros tiempos de su salida al mundo envuelve y eclipsa el remolino maternal. No se impacientaba Micaelita: sentada la cabeza, aguzado el olfato, ojo avizor, aguardaba la hora...

A inconmensurable distancia espiritual del cuerpo juvenil que rozaba con el suyo, Clara, asomando la cabeza por la abierta ventanilla, miraba hacia la avenida donde pasea la gente de a pie, menos numerosa, algo más selecta que en Recoletos. Una vuelta... pero *nada* divisó. Experimentó esa sensación de vacío y aridez que producen las multitudes cuando entre ellas no está lo único que interesa. A la segunda vuelta, cerca ya del grupo de rebajuelos pinabetes[102], vio Clara *algo*... Su delicada palidez se acentuó; un estremecimiento de felicidad, hondo, impetuoso, como jamás lo había experimentado cerca del mismo Silvio, activó el curso de su sangre y aceleró su respiración, al divisar al artista, al cambiar con él una sonrisa de saludo y una seña imperceptible.

—¡Hola! ¡El retratista guapo! —exclamó Micaelita—. ¿Vas allí, eh? Hay bebedizos en sus pasteles, dicen que es un modisto[103] delicioso. Mamá empeñada en que yo me he de retratar con mi traje azul y ella con su gran caparazón *vert amande*[104], de Laferrière... ¡Y qué bien se arregla ahora! ¡Si va hecho un gomoso!...

Las palabras de su sobrina convirtieron en nácar rosa el marfil de la piel de la Ayamonte; y su voz, enronquecida, subía del moderado diapasón habitual cuando pronunció:

---

[102] Pinabetes.—Abetos (DRAE). Debe de referirse a árboles pequeños, rebajados o recortados. En la primera versión de *La Lectura* aparece «rechonchos» en lugar de «rebajuelos» (t. I, año IV, pág. 8).

[103] Modisto.—Lo correcto es modista palabra que designa a la persona, hombre o mujer, que hace ropa o la diseña. Sólo el artículo indica el sexo: el *modista* y la *modista*.

[104] Vert amande.—Francés: verde almendra. Es un verde muy claro.

—Repites las tonterías que oyes, Micaela, y eso no está ni medio bien. A tu edad más vale callar cuando no se sabe lo que se va a decir. Lago no es un modisto, sino un gran artista, como lo prueba el retrato de mi padrino que está terminando; pero la gente no entiende y sale del paso con vulgaridades.

—Perdón, tiíta —murmuró Micaela, entre confusa y avispada—. Si sospechase que ibas a molestarte... —y la sorprendió con un abrazo para convencerse de que palpitaba toda.

—Molestarme, no... Es que me da pena que te inspires en Angustias Camargo y los bobos de su trinca...

El resto de la tarde, tía y sobrina conversaron de una manera forzada. Ni en Lhardy, al modisquear los *petits fours*[105], se aflojó la tirantez. Micaela rumiaba el descubrimiento; Clara no podía calmar el hervor de la indignación. ¡Silvio, un modisto! Sola ya en el coche, habiendo dejado a la muchacha a la puerta de su hotel, sonrió Clara y se frotó las manos nerviosamente. ¡Ya verían si era modisto, cuando ella le colocase en situación de desplegar las hermosas alas de su genio!

Disipó prontamente esta idea el remolino de las otras. La dulce calentura de la esperanza, una vez más, abrazó las venas de la Ayamonte. Al rodar de la berlina, que se abría disputado paso por las calles atestadas de gente, la enamorada, aislándose, cayó en una de esas meditaciones del porvenir que jamás supera, ni aun iguala, la realidad. Era un ensueño amoroso que mucho tenía de heroico, en el bello sentido de la palabra, pues Clara adivinaba y paladeaba el sacrficio. «Todo por él... Con él a las Mecas del arte: París, Florencia, Amberes... Los medios de estudiar, de combatir, de vencer... Su triunfo, debido a mí; su gloria, obra mía...» Y el sabor de la abnegación era como de miel, y su fragancia como de vino puro y añejo, que embarga los sentidos.

Al encontrarse el padrino y ella sentados fronteros, a la mesa del comedor, demasiado amplia para dos personas, por cima del centro de mesa de jacintos y blancas lilas, Luz buscó

---

[105] Petits fours.—Pastelillos de crema de almendras y chocolate fondant, típicos de Lhardy en el siglo pasado. Todavía los siguen haciendo, pero sólo por encargo.

el mirar de Clara, y lo encontró, y sintió su fuerza. Nunca tanta riqueza espiritual había brillado en aquellas pupilas radiantes.

—¡Tal vez ahora sea feliz! —pensó el Doctor—. Y en voz alta, deseoso de traer la conversación a terreno simpático:

—¿Sabes que mi retrato cada día me gusta más? Desde que tiene toda la intensidad de los toques de color, me parece tan franco, tan sincero, ¡tan *yo!* Obra maestra, niña.

No respondió Clara. Interrogaba con los ojos, y la ojeada, imperiosa y expresiva, penetró en la voluntad del sabio como un cuchillo.

—El talento es innegable —prosiguió él—. Sólo necesita ambiente y... salud. No es fuerte, no es demasiado robusto *nuestro* artista... Tengo el deber de decírtelo, Clara, *antes* de que... Noto en él predisposiciones nada tranquilizadoras.

Clara continuó silenciosa. Bebió de un sorbo su copa de Saint-Galmier, carminada con Burdeos[106]. Y fresca la garganta, en tono resuelto, con la lentitud que da a las palabras gravedad solemne:

—¡Padrino —articuló—, lo que notas en él son rastros de la miseria, heridas de la batalla! ¡Si estás conforme y ratificas tu benevolencia, habrá ambiente, y salud, y celebridad y todo!

—Sea como tú quieres —exclamó él, enviando a Clara una sonrisa de indulgencia y bondad infinita.

Sin preocuparse de la presencia del criado que servía, correcto e impasible, Clara se levantó de súbito, y fue a besar la frente y el arranque del pelo ya casi blanco, todavía arremolinado con brío juvenil, del Doctor.

*

A las diez y media de aquella misma noche, el taller de Silvio Lago se encontraba plenamente iluminado por la luna,

---

[106] Copa de Saint Galmier carminada de Burdeos.—Se trata de una copa de agua del manantial de Saint Galmier (bicarbonatado-cálcicas), ciudad francesa del departamento del Loire, a la que se ha añadido un poco de vino rojo de Burdeos, que la tiñe de carmín.

que se filtraba al través del amplio ventanal de vidrieras. La puerta que comunicaba con el pasillo se abrió despacio, y un grupo de dos figuras estrechamente enlazadas fue a reclinarse en el canapé Imperio, sembrado de fofos almohadones, y donde la claridad del satélite recaía con prestigios de teatral decoración. Un momento la mujer permaneció recostada en el pecho del hombre; pero éste se desvió de pronto, y descolgando de la pared una guitarra que formaba trofeo con dos caretas japonesas, y arrimando al canapé una silla bajita, empezó a puntear distraídamente una jota. Lo trivial de la música podía perdonarse en gracia de lo atractivo del escenario. Los muebles, los objetos de arte, el contador, el arcón, adquirían en la penumbra suave dignidad y misterio. El soberbio retrato de Luz, allá en el caballete, cerca del estrado, recibe un rayo de plata en fusión y parece moverse y respirar. Y la mujer reclinada sobre los almohadones, sonriente, marmórea, alargando los brazos, se asemeja a una estatua amorosa, que llama y atrae, para murmurar al oído la última regalada confidencia.

—¿Te aburre mi guitarreo? —preguntó Silvio con resignación—. ¿Quieres que te traiga una copa de Málaga y unos dulces?

—No... —respondió Clara—. Quiero que vengas aquí, aquí.

Ojos menos vendados que los de la Ayamonte hubiesen observado en el movimiento de aproximación de Silvio una violencia nerviosa, rayana en repugnancia. «¡Todavía!» La cruda palabra no asomó a los labios; se quedó en los recovecos del cerebro, donde el pensamiento se desnuda cínicamente.

Clara pasó el brazo alrededor del cuello del artista, atrajo hacia sí la frente y halagó con su mano de raso las sienes húmedas. Los dedos de la enamorada entrejugaron con el rizado pelo rubio oscuro, despeinado y revuelto entonces.

—¿Quieres que dé luz, nena? —interrogó el prisionero, deseoso de evadirse.

—¡No! Si está divino el taller; y además, para lo que vamos a charlar... ¡prefiero el misterio! Súbeme el abrigo... así...

Silvio obedeció. Era el abrigo amplia pelliza de seda acolchada, oscura y modesta por fuera, al interior forrada de riquísimo brochado azul modernista. Clara echó sobre los hombros del artista un pedazo de la fastuosa envoltura, y al sentir que el mismo tibio ambiente les rodeaba, se decidió:

—Vamos a tratar de cosas formales... Déjame enterarme... ¿Tienes probabilidades de romper la cadena? ¿Podrás dentro de poco renunciar a los retratos y dedicarte a lo serio?

—¡Pch! —murmuró Silvio, interesado en la conversación—. ¡Hija mía, eso es fantástico!... ¡Por ahora al menos... y hasta sabe Dios qué fecha!... Héteme cogido, atado a la rueda, vuelta y ¡dale! Gano y gasto; ¡no sé cómo lo arregla el demonio! Tengo un peculio insignificante en poder de la baronesa de Dumbría, que me lo guarda para que no lo derroche, pero es por si enfermo y muero, no tengan que enterrarme de limosna...

—¡Calla! —gritó Clara, estremecida—. ¡Loco!, a ver si te pego en la boca para atajarte el disparatar... Si yo me alegro, me alegro, de que el remolino de los retratos *smart* no te dé resultado para cumplir tus anhelos... ¿No sería bonito, di, hacerles una reverencia de corte a todas las majaderas que vienen pidiéndote perlas de Cleopatra y veinte años perpetuos, y volar adonde la vocación te llama?

Silvio inclinó la cabeza con desaliento.

—¡Bonito! Más que bonito, precioso... ¡Me encuentro tan harto ya de producir calcomanías! Perdona; tu famoso retrato, que nunca se acababa porque no queríamos que se acabase! ese... calcomanía pesetera... ¿A que discutirlo? El de tu padrino... regular... Le falta... algo le falta, ¿eh?, no pienses que yo no lo comprendo. Le falta nervio, puño, arranque... ¡El afeminamiento no se sacude en un día! Bueno: también creo algo aceptable ese estudio de Lina Moros con el traje ceñido de paño *prune*[107]. Verdad que las líneas de esa mujer son de una perfección desesperante. Nunca las copiaré en todo su hechizo.

Clara se desvió del artista, rápida, involuntariamente. No

---

[107] Prune.—Del francés «prune», ciruela. Aplicado al color, es un tono del granate. Los colores verde y granate oscuro (Corinto) se pusieron de moda a fines de siglo por influencia de los paños ingleses.

era la primera vez que sentía celos bajos y degradantes, por lo mismo más torturadores, de la beldad profesional con tal insistencia reproducida por los lápices de Silvio, con tal entusiasmo elogiada por su boca.

—He dicho una tontería —murmuró él, percibiendo el movimiento retráctil de la dama—. Es que Lina es para mí como un modelo: la estudio y la estudio, pues entre las que cobran no hay formas así... No estés triste —continuó, apiadado, acercándose a Clara con cierto infantil mimo—. Eso es arte, y yo... artista me conociste y artista seré.

Ella adquirió entonces un poco de valor. Deseaba sobreponerse a todo egoísmo, elevar, acendrar su pasión humana. Suplicante, precipitada, lanzó el gran propósito.

—De ti solo depende redimirte de esta esclavitud...

—¿Cómo?

Un susurro, especie de caricia al oído.

—Casándonos...

La voz, ¡qué ronca! El corazón, ¡qué desquiciado! Los ojos, ¡qué humildes, qué imploradores!

Silvio, en un rato, no contestó. Se creería que no había entendido. Al fin... Clara trepidaba de ansiedad... Al fin, se echó a reír jovialmente y se puso en pie de un salto.

—¡Casarnos, nena! ¡Casarse! Y eso ¿cuándo se te ha ocurrido? ¡Pobrecilla! A ver: ¿es dicurso del padrino... o tuyo?

—¿Por qué me contestas así? —repuso Clara irguiéndose a su vez, recobrando energía ante lo que tomaba por burla—. ¿Qué motivos tienes? ¿Quieres a otra? ¿Me desprecias mucho, porque... por lo que hay entre nosotros? Franqueza, Silvio... la verdad.

—¡Entera!... De haberte mentido a ti, que no lo mereces, jamás tendré que acusarme. Se les miente a las coquetas, a las tunantas... A las buenas... no. Tú eres algo romántica; no sé si te convencerá lo que te diga. ¡Es tan prosaico! Es que yo no puedo casarme, ¿sabes? No sirvo para tal vida: ¡serías la mujer más infeliz!

—¡No importa! —gritó Clara descubriendo toda su sed mortal de sacrificio—. No pienses en mí. Que triunfes... y me basta. Soy tu pedestal. Písame... No voy a caza de dicha.

Nunca esperé conseguirla queriendo. ¿Te acuerdas del *primer día?* Lloraba...

—¡Válgame Dios! ¡En qué conflicto me pones! —articuló Silvio, algo conmovido, abrazándola—. Hay verdades demasiado descarnadas... Bueno, ¡qué remedio! Las soltaré. Serías infeliz tú y más infeliz yo. A los ocho días, ¿sabes?, viviendo con ella, viéndola peinarse, comer, toser, no hay mujer que no me hastíe. ¿Digo hastío? Aborrecimiento. Me juzgas por mi carita y por el tipo Van Dyck. No me conoces. Soy muy bárbaro, mucho. Además estoy embrujado. Sólo existo para mis sueños...

—¡Ay de mí! —sollozó Clara—. ¡Yo también!

—Sí... ya lo voy notando. ¡Por algo dije que nos parecemos... en la expresión de la fisonomía! Tu sueño es de amor, el mío... de belleza, de gloria; el tuyo es natural, el mío a veces creo que diabólico. Venga del infierno o del paraíso, le pertenezco!

—Es que no me querrás —balbuceó Clara.

—No; de esa manera que tú desearías... no —repitió ferozmente Silvio—. Perdona; ya convinimos en que todo, excepto mentir. No te quiero *así*, y llegaría ¡yo qué sé! ¡a odiarte!

Ella vaciló, se esforzó para no desplomarse bajo el golpe.

—Lo sabía —arrancó al fin de la laringe—. Sólo que no quería saberlo... ¡Haces bien en no engañarme!

—No lo mereces. Si te engañase, sería aún más malo de lo que soy. ¡Ah! Soy malo: por éstas: malo, desalmado. Sólo tengo entrañas para mi loco deseo de pintar como los semidioses. A trueque de conseguirlo... mira... a mi propia madre hubiese echado al arroyo, como a un perro. ¿Y qué tiene de extraño? El sentido moral se suprime ante estas ideas fijas. O demente, o bribón: escoge. ¡Vaya un marido que te preparabas!

—Escucha, Silvio —imploró Clara con humilde mansedumbre—. Expliquémonos sin rodeos. Lo que te ofrezco es justamente el único medio que existe de que sigas tu vocación. Te estás incapacitando para ella. No creas que no entiendo algo de arte. Retratos por oficio pueden hacerse unos meses, un año; pero a la larga, te amanerarás. Rompe los grillos. Yo seré feliz si tú eres grande. Necesito un objeto, una obra... Hay en mí un poco de amargura, una estepa de soledad. Mi propia vida no me importa casi. Hacer de ti lo que estás llamado a ser, me bastará para recompensa. Si te hastías... viajarás, volverás. Tendré calma. No me induce cálculo alguno... ¡Te quiero tanto!

Al exclamar así, Clara arrastró dulcemente a Silvio al canapé. A fuer de legítima apasionada, dolorida aún por el desamor, siempre fiaba en los ardides de su corazón, en el contagio de su ternura. El artista frunció el ceño y volvió a desceñir los blancos brazos, que surgían de las holgadas mangas de encaje antiguo. Torvo y malhumorado, en pie frente a Clara, alzó los hombros.

—Eso, eso es lo que hay... Me quieres... ¡Razón suprema! Las mujeres, cuando os encapricháis... Aquí el juicio lo represento yo. Tú, no más que la impresión del momento. Casarnos, y tenerme siempre contigo. ¡Te lucías! ¿Qué ibas a tener? ¡Ni mi cuerpo siquiera...!

Silvio comprendía que se expresaba desvergonzadamente, y no acertaba a remediarlo... Sus nervios, como siempre, mandaban en él; los sentía tenderse de impaciencia, de enojo, ante el amor de una mujer dispuesta a coartar su libertad bohemia, unciéndole a un yugo áureo. «¡Dinero!», pensaba. «¡Todo lo resuelven con dinero!» Y la aspereza, la brutalidad, crecían en él; a puñadas se hubiese defendido.

—¡Ni mi cuerpo! —repitió—. Es preciso que me conozcas a fondo, y que me dejes por cosa perdida. Hace cuatro o cinco días lo más, en ese mismo canapé, estaba sentada la modelo de pago, una gitana que huele a bravío; y yo... sin acordarme de ti, como no me acordaría de otra, aunque fuese la misma Dulcinea... Ya ves qué poco me parezco a tu ideal; ya ves cómo engañan mis ojos, mi gesto de melancolía sublime... ¡Si supieses! Tengo un primo panadero, que es mi retrato. Estoy por escribirle «vente, repartiremos las conquistas...» ¿Qué diría él amasando sus roscas?

Aquí el atroz monólogo se interrumpió. Del canapé no salía ni protesta ni sollozo. Clara se arrebujaba apresuradamente en el abrigo; largos escalofríos recorrían su cuerpo. Sus dientes se entrechocaban. El ruido imperceptible, rítmico, que producían, aterró a Silvio al modo que aterra a los medrosos el trueno. Corrió a arrojarse a los pies de la dama, prosternado.

—Te he ofendido, nena. Perdón. Soy un vil miserable; no hagas caso, despréciame. Hay horas en que no sé lo que digo ni lo que hago. ¡Perdón, perdón!

Clara no se movió. Rebozada hasta los ojos, temblando, tartamudeó muy quedo:

—Lo vil, lo miserable, es esto que llaman amor. ¡Qué vergüenza!

Y añadió con imperio, irguiéndose:

—Enciende... Voy a vestirme.

Obedeció el artista. Conocía que era imposible destruir el efecto de sus palabras, de su impremeditada confesión. Hay cosas que una vez dichas... Dio vuelta a la llave; las luces eléctricas, de dura claridad positiva, se comieron la de ensueño de la luna, y la Ayamonte rompió a andar, volviéndose desde el umbral para contemplar por última vez el taller, los retratos esparcidos, el contador reluciente de bronces, sobre el cual una Madona gótica, de madera pintada y estofada, sonreía con celeste ingenuidad, disputando una manzana al Infante. Permaneció Clara en el tocador pocos minutos; salió, arropada la cabeza en la mantilla negra, oculto el cuerpo por la holgada pelliza uniformemente oscura. Su cara, color de yeso, parecía haber adelgazado súbitamente, y sus ojos, enrojecidos, ardían, mientras la boca se consumía, y se afilaban, como en las agonías, la azulada nariz. El pintor se lanzó hacia la dama y la abrazó de estrujón, mientras cubría de caricias arrebatadas aquella mascarilla trágica, fría, sepulcral.

—¡Nunca te quise sino ahora! —repetía, persuadido de sentir así, en aquel pronto—, nena, nena: me hace daño verte tan pálida. ¡La boquita! ¡Quédate! ¡Vuelve mañana! Mira que te esperaré...

Ella se desprendió, desviándose con fuerza. Echó a andar pasillo adelante, llegó a la puerta, descorrió el cerrojo, tiró del resbalón...

—Dame al menos tiempo a coger sombrero y gabán... ¿Vas a ir sola hasta encontrar coche?

Estaba ya en el segundo rellano de la escalera, y desde él, entre la oscuridad, murmuró sencillamente:

—Adiós, Silvio.

*

Marzo-abril.

Silvio se levantó de humor endiablado, rabioso contra sí mismo, al día siguiente de la ruptura con Clara. Por su gusto no saldría del abrigo del lecho; pero justamente, tenía citada a una cáfila de señoras... Saltó descalzo a los fríos baldosines, renegando de la dura ley. Mientras se chapuzaba en la palangana, estremecido, redactaba mentalmente la carta a la vizcondesa de Ayamonte. No para reanudar, ni menos para aceptar la propuesta... Para repetir que la quería como nunca la había querido; que se reconocía un miserable, y solicitaba de rodillas absolución.

—No pondría otra cosa el hombre más prendado —pensaba media hora después, al lacrar—, y en este instante me sale de dentro escribir así...; y si ella me contestase «bueno, iré a firmar las paces...», soy capaz de volver a ofenderla, para que se largue pronto. No; ella no es como yo; ella tiene distinto carácter; no pone aquí los pies. ¡La he precipitado desde tan alto! ¡Bah! —añadió, viendo entrar a la portera con el servicio del té—. Así emigrasen todas a Cochinchina... No sirven más que para levantar jaquecas como la que me está amagando. Se prepara el gran día... Oiga usted —añadió, dirigiéndose a la comadre—. Vaya usted a la botica por esta receta de migranina...[108]. ¡No ponga usted cara atontada! Al Continental, calle de Tetuán, que lleven esta carta... Encienda bien la estufa... Pásese por la tienda de marcos, que envíen lo que les encargué... ¿No me podría usted arreglar un puchero, algo de comida, sana, para hoy?... ¿No entiende?

—Dios, ¡qué barbaridá! Entender, sí, señor...; pero no alcanzará el tiempo, señorito... Primero que despacho tanto di-

---

[108] Migranina.—Producto para la jaqueca o migraña.

243

vino recao... Y la portería abandoná, porque a mi esposo hoy le han avisao de la Ministración pa unos papeles...

—Bueno; otro día de comer frío... —calculó enervado el artista—. ¡Cómo se multiplican las necesidades!... Habrá que tomar un criado...

Respondiendo a sus pensamientos, la portera advirtió:

—Salga usted si llaman. Abajo no quea nadie.

Silvio tragaba el último sorbo de té, cuando... tilín: la apremiante campanilla.

—¡A estas horas! —refunfuñó, corriendo a la puerta—. ¡Ah, eres tú! —murmuró desalentado, al vislumbrar la castiza jeta de Crivelo tras el embozo de una capa raída. Aquel eterno chupón se parecía más que nunca a un retrato antiguo, cuando subía tres dedos de chafado terciopelo carmesí a la altura del mostacho.

—Vienes en mala ocasión —declaró Silvio, atravesado en la puerta, como obstruyéndola—. Me encuentro sin un céntimo, chico; sin un céntimo.

El enjuto Crivelo se hizo atrás, desembozándose con gallardía hidalga. Era un completo tipo español, entre alabardero y soldado de los tercios invencibles; faltábanle tizona y chambergo, sustituido por abollado hongo.

—¿Quién te pide nada? —pronunció en tono de herida dignidad—. ¿O te desdeñas de que entre a informarme de la salud?

Las mejillas de Silvio se enrojecieron. No había cosa más contra su genio que humillar a los menesterosos.

—¡Qué disparate! Adelante, hombre. Ven a mi cuarto. En el taller no han encendido aún.

—Llévame un momento a ver las duquesas y las princesas que retratas...

—¡Princesas! ¡Echa princesas! ¿Quién os encaja esas mentiras? —gruñó Silvio, exasperado otra vez.

—Anda; como si no supiésemos que aquí tienes a lo más cogolludo de la corte. ¿Qué te haces con tanta guita como te llueve, hijo? No lo entiendo. ¡Quién tuviera tus manos! A estas horas era yo rentista. ¡Y solo, solo, sin boca que te pide pan! ¿Qué dirías si te despertases padre de siete criaturas?

—Que era un fenómeno muy raro.

—¡Guasón! Quisiera que te dieras una vuelta por mi casa. Madera, 13, cuarto. Mi suegra, baldada de una ciática; mi señora, yendo a la compra y guisando; ya sabes que ella nació en pañales muy finos... Los chiquillos, rabiosos por tragar...

La cara típica, velazqueña, del litógrafo, expresó aflicción verdadera. Se conmovía al detallar sus ahogos, y no creía faltar a la sinceridad callándose que en parte eran fruto de su afición al café, al copeo de coñac y a matar el tiempo en teatruchos, dejando litografía y cuentas al cuidado del dependiente.

—Créeme, yo me evaporo por no ver lástimas... Aquellas paredes se me caen encima. El negocio, de remate. No se trabaja, no saltan encargos. Dicen que saltarán hacia octubre. ¿Y mientras? ¿Me ahorco? Van a vencer los pagarés del material. Mañana mismo he de recoger uno. Como no lo recoja con pinzas... ¡Buena mujer! ¡Vaya una hembra! —exclamó sin transición, extático ante el retrato de Lina Moros, que Silvio acababa de volver para enseñárselo—. ¡Eres el hijo de la dicha! ¡Pintas a éstas y encima te pagan!

Tilirín... La campanilla. Crivelo se precipitó.

—No te molestes... Yo abro...

Se encuadró en el marco de la puerta un criado de buena casa, rasurado, limpio, serio.

—De parte de la señora vizcondesa de Ayamonte, aquí está el importe de dos retratos, y deseo entregárselo al señorito Lago en persona, y que tenga la bondad de firmarme un recibí, si no le molesta.

El pedigüeño palideció de emoción.

—¿Cuánto trae usted? —preguntó balbuciente.

—Dos mil pesetas en un cheque... ¿El señorito Lago me hará el favor de recogerlas?

Silvio acudía ya a la antesala, turbadísimo. Le asfixiaba la vergüenza. Si Clara hubiese estudiado cómo humillarle, no procedería de otro modo. ¡Dinero; doble suma de lo convenido!

—Diga usted a la señora —pronunció extendiendo la diestra para rechazar el sobre— que los retratos nada valen y que ruego me permita enviárselos como recuerdo.

—¿Estás loco? Pero, ¿qué haces? —saltó Crivelo, agarrándole de la manga—. ¡Dos mil pesetas! ¡Que son dos mil pesetas!

—¡Al diablo! —y Silvio dio un empellón al litógrafo, mientras el criado, después de saludar, se retiraba pausamente—. ¿Quién te mete en mis asuntos? ¡Pues hombre! ¡No faltaría! ¡Como vuelvas! Yo tiro a la calle lo que me da la gana, y esas peseteras pesetas lo primero. ¡A ver!

Crivelo, calándose el hongo, recogiendo la pañosa en actitud gentil de galán de comedia calderoniana, se encaró con el artista. Le conocía bien y sabía tocar el registro conveniente.

—Ya veo que aquí estorbamos los pobres. Te han engreído, se te han subido a la cabeza las marquesas. De poco sirve que sea uno amigo viejo, el que pasó contigo tantas crujidas allá en América, cuando comías pan reseco y tasajo, ¿te acuerdas? y subías al andamio a embadurnar paredes... Tú ahora eres opulento, yo no tengo de qué... Si esas dos mil pesetas fuesen mías, ¡qué fiesta en mi hogar! Se hartarían los nenes; el pequeñín no se nos moriría porque se nos ha largado el pendón del ama; mi señora se compraría calzado y un mantón de abrigo; consultaríamos al médico; satisfaría el pagaré. Lo que unos desprecian, a otros les daría la vida. Así es este mundo amargo... Con que, abur, hijo; dispensa...

Silvio se aplacó, se encogió de hombros.

—Tú eres quien ha de dispensar. ¡Dos mil pesetas no puedo dártelas! A ver... ¿Con cuánto remedias lo más urgente?

El sablista, palpitante, indicó:

—Unas mil y cien... Menos de eso...

—Suprimiendo el pico, ¿eh? Las tendrás mañana a esta hora; y ahora lárgate... lárgate, y no pidas nada en diez años.

No quiso oír más el castizo tipo. Minutos después, en la acera de la Puerta del Sol, exclamaba todo de alegría, parándose ante una señora morena y pasada, que lucía monumental sombrero:

—¡Olé las jamonas hermosas!

En aquel mismo punto, ¡tirilirín!, hacía irrupción en casa del artista el fiel Marín Cenizate. Como la inmensa mayoría de los hombres, Cenizate en sus actos partía del dato de sus propios sentimientos; importándole los ajenos un comino; y siéndole infinitamente agradable la compañía de Lago, no se fijaba en si Lago estaba a la recíproca. Verdad que al decirle el artista: «Chico, vete», ningún sentimiento de amor propio lastimado mordía el corazón del adictísimo amigo. Desfilaba... y hasta otra.

Como Silvio no le hiciese caso y siguiese trasteando para arreglar sus desparramadas cajas de colores, Cenizate agitó los brazos ante los retratos concluidos de Clara y Mariano Luz.

—¡Canela fina! —repetía entre dientes, con sofocación de entusiasmo—. ¡Canelita en rama, caballeros! ¡Vaya unos retratazos! ¡Que se limpien los ojos los envidiosos de la Sociedad! ¡Que salgan ahora con que si afeminado y si blando! ¡Ese retrato del señor tiene redaños, redaños! A quitarse el sombrero...

—¡Por Dios! —replicó Silvio, revolviendo febrilmente en una mesa atestada de papeles, libros y cachivaches—. Me duele la cabeza... ¡No me marees!

—Los exponemos —insistió Cenizate—. Dentro de un par de meses, van a exhibir en el Hipódromo sus porquerías. Verás que horrores. Llevas tú este par de documentos y me los revientas. ¡Boca abajo todo el mundo! O, escucha: mejor aún: ¿a qué aplazar? En mayo tendrás preparadas otras cosas bonitas... ¡Con la facilidad tuya! Éstos me los conduzco yo ahora mismito al Salón Amaré[109]. ¡Buen golpe, buen estrépito!

Silvio se revolvió como un gato, blanco de ira, echando lumbres de sus ojos, en tal momento felinos.

—¡Te guardarás! Los retratos ya no son míos. Están cobrados...

—Solicitando autorización...

---

[109] Salón Amaré.—Era uno de los salones madrileños en los que se hacían exposiciones de obras artísticas. Por los días en que salió a la luz *La Quimera* se exhibían en el Salón Amaré reproducciones fotográficas a gran tamaño de obras de pintores clásicos: Miguel Ángel, Botticelli, Rafael, y Murillo entre otros. El comentario a esta exposición puede verse en el periódico *El Imparcial* del 31 de julio de 1905.

—¡Necio! ¡Imbécil! —gritó el artista. A pesar de su longa-nimidad, más que el calificativo, el tono dolió a Cenizate, que retrocedió algo inmutado. Silvio, de repente, se mesó el pelo, gimió.

—No sé lo que me digo... Si no te empeñas en atormentar-me, no me hables de esos retratos. No te importe por mí. ¿A qué viene tanto afecto? ¿Piensas que te correspondo? Te en-gañas. A mí nadie debiera quererme. Doy mal pago. Los cari-ños me apestan. Prefiero a los envidiosos que dices tú. ¡Ojalá tuviese verdaderos envidiosos! No me envidian: me rebajan con razón, que es distinto... ¡Manía la tuya de ensalzarme! Y es que no entiendes de arte una patata. ¡Te mataría!

Cenizate, tranquilizado, desagraviado, sonrió, se acercó a Silvio.

—Arrechucho tenemos... No se hable más del caso. ¿Te hago tila? ¿Te arreglo esa mesa, te preparo las cajas? Hoy ven-drán muchas señoras. El día está magnífico.

—¿Querrás creer —dijo Silvio, cambiando de tono con su acostumbrada movilidad, y abriendo y cerrando a golpes los cajones del contador— que me ha desaparecido mi petaquita de plata oxidada con el monograma de rubíes, el regalo de la Sarbonet? Lo que me indigna es que, sin duda, se la ha lleva-do el mal bicho de la gitana. ¡Qué mañitas!

—La dejas meterse aquí con una libertad...

—¿Qué he de hacer? ¿Mandarla esperar en la Saleta?[110]. Esa egipcia se encapricha de todo... No ve fruslería que los ojos no se la encandilen. Me tiene harto. Sabe de sobra que ya no quiero estudiarla, y vuelve y vuelve... ¡Qué calamidad, un taller de pintor! Es una vega abierta.

—Pues bien pagada y bien recompensada está Churumbela, hijo, para que venga a quitarte cosas. La semana pasada, sin que te sirviera de modelo, ni Cristo que lo fundó, la diste cua-tro duros. ¡Llevarse la petaca! ¿Te parece que demos un parte?

---

[110] La Saleta.—Creo que se refiere a la *saleta,* habitación anterior a la ante-cámara del rey o de las personas reales (DRAE). También podría referirse a la famosa iglesia francesa de La Salette, lugar a donde acuden numerosas pe-regrinaciones. En todo caso, lo que quiere decir es que no está él en situación de tratar a la gitana con ceremonia, ni de hacerla esperar cuando llega.

—No —contestó el artista.

¡Tilín! La portera, resoplando:

—Aquí tié usté el remedio... El recibí del Continental... de la tienda, que están con los marcos; que los remitirán cuando acaben. Unas lonchas de pavo he traío de la Ceres pa el almuerzo. ¿Encenderé?

Absorbida la droga, funcionando la estufa, Silvio empezaba a sosegarse, cuando, ¡tilín, tilintín! —pasos precipitados, una ráfaga de aire frío de la calle y de olor insufrible a esencia de clavo y pachulí... La gitana en persona.

Cualquiera, aun sin ser artista, se agradaría de aparición tan pintoresca. Churumbela, con la palma apoyada en el talle, el mantón atado atrás, el pelo indómito alisado, con reflejos de empavonada armadura, la expresión melosa y capciosa, propia de su raza, en el perfilado semblante cetrino y en las largas pupilas de sombra; entreabierta la boca bermeja, donde rebrillaba el nácar húmedo de los sanos dientes, no le iba en zaga a ninguna de las bohemias seductoras del romanticismo.

No encontrando a Silvio solo, sus cejas delgadas se fruncieron; mas ya el artista se lanzaba hacia ella, porque al verla había sentido ciego impulso de cólera, la animosidad que engendra un largo hastío, hastío, en este caso, de pintor fatigado de reproducir un tema, que se complicaba con náusea moral, indefinible; especie de desagravio involuntario a la Ayamonte.

—¡A ver! gritó—. ¡Si no quieres que avise a la delegación, ya me estás devolviendo ahora mismo mi petaca!

Retrocedió atónita la Churumbela, ensanchando los ojazos.

—¿Qué dise, señorito? ¿La petaca?

—Tú te la has llevado. ¡A devolverla! ¡Perdida, tuna!

—¡Señorito... que yo no he cogío semejante mardesía petaca! ¡Por la gloria e mi madre y por las yagas de Cristo Santísimo! ¡Así me condene y me jagan en los infiernos picaíllo menúo! ¡Así me saquen er corasón con cuchiyos afilaos! ¡Sinco años llevo de andar entre pintores, er señorito Marín lo dirá, y a ver cuándo Bruna la Churumbela, como usté me yama, ha tomao valor de un perriyo que no sá suyo! ¡Soy honrá, señorito más honrá pué ser que muchas señorasas que usté pinta! —y el mirar salvaje y encelado de la gitana se clavó en los retratos.

—¡O te callas, o...! —rugió Silvio, avanzando con los puños cerrados y los dientes prietos. Se interpuso, asustado, Cenizate; retrocedió la egipcia, y desde la puerta, con respingo de sierpe pisada, se volvió para vociferar:

—¡Soy honrá por sima e la luna! ¡Negro día aqué en que te conosí, pa que me quitases er sentío! Eso e lo que tú me has robao, y no yo a ti la susia petaca, ¿entiendes? ¡Malos mengues te coman a ti y a eya, y a mí por sé una probe esgraciá, que no viste sea ni carsa guantes! Er pago que me das, meresío lo tengo; y agur, y Jesucristo y la Virge te perdonen, esaborío, que m'as sortao güena puñalá!

Y anegada en descompuesto llanto, Churumbela huyó a tropezones, batió la puerta exterior haciendo retemblar las paredes de la casa. Desde la escalera se la oyó sollozar aún. Cenizate miraba sonriendo a Silvio.

—¿Conque esta...?

El artista hizo un gesto de fatiga y de desdén.

—Pues chico, hasta la fecha no se sabía... Solano y varios la han apretado bastante, y ella, nada. Modelo, corriente; otra cosa, no señor.

—¡Bah! —murmuró incrédulo Silvio, a cuya furia sucedía la postración—. Ello es que mi petaca... ¿En qué casa de empeño o cueva de ladrones parará? Llaman... ¡Si es una señora, te vas volando![111].

Media hora después Silvio despachaba su fiambre e inconfortable almuerzo, y bebía precipitadamente otra taza de té. ¡Tiliririn! La *governess* de casa de Torquemada, guarnecida de dos niños. Silvio, con el estómago helado, a pesar de la infusión caliente, corrió al taller, retiró del caballete a la Ayamonte, y puso en su lugar el empezado y ya delicioso esbozo de una cabecita morena bajo una lluvia de bucles negros, la niña Celi. Roberto, el varoncito, protestó. La *governess* le echó una peluca sobre el tema de la galantería.

—Las damas, primero...

---

111 Si es una señora, te vas volando.—Aquí suprimió un episodio de cuatro páginas de *La Lectura,* que vendrían a ser unas siete u ocho de la primera edición en libro. Este texto puede verse en los apéndices de la Introducción.

Y mientras la miss arreglaba el traje blanco de Celi, Robertino se dio a curiosear la mesa, atestada de revistas ilustradas, de libros con grabados, revueltos con bujerías y cachivaches tentadores.

—*Pray you, Robert...* [112] —refunfuñó la miss, volviéndose; y como Silvio, maquinalmente, se volviese también, vio algo que le dejó un instante hecho piedra. ¡La miss recogía, de manos del niño, la petaca oxidada, donde brillaba el monograma de rubíes, y avanzaba a entregársela a su legítimo dueño!

—Su estuche a cigarros, señor... El niño lo puede estropiar...

Para una caricatura, la expresión de la inglesa viendo que Silvio se echaba a la cabeza ambas manos, en desesperado ademán, al mismo tiempo que exclamaba, guardándose la petaca:

—Perdone usted... No puedo dar sesión hoy... Diga al conde que, si gusta, envíe mañana los chicos...

—¿Se siente malo?

—Sí... algo indispuesto.

Sin más explicaciones, zafándose de la miss y sus alumnos, Silvio corrió al dormitorio, recogió abrigo y sombrero, lastró el bolsillo con un puñado de duros, únicos fondos que en casa tenía, y saltando las escaleras de dos en dos, cruzando la calleja, voló a tomar un coche de punto en el puesto de la Red de San Luis, dando al cochero las señas de una calle mísera, en barrio extraviado y pobre.

*

Aquella noche, ya no poco tarde, Minia Dumbría, que a solas descifraba un nocturno de Saint Saens [113] en un armonio chico y cansado, se encontró sorprendida con la visita de Silvio.

---

[112] Pray you, Robert.—Inglés: por favor, Roberto.

[113] Saint-Saens.—Charles Camille Saint-Saëns (1835-1921). Se caracteriza por la perfección formal de su estilo y el dominio de la técnica y la instrumentalización. Compuso gran número de poemas sinfónicos y algunas óperas. Su obra más famosa es el *Carnaval de los animales,* donde se encuentra la famosísima página «El cisne», popularizada por la danza de Ana Paulova: «La muerte del cisne».

—¿Por qué no ha venido a cenar? —preguntó la compositora.

—Porque tenía el estómago revuelto y estoy a magnesia[114], a migranina, a drogas. ¡Ay! —exclamó impaciente, sentándose sin ceremonia en el sofá—. ¡Qué antipático es ese florero de Venecia[115] sobre el fondo carmesí del damasco! Y ¿por qué se pone usted esta bata a rayas violeta? La sienta como un tiro.

Se echó a reír Minia, y consagró con indiferencia una ojeada al florero y a su *deshabillé*[116] de seda listada, holgado y sin pretensiones.

—Verdad que la combinación es fatal. ¡Azul carmesí, violeta! Pero si usted no estuviese tan desesperado hoy, no le sobresaltarían semejantes menudencias. ¿Qué ocurre? Desahogue... Ya sabe mi teoría: todos se confiesan; sólo que usted, equivocándose, ha escogido confesor lego... ¿Cierro la puerta? Así... Bien...

Tardaba el artista en romper a explicarse. Al fin estalló la bomba.

—¿Está en casa la baronesa?

—No; en el teatro.

—¿Volverá pronto?

—La última de Lara[117] se acaba cerca de la una.

—Aguardaré hasta entonces... Necesito verla inmediatamente.

—Para recoger depósito de dinero, ¿verdad?

—¡Cómo me conoce usted! —suspiró Silvio, tomando la diestra de su interlocutora y estrujándola con angustia de náufrago.

—¡Sus manos están hechas carámbanos! Acérquese a la es-

---

[114] Magnesia.—Las sales de magnesia se usan en medicina como purgante.

[115] Florero de Venecia.—De cristal de Venecia. Los más típicos son de color azul.

[116] Deshabillé.—Voz francesa: salto de cama. Se daba esta denominación a los de seda o encaje, lujosos, propios de la lencería francesa. Tuvo siempre connotaciones eróticas.

[117] Lara.—Teatro Lara inaugurado por el empresario Cándido Lara en 1880.

tufa... Mi madre le soltará a usted una filípica tremenda, merecida; pero le entregará al punto lo que le haga falta. Tranquilícese. Salga ese embuchado...

—¡Embuchado! Los embuchados y las contrariedades importan un bledo, señora, cuando aquí dentro (golpeo de esternón) hay ánimos, hay serenidad, hay esa flema de usted...

—¡Mi flema! —repitió Minia, hablándose a sí propia.

—Hoy fue un día desastroso para mí, un día negro; para otro, quizá fuese un día como los demás. A mí, esta tarde, volviendo de mi excursión a las Injurias[118], nada menos que al paseo de las Yeserías[119], hasta se me ocurría... ¡qué barbaridad! una de esas humoradas que leemos en la prensa, y que entrando por la boca se alojan en la masa encefálica. ¿No le parece a usted que esto es grave?

—Siempre. ¡Esa idea revela desarreglos nerviosos, lesiones ya profundas! Es propia de *degenerados superiores*[120], como usted. Sin embargo, a pesar de la relación que existe entre la sensibilidad peculiar de usted y tal impulso, las circunstancias...

—¡Naturalmente! Oiga usted. Introito: mi portera se larga a recados, y me quedo abriendo; lo más aborrecible. A todas éstas, me acomete uno de mis jaquecones. Llega el bueno de Crivelo, y el demonio la enreda de suerte que no puedo negarle un préstamo de mil pesetas...

—¡Incorregible! —gritó Minia, condolida de la hemorragía provocada por el certero tajo de sable.

—Bien, suprima los regaños; con la baronesa basta... En-

---

[118] Injurias.—Barrio bajo de Madrid, perteneciente al Distrito de la Inclusa. Tenía una de las tasas de mortalidad más elevadas de la época (40,32 por 100) y era barrio muy conflictivo.

[119] Yeserías.—En el Camino de Yeserías, donde más tarde se instalaría la cárcel de mujeres, había en la época de la novela, como su nombre indica, una serie de yeserías que luego se convirtieron en industrias de la construcción. Reflejó este ambiente Pío Baroja en *La busca* (1904). Véase Carmen del Moral, *La sociedad madrileña fin de siglo y Baroja,* Madrid, Turner, 1974.

[120] Degenerados superiores.—Alusión a las teorías de César Lombroso, popularizadas en España por Max Nordau que consideraban el genio como una forma de degeneración, lo mismo que la locura. Doña Emilia trató el tema en una serie de artículos, publicados en *El Imparcial* entre mayo y diciembre de 1894, bajo el título de *La nueva cuestión palpitante.*

seguida echo de menos la petaca de plata, regalo de la Sarbonet; se me antoja que me la ha quitado la gitana típica que tanta gracia le hace a usted, la Churumbela; se aparece en aquel momento llovida del cielo, y la harto de improperios; me pongo hecho una hiena; la pego casi...

—¡Pobrecilla! ¿Y no era ella?

—Verá usted... ¡Aguarde, que estamos empezando! Para desengrasar, Marín Cenizate (el adicto, que me abruma con todo el peso de su adhesión) se empeña en exponer dos de mis retratos en el Salón Amaré, para dejar bizcos a mis envidiosos. Así dijo el muy simple: a mis envidiosos.

—¿No los tiene usted?

—No. En el verdadero sentido de esa palabra, no. ¡Y usted no lo ignora! Sigo la relación. Vienen los chiquillos de Torquemada, y el Robertito revuelve en mi mesa y me presenta... ¿qué dirá usted? ¡La petaca, la petaca!

—¡Qué lance! ¿Ve usted? Tenemos el vicio de sospechar de los pobres. Toda nuestra relación con ellos se basa en la sospecha. ¡Base extraña! No sé cómo no nos han quitado ya hasta la respiración, porque si al cabo les hemos de tener por ladrones...

—Cierto. Yo menos que nadie, pues fui tan pobre, debía... En último caso, ese modo de insultar porque nos quiten un dije inútil, esa indignación ante pequeñeces, es algo bárbaro. En fin, me entró tal fatiga, que a las Yeserías me fui, y en la zahúrda de la gitana casi me arrodillé para que me absolviese.

—¿Y absolvió?

—Nada de eso. ¡Me trató peor que yo a ella! Me tiró a la cara el dinero que la llevé. Y debe de hacerla falta. ¡Qué tugurio! ¡Tanto churumbel color de aceituna! De todas maneras, quedé algo tranquilo con haber reconocido mi yerro. «Pégame», la dije. «A no matarte, desalmao, no te toco...» fue la contestación; y allí se quedó llorando.

Calló. Minia reflexionaba; de un café próximo subían acordes, trozos de música, amortiguados por la distancia. Silvio permanecía cabizbajo. La compositora, mirándole fijamente, articuló por fin:

—Y... ¿no hay más? ¿No hay otro... embuchado?

—Embuchado no y embuchado sí... ¡Caso que lo fuese, ya se acabó! ¡Ñac, ñac! Trueno...

Y Silvio castañeteaba sus dedos largos, flexibles.

Minia, repentinamente grave, prorrumpió:

—Culpa de usted, de fijo.

—Culpa mía... Lo reconozco. He estado despiadado, tremendo...

—¡Pobre mujer! ¡Y yo que la creo tan leal!

—Y no se equivoca usted —declaró Silvio con calor—. Por eso me odio. Debí producirme de otra menera. Eso, eso es lo que me puso los nervios chispeantes.

—Si es sólo una riña... se arreglará —murmuró la compositora.

—¡Ni se arreglará, ni lo deseo! Del desarreglo me felicito. Lo que me escuece son las formas que empleé. No procede así un hombre. Y es que a cada hora del día soy distinto: créalo usted. Tan pronto me las apostaría con los de la Tabla Redonda[121], como me sería indiferente hacer méritos para ir a presidio.

—¡Exageraciones a un lado! Sepamos qué ha ocurrido —repuso Minia, curiosa de lo sentimental, como todas las mujeres.

—Atención... Ha ocurrido... ¡el diablo son ustedes!, que quería... quería casarse conmigo. Ea, ¿qué tal?

De sorpresa, se persignó Minia. Era conocida, proverbial, la repugnancia de Clara Ayamonte a las segundas nupcias, y de esto, como de otras cosas, se acusaba al Doctor Luz y a su pedagogía disolvente.

—¡Casarse con usted! —repitió—. ¿Es de veras?

—Y tan de veras. Para darme medios de seguir mi vocación; para que no haya más cromitos.

La confidente, con vivacidad, pegó una palmada en el borde del sofá, y exclamó:

_____

[121] Los de la Tabla Redonda.—Caballeros de la Mesa (o Tabla) Redonda eran los que se reunían en torno al rey Artús o Arturo de Bretaña, en perfectas relaciones de igualdad simbolizadas por la mesa redonda. Se dedicaban a la búsqueda del Santo Grial y sus hazañas fueron relatadas en las leyendas del ciclo bretón.

—¡Cuando yo decía que no es una mujer vulgar! Ese conato generoso, óigalo bien, no lo tendrá ninguna de las que usted ha de engatusar todavía, a pretexto de retrato. Lo que es ésta (confirmo mi opinión) sentía, sentía en el alma. ¿Y usted la maltrató por tal ocurrencia? Pues, sencillamente, le resolvía el porvenir. Cuidado, Silvio; lo primero que hemos de hacer es ver claro en nosotros mismos y trazarnos la vía.

—Trazada la tengo... ¡y aunque sea menester ir pisando brasas...!

—¡Fantasías...! Se equivoca. ¿Qué vía ni qué niño muerto? *Aspirar* no es *querer*. Fíjese: vino usted aquí con el pío de que tres o cuatro retratos al mes le diesen para subsistir mientras ahondaba en labor más seria. Por un golpe de varilla mágica, en vez de tres o cuatro, son treinta, cuarenta, cien encargos los que, apremiantes, le caen encima. ¡Y qué clientela! La crema, la espuma, el éter de la sociedad. Se susurra que ya fermenta el encargo de Palacio... Muy bien. ¿De qué le sirve para la *aspiración* tal golpe de fortuna? ¿Ahonda? Ni un azadonazo. ¿Ha recaudado siquiera fondos, tesoro de guerra? De su ensueño se halla usted a mayor distancia que el día en que, con ropa raída de verano, en segunda, llegó a esta villa y corte. Le faltan a usted condiciones vulgares, y acaso reúne facultades extraordinarias. Ni sabe ahorrar, ni reservarse, ni metodizas el trabajo. No será usted *snob*[122], no adora la sociedad; pero se deja arrastrar por ella, y será vencido. Está usted cogido en un engranaje enteramente incompatible con las altas inquietudes que me descubrió en Alborada... Y viene una mujer, llena de cariño, poseedora de cuantiosa hacienda, distinguida, intelectual, sensible, a acercarle al ideal, suprimiéndole toda preocupación del orden práctico, y la recibe, por lo visto, a puntapiés.

El artista, preocupado, se mordía el rubio bigote.

—¡Y mi libertad! —clamó—. ¡Señora, usted es muy ilusa! Clara, probablemente, lo que buscaba era impedir que yo re-

[122] Snob.—Palabra inglesa, que a su vez procedía de la expresión latina «Sine nobilitate» y se aplicaba a aquellos que, por carecer de título nobiliario, se daban tono acogiendo las últimas novedades. La Pardo Bazán explica a continuación el sentido en que lo usa: «que adora la sociedad».

trate a otras; en una palabra, hacerme suyo... comprarme.

—Yo ilusa y usted fatuo e ingrato... ¡Vaya unas deducciones bonitas! ¿De dónde saca tales supuestos? —replicó Minia, indignada—. Clara es incapaz de un cálculo egoísta, mezquino. Júzguenla como quieran, y sin que yo la canonice, su carácter y su corazón valen oro. Esa mujer lee en su destino de usted y lo interpreta mejor que el interesado...

—Diga usted, al menos, que el desinteresado... —objetó Silvio.

—¡Conforme! —prosiguió ella, riendo otra vez, a su pesar, como se ríe la salida de un niño—. Confiese que Clara pudo encontrar novio, novios más brillantes, en su esfera social, que usted... Los móviles de su proposición la honran: asociarse a una vocación de artista, dar alas al genio... ¡la libertad, dice usted! ¡Ah, bobo! ¡Ya verá qué libertad le aguarda! Cada elegante cliente trae en la mano un eslaboncito de cadena para soldarlo al anterior. Cuál es de oro, cuál de plata, cuál de diamantes roca antigua,· cuál de diamantes al boro...[123]. Todos eslabones. ¡El tiempo me dará la razón!

Agachaba Silvio la cabeza bajo la rociada. Minia, persuasiva, apretó.

—Ahora empieza el sermón... La idea de Clara no representaba para usted solamente la libertad económica; representaba algo superior: el arreglo de su conducta, su moralidad. ¡No le amonesto a usted en nombre de cosas... en que usted no cree; no se trata de eso...!

—¡Sí se tratará! —rezongó Silvio—. ¡Siempre respira usted por la herida! El otro mundo, ¿verdad? ¿La cuenta que hemos de dar, etcétera?

—¡Ah! ¡Si yo pudiese inculcarle *eso!* —y Minia bajó la fervorosa voz—. Pero *eso* no se inculca. *Eso* es lo más inefable: es la *gracia*... Dice Fray Luis de Granada[124] que la gracia cura el

---

[123] Diamantes roca antigua... diamantes al boro.—Debe de referirse a cristales de cristal de roca —que es un cuarzo cristalizado, incoloro y transparente— y a los cristales de boro, obtenidos artificialmente y que son tan duros como los verdaderos diamantes. Por la secuencia de la frase: oro... plata... roca... boro... se deduce que los eslabones que atarán a Silvio serán cada vez de menos valor.

[124] Fray Luis de Granada.—Es uno de los escritores ascéticos españoles

entendimiento y sana las llagas de la voluntad; pero no dice que el entendimiento y la voluntad basten para recibir el don de la gracia. Hay quien puede otorgárselo a usted. Él se lo otorgue. Así es que hablaremos... en profano, en mundano y en crudo. ¿Se figura usted que su aspiración no sucumbirá, más o menos pronto, a manos del libertinaje? ¿Cree usted que su salud no se resentirá también?

—¿Qué es eso de libertinaje? ¡Vaya una palabreja cursi! Ni que fuese usted Goizán, el de Marineda, que me escribe reta-hílas de desatinos y me cuelga la lista de las *mile e tre*...[125] ¿No se ha enterado, señora, de que no gasto pasiones volcánicas?

—¡Las pasiones no son el libertinaje! Cuanto más árido y seco el corazón, más expuesto un hombre en su situación de usted al desorden moral... y físico. Goizán verá visiones... lo cual no quita que tenga razón. Siempre sobrarán ocasiones fáciles, donde falten cariños hondos que, en efecto de mejor escudo, protegiesen a usted. Ya está usted picado al juego. Se arruinará usted gastando perros chicos... pero se arruinará. Con Clara, el arte y la existencia tranquila; por añadidura, el amor.

—Ta, ta, ta... Señora, señora... No la conocía a usted casamentera. ¡Vaya un nuevo aspecto de su eximia personalidad! Ahora me permitirá que hable. Encarece usted mucho la lealtad de Clara, su generosidad; no se deje engañar; y no calo más: eso se llama... que me quiere. Hoy, mucho de dar alas a mi *genio;* mañana, las recortará con sus tijeras de tocador. Clara es ilustrada, su temple de alma muy noble; corriente... pero es mujer, y para ella, lo primero, el amor; lo segundo, el

---

(1504-1588) que doña Emilia cita con más frecuencia. Admira no sólo su doctrina sino su estilo y así dice en los *Apuntes autobiográficos:* «Cada vez me enamoraba más la divina perfección, la severidad platónica y la luminosa poesía que irradiaban las páginas de Granada o de la doctora avilesa», ed. cit., pág. 35.

[125] Mile e tre.—Se refiere a la enumeración que hace Leporello de las conquistas de don Juan en la ópera *Don Giovanni* de Mozart:

> In Italia seicentoquaranta,
> in Almagna duecentotrentuna,
> cento in Francia, in Turchia novantuna,
> ma in Ispagna son già mille e tre.

amor... y lo tercero, el amor; ¡qué rábanos! No puedo contratar sobre tal base. Y recibir y no dar... tampoco es lucido papel. Atrévase usted a jurar que, en mi pellejo, diría *sí*. ¡Quiá! Los que la Quimera roza con sus alas gustan de ser independientes, con feroz independencia, y luchar y morir; y si no llegan adonde pensaron... pensar en llegar les basta. Supone usted que puede arrastrarme la sociedad... que no me reservo... ¡Pues si no me reservase un poco! ¡A mí déjeme usted: los consejos me crispan!

—Me río de sus crispaciones. ¿No ha venido a hacerme confidencias? Fúmese ese cigarrillo musulmán, regalo de Turkán Bey; como tiene opio, le servirá de calmante. Y pues se crispa tanto, sepa que aún falta el consejo mejor.

—¿Cuál, vamos a ver? Alguna sentencia que soltó algún fraile.

—Una sentencia de Sancho Panza. Que en atención a que sus pasteles le proporcionan dinero, elogios y relaciones cada día más altas, a ellos se atenga y no busque pan de trastrigo[126]. Déjese de andar contando a la gente que sus retratos son cromos: en primer lugar, no lo son; en segundo, la gente se apresura a creer cuanto malo decimos de nosotros mismos. Pudiera suceder, Silvio, que ese género delicado y aristocrático y algo artificioso fuese el que la Naturaleza ha querido que usted represente dentro del arte. Es usted el único que lo cultiva hoy. Ya eso sólo... Quédese donde está bien; así habló Zaratustra[127].

—¡Ya sabe que *no puedo*! Cuantos obstáculos se me opongan los arrollaré; y pues el más frecuente es la mujer, la mandaré al demonio. Para el trabajo que me cuesta...

---

[126] Buscar pan de trastrigo.—Frase hecha que significa pretender una cosa fuera de tiempo o mezclarse en las que sólo daños pueden ocasionarle (DRAE).

[127] Zaratustra.—Legislador persa, creador de la religión llamada zoroastrismo o mazdeísmo, basada en la existencia de dos principios: el del bien y el del mal. Se cree que vivió entre el 660 y 588 a. C. Se puso de moda a fines de siglo a causa del libro del filósofo alemán Nietzsche (1844-1900) *Así hablaba Zaratustra,* y del poema sinfónico de igual título de Richard Strauss (1864-1949).

La frase del personaje no tiene nada que ver con las ideas de Nietzsche; es una broma culta sobre el tono tajante de su consejo.

—¿Cree usted eso? Nunca interpretamos nuestro enigma. Silvio, aunque no le llegue a usted al alma la mujer, está usted en sus manos. Es el grave inconveniente de su especialidad; yo al pronto no lo sospechaba. Por la mujer gana usted nombre; por la mujer, dinero; por la mujer, llegará a entrar en las casas más inaccesibles; a la mujer se encuentra usted sujeto; la respira; la lleva ya en las venas. Es la invasión lenta, de cada segundo, a la cual no se resiste; el proceso orgánico. Sueña usted rudezas y violencias y verdades desnudas de arte, y la mano se le va, sin querer, hacia la dulce mentira de la dama; mentira de formas, mentira de edades, mentira de figurines, mentira, mentira... Sólo le salvaría el *amor*, un amor bueno, digno, total...; ¡y cuando asoma, le pega usted azotes al pobre chiquillo!

Un suspiro profundo del artista comentó las observaciones, demasiado exactas, de la compositora.

—Estoy muy triste. ¡Si tuviese usted razón!

—La tengo. Reconcíliese con Clara.

—Imposible. Eso no tiene compostura. Tampoco me gustaría que la tuviese. Reconózcame alguna buena propiedad: no soy capaz de representar la farsa que semejante combinación exigiría. Saldré a flote con este dedito... y ¡por cierto! anoche soñé que se me gangrenaba, que se me caía, y que me veía obligado a mendigar a la puerta de Fornos.

—¡Disparatado! ¡Chiflado! Clara será vengada; de eso estoy segura. De vengar a Clara se encargarán otras mujeres, que le aniquilarán a usted.

—Iré a París, a Londres, a Nueva York. Allí un retrato se paga mejor que aquí. Allí, con un retrato, vivo un mes... y a cavar hondo. Y su madre de usted, ¿se queda hoy a dormir en Lara?

Como si la evocasen estas palabras pronunciadas con impaciente nerviosidad, oyóse ruido de puertas, un andar vivo y seguro, y la baronesa hizo irrupción en el estudio de su hija, riendo aún los chistes de la piececilla por horas y lamentando que Minia no hubiese compartido tal placer. «Estaban las de Tal, las de Cual, las de Be y las de Hache...» Silvio contemplaba con envidia a la dama; abatido y exasperado a la vez como se sentía, comparaba su juventud dolorosa a aquella ancianidad exuberante, sana, lozana, divertible y divertida tan fácilmente, abierta a las impresiones gratas y exagerándolas para compensar las decepciones y los desengaños. El mismo pensamiento ocurría a Minia; también Minia, cautiva entre las garras de la Quimera, había deseado a menudo recortar su espíritu encerrándolo en círculo más estrecho; en vez de tender a lo inaccesible, buscar el contentamiento que se viene a la mano. Amar lo que está a nuestro alcance, es la sabiduría suprema —discurría la compositora. Salimos muy de mañana en busca de regio tesoro oculto; caminamos y caminamos; a mediodía los pies nos sangran y el calor nos deseca lengua y paladar; a orillas del sendero mana un hilo de cristal y crece un cerezo salpicado de maduros corales; nos recostamos, y la magia humilde del agua pura, del fruto jugoso, ponen olvido de la ambición lejana... Amemos lo pequeño; nos escudaremos contra la negra Fatalidad y el mudo Destino... En la mirada que trocaron Silvio y Minia se dijeron esto claramente, y también otra cosa: «No depende de nuestra voluntad contentarnos con la fuente y el cerezo. No amamos sino lo infinito y lo triste, la belleza soterrada y guardada por los genios.»

La palabra rara vez manifiesta este género de ideas. Ni ideas son: bruma de pensamientos y de ansias. Cuando más claras se formulan dentro, en cuando la lengua pronuncia las frases más insignificantes, que menos relación guardan con lo íntimo.

—Aquí tienes a Silvio, muerto de miedo...

—Baronesa, ¡no me pegue usted!

—Se trata del capital...

—Del millar de millares...

—Y no se atreve...

—No me atrevo... Déjeme usted colocarme a honesta distancia.

La dama permaneció silenciosa, fruncida. Al fin, con gesto seco, hizo una seña negativa y rompió a andar hacia la puerta. Silvio se precipitó, la cogió suavemente del brazo, con reverencia, filial.

—Baronesa, por Dios, necesito ese dinero. No se empeñe en hacerme bien contra mi voluntad: ya adivino sus intenciones... pero lo necesito.

—¡Necesita usted morirse en un hospital! —gritó la señora revolviéndose furibunda—. Lago, Lago, ¡nunca será usted una persona de buena cabeza! ¡Se empeña en irse a pique! No; no le doy los cuartos. Ni están en casa. ¿Cree que se tiene tan a mano el dinero? ¿Que soy alguna despilfarradora como usted? Siempre le habrán pegado el sablazo número cuarenta y cinco mil cuatrocientos cuarenta y cinco. Rodeado de tunos vive usted. Le beben la sangre. El día que usted les pidiese algo a ellos, ¡veríamos! ¡veríamos!

—Baronesa querida, ¡por Dios! Un compromiso: he ofrecido mil pesetas a un amigo desgraciado...

—A un pillo redomado.

—¡Señora! ¡Qué modo de juzgar! Como usted cobra sus rentas, no se hace cargo de lo que pasa en el mundo. Hay mucha hambre, baronesa, por ahí.

—¡Y mucha sinvergüenza y holgazanería! —clamó fuera de sí la señora, reprimiéndose para no atizar un pescozón a aquel tonto de artista—. ¿No está usted expuesto como el que más a que le haga falta, en una enfermedad, lo que se ha ganado? ¿Es usted algún millonario? ¿Por qué le chupan los tuétanos, vamos a ver? ¡Porque le consideran bobo, bobo, bobo, bobo de remate!

No le permitían los nervios a Silvio, en tal ocasión, oír estas cosazas, ni podía avenirse casi nunca a los consejos imperiosos, y en llana prosa —llana y útil— de la Dumbría, que lejos de convencerle, tenían la virtud de causarle una reacción de poesía bohemia; el interés, colocado así en primer término, sobre pedestal, le indignaba, como indigna a un pensador original y revolucionario un argumento de buen sentido.

—Señora —articuló secamente—, ese dinero es mío y dispongo de él. No pensaba recoger sino mil pesetas; ahora me da la gana de llevármelo todo. Voy a mudarme de casa; tengo infinitos gastos...

A su turno, la baronesa se puso grave, mostró tiesura quisquillosa.

¿Ah? ¿Conque así? ¿Qué se figuraba Silvio?

—Es justo... Ahora mismo; espérese un instante...

—Se ha enfadado —murmuró Silvio, con el tercer o cuarto arrepentimiento y contrición en el espacio de veinticuatro horas.

—Naturalmente. Y yo en su lugar le mando a paseo. No puede negarse que dice la verdad y que usted es explotado por gentes que valen poco. Eso no es caridad, Silvio, ni beneficencia, ni cosa parecida.

—Me río de la caridad, me río de la beneficencia. ¿De dónde saca usted que tiro a filántropo? No. Es que he pasado miseria y sé que los miserables sufren al pedir. ¿Cree usted que piden por gusto? Piden... ¡qué se yo! Y ¡qué diantre! ¡ahorrar! ¡monises! Ya los sacaré de este dedo, si no se me cae. Ahora, cuando venga la baronesa, la presentaré mis excusas...

Entraba ya, portadora de un sobre que encerraba algunos billetes. En la cara anterior del sobre se leía: «Esta cantidad pertenece a Silvio Lago, que me la ha confiado en calidad de depósito.»

—Tome usted... Apuntado estaba, por si me moría... Y no me traiga más cuartos. No lo puedo remediar; me fastidian ciertas candideces. Para esto no necesita usted depositaria. Cuente, cuente, a ver si falta...

Silvio recogió el sobre sin examinarlo; miró a la baronesa, sonriendo con la dulzura halagüeña de un niño; e inclinándose, cogió la mano de la anciana señora y la besó religiosamente. Era el ritmo de su psicología; era la continua fluctuación de su océano; era el repentino salto de sus impresiones, siempre rápidas y extremadas, notas de un instrumento demasiado tirante y vibrador.

—¿Quiere usted un ponche? —preguntó al verle humilde y callado la baronesa, brindando al desfallecimiento moral un reparo físico. Vino el ponche —tres vasos, coronados de fina espuma amarillenta—; y bebido sosegadamente, retiróse la baronesa a cambiar de traje, y Minia se sentó ante el armonio fatigado, y dejó oír los primeros compases de una sonata de Beethoven. La acción de la música, al expresar para cada uno de los dos artistas la vida interior, les entreabrió un momento el cerrado horizonte de lo infinito. Todas las discusiones e incidentes de carácter práctico se olvidaron, cayeron a tierra —gotas de agua embebidas por el polvo—. Eran los dos de la mañana; los ruidos de Madrid se habían extinguido; sólo alguna rodada de coches, apagada y distante, aumentaba la sensación de aislamiento y de seguridad para el ensueño. En el espíritu de Silvio reflejábase entonces claramente las formas de un mundo invisible, y la corriente superficial de su existir adquiría profundidad, lo intenso y real del sentimiento exaltado. La aparición de la baronesa de Dumbría interrumpió la sonata y restituyó al artista a la insignificancia de las preocupaciones anteriores:

—¡Vaya usted con cuidado. Lleva usted dinero: no le atraquen y se lo quiten. La gente anda muy lista!

*

A hurtadillas, ansiosamente, miraba a Clara el Doctor Mariano Luz, procurando que ella no notase la contemplación de que era objeto. Acababan de reunirse para pasar la velada juntos, en la salita de confianza que precedía al despacho del Doctor. Por una de esas afectuosas formas de captación que se producen entre los que bien se quieren, Clara había elegido, para refugiarse de noche a hojear periódicos, dar cuatro puntadas en una labor o entreleer una página de revista, la estancia donde su padrino guardaba, en estantes abiertos, su rica biblioteca profesional. En el despacho no tenía Luz sino vitrinas con relucientes instrumentos y aparatos.

El silencio era significativo: silencio que palpita, que presta sentido hasta al ritmo de la respiración. Otras noches el médico procuraba tirar del hilo de conversaciones insignificantes; así engañaba y ocultaba su ansiedad. Hoy —no acertaría a decir por qué— érale imposible devanar una palabrería fútil. Se entretiene el tiempo cuando se tantea en la incertidumbre; reconocida la existencia del mal, se va derecho a combatirlo. Creía Mariano Luz escuchar ese aleteo de alas negras que tantas veces, en casos desesperados, le había impulsado, sin perder un segundo, a la atrevida operación.

—¡Clara! —exclamó. El tono de la voz expresaba tanto, que la señora se estremeció de pies a cabeza.

—¡Clara, hija mía! —insitió él; y se levantó de la butaca. Ella le dejó acercarse. Sonreía, con sonrisa más doliente

264

que ningún llanto. Siempre le parecía al Doctor algo violenta la sonrisa de su ahijada. En aquel momento la encontró propia del reo que quiere mostrar serenidad ante los jueces.

—Clara —dijo por tercera vez—, ¿estás enferma? ¡Ni sé por qué te lo pregunto, niña! La respuesta la llevas en la cara. Sólo que en ti lo enfermo se recata. ¿Merezco que intentes engañarme? ¿No comprendes, Clara, que tengo derecho a tu mal, sea el que sea?

—Nunca he disfrutado de mejor salud; reconóceme, tómame el pulso... Te convencerás.

Luz se aproximó a la dama y la imploró con las pupilas, con la actitud, con todas las fuerzas de su voluntad de varón grave y entendido. Hasta ansiaba ejercitar sobre ella un poderío de sugestión; y no era la primera vez, desde hacía algún tiempo, que cruzaba por su mente la tentación fortísima de someter a su ahijada a uno de esos experimentos sobre la conciencia, que entregan los secretos del sentimiento, y hasta las oscuras voliciones no definidas aún del sujeto, al experimentador.

«Esto» —pensaba— «no es como lo demás. Esto trae cola. ¡Su misma placidez me asusta! Si yo fuese, por ejemplo, un marido, viviría en seguridad completa hasta que una mañana me despertasen con alguna noticia atroz... Antes, al caerse de lo alto de su ensueño, ha solido presentar los síntomas de esta clase de afecciones morales: desasosiego, crisis nerviosas; explosiones involuntarias de aflicción, alteraciones funcionales, inapetencia, sueño cambiado y a deshora, alternativas de risa y lágrimas... lo natural. Se deja correr... y el tiempo interviene con su lima. Ahora... estamos peor, peor. Así se manifiesta la incapacidad para la vida, el agotamiento de las fuerzas que la sostienen. ¡Si yo pudiese provocar en ella un arranque de confianza y de expansión! ¡A menudo, por la boca se vierte lo más envenenado del dolor, y sale, envuelta con el desahogo, la extrema consecuencia que podría traer el dolor mismo!»

Los temores de Luz —que le salían a la cara en forma de excaves plomizos, reveladores de los estragos que una idea produce en la sangre— coincidían con otra clase de preocupaciones también absorbentes, a las cuales hubiese querido entregarse por entero. Por esta circunstancia especial sufría doblemente; los que consagraron la vida a trabajos positivos que velan una aspiración ideal, llega un momento en que no se resignan a morir sin realizarla. El tiempo que les resta está por avara mano tasado y medido; conviene apresurarse. ¡La noche llega; hay que encender la lámpara! Este afán de sobrevivirse, propio de la madurez ya decadente, se manifestaba en el Doctor Luz por una serie de tenaces investigaciones encaminadas a aplicar uno de los últimos descubrimientos científicos a la curación de cierto grupo de rebeldes y crueles enfermedades, tenidas por incurables hasta el día. Su devoción a Clara le había arrancado de Berlín cuando principiaba a entrever consecuencias de principios, sendas que al través de lo desconocido se marcaban confusamente, vagas titilaciones de claridades, que medio se parecían, disipando momentáneamente las tinieblas de lo ignorado. Hallábase, justamente, el médico en uno de esos estados cerebrales que en arte se llaman inspiración y en ciencia no tienen nombre, por más que hayan precedido a todos los señalados descubrimientos. Su inteligencia se encendía, dispuesta a fecundizar el antes estéril montón de adquirida experiencia, de observaciones clínicas, atesoradas sin presumir que para nada sirviesen; y ahora las veía juntar sus manos y formar una cadena luminosa. La augusta verdad brillaba y se desvanecía, con desesperantes intermitencias de fanal de faro. El Doctor se juraba a sí mismo que fijaría la claridad para siempre. A su nombre iría unido un triunfo sobre el dolor y la miseria humana. Viajando, dentro del tren, al acudir al llamamiento de Clara, padeció una crisis de desaliento. El destino de un ser tan querido era y seguía siendo su cuidado mayor, el único que tenía embargadas las fuerzas de su alma. Mientras sintiése a Clara agonizar, no dispondría de atención para la labor. La carne viva de su corazón le dolía allí, en otro corazón acribillado por siete puñales de pena.

«Es el sexo, es la ley fisiológica» —pensaba el Doctor—. «En ella, en su delicadísima organización, reviste esta forma que se puede llamar poética. Como las reacciones de la colesterina, que dan tan preciosos verdes esmeralda, en belleza se convierte su amargura.»

Los planes de matrimonio expuestos por la vizcondesa de Ayamonte, la simpatía que Silvio Lago despertó en el Doctor, contribuyeron a infundirle un poco de optimismo.

«Se casará... Tendrá a quien querer conyugalmente, y aun maternalmente... Desviará hacia el dulce sacrificio diario el torrente de su egoísmo pasional... Acaso, por instinto, acierte esta criatura con la solución... Cásese enhorabuena. Si ella puede vivir, podré yo trabajar.»

Relativamente entregado a la confianza, el Doctor, un día, se despertó aterrado. Al ocupar su sitio a la hora del almuerzo, al buscar los ojos de Clara, la vio tan diferente, no ya de como solía ser, sino hasta de como se mostraba bajo el influjo de un trastorno moral, que su corazón dio un vuelco. Con frecuencia la había contemplado abatida de infinita tristeza, más pálida que de costumbre, sobre todo pálida de distinta manera, con la desigual blancura del insomnio, jaspeada a trechos por las marcas rojas y cárdenas que delatan el estrago de la batalla espiritual, y no se confunden con las del padecimiento físico; con frecuencia había reconocido en sus párpados el edema que produce un llanto imposible de contener, retraído, delante de quienquiera que sea, por el pudor y la dignidad. No así en el momento presente. La expresión del rostro de Clara, en aquella mañana y después, fue alarmante para un médico por el sello de estupor que la caracterizaba. Estupor tan invencible, que tenía algo de extático, si suponemos éxtasis en medio de las torturas infernales. El Doctor recordaba haber visto expresión semejante en una enferma atacada de enajenación, semanas antes de declararse abiertamente el padecimiento. Se arrojó hacia su ahijada y la arrastró a la ventana, abrazándola y empujándola. Ante la no prevista acción, Clara volvió en sí y resplandeció en sus ojos la conciencia. Su actitud dijo, mejor que prolijas explicaciones, que estaba resuelta a reservarse lo íntimo, lo sagrado de su mal. La llave del santuario y de la cámara de tormento, nadie se la arrancaría.

Ya no pudo Luz volver a sus indagaciones, ni concentrar sus facultades, para seguir el semiadivinado filón. El peligro del ser adorado obligaba a descuidar lo demás. Venía tan embozado, tan traidor, y era tan desusado, que no sólo preocupaba al amigo, sino que excitaba la curiosidad del médico. El Doctor sufría la atracción que ejercen sobre los profesionales que conservan el fuego sagrado ciertos fenómenos y estados que no se explican sólo por lo físico; y la idea suicida, la incapacidad de vivir, se contaban en este número. Mariano Luz sostenía que no se llega a concebir tal propósito sin una preparación larga y honda. No dejaba de parecerle sacrílego considerar la enfermedad de Clara «un caso»; pero creía que, tratándose de curarla, era preciso mirarla como a las otras enfermas. Necesitábase el hábito observador, el ojo clínico, para discernir los progresos del mal bajo la apariencia de normalidad y frialdad indiferente de que Clara se revestía. Igual que siempre, comía con poco apetito y distraída; se recogía a las horas de costumbre; se levantaba con puntualidad, y sólo en su alejamiento de todos los lugares donde pudiese encontrar a Silvio se revelaba superficialmente la herida.

Pero el único amigo verdadero que restaba a Clara la conocía demasiado, la había estudiado con sobrado amor, para que pudiesen despistarle exterioridades facticias. Sabía Luz de memoria lo que no se finge, porque no tiene sobre ello dominio la voluntad; el metal verdadero de la voz, el sentido de sus inflexiones timbradas o enronquecidas, las empañaduras del cristal de los ojos, las securas de los labios quemados por nocturna fiebre, el temple urente[128] de las manos, la fatiga y decaimiento del andar o su desigual rapidez, la posición de la cabeza, la tirantez forzada de la sonrisa, el hundimiento de las maceradas sienes, la contextura de la epidermis, donde en pocos días habíanse marcado pliegues todavía no atribuibles a la edad. Lo más significativo para el Doctor eran ciertas fulguraciones repentinas de la mirada, aceradas y terribles, que tenía apuntadas en sus cuadernos, por haber visto coincidir ese síntoma con resoluciones decisivas, con actos de violencia, con accesos de locura. La siniestra centella denunciaba el volcán oculto.

Ni por un momento pensó Luz en interrogar al pintor. Hubiese jurado que Silvio le diría la verdad; pero la verdad que en circunstancias tales se dice, no es sino cáscara de otra

[128] Urente.—Ardiente.

verdad íntima; cáscara de hechos secos y sin vida ni sentido. Nada son los hechos, aislados del espíritu donde recaen y han de germinar. Sólo cada cual sabe y conoce su verdad propia, que al pasar por ajena lengua se disuelve en humo. Clara, y nada más que Clara, podía interpretarse... si pudiese, si el alto silencio que a veces cierra los labios a fuerza de despreciar la manifestación verbal, no los tornase piedra. Estatuas hay —pensaba Luz— que nos dicen mucho, tal vez lo infinito, y sin articular palabra. Dio entonces en traducir el mutismo de su ahijada, y la traducción fue espantosa. «Es preciso romper el hielo y animar la piedra —resolvió— de cualquier modo.» En todo caso de apelación a la verdad hay un largo periodo en que se la teme, y un instante en que a toda costa, y aunque sea entregando la vida, la solicitamos. Era llegado este instante para el Doctor.

—Hija mía —imploró—, si algo merezco de ti, devuélveme aquella confianza de otros tiempos. Es inútil que me digas que no te pasa nada; ya sé que no has de decírmelo. Nuestras inteligencias han convivido; nuestros corazones creo que se entendían. ¿No me quieres ya... un poco?

Clara dejó caer la cabeza sobre el hombro de su padrino.

—Pregunta —murmuró—. Aun de mala gana, te diré... lo que sepa. ¡No creas que lo sé todo, ni mucho menos!

—De ti misma no sabes... Es natural, niña mía, pobrecita. ¡Qué natural es! Ni nos sospechamos, lo mismo en lo físico que en lo otro. Ni nuestras enfermedades conocemos; solemos morir de algo que para nosotros carece de nombre. En fin, ¡a lo que importa! Perdona. Me consumo también yo; ¿no ves? Voy a recetarme bromuro[129]. ¿Cómo quieres que no me sobresalte? No tengo descanso. ¡Quién sabe si estoy pasando peor rato que tú!

Hizo Clara, débilmente, muestra de agradecer aquella tierna simpatía, y el Doctor notó el abismo que el movimiento abría entre el presente y el pasado.

---

[129] Bromuro.—Los bromuros son compuestos químicos de muy diversas aplicaciones. El bromuro de calcio y sobre todo el de litio se usan en medicina como tranquilizantes.

«Me quiere menos; me necesita menos que antes.»

—Pues bien, ahí va... lo que es posible que vaya —dijo ella—. Lo sucedido es poco; nada casi. Ya sabes que se me había puesto aquí —apuntó a la frente— que debía... casarme con él. Era tal vez una locura, tal vez una determinación ridícula; pero me parecía a mí cosa divina, el único asidero para reconstruir mi existencia estragada y perdida y darle un fin. ¡Un fin, un objeto! ¡Tú sabes que eso es necesario, que eso es indispensable!

—Verdad —contestó Luz.

—Yo —prosiguió ella— así lo entendía. Él lo entendió de distinto modo. Y... en concreto... no ha pasado más.

—¿Que razones dio a su negativa?

—¡Razones! —exclamó Clara—. Aunque me hubiese dado cien... No sé de cosa más despreciable que una razón. Desde que esa vieja lela, cargada de sentencias, cargada de sentencias, cargada de paja y de abrojos, sale a relucir...

—En fin, él alegaría algún pretexto...

—No; si él estaba en lo firme. No me quería.

—¿Eso tuvo el valor de decirte? —gritó el Doctor, indignado.

—Eso precisamente no... pero es igual. Nunca *eso* se formula en explícitas palabras. Seamos razonables, padrino; yo debo hacerle justicia; no adobó embustes: habló franca y hasta brutalmente. Me dijo las cosas que ruborizan y las cosas que desgarran; las cosas que imprimen estigma y las cosas que asfixian, ¿sabes? Él no es insensible. El dolor que causa, le duele. Casi en el acto le vi contrito. Su contrición era un acceso de piedad, un desquite de la conciencia. No lo dudes, tengo dos beneficios que agradecerle: el cauterio, y la caridad de querer aplicar bálsamo sobre la quemadura. ¿Te parece poco?

—No es poco para la naturaleza humana...

—Te aseguro que no le acuso, no; el que no miente, no falta. Si pienso en él, le veo lejos, lejos... mezclado y confundido con otras imágenes y memorias, que en realidad forman una sola y se llaman, para mí, el mundo de tierra.

Luz se levantó y paseó agitado por la estancia, buscando consuelos, reactivos.

—Eso no es cierto —prorrumpió al cabo—. Si le hubieses borrado de tu recuerdo, estarías tranquila; y no digo nada si algo nuevo hubiera escrito en ella. Y no tienes más camino: te han vaciado el alma, te han arrojado a la oscuridad. Llena el vacío, busca el sol.

Ella hizo un gesto de desahuciada que sabe que lo está.

—Dime, por lo que más quieras —insitió el Doctor—. ¿Esta vez... fue *como las otras?* ¿Querías más, o por otro estilo?

Clara tardó en responder: parecía que se examinaba despacio, que recorría todas las moradas del alcázar interior.

—Esta vez —pronunció al fin lentamente— hubo una diferencia que tú solo puedes apreciar, porque sabes que no miento. Antes... quise ser feliz... pretensión que debe de constituir un crimen, según se castiga. Ahora, ya lo sabes, no pedí tanto: sólo quise que por mí fuese feliz... alguien. Puse mi felicidad fuera de mí, lejos de mi egoísmo, y así pensé asegurarla. Acaso la ilusión se disfrazaba de abnegación. Él me lo arrojó a la cara. «Lo que pasa es que me quieres, y a lo que aspiras es a tenerme siempre cerca de ti, asociando nuestras vidas.» ¡Verdad! ¡Mi generosa proposición envolvía un negocio... de amor... pero negocio, interés!

Dio el Doctor impetuoso respingo.

—¡Si tal creyó, creyó una infamia! ¡Analizando así, se destruye y se disuelve todo! ¡No concibo que exista en el mundo espectáculo más bello que el de un alma como la tuya, cuando el amor la solivianta y la hace descubrir lo que permanece oculto en la vida diaria y vulgar! ¡Mira, niña, si yo no fuese... lo que soy para ti desde hace tantos años; si te conociese ahora, como te conozco desde la hora en que naciste, diría lo mismo! No hablo así por quererte tanto, no. ¡Es que como tú no hay muchas! ¡Apasionada, te colocas a la altura de los caracteres heroicos: se te caldea esa voluntad, se te eleva ese corazoncito, y eres capaz de lo más grande! ¿Y ese hombre es artista? ¿Cómo no ha sentido la belleza que en ti resplandece? ¿Cómo no te adoró de rodillas? ¡Cuánta fuerza de amor se pierde, cuánta semilla cae sobre la roca!

—Probablemente ese espectáculo que encuentras tú tan sublime lo damos las mujeres con gran frecuencia —observó Clara con fría amargura.

—¡No por cierto! —negó el Doctor—. No he conocido docenas de mujeres que transformen el instinto natural en impulso heroico. Eres la excepción.

Clara se cubrió un momento el rostro con las manos.

—De ti —murmuró— habían de salir esas palabras... De ti, que me quieres y me sueñas, con el sueño limpio y blanco de tu casi paternidad. Pero te engañas, padrino, te engañas. Yo sí que me traduzco al pie de la letra: me he conocido, me he registrado... y me he causado horror, al ahondar en mí misma. Tú das por hecho que mi estado de ánimo se origina de haberme apartado de *él*... ¡Quiá! Si es que me he apartado de mí misma, ¿comprendes? ¡y así, créeme, no se vive!

La sencilla frase fue dicha con tal firmeza en el acento y con tan persuasiva vehemencia, que el Doctor sintió un golpe allá en lo más recóndito del alma: la confirmación de sus terrores. Sabiendo cuánto gasta la fuerza de las ideas sombrías el aire libre de la comunicación, insistió, porfiado.

—¿Según eso, te aborreces, te condenas, te desprecias?

—¡Lo desprecio todo! —repuso ella—. ¡Lo aborrezco todo! Me soy intolerable; y sin algo de buena armonía con nosotros mismos, no se lleva la carga que nos echaron al nacer. Tú, que me cuidas desde chiquita; tú, que has mirado por mi salud y por mi inteligencia, ¿podrás enseñarme dónde está la resignación?

Ante este clamor de socorro, Luz quedóse mudo. No; en realidad, él no sabía...

—Cada uno —dijo al fin—busca el consuelo por caminos diferentes... Yo he tenido mis grandes penas, Clara... ¡grandes, mortales quizá!, y me refugié en el trabajo, en la labor diaria... ¡y también, ingrata, en ti!

—¿Y pudiste conformarte, padrino?

—¡Ya lo ves! De muchas cosas se vive... Hasta de las pequeñas y bajas, hasta de las ínfimas. El caso es querer vivir...

—No puedo —murmuró Clara con quebranto—. No es culpa mía; no es capricho. Es que me falta objeto; es que me parece que no vale la pena de defender lo despreciable.

—Coloca el objeto fuera de ti —advirtió Luz—, y será mejor... ¡Si supieses cómo absorbe y embriaga el estudio! —y añadió, agarrándose a lo primero que se le ocurría—: Si te decides a aprender, aquí tienes maestro. ¿Por qué no me ayudas en mis trabajos? Detrás de su aridez aparente, está el universo, la infinitud de lo real. No eres tú un cerebro sin condiciones para reaccionar contra esa especie de fiebre infecciosa sentimental que te ha acometido; cuanto te sucede, cuanto notas en ti, sentimiento dimana; desvía la dirección de tu sentimiento; te salvarás. Antes venías mucho a mi despacho. ¡Me gustaban tanto tus visitas! Ahora nunca apareces... Y tengo mil cosas raras que enseñarte. No te has enterado... He traído de Berlín novedades. ¡Si supieses! Yo también alzo mis castillos de esperanzas... que, probablemente, saldrán fallidas... Entretanto, con su jugo me sostengo.

—Dichoso tú si esperas —pronunció Clara. Y como viese en la fisonomía del Doctor rápida inmutación, aunque procuraba esconder su terror violento, la dama sintió a su vez un prurito de disimulo, frecuentemente en los que oprime entre sus tenazas de acero la idea fija; y rehaciéndose, con la instintiva comedia de una sonrisa, añadió:

—No me niego a intentar la curación por la ciencia, padrino. Desde hoy me asocias a tus experimentos, si no te estorba una ignorante como yo...

Si Luz hubiese podido sospechar el cálculo secreto que acababa de precisarse en la mente de Clara, se le helaría la sangre. Como les pasa a muchas personas que sólo poseen una tintura, adquirida sin método, la antigua leyenda era para ella algo positivo. En el gabinete del médico suponía Clara que debía encontrarse, y aun elaborarse, el remedio a todo mal, el remedio dulce y seguro... A menudo, la sed de ese remedio había abrasado sus fauces, en las interminables noches de insomnio, y el aparato de tortura, agresión brutal y degradación física que se asocia a la perspectiva de tal remedio había apagado la sed. Pero los labios deben de conocer secretos para desatar el nudo sin que se entere la curiosidad póstuma, sin que el gesto sea repulsivo y feroz, y sin que el cuerpo se degrade al abrir paso al alma. «Para ti no hay otro desenlace», repetía Clara, dando vueltas a su propósito. «No más vergüenza, no más mentira, no más decadencia, no más profanaciones...» «¡Pobre padrino!» sugería acaso un resto de apego a la existencia afectiva. «Pero él puede irse también y dejarme aquí sola... y entonces... No; no conviene esperar...» El estado moral de Clara era tan característico, que temía dejar correr el tiempo, recordando que el tiempo, limador constante, gasta las resoluciones.

Y decidió sorprender el misterio del antro científico que tenía a mano, como, siendo niña, hubiese forzado un armario atestado de golosinas... Allí estaba la solución del enigma; allí, tal vez al alcance de la mano, el reposo tras de una jornada fatigadora.

Luz recibió la aquiescencia de Clara con alardes de alegría. Aunque las enseñanzas de su ejercicio debieran haberle probado cuán iguales se ofrecen el varón y la hembra ante el experimento del dolor, conservaba rastros tradicionales y creía discernir en la mujer algo de pueril. «Se divertirá como una criatura» —pensó— «si la convenzo de que aprende». Recordaba casos; sabía que el alma es curable; y al igual de todos los tocados de leve manía, no dudaba que interesase a los demás lo que tanto le importaba a él. Apartar a Clara un minuto de su abstracción, era probablemente sanarla.

Empujó la puerta del gabinete de consulta, e introdujo a su ahijada; pero no se detuvo allí: sacando del bolsillo una llave, abrió otra estancia algo más espaciosa.

—Mira —observó— qué bien he arreglado este cuarto de los leones. Tú no sabes de la misa la media. Como me tienes abandonado. Hícelo empapelar, y me encuentro aquí muy bien...

Era una salita cuadrada, vestida de pardo, severa y hasta ceñuda, por lo que siempre tienen de amenazador aparatos y mecanismos cuyo objeto y manejo ignoramos. Al decir el Doctor que eran chirimbolos de electroterapia y radiología, no perdieron para Clara su austeridad, su enigmático aspecto. En la pared brillaban instrumentos de acero dispuestos en panoplia; dentro de una vitrina se agazapaban otros no menos limpios y estremecedores. En un ángulo de la sala se erguía la jaula destinada a someter a los pacientes a alta tensión eléctrica. En primer término, ocupando buen trecho, una máquina de rayos X —ya anticuada, tan de prisa va la investigación—, deslustrados por el abandono sus dos amplios discos de metal, escudos de combate que el combatiente arrinconó para servirse de arma más poderosa. En el centro, la cama de operaciones radiográficas, con su cabecera movible y su colchoneta de terciopelo mustio. Al otro lado, en la esquina, la máquina flamante, la última, fácil de reconocer por ese indefinible pero auténtico aire de juventud y vida que también tienen los objetos inanimados. El Doctor se paró frente a ella.

—Aquí —explicó— hago yo estas radiografías que voy a enseñarte... —trajo una caja donde guardaba los clichés, y al trasluz mostró a su ahijada las curiosidades, haciéndoselas observar.

—Fíjate... Una luxación de la cadera... Se nota, ¿ves?, la diferencia entre los dos lados de la pelvis... Esta era una niña y se hubiese quedado coja. Ahí tienes la fractura de un brazo por el húmero. En esa mano, ¡con cuánta claridad resalta la aguja que no había modo de localizar para extraérsela a la pobre lavandera!

Clara miraba los clichés con desgana, aunque por complacer a su padrino repetía: ¡Es admirable!

El Doctor comprendió el entumecimiento de aquel espíritu ensimismado.

—¿Quieres —insistió— ver latir tu propio corazón?

Al tiempo de proponer a Clara la experiencia, Luz comenzó sus preparativos. La dama, a pesar de su indiferentismo, se conmovió de sorpresa al ver distintamente, al través de la pantalla, contraerse y dilatarse la víscera con normal regularidad, que tenía mucho de majestuosa.

—Padrino —murmuró—, ¿no es raro que mi corazón funcione perfectamente? ¡Tantos martillazos como he recibido en él! Está visto que mi mal no lo curas tú ni todos tus colegas... Pertenece al dominio de lo desconocido...

Y con su hermosa voz de mujer apasionada, preguntó:

—¿Qué será lo desconocido, dime? ¿Te formas tú idea de lo que podrá ser, después de tanto estudiar y tantas mecánicas?

Al formular la interrogación, Clara experimentaba una ansiedad emocional, cuya razón sólo ella conocía. El enigma propuesto no era sino consecuencia de los anhelos de su ser, deseo de romper ligaduras y liberarse del peso de la vida. ¿Qué sigue al momento de la evasión? Clara notó con sorpresa que había pensado en ello alguna vez, pero que nunca se había detenido hasta meditarlo. Cuando disponemos viaje a tierra desconocida, nos enteramos con interés de las costumbres de *allá,* de toda circunstancia. Clara notaba, atónita, que ni sospechaba la geografía del país del misterio.

El Doctor respondió con su leve e indulgente ironía de científico:

—Para mí lo desconocido es... lo que todavía no hemos tenido tiempo de estudiar. Lo desconocido de hace diez años, se llama ahora el telégrafo sin hilos, el suero antidiftérico, los rayos X... Lo desconocido ahora, tal vez se llame mañana con el nombre que yo le dé, si a fuerza de trabajo consigo alzar otra puntita del velo...

Movió Clara la cabeza escépticamente. Aplicando la mano sobre aquel corazón que acababa de ver latir, pensó que por muchos siglos que girasen ensanchando los límites de lo conocido, algo allí dentro se resistía a la explicación y al tratamiento de ciertos males por los métodos de la ciencia. De pie aún ante la máquina, Clara sentía, en vez de la admiración que esta clase de experimentos suelen producir en quien los ve por vez primera, una reacción invencible de desdén, y porfiaba, sonriendo con sonrisa de mártir.

—¡Lástima no haber nacido dentro de dos mil años! Entonces tú sabrías curar a las enfermas como yo, que no presentan ninguna lesión cardíaca.

Luz apreció la significación de la frase. El menosprecio de aquel alma lírica por las realidades científicas, lo había notado en más de una ocasión, pero nunca tan glacial y total como ahora; y, sin poderlo evitar, el Doctor pensó: «Tiene razón, a fe mía. Dentro de mil años, lo mismo que hoy, para lo que ella padece no se conocerá remedio. ¡Su organismo, a pesar de las alteraciones del insomnio y la inapetencia, no tiene brecha abierta; lo enfermo ahí es inaccesible...!» Sin dar respuesta, el Doctor, siguiendo el trabajo que pretendía hacer recreativo, propuso a su ahijada la radiografía de la mano.

—Verás... Así la conservaré...

Extendió la dama su mano descolorida, de largos dedos,

jaspeada en el dorso con red de venillas azules, salpicada en el anular por la gota cruenta de un rubí, y la colocó de plano sobre la tabla. Era una mano enflaquecida y febril, y sólo con verla podía adivinarse un estado anormal del espíritu. Ligera crispación nerviosa impedía a la mano extenderse, y fue preciso que el Doctor la colocase, aplanándola, en la posición debida.

Cinco minutos de quietud, el ligero picor de las descargas eléctricas, hormigueo insignificante... Clara, inmóvil, absorta, escuchaba la crepitación de la máquina, se absorbía en contemplar la gran ampolla del tubo Crookes[130], semejante a enorme y translúcida agua marina, y detrás la otra ampolla, de diseño más elegante, la de los rayos catódicos, irisada de rosa sobre el verde suave, con cambiantes de ópalo rico. Pasaron al tugurio en que el Doctor tenía los chirimbolos fotográficos, a fin de revelar la placa. Sobreexcitada la fantasía de la señora, se exaltó más en la oscuridad, combatida apenas por una luz eléctrica de roja bombilla, que lanzaba reflejos de sangre sobre el rostro enérgico y expresivo del Doctor. Éste, preparando la cubeta, trataba de que la solución de hidroquinona bañase por igual la placa, y los mechones argentinos de su pelo se incendiaban con resplandores de hoguera. La habitación, reducida y atestada de trastos que se vislumbraban apenas, sugería visiones de alquimia y de hechicería medioeval[131]. Tal vez del estado íntimo de Clara dependía tal impresión ante objetos triviales, que a plena luz sólo hablaban de cocina e industria. Era la sensibilidad herida, era la imaginación en actividad.

Poco a poco, a los reiterados golpecitos de tableteo de la cubeta, sobre la placa antes vacía comenzó a asomar una especie de nebulosa, cuyos contornos fueron precisándose. Dibujóse cada vez más visiblemente la marca terrible de una

[130] Crookes.—William Crookes, físico y químico inglés (1832-1919) que en 1874 inventó el radiómetro que lleva su nombre y descubrió las propiedades de los rayos catódicos.

[131] Hechicería medieval.—La escena conserva reminiscencias de las «lecciones de cosas» de la etapa naturalista de la autora, pero predominan los rasgos expresionistas de la época final.

mano de esqueleto[132]. Abierta como estaba, desviado el pulgar, la mano tenía la actitud de un llamamiento, de una seña imperiosa. Parecía decir: «Ven.» Clara, fascinada, miraba fijamente, ávidamente, los huesecillos mondos y finos que acentuaban su mística forma, antes esbozada, y los veía, sin nada que los uniese en las falanges, exagerar su gótico y macabro diseño, que parecía trasladado de algún viejo painel de retablo de catedral. Y siempre la capciosa seña, el llamamiento insistente, persuasivo, hiriendo las cuerdas de la oculta lira que Clara llevaba dentro y que sólo esperaba el soplo de aire. «Mi propio esqueleto» —repetíase atónita la señora—. «Así estoy... ¿Dónde va la carne? No hay carne; la carne se ha disuelto»—. Una asociación de representaciones, involuntaria, fulgurante, presentó al lado de aquella mano seca la figura de otra mano varonil, esqueletada también. En su alucinación, vio que las dos manos, las dos haces de huesecillos áridos y grises, se buscaban y se unían un momento, entrelazando y enclavijando sus grupos de flautines de caña, y produciendo un sonido de choque de palillos, irónicamente musical. Se soltaron por fin las dos manos de muerto, como asustadas o hartas de estrecharse, y los huesos sin trabazón rodaron esparcidos por el tablero de la mesa, donde reprodujeron la sepulcral burlesca musiquilla...

A la claridad bermeja que continuaba iluminando sólo un punto del mezquino aposento, y concentrándose en la cara

---

[132] Una mano de esqueleto.—La escena tiene como base un hecho histórico que tuvo gran difusión en los periódicos de toda Europa en 1895: el doctor Roentgen, físico alemán, descubrió accidentalmente en su laboratorio las posibilidades de los rayos X para ver a través de la carne. Hizo una radiografía de la mano de su mujer y ella se quedó muy impresionada al ver su propio esqueleto. En 1901 se concedió a Roentgen el primer premio Nobel de Física y volvió a hablarse mucho del tema.

Daniel S. Withaker sugiere que la supresión del nombre de Roentgen, que aparecía en la primera edición de La Quimera en el periódico, puede deberse al deseo de doña Emilia de evitar los recuerdos que el nombre del científico alemán traería a sus lectores. El doctor Luz decía, en efecto, a Clara, en una de sus cartas: «No necesito aplicar a tu alma los rayos Roentgen con que registramos pulmones, arcas del pecho...» Al publicar la novela como libro suprimió el nombre. La Quimera de Pardo Bazán y la literatura finisecular, Madrid, Pliegos, 1988, pág. 131.

del Doctor, absorto en la manipulación que realizaba, se apareció a la vizcondesa de Ayamonte lo que basta para cambiar un alma, lo que impregna edades enteras de la historia: la gran realidad de la muerte, única promesa infaliblemente cumplida. Detrás se extendía el proceloso infinito...

Lo que Clara sintió en el espacio que tardó Luz en exclamar: «¡Ya está!» fue como un vértigo; fue ese sacudimiento y temblor que los gruesos y embotados de espíritu no comprenden, y que les produce la admiración siempre algo incrédula del paleto ante refinamientos extraños. Sin género de duda, para que se produzca tal fenómeno es preciso que esté el alma ya trabajada, batida y macerada en nardo y mirra. Lo que parece súbito, inesperado, es lógico y consecuente. Sin embargo, el mismo interesado se engaña. Clara se figuró que una mujer nueva nacía en ella; que por primera vez penetraba la significación de una fantasmagoría hasta entonces indescifrable, fatigosa como todo lo que carece de sentido, y sin embargo solicita la atención. «He vivido ciega», murmuró interiormente, estupefacta. No la parecían posibles ni el engaños ni el desengaño. La sensación fue cual si hallándose en algún recinto cerrado y donde escasease el aire, de ímpetu las paredes y angosturas se desvaneciesen, penetrando un huracán vivaz, ardiente y embriagador, y abriéndose a sus corrientes todo el ser. Aquel aliento y aquel soplo la inmutaban, la llamaban a desconocida región; y en tan decisiva hora, advertía el mismo transporte entusiasta que en la ventana de Toledo, el mismo vibrar de alas invisibles colgadas de sus hombros, la misma apetencia de espacio infinito, sólo que ahora se reconocía segura de no caer, aunque de muy alto se lanzase. De tal engreimiento pasó, con la subitaneidad eléctrica que caracteriza a este género de impresiones, a un anonadamiento profundo de arrepentida. Sobre la cera en aquel punto blanda y caliente de su conciencia, se imprimió el *ut cognovit*[133] de los corazones mudados, de las almas trasegadas por la diestra del sumo

[133] Ut cognovit.—Se trata probablemente de un recuerdo de la famosa frase de San Agustín en *Las Confesiones:* «Ut cognoscame ut cognoscate» 'para que yo me conozca, para que yo Te conozca'. Agradezco a Antonio Teixidor la referencia a esta cita agustiniana.

Artista. Un terror sin límites la salteó: el miedo de perder aquella disposición en que se encontraba desde hacía pocos minutos. Su voluntad, íntegra, se tendió y flechó hacia lo que acababa de entrever. «No me abandones, espérame» —dijo sin palabras—. «Sácame de mí, llévame a Ti.» Su cuerpo y hasta su inteligencia le parecían ser cosa ajena, carga que la sujetaba al mundo material.

Experimentaba el ansia de acción que acompaña a ciertos trastornos espirituales, y era su inquietud como de cierva a quien atravesó la flecha enherbolada, a quien persiguen lebreles, y a quien aguija más que el susto el ansia de llegar a la fría fuente escondida entre peñascos. Se daba cuenta de que hacía mucho tiempo, quién sabe cuánto, acaso desde la primera edad de su vida, había sufrido aquella punzada, aquel prurito; que el fuego en que se había abrasado su corazón no era sino sed del manantial oculto. A su memoria acudió el recuerdo de una de sus lecturas caprichosas, guardada allí como en depósito.

Uno de los profetas de Israel[134], que son grandes poetas, escondió en cierta ocasión el fuego del sacrificio; mientras lo celó, se convirtió en agua; pero a la hora de sacrificar recobraba el ser de fuego. El símbolo se hacía para Clara, en aquel instante decisivo de su vida, transparente. ¡Cuando recogiese en su interior la profanada llama, se convertiría en agua y la refrescaría!

Sus ojos volvieron a fijarse en el cliché, siguiendo la vulgar operación química que practicaba el Doctor. La especie de

---

[134] Uno de los profetas.—La referencia no procede de los libros de los profetas, sino del segundo de los Macabeos: «Al ser nuestros padres llevados a Persia, los sacerdotes piadosos que había entonces ocultamente tomaron del fuego del altar y lo escondieron en un hueco, a manera de pozo seco, en el cual lo depositaron, tan en seguro, que el sitio quedó de todos ignorado. Transcurridos muchos años, cuando a Dios plugo, Nehemías, que había sido enviado por el rey de Persia, mandó a los nietos de los sacerdotes que lo habían ocultado a buscar el fuego, y, según ellos contaron, no hallaron fuego, sino un agua espesa, de la cual les mandó que sacasen. Cuando las víctimas estaban dispuestas en el altar, ordenó Nehemías a los sacerdotes que con el agua rociasen la leña y lo que encima de ella había. Cumplido esto y pasado un poco de tiempo, salió el sol, que antes estaba nublado, y se encendió un gran fuego, quedando todos maravillados.» (II Macabeos, I, 19.)

alucinación se había disipado; ya no veía otra mano monda y descarnada juntándose con la suya en fúnebre caricia; la placa radiográfica estaba allí, natural, semiconfusa. ¡Su propia mano, sus huesos, no cual llegarían a estar en el ataúd, sino animados de vitalidad singular!

Y, resuelta, contestó a la seña de la mística mano sin carne:

—Voy...

El Doctor, en aquel punto mismo, levantaba la cabeza pronunciando:

—¡Cómo se ve que es mano de individuo bien alimentado, bien constituido, y cómo se indica la raza en la delicadeza de ese dedo meñique, una verdadera monería! Y no hay deformación ninguna, ni señales de alteración reumática en las articulaciones. ¿Verdad que poder fotografiar así los huesos tiene algo de milagro?

—Algo de milagro tiene —repitió Clara.

*

(Hojas del libro de memorias de Silvio Lago.)

Mayo.

Al trasladarme a mejor taller, en calle decorosa, cerca del palacio de Bibliotecas y Museos[135], vuelvo a escribir en este cuaderno lo que me ocurre; sirve para explicarme ciertos cambios que noto en mí, y reconocer lo que puede desviarme de mi senda. Este procedimiento es más eficaz que confesarme con Minia; nadie desenreda el ovillo como quien torció la hebra sacándola de su propia sustancia.

¿Qué importa lo material de eso que llaman *lucha* en nuestro lenguaje bohemio? Comer poco y mal, tiritar de frío, no

---

135 Palacio de Bibliotecas y Museos.—Se refiere al edificio del Paseo de Recoletos que hoy acoge la Biblioteca Nacional, creada en 1711 bajo el reinado de Felipe IV y trasladada a su emplazamiento actual en tiempos de Isabel II, siendo director Tamayo y Baus. El edificio fue concebido como Museo, Archivo y Biblioteca.

mudarse, ver siempre al soslayo la misma mancha aceitosa en la misma solapa... eso se ríe y se pone en ópera. Lo difícil es conservar la disposición de ánimo para tal género de vida.

*

Inundaba el sol de primavera —de la corta e intensa primavera castellana— de luz rubia y de efluvios indisciplinados y ardientes las correctas avenidas del Retiro, cuando las recorría yo al paso igual de uno de esos matalones de picadero[136], que alquilan a precio módico los novicios en equitación. La esfera en que he ido entrando insensiblemente me impone unos ribetes de vida esportiva. El caballo y la bicicleta me atraen. Me he arrancado a encargarme el atavío de *gentleman rider*[137]; al estrenarlo y mirarme al espejo del armario de luna, me pareció irreprochable la figura encuadrada entre los biseles; algo exagerada la forma de las piernas, con las arrugas amplias del calzón en el muslo y su angostura en la pantorrilla, subrayada por la fila de menudos botones, y disimulado lo único plebeyo de mi estampa —¡bien plebeyo y bien delator!—, que es el pie. Al lado de esta silueta de vida lujosa, mi retentiva de pintor evoca la sórdida estampa de mis primeros días en Madrid: las botas gastadas y torcidas, el viejo gabán verdusco, el pantalón nuez con rodilleras, el sombrero abollado, las trazas menesterosas de pobre vergonzante. De la asociación de aquellos dos tipos en contraste, del recuerdo plástico de un ayer tan cercano, me sobrevino, no la alegría orgullosa del engreimiento, sino, al contrario, una especie de acceso de desolación; porque medí, con sagacidad de que no carezco, el camino andado para distanciarme del ideal, y el ascendiente que en tan corto tiempo han adquirido sobre mí ciertas exigencias sociales. En mi primer ensayo de vestir de frac, hasta ridículo me había encontrado, y ahora me reflejo en la clara luna, con la librea de la última moda, dispuesto a

---

[136] Matalones de picadero.—Caballo flaco y con mataduras (llagas producidas por el aparejo) que suelen encontrarse en los lugares en los que se aprende a montar.

[137] Gentleman rider.—Inglés: jinete.

cumplir un rito de la nueva existencia que me han creado las circunstancias, y en la cual principio a sentir que enraízan, mal que me pese, mis plantas de vagabundo y de obrero libre, maculadas del polvo de los caminos. ¿Es que soy definitivamente esclavo ya? ¿Es que ha filtrado en mi organismo la imposición de ciertos afinamientos, el cosquilleo de ciertas satisfacciones mezquinas; es que ya lo popular y lo burgués se me revisten de ridiculez sainetesca o de insignificancia? No; aunque sufro el yugo, la protesta del ideal se caracteriza; siento las ansias del profeso que al huir de su convento quisiera también huir de sí propio. Me refugio con furioso vigor espiritual en la esperanza. Esto no es sino una etapa del viaje hacia la tierra prometida: etapa inevitable.

Al aire que prefiere la montura —paso de procesión— avanzo por la casi solitaria calle, guarnecida de lantanas[138] y después de altas coníferas, algunas de las cuales tuercen enérgicas su negro tronco, desdeñosas de tanto orden... Me siento en disposición optimista, con la cabeza vacía, el estómago tranquilo, como suelo tenerlo al día siguiente de comer en casa de Minia guisos caseros[139]; y merced al bienestar físico, el porvenir se me antoja a la vez seguro y lejano, algo que llegará a su hora y que no debe estropearnos el presente. Al cruzarse conmigo me saludan con zalamería dos o tres aficionadas a guiar y a pasear temprano; los saludos tienen carácter de familiaridad bonita, lo que sabe poner de halagüeño en un gesto la mujer maestra.

Sin embargo, en estos saluditos tan monos hay una especie de captación tiránica, una advertencia imperiosa. Juzgué que encerraban este aviso: «Nuestro eres...»

Pero me notaba tan beato de cuerpo y de espíritu, que no me preocupé más. Mi independencia de alma, mi quisquillosa independencia, no gritó, no se rebeló, adormecida por el

---

[138] Lantanas.—Arbusto de la familia de las verbenáceas, llamado popularmente «bandera española» por los colores de sus flores pequeñas, con tubo delgado, amarillo oro en el extremo, anaranjado después y finalmente rojo.

[139] Guisos caseros.—Esta influencia de lo material fisiológico en lo espiritual sigue siendo herencia naturalista.

dulce soplo vernal[140] y por la sonrisa de las cosas en torno mío. Hay horas así, en que una sensación de ventura nace en nosotros, como el agua clara y cantadora surte sobre el fondo de un paisaje. Es sensación, porque no se origina de ningún convencimiento racional, ni siquiera de ningún movimiento emotivo. Es sensación: pura animalidad, no brutal, sino plácida, reposada, que por un momento se impone a la siempre vigilante conciencia.

Se desata por las venas la vida fisiológica, y el mundo exterior nos inunda y nos arrebata de la cárcel de nosotros mismos. Nos reconciliamos momentáneamente con lo que suele oponérsenos; un baño de gozo nos refrigera; el aire es amoroso a los pulmones; la sangre circula con generosa braveza; el cerebro se aduerme... ¡A veces, borrada la memoria de supremos instantes de la existencia, es posible que el recuerdo de satisfacciones tales, que no son sino perfecto equilibrio de la salud, venga a alumbrar las desazonadas horas de la vejez!

Saboreando descuidadamente lo grato del momento, revolví haciendo trotar a mi alquilón[141], y me perdí en las calles de pinos y plátanos, viendo a ambos lados edificios raquíticos o ampulosos, las construcciones que afean el Retiro.

El tiazo Goya me miró, con desconfianza de sordo, desde su pedestal. Impulsado por la plenitud, en mí tan rara, de fuerzas vitales, quise galopar un poco, y para continuar al Hipódromo salí hacia el paseo de la Castellana. La soledad era mayor aún; el batir de los cascos del caballo al emprender su galope sin arranque, de animal demasiado diestro, levantaba del suelo arenisco sutil polvareda. Al tener que llevar recogida a mi montura, desperté del sopor en que me deleitaba, y la primer señal de haberse roto el pasajero encanto, fue que me comparé a este caballo de picadero, dócil y maquinal como un siervo que se resigna. ¡Qué hermoso es el caballo en su pradería, suelta la nunca esquilada crin, naturales los botes y aires indómitos, que no igualaron el látigo ni la caricia!

Al volver la cabeza vi que a aquella hora temprana, bajo un sol ya picón, caminaban a pie dos hombres... Les reconocí. El

---

140 Vernal.—Perteneciente a la primavera (DRAE).
141 Alquilón.—Despectivo: alquiladizo (DRAE).

uno era Solano, el impresionista, derrotado, despeinado, retorcida alrededor del cuello una corbata grasienta —es fácil que la camisa esté peor que la corbata—, y sus ademanes alocados, su trepidar de ojos, daban animación febril al manoteo con que se dirigía a su acompañante. Éste... Al verle, percibí el acostumbrado golpe, el que sufrimos al encontrarnos ante personas en quienes pensamos ahincadamente, y que, distantes al parecer de nuestro horizonte y nuestro destino, influyen en él sin embargo, de un modo decisivo y secreto. Era nada menos que aquel... *que yo quisiera ser*[142]; el que —sosegadamente, firmemente, desenvolviendo con tenacidad sus facultades, recogiendo hilos de tradición tenuísimos, algo que procede de los grandes maestros españoles de la pincelada franca y el contraste de luz vigoroso— se ha abierto ancho camino, sin artificios, sin concesiones, gran artista secundariamente, pero, en primer término, reproductor literal y pujante de una verdad de la naturaleza, de una violencia del color y de la luz, de un aspecto fiero y esplendente de la tierra española. Con el corazón palpitante me saciaba de mirarle, cual si de la contemplación apasionada del seide[143] y del fanático pudiese salir algo de asimilación. Le miraban con dolor (lo hay en estos cultos idolátricos, y así se explica el triste fenómeno moral de que las más profundas admiraciones artísticas o literarias hayan engendrado las más viperinas envidias y los más acibarados odios). Le miraba sediento, buscando en los rasgos físicos, en la cara algo mongoloide, en lo recogido y recio del cuerpo, en la misma pequeñez de la estatura, el misterio indescifrable de la facultad genial y del heroísmo de la vocación, segura y definida, que, al través de zarzas, espinas y gui-

---

[142] Aquel que yo quisiera ser.—Sorolla, a juzgar por los apasionados elogios de sus primeras conversaciones con Minia. Y el testimonio de Doña Emilia aportado en la nota de Sorolla (nota 28).

[143] Seide.—Voz gallega: fanático, intolerante (Dic. Franco Grande). Doña Emilia le da el significado de secuaz o seguidor, pero con sentido peyorativo. En *Los Pazos de Ulloa* encontramos: «Destacó, pues, un seide, encargado de seducir al vigilante» (Madrid, Castalia, col. Clásicos Castalia, 1986, pág. 370). En «Últimas modas literarias»: «El talento de los pontífices prevalecerá, a pesar de las bromas y hasta de cuantas extravagancias piensen o escriban los seides», *O. C.,* t. III, Madrid, Aguilar, 1973, pág. 935.

jarros, va a su objeto. Sentía esa fascinación que nos causa la forma humana cuando encierra el espíritu que apetecemos, el que hubiésemos ansiado que nos animase. Comprendía cualquier demostración de las que ya no se estilan entre civilizados: ¡echar pie a tierra y besar el polvo hollado por sus botas!

En medio de mi transporte, me explicaba la excursión matinal del maestro, en compañía de uno de sus peores y más amanerados discípulos. Se dirigían al edificio donde se prepara la Exposición, esta famosa Exposición tan cacareada, acechada ya por críticos al menudeo y proveedores de la malignidad en forma de caricatura y sátira. Indudablemente Solano ha echado el resto en alguna tentativa, trabajando con vida y alma, luchando con los apremios de la estrechez y con su mediocridad incurable; y el maestro reconocido, cuyos lienzos se ostentan ya en Museos extranjeros, se presta, por solidaridad, a intervenir en asuntos de colocación, a dar al artista oscuro una muestra de condescendencia, el aliento del consejo y de la protección visible. Noto un dientecillo roedor, un mordisqueo de envidia. No es este pobre fracasado quien debiera, en esta mañana primaveral, bajo un cielo tan puro, encaminarse al lado del maestro a la conquista de la gloria, sino yo, yo mismo; yo, dotado de aptitudes que acaso principian a atrofiarse o acaso hierven en preparación de germinar. El golpeteo de los cascos de mi caballo distrajo un momento de la animada plática a los dos pintores; volvieron la cabeza, solicitados por la vida que pasa, y mientras Solano hacía sin rebozo un gesto despreciativo, mofador, a mi elegante figura, el maestro fijaba en ella los ojos de mirada moruna, graves, un tanto oblicuos, y fruncía el entrecejo ligeramente. Su mirar era puñalero: cortaba, derramaba hielo de muerte, cabalmente por su misma indiferencia y distancia.

Un momento quedé paralizado. En la boca acíbares, en el pecho constricción, como si lo ciñese fuerte aro de hierro. La más penosa de las impresiones, la vergüenza —en el grado de bochorno y dolor de haber nacido—, me abrumaba, infundiéndome sequedad y arudez infinita, visión de desierto de arena que atravesar sin sombra de árbol. La vida me pareció que había perdido de golpe todo valor, cuanto la hace soportable; hubiese querido que se rajase la tierra y me sorbiese por su hendidura, con caballo y todo. Miré como fascinado al maestro, y al sentir que, puerilmente, los ojos se me arrasaban y las mejillas se me encendían, clavé los agudos espolines de acero al domado bruto, dándole, al mismo tiempo, tan vigorosa ayuda, como se dice en términos de equitación, que el galope emprendido convirtió mi aliento en resuello y me deslumbró un instante.

A cada intento del animal para moderar el paso, volvía a hincarle las estrellitas de acero y a fustigarle iracundo. El caballo resoplaba, hasta iniciaba algún corcovo de protesta; pero pudo más su docilidad de esclavo, y se resignó a dispararse por las grises y polvorientas afueras de Madrid, bellas a su modo, secas y netas como país de tabla quinientista. Así que gasté mi excitación por la embriaguez de aire, revolví, y lentamente emprendí el retorno, sudoroso y apaciguado. En Recoletos —ante una iglesia— me crucé con una señora que de ella salía. La miré como se mira, sin verlas *dentro,* a las mujeres de bonita silueta. Sus ojos se vertieron en los míos; iba pálida; palideció más. Entonces sí que la vi dentro; no porque la quiera, sino porque la he causado mal, y es lazo que une.

El dolor, obra nuestra, nos impide aislarnos del que sufre por nosotros. Conocía yo bien la manera de ser de la Ayamonte, que en vez de ruborizarse, con la emoción, palidece. Casi detuve el caballo —no sé a qué fin—. Tal vez fuese para decirla que me perdonase; que me pesa, no de mi condición, pero sí de su malandanza. Con el aturdimiento, me olvidé de saludar. Y ella pasó despaciosa, serena, y en sus pupilas resplandecía algo; una luz singular, una proyección del alma... ¿Será que...? ¡Bah! ¡Tan pronto!

*

El portero me ofreció ascensor. (En mi nueva instalación no podía faltar este requisito.) Se hizo cargo del caballo jadeante, para llevarlo al picadero. El criadito que he tomado acudió solícito a desembarazarse de mi arreo de dandy y sustituirlo por la blusa. Es increíble cómo me sentía de fatigado y descorazonado. Omití friccionarme las sienes con agua adicionada de colonia; y sin enjugar el sudor de la galopada, me arrojé sobre el diván del taller; mi respiración era angustiosa. ¡Qué débil soy! —pensaba—. ¡Acaso para llegar adonde tanto ansío se necesite esa sólida estructura, esa armazón recia y cuadrada del maestro! Es preciso, que economice mis fuerzas... en todos los terrenos... que no pierda de ellas una chispa inútilmente. Seguir un régimen, hacer *sport* moderado sin derrochar energías como hoy... Según suele ocurrir, al formar estos propósito estaba a mil leguas de creer que pudiese cumplirlos. Comprendía que no era dable ya sujetarme al método austero que constituye la higiene moral del artista. Me acordé largo rato de la Ayamonte. Tal vez tuviese razón esa mujer. Desde luego, me quería... ¡Bah! ¿Que importa que le quieran o no le quieran a uno? Lo que interesa es que no le estorben, que no le aten los brazos.

Aún no me había repuesto, ni funcionaba normalmente mi corazón, cuando entró el portero llevando en brazos un bulto gris, especie de manguito raso.

—Lo que me ha encargado el señorito —dijo muy obsequio.

¡Verdad! Se lo había encargado en un momento de tedio, de afán de tener a mi lado algo en que emplear mi capital afectivo.

Miré. Era un precioso cachorro de raza danesa, semejante a esos grandes juguetes de porcelana que se colocan en antesalas y bajo las consolas.

La cabeza alongada, la magrez de las formas, declaraban la pureza de la raza; la piel era fina como velludillo, y en el gracioso hocico había esa expresión de inocencia cómica que tienen lo cachorros, y que asemeja su infancia a la infancia humana. Con un impulso de simpatía le tomé de manos del portero y empecé a acariciarle. El animal sacó una puntita de lengua de fresco coral rosa y me lamió la cara; después, con dientecillos semejante a puntas de piñones, mordisqueó lo primero que encontró: la nariz de su futuro dueño.

—¿Es macho? —interrogué.

—No, señorito. Hembra es... No ha traído la madre de esta vez macho ninguno —respondió el portero, que, al ver mi entrecejo, se decidió a mentir descaradamente, imaginando engañarme. La verdad era que habían nacido en la cocheras del duque de Lanzafuerte, próximas a mi estudio, cinco hermanos de esta primorosa bestezuela, de los cuales dos machos, reservados para amigos del duque, a quienes se los tenía ofrecidos sabe Dios desde cuándo. Las hembras fueron relajadas al brazo secular del cochero, que las explotó. En una diminuta intriga el portero sacó su tajada, amén de un duro que le solté.

Al exclamar yo:

—¡Lástima que sea hembra! —ya me sentía encariñado—. ¿No sería mejor que viniese criada? (Comprendía que estaban riéndose de mí y no me atrevía a hablar gordo. ¡Soy imposible! Tiene razón la baronesa de Dumbría.)

—¡Ay, señorito! Como mejor, sí sería mejor; pero el amo de la madre quiere que sólo mamen las crías que él guarda para sí. No se apure el señorito, que mi sobrino es mañoso y de esto ya entiende; comprará leche y no pasará hambre. ¡Es más bien cortada y más chula!

Volví a alzar los hombros. Me es indiferente que el portero tome café con leche a mi cuenta. La gracia de la cachorra me ha conquistado. ¡No se alabarán de otro tanto las hembras de mi especie! La coloqué sobre el rincón del sofá, la hostigué para que jugase, pero acababa de atracarse y estaba adormilada; hecha una rosca, cerraba los ojos. ¡Envidiable, envidiable vida animal! Arropaba con mi *plaid*[144] a la cachorra, cuando el criado anunció a la señora duquesa de Flandes[145].

*

Ya escucho con indiferencia los nombres sonoros; pero al oír éste, no pude menos de sobresaltarme y correr a recibir a la rica hembra. Entraba a paso cadencioso y arrogante, sin crujidos sedosos reveladores de frufrús, arrastrando majestuo-

---

[144] Plaid.—Es palabra inglesa, que, probablemente, toma del francés: manta de viaje de tela a cuadros, escocesa.

[145] Duquesa de Flandes.—Es otra indentificación segura. Los datos remiten sin duda a la duquesa de Alba. Ver Introducción.

samente su faldamenta de paño oscuro, semejante, como todo lo que ella viste —a pesar de proceder del gran modisto—, a una falda de amazona. Llenaba el angosto pasillo con su cuerpo lanzal y amplio de formas, y su cabeza bien puesta y gallarda se erguía para mirar los bocetos que tengo clavados en las paredes. Me incliné, me deshice en salutaciones y reverencias, porque esta gran señora, aun donde muchas grandes señoras han pasado ya gastando mis impresiones, es cosa aparte. Parece la definitiva sanción de mi papel de retratista de las alturas. La entrada resuelta y noble de esta virreina consagra mi taller y refrenda mi categoría. Viendo a la duquesa de Flandes, por un momento me consolé de la humillación sufrida en el paseo. Se me impuso la noción de la jerarquía social, poder no inscrito en Códigos ni en Constituciones y que se burla de ellos y de las revoluciones niveladoras. Doblemente fuerte, por lo mismo que no tiene carácter legal, y que la retórica de la mentira proclama cada día su desaparición. La duquesa de Flandes, para quien no esté en mi caso, será... otra duquesa más de las que figuran en la Guía, y entre las cuales tan curiosas diferencias establecen las circunstancias íntimas y los antecedentes biográficos; pero yo, aunque rápida y de seguro incompletamente iniciado en la vida mundana, no ignoro lo que significa esta mujer, que entre las frivolidades pegajosas de la sociedad y la apatía suicida de la gente aristocrática, conserva su conciencia de clase, el sentido de sus prerrogativas y del valor histórico de su nombre. Ella, y no el marido —el cual es realmente quien lleva en las venas la sangre de Flandes y Utrecht, encarnación de la vida española cuando aún era gloriosa; ella, y no el marido, es quien ha consagrado tiempo y voluntad a elevar a altura principesca la casa, impidiendo que, como otras muy resonantes descendiese a la quiebra y viese dispersos sus egregios despojos en almonedas judiciales y tiendas de anticuarios. Ella, y no el marido, ha cuidado religiosamente de salvar los restos y testimonios de antiguas proezas, y desempeñado los tapices representando batallas, los retratos de Tiziano[146], las iluminadas ejecutorias,

---

[146] Tiziano (1488-1576).—Pintor italiano de la *Escuela Veneciana*. A partir de 1530 en que pintó el primer retrato del emperador Carlos V en Bolonia

los probantes documentos, desempolvando el archivo, registrándolo con amor, últimamente con golosina; ella, por último, se ha consagrado a cultivar la memoria del antepasado terrible[147], que tan grande fue contra el sentido y la corriente de los tiempos modernos, y a que los descendientes aparezcan todavía (pese a desvinculaciones, locuras y decadentismos) vestidos de un reflejo espléndido de tal grandeza. Ella —desde el primer día de su vida conyugal— se ha dado cuenta de que en los muy altos linajes la mujer tiene un deber más, y entre ejemplos nada edificante y relaciones de elegancia corrompida, ha permanecido tranquila en su dignidad, imponiéndose a la maledicencia por la seriedad de su conducta. Ella —sin llegar a extremos de altivez como los que se cuentan de su esposo, que a muy pocas personas consiente alargar la mano— es toda la casa de Flandes, amenazada como las demás de desmigajarse por el reparto, no sólo de bienes, sino de honores y títulos.

La miré deslumbrado, encontrando un género de belleza peculiar en su tipo viril, de grandiosas líneas, en su torso prolongado y sólido de cazadora y de regeneradora de raza. Se acercó saludándome y hablándome llanamente, con palabras de amabilidad cordial. Tenía noticias de mi destreza... El pastel de Lina Moros, con el traje de terciopelo *miroir* amarillo, un encanto... Deseaba un retrato caprichoso, algo diferente...

—Sólo en el hecho de ser retrato de usted, señora había de diferenciarse. Cuando el modelo tiene personalidad...

Explicó la idea. Un pastel hasta la rodilla, que la representase con una chaquetilla verde, su faja carmesí, su pavero de fieltro gris, su larga pica de acosar y derribar empuñada; el

mantuvo una relación asidua con la corte española que se mantuvo con Felipe II. Entre los Tizianos de la colección de la casa de Alba se cuenta el retrato del tercer duque, don Fernando Álvarez de Toledo, gobernador de los Países Bajos, al que se alude más adelante.

[147] Antepasado terrible.—Don Fernando Álvarez de Toledo y Pimentel, tercer duque de Alba (1507-1582). Héroe militar en las guerras con Alemania y Portugal, su labor como gobernante de los Países Bajos ha sido un ejemplo de represión y fanatismo. Su infausto recuerdo lo ha llevado a convertirse en el «coco» de los niños del país a quienes se asustaba diciéndoles: «¡Que viene el duque de Alba!»

atavío con que se solazaban en la dehesa boyal[148], metiéndose intrépida entre las reses, en las tientas. Es este castizo deporte uno de los contados antojos tocados de extravagancia de mujer tan formal, y en él, cosa rara, coinciden sus aficiones y las de su marido, siempre entregado al *sport*.

—No va a resultar muy género pastel... —murmuró disculpándose.

—Mejor —exclamé. Y ante la sonrisa benévola y franca, como de amiga, de la Flandes, me sentí animado a una de aquellas desatadas confidencias que había tenido con Minia, que pueden tenerse con las mujeres cuando son varonilmente sencillas y leales. Escuchóme con interés; «comprendía» y «encontraba natural».

—No se preocupe usted —exclamó con simpatía—. Lo que usted necesita es salir de Madrid, donde no encontrará estímulos, donde se amaneran los artistas, e irse a Londres. Allí, con muy pocos retratos que haga, como se pagan seriamente, tiene usted bastante para vivir, y puede estudiar con pintores, ¡de los primeros del mundo! ¡Francamente, aquí no los hay de esa talla! En Londres creo le irá a usted bien.

Me entró alegría. Las palabras de la duquesa me vengaban del desprecio sufrido en el paseo matinal.

—¡Londres! Seré un átomo perdido en la enorme ciudad. Nadie me conocerá, ni yo conoceré a nadie.

Una sonrisa de bondad iluminó el rostro y los ojos de vastas ojeras oscuras, mazadas; ojos que parecen revelar un organismo minado secretamente.

—¿No me conoce a mí?

Tembloroso de esperanza, murmuré:

—¿Estará usted en Londres cuando yo vaya, si es que voy?

—Esté o no esté —y si es en la *season*[149], no tendría nada de

---

[148] Dehesa boyal.—Dehesa de ganado vacuno. En sentido estricto, una dehesa boyal es un terreno comunal donde el vecindario suelta a los animales (DRA), pero por el contexto está claro que no lo usa así.

[149] Season.—Inglés: temporada. Se decía del periodo de tiempo que no era de vacaciones o veraneo, es decir de octubre a mayo. En el caso de la Pardo Bazán sabemos que hacía vida social en Madrid desde el otoño a la primavera, en que se iba toda la familia a la residencia veraniega de las Torres de Meirás. (Véase Almagro San Martín, *Pequeña historia...*, ed. cit., pág. 118.)

particular que estuviese—, le puedo dar a usted cartas para amigos míos. Si Pepita Castelfirme continúa entonces en nuestra Embajada, le será a usted muy útil. Los retratos en esos países se pagan diez veces más que aquí. ¡Y en libras!

Suspiré. Me acordaba del reciente grupo de retratos de una familia tenida por millonaria, y que me está siendo difícil cobrar; ¡tanto, que ya me resuelvo a dejarlo por cosa perdida! La Flandes insistió:

—Una temporada en Inglaterra conviene para todo. No sólo aprenderá usted arte, sino que se robustecerá; es muy sano residir allí. El clima es excelente, digan lo que quieran; la comida nutre más; no sé en qué consiste... Hará usted un poco de ejercicio; ¡aquí la gente vive sentada...!

—Bicicleta por lo menos —declaré—. La primavera que viene voy a seguir su consejo de usted, duquesa, y pasar el Estrecho. Por ahora no puedo... ¡No puedo de ningún modo!

—No puede usted... —asintió ella—, entre otras cosas, porque ahora va usted a retratar a Sus Altezas.

—¿Es seguro? —articulé—. Por más que diciéndolo usted... La amistad que lleva usted con la Reina.

Se hizo atrás, protestando.

—¡Oh, amistad! Respeto y adhesión, naturalmente. ¡Si yo no sé nada! Lo he oído decir por ahí. Es natural que se le ocurra a la Reina retratar a la Princesa y a la Infanta: ¡están en una edad tan bonita! Las fotografías son antiartísticas, y un retrato al óleo haría duro. Supongo que también el Rey se retratará. Es un honor para usted, porque no a todos los pintores se les admitiría en la intimidad de Palacio, donde se hace vida tan severa. Las princesitas han sido educadas perfectamente. Ya sé que es usted una persona capaz de estar allí como debe estarse.

Gesto de asentimiento mío. ¡Seguramente no se me habría ocurrido cometer ninguna incorrección en Palacio! Las palabras (bien intencionadas y bondadosas, sin embargo) de la rica hembra, me recordaron la distancia entre el mundo del cual procedo y el mundo en que las circunstancias me sitúan. He entrado en él tan de golpe; mi facultad de adaptación me ha permitido de tal modo, desde el primer momento, salvar escollos, que me mortifican advertencias como la que acaba de dirigirme esta ilustre señora. No saben hasta qué punto soy yo hábil; ¡si soy un sofista griego en Roma! Esta índole especial también suele indignarme. Sería vigor conservar la bravía y rugosa corteza del proletariado bohemio, y no he tardado un día en soltarla. ¡Ya la perdí en Buenos Aires, desde mi transformación de obrero en retratista! Allí también anduve entre señoras, más pacatas, por cierto, que las de aquí. ¡No; no oirán de mis labios ni verán en mí esas blancas niñas reales cosa que pueda arañar la superficie de su candor! Seré para ellas un mudo y respetuoso mecánico del retrato, que vierte en el papel líneas y tonos con inmaterial desinterés, como se copia a las imágenes. No posaré mis ojos en las dos lises adolescentes sino para sorprender su forma, que tiene la ingenua y casta sequedad de las figuras de santas de los primitivos. A ser posible, gustaríame incluirlas en un díptico y con aureola.

La Flandes se retira, después de convenir en que volverá mañana a las once —ésta es de las que madrugan y hacen vida activa, oreada— y en que el domingo iré yo a almorzar a su palacio, para ver su Tiziano, sus tapicerías, sus tesoros de arte. Una vez más sufriré la decepción de que ante la pintura antigua (hecha con los jugos y esencias de edades más estéticas, y que sólo por recordar esas edades ya excita la imaginación y la puebla de bellas sugestiones), nuestra pintura actual desciende muy bajo.

La invitación de la Flandes me halaga de pronto: al cabo, es la primer casa de Madrid, después de la que domina la Plaza de Oriente; pero soy de tal madera, que apenas me solivianta la hinchazón de la vanidad, ya estoy arrepintiéndome, pensando que un comité a almorzar es justamente el modo que tiene la duquesa de colocarme, desde el primer día, en mi puesto de artista a quien se recibe en pie de dependencia disimulada por llanezas de buen gusto. Sé que en la mesa de Flandes, los almuerzos reúnen a los que no *alternan,* y las comidas, muy poco frecuentes, a los elementos sociales homogéneos. En fin, ¿qué diablo me importan esos tiquis miquis? Quién soy yo para... O, mejor dicho, ¿quiénes son ellos, los de ese círculo, para influir en el estado de mi conciencia? ¿Será exacto lo que asegura Minia, y no atravesaré impunemente un medio donde la vanidad lo informa todo? ¿Es que no aspiro a algo superior, infinitamente superior a una invitación en casa de Flandes?

*

Pues sin embargo... Media hora después de hacerme estas reflexiones, se presentan en mi taller una señora oronda y dos niñas enfaroladas, a quienes conozco de haberlas visto por ahí en todas partes (tienen la ocurrencia de no perder ripio), las de Barrachín. Las muchachas no son malejas; la mayor, la rubia, conserva una frescura que aún no han podido destruir los afeites... La mamá... un amasijo de plumas, cintas, colorete y brillantes. Vienen a solicitar que las retrate enseguida, pagarán cuanto yo quiera, y doble, «porque el arte y la inspiración no tienen precio». Más frío que la horchata de chufas, contesto que no puedo, que no tengo un minuto, que no lo tendré hasta Dios sabe cuándo. Hablo precipitadamente, empujando las palabras, como si me faltase tiempo de ver fuera a las Barrachinas. Y es el caso que (por casualidad; porque algunas de mis clientes que habían de venir esta semana, hacen ejercicios de marianismo selecto en el Sagrado Corazón, cosa que las Barrachinas no sospecham, pues si no allí estarían de patas...) tengo, no minutos, horas libres, y tres o cuatro retratos —las Barrachinas desean reproducir las fisonomías de toda la familia, sin exceptuar al grifón[150] favorito—, tres o cuatro retratos, digo, pagados contante y hechos al correr del dedo, no me vendrían nada mal, ahora que acabo de mudarme y que el armario de la Dumbría, ¡pobre señora!, no guarda un céntimo de ahorros míos... Pero el individuo de adaptación que hay en mí, el hombre de cera, moldeado ya por un medio absorbente, se abochorna de conceder la alternativa a gentes caricaturales, que andan en solfa. Encajo a las de Barrachín cuatro sequedades, que me evitarán cuatro cuchufletas de Lina Moros, pero me dejarán el bolsillo tan flojo como

---

[150] Grifón.—Perro de lujo, de origen belga, de pequeño tamaño y muy inteligente, color marrón o manchado de blanco y rojo.

está... Se retiran cariacontecidas, previos reiterados y ramplones ofrecimientos de casa y amistad (la tema de ofrecerse es una de las notas características de estas infelices). Cuando me quedo solo, me reprendo, me pongo de perro humor, pensando si ya mis actos no estarán regidos sino por los hilos de la marioneta.

*

Debe de ser así. Hace lo menos mes y medio que no piso la escalera de mis humildes amigos, los de Carboné Sequeiros, y de seguro las muchachas, a quienes daba lección gratuita de dibujo, han adivinado la causa. Al padre podré contarle que no he dispuesto de una hora; las chicas no lo tragarán. Saben ellas que siempre se dispone de una hora, si se quiere disponer, para ir a preguntarles a las gentes qué es de su vida. Saben que los hombres salimos a la calle cuando nos parece, y si tenemos confianza con alguien, de día o de noche le vemos. Por otra parte, las muchachas, y especialmente Matilde —que se había forjado ciertas ilusiones—, me pronosticaron esto: «Ahora, con lo encumbrado que está, no nos hará caso maldito.» ¡Lo que yo embarullé para sosegarlas! Me puse como me pongo cuando el influjo de la compasión y cierto instinto de justicia me revisten de momentánea sensibilidad. Es un fuego de paja, y parece hoguera... No, yo no soy bueno, yo no valgo nada moralmente.

En la marejada de mis sentimientos todo es vana espuma... cuando no amargor. A los seres que de veras me quisieron les hice siempre daño. No puedo olvidar la mirada de Clara Ayamonte, ni las lágrimas que se sorberá, con la cabeza baja para coser, Matilde, oscura niña de medio pelo, cuyas penas no salen de las cuatro paredes de su domicilio...

¡Bah! Son ganas de atormentarme. ¿Clara Ayamonte? Dentro de seis meses ni el color de mi bigote recuerda; y a Matildita Sequeiros... lo mismo se le importaba del dibujo y del profesor, que a mí del emperador de la China. Lo que las traía locas en aquella casa era justamente que yo anduviese por donde ando. Lectoras más asiduas de Ecos y Revistas de salones no las hay. Me freían a preguntas. «¿Cómo viste Lina Moros? ¿Qué olor gasta? ¿Se pinta el pelo? ¿Usa esto, aquello y lo de más allá? ¿Es cierto que la Sarbonet... así y andando?» ¡Matildita! Si la caprichosa fortuna quisiese trasladarla de su tercero a un hotel suntuoso, y convertir su traje de lana en funda ondulosa de gasa blanca rebordada de lirios, conmigo no soñaría. Con algún *sportman,* de seguro...

*

Pasado mañana se abre la Exposición. Asistirán los reyes. Mañana, el barnizado[151]; cada quisque se llevará allí su tarro de barniz de espliego y su brocha, y trepando a una escalerilla, batallará con los rechupados y las emplastaduras del color... ¡Cuántas fantasías, cuántas decepciones! Lo que en el taller parecía un triunfo, allí se viene al suelo... Ahora les salta a los ojos lo que convenía haber hecho; otra cosa que esto, otra cosa. ¡Ya es tarde! Y aún hay alguno que allí mismo quiere variar tal toque o cuál efecto de luz, y a hurtadillas, con febril mano, se corrige.

Me he colado, sin importárseme de miraditas, cuchicheos y señas; me he paseado con las manos metidas en los bolsillos, perdiéndome entre los grupos de curiosos impacientes que no quieren esperar al días de la inauguración oficial, entre los cuales circulan críticos de periódicos, individuos del Jurado, maestros rancios, a quienes saluda con respeto la turbamulta, y expositores que escuchan, a veces sin querer, con el corazón atenaceado, la más despectiva calificación de aquello en que cifran lo hondo de su ensueño y quizás su pan diario. Pienso que yo debería ser uno de éstos; que falta en las paredes el pedazo palpitante aún de mis entrañas, manchado con sangre de mis venas, que se llamaría mi primer cuadro de Salón. Sí; yo podría haber concurrido, y que mañana los periódicos insertasen críticas, y la muchedumbre, al desfilar, preguntase

---

[151] Barnizado.—Traduce la palabra francesa «vernisage», que se refería a la acción de barnizar los cuadros la víspera de la inauguración. Ese día acudían ya los entendidos a ver las obras expuestas, y de ahí pasó a convertirse en el día más importante de la exposición. Hoy es sinónimo de inauguración.

distraídamente: «¿Y esto? ¡Ah! De Lago el retratista.» Con descolgar de mi taller la *Recolección de la patata* y traérmela... Alzo la vista, recorro salón tras salón, y veo infinitas cosas peores que mi estudio rural; seguramente menos sinceras y sentidas. Pero cada uno es cada uno; me moriría de vergüenza si me diese a luz con la *Recolección*. El que venga aquí debe traer algo; un trozo de verdad, y no sólo de verdad, sino de verdad *suya,* vista por él, no al través de los maestros que fuerzan la imitación de los principiantes. ¿Es eso mi *Recolección*? No. El asunto lo he encontrado en mi tierra; lo he visto con mis ojos, bajo mi sol; pero mis ojos estaban llenos de reminiscencias; a mis ojos no se les había impuesto aún mi alma... y ese cuadro es de la escuela del hombre que, en el camino del Hipódromo, me miró con tan yerto desdén. ¿Cuándo veré las cosas dentro de mí y en mí, iluminadas con luz oscura o brillante que yo genere, y que sea luz después para otros? ¿Cuándo dejaré de sentirme subyugado por admiraciones y estrechado en brazos de una estética que sobaron los demás? ¡Oh rabia! Al paso que voy, tal vez nunca... ¡Maldito sea, maldito, si no trabajo sin descanso, si no me hago dueño de la técnica, y si luego no descubro un rincón donde nadie haya sentado el pie y no me acuesto en un lecho virgen, sea de hierba o de peñascos! ¡Y pensar que en un día de fiebre la *Recolección* me pareció un paso en mi carrera!

¡Como la *Recolección* hay tanto aquí! La evolución de estos muchachos expositores me explica la mía. La considero con indignación, mientras el público, sin darse cuenta del por qué, la considera con desvío y hasta con befa —y esto el día del barnizado, en que sólo viene gente algo entendida—. ¿Qué será cuando entre aquí, por dinero, la recua desconocedora del esfuerzo y de la lucha? ¡De todas maneras me indigno! Trabajaron... ¿Y qué? En primer lugar, no trabajaron con paciencia. Son improvisadores. Si no podían vivir, que barriesen las calles. Todo menos exponer estas vergüenza, que no revelan ni temperamento ni personalidad, que son la cara de un maestro, vista en espejo desazogado...

*

¡El desdén *(anch'io desdeño)* me sugiere resoluciones! En el ángulo de un salón solitario (donde se exhiben engendros más torpes y canijos, la epilepsia de la imitación que se cree original porque exagera defectos) me paro, y con la voluntad flechada y el espíritu recogido me agarro la mano izquierda con la diestra, me la oprimo fuertemente, y me juro a mí mismo no existir sino para mi inspiración, no transigir con nada que le estorbe. «Si algún día figura en este Salón [152] un lienzo con la firma de Silvio Lago, será que el lienzo es, en efecto, de Silvio Lago, del alma de Silvio Lago»... Aún seguía apretujándome, cuando Marín Cenizate me interpretó.

—¿Has visto mis paisajitos? —preguntó afanosamente.

—No... ¿Dónde los han escondido?

—¡Escondido, justo!... Si yo me diese el tono de tener enemigos, diría que mis enemigos los han colocado allí para fastidiarme. Pero habrá sido porque a los señores del Jurado no les pareció que merecían más consideraciones. Ven, verás.

Me arrastró, al través de la fila de salones, hasta otro arrinconado, apenas visitado, donde muy alto y a mala luz campeaban varias tablitas siempre inspiradas en Haes. Vibrante yo todavía de mi acto de fe, costábame trabajo disimular la indiferencia y pagar mi tributo de amistad con algún elogio. Cenizate comprendió, y, como siempre, su alma buena se refugió, para consolarse, en la ajena esperanza.

—¿Cuándo te veremos por aquí quitando moños? ¡Porque mira tú que hay moñitos que quitar! ¿Has echado un ojo a todo eso? ¡Van a tener que leer las críticas! ¿Te has fijado en los envíos de Roma? Esa Roma —lo estaba diciendo Ruiz Agudo, el de *La Península* [153]— es el estragamiento de la poca

---

[152] *Si algún día figura en este salón.*—Según los datos de Bernardino de Pantorba, Vaamonde llevó obras a las exposiciones de 1895, 1897 y 1899. Un total de trece retratos. (Ver José Crisanto López Jiménez, pseudónimo Bernardino Pantorba, *Historia y crítica de las exposiciones nacionales de Bellas Artes celebradas en España*, Madrid, Alcor, 1948.)

[153] Ruiz Agudo, el de *La Península*.—No es fácil adivinar a quién puede referirse. No a Ruiz Aguilera, creo, que, aunque colaboró asiduamente en los periódicos, había muerto muchos años antes, en 1881 y no hacía crítica de arte. Me inclino por la figura de Luis Ruiz Contreras, fundador de *La Lectura*, colaborador de *La Ilustración Española*, y de *La Correspondencia de España*, entre otras publicaciones.

espontaneidad que podrían tener los muchachos. Allí se aprende a imitar... imitaciones. Ambiente europeo no ha vuelto a respirarse allí desde el siglo XVIII. Convencionalismos, la eterna *ciocciara*[154], la cabeza de estudio melenuda, rehacer a Serra[155] y sus paisajes melancólicos, de malaria, con paludismos verdes y un ara rota, como gran alarde de modernismo. Ruiz Agudo está furioso: dice que en el periódico va a pegarles a todos, a la Academia, a su Director, al Gobierno, para que se convenzan de que hoy la pintura debe estudiarse en Londres y en París y en Berlín... y dentro de poco en Chicago. Sí, señor: en Chicago, entre tocineros.

—Yo iré a Londres muy pronto —indiqué.

—Bien hecho... ¡Tú, un día, te despiertas de humor y les pones la ceniza a todos...! ¿A ver, a ver: qué se traen esos señoritos que te escupen tanto? Tengo ganas de que te fijes en lo que se traen. ¿No sabes lo de Solano? ¿De veras no lo sabes, hijo? Con tus marquesas, no vives en el mundo. Pues ha dado una batalla para que le admitiesen una locura enorme (dice Ruiz Agudo que no es locura, sino tontería) que tiene embotellada hace meses. El hombre quería disparar un cañonazo. Te diré que puso toda la carne en el asador: el cuadro —yo lo he visto— es... ¡descomunal!

—¿Pero dice algo nuevo? —pregunté interesado.

—¿Qué quieres que diga? Solano, el pobrecito de mi alma, por no tener nada nuevo, ni botas ha estrenado en su vida... ¡Es un discípulo malo, y un discípulo eterno! Está rabioso porque ha pataleado, pereciendo de miseria. Su madre y dos hermanos menores aguardan para comer el día en que Solano venda algo que no sean las consabidas tablitas de «la maera vale más...» Ya las conocemos, ¿eh?

—¡Bien triste...! —murmuré impresionado.

—Sí, échate a llorar... No conoces a ese mal bicho. De ti

154 Ciocciara.—Italiano: campesina.

155 Serra.—Enrique Serra (1859-1918) fue uno de los pintores españoles de mayor prestigio de su tiempo. Fijó su residencia en Roma y destacó sobre todo por sus paisajes, en los que reproducía la campiña romana y las lagunas pontinas. Sus *Paludes Pontinas,* reflejan el ambiente de las tierras contaminadas por la malaria. Esta serie pretendía poner de manifiesto la emoción que produce la muerte, escondida tras la belleza, tema grato al modernismo.

dice horrores, cosas feas. Si yo te las repitiese... No se contenta con zaherirte como artista, no; te pinta como un intrigante que se vale de todos los medios y explota ciertas cuerdas del corazón femenil para medrar. ¡Déjale que se jorobe!

Sonreí con tranquilidad, y, en lugar de ira, me sentí inundado de compasión. No es la primera vez que noto que me falta el resorte del honor burgués. Me conmueven poco imputaciones de tal índole. Si llego a convencerme de que no puedo hacer nada de arte, ¿qué me importa lo demás? Siempre me han dado risa esos señores que se van a la redacción de un diario a exigir que pongan un suelto enterando a los lectores de que el Manuel Fulánez que fue sorprendido robando por el procedimiento de la mecha no es el respetable procurador D. Manuel Fulánez. En mi interior me he dicho muchas veces: «¡Qué dianche! Pues me tiene perfectamente sin cuidado ser o no todo un caballero...»

—Habías de ver —prosiguió Cenizate— lo que revolvió el indino para colar aquí su engendro, un verdadero padrón de ignominia... Porque tú no te puedes figurar lo que es. No vayas a estar soñando algo parecido a lo que cuenta Zola en *La Obra*[156], y que Solano tiene una chispa genial...

—¿Quién sabe?

—No seas así... Tú comprendes que ése haría mejor en empuñar la lezna... ¡Se le ha puesto en el moño pintar; no puede, y odia de muerte a los que pudieron! Esta vez decía que se jugaba la carta última, la decisiva. Si el imbécil público no comprendiese lo sublime de su cuadrángano, entonces ¡ya sabe él lo que le resta!

—¿Será capaz de un acto de desesperación?

---

[156] La Obra.—Es la novela *L'Oeuvre*, de Emile Zola (1840-1902), publicada en 1886. Resumimos con las palabras de la Pardo Bazán su tema: «Es la novela de un pintor genial, de un degenerado superior, que no acierta a producir la obra maestra soñada; de quien el público hace mofa en la Exposición, comentando con carcajadas mofadoras su envío, y que, desesperado de su impotencia, se ahorca.» (*La Literatura Francesa Moderna. El naturalismo, O. C.,* t. XLI, Renacimiento, s. a., pág. 111.)

Paul Cezanne se vio reflejado en el personaje del pintor Claude Lantier, pintado por Zola, y en abril de 1886 (la novela se había publicado en marzo) rompe su amistad con Zola, escribiéndole una carta en la que recuerda sus años de juventud.

—¡No eres tú poco romántico! —protestó Cenizate—. ¿Lo que él será capaz de hacer? ¿Otro cienpiés para la Exposición futura!

—¿Quién sabe nunca el alcance del desencanto y humillación en un alma? —respondí—. Cuando estamos sanos y satisfechos de la vida, nos es imposible representarnos la situación de quien se cae de lo alto de toda su esperanza. Te diré lo que me sucede... Desde que entré aquí, me ocurre si todo eso colgado en la pared y tan flojito como arte... no tendrá un valor inmenso como psicología. El deseo que produjo todo eso, ¡que empuje representa! Esos cuadros suplican y lloran; piden, quieren hablar... y a los jurados, a ti y a mí nos están voceando: «¡Misericordia! ¡Nos han engendrado tantas ilusiones, y eran tan bonitas! ¡Miradlas a ellas y no a nosotros!»

—¡Bueno andaría el arte si pensásemos así! Hombre, los maletas como Solano que escojan otro oficio! ¡Decirte lo que ha laborado! Inverosímil. Recomendaciones a diestro y siniestro; influencias de aquí y de acullá; sueltos con indirectas en los periódicos donde encontró medio de introducirse; y, sobre todo, la protección a capa y espada del maestro, a quien cogió por dos flacos: la bondad, la lástima, ¡que tantas tonterías nos hace cometer!; y el homenaje del discípulo, que siempre halaga... ¡Discípulo! No sabe el maestro que tienes tú una *Recoleccioncita de la patata*... Esa sí... Y no has necesitado estarle dando la tabarra en su taller para sorprenderle la factura.

—¡Calla! Si sólo por eso no traería semejante *Recolección*. ¿Presentarse con ropa prestada?

—¿Y me quieres decir si aquí alguien la tiene propia?

A toda costa quiso Cenizate enseñarme los *fusilamientos*[157]. Recorridos segunda vez los salones, y lejos de compartir la opinión de mi amigo, me pareció que la juventud no se inspira verdaderamente en los maestros (lo cual por fin exige paciencia y estudio); lo que hace es buscárselas a encontrones, a saltos. Los únicos que imitan concienzudamente a los maestros (pero quedándose a distancia) son... los maestros mismos. Lo que exponen aquí, y los que he podido ver por ahí en exposiciones particulares, rehacen pálidamente el cuadro que

---

[157] Fusilamientos.—En sentido figurado: plagios, copias.

hace veinte años les valió nombradía. El tiempo no ha transcurrido para ellos... ¡Con qué rapidez, en cambio, transcurre para mí! Esto que me atrevo a escribir ahora en un libro de memorias que nadie ha de ver, ni a pensarlo me atrevería allá en la inolvidable Alborada. Era pueril mi respeto a los que tienen cartel. Aún quedan restos en mi espíritu. Al de la mirada desdeñosa le respeto aún. Verdad que *ese* es *el que yo quisiera ser;* mi admiración por *ese* no se ha gastado al contacto de la frialdad de las gentes distinguidas, que padecen tan poco el mal de admirar. Y ansío, con ansia que tiene algo de frenesí, encontrarme ya en París o en Londres, donde existan otros *que yo quisiera ser,* en cuya estela pueda deslizarse mi barca.

*

Salgo del edificio y noto la gustosa reacción que causan el sol y el aire libre después de la fatiga peculiar de los Museos; recojo primavera en mis pulmones; compruebo, en lo aprisa y bien que ando, que mi salud es ahora lo que debe ser: salud de gladiador. ¡Cenízate apenas puede seguirme! En la Cibeles nos separamos; yo voy a tomar el té con mi excelente Palma, que tiene que hablarme de varias cosas, aconsejarme con su lealtad de costumbre, embromarme un poco, animarme, transmitirme, de seguro, algún nuevo encargo...

Estoy allí hasta las siete. Salgo precipitadamente; necesito vestirme. Franco Galarza, un muchacho acaudalado que quiere que le dé lecciones de pastel, me ha convidado a comer en su Club. A la boca de la calle, antes de acerme al Viaducto para cruzarlo y saltar al tranvía de la calle Mayor, un remolino de gente, gritos, exclamaciones. Allá abajo, en la profundidad pintoresca del caserío y del arbolado, que desde arriba produce vértigo de abismo, aún yace el cuerpo del suicida. Nadie entre la multitud le conoce; es su destino que no le conozcan, pues le faltaron puños para violentar a la Fama; pero como tiene la cara hacia arriba, y sus ojos, antes giratorios y dementes, ahora vidriados, inmóviles, se han posado tantas veces en mí con insultante ironía (sin recordar que éramos hermanos), yo le reconozco, y me quedo pegado a la barandilla, fascinado por la fascinación más poderosa, que responde al sentido de terror y misterio que rodea nuestra vida: la fascinación de la muerte...

¡Ése era, hace minutos, uno que anhelaba lo mismo que yo anhelo! Y siempre más valiente que yo; lo mismo cuando embadurnaba sus tablitas mendicantes y las enviaba a vender a los cafés, que ahora cuando reposa en el suelo con los miembros rotos, convencido de lo imposible de su Quimera.

*

Por la noche, en el Club, para olvidar, bebo unos cuantos cálices de *extra dry*[158]. El espumoso me acrecienta la melancolía en vez de disiparla; mis nervios se alborotan y digo cosas, según Galarza, de un carácter romántico delicioso. La noche no termina en el Club; a la mañana siguiente me despierto estropeado, cadavérico, con unas facies de cera; y recordando el juramento prestado la víspera ante mí mismo (los más sagrados, ya que son los más libres), me desprecio, y envidio al que a tales hora reposa, rígido y helado, en el Depósito. Cierro la ventana, y busco en la oscuridad y la soñolencia otra especie de no ser.

LAS CUATRO MEDITACIONES[159]

PRIMER MEDITACIÓN.—EN LA SOMBRA

Alrededor de mí, tinieblas. Allá en el fondo —tan lejos que su contorno se pierde— un disco de claridad. Dentro de él, haciendo la señal misteriosa, la mano descarnada. Cami-

---

[158] Extra dry.—Extra seco. Como habla de una bebida espumosa, debe de ser champagne.

[159] Las cuatro meditaciones.—El estilo versicular en el que las cuatro están escritas se debe probablemente al influjo de *Así hablaba Zaratustra* de Nietzsche. Véase Gonzalo Sobejano, *Nietzsche en España*, Madrid, Gredos, 1967, pág. 184. En cuanto al contenido hay un influjo general de las *Moradas* de Santa Teresa y del *Cántico espiritual* de San Juan de la Cruz. Las dos primeras meditaciones corresponden a la vía purgativa de la mística, la tercera a la vía iluminativa y la cuarta a la vía unitiva, en la que el alma alcanza la unión con la divinidad.

no, y el disco retrocede, y la tinieblas me siguen, como perros negros que no aúllan.

¡Ay de mí! En tinieblas estoy. Desde el primer día me dejaron sola y mis pasos fueron caídas. Oscuridad envolvió mis ojos; telarañas los cubrieron, y sobre ellos creció espesa la carne.

Quiero ver.

En medio de esta negrura, algo hay que me guía. El disco ya no se aleja con tanta rapidez. Se me figura que está quieto... No. Se desvía; pero suavemente, sin malignidad.

Quiero ver. Quiero oír. También este silencio enfría y agobia, como montaña que oprimiese mi pecho.

Una voz desmayada, susurro de un espíritu, que no forma acentos, que es música sin notas, me rodea.

Aliento que no sé de dónde viene, que se mete por entre mis labios, me conforta. La oscuridad es la misma, y sin embargo mis pupilas recogen partecillas de rayos invisibles que sólo en mi interior alumbran.

Quiero seguir andando, llegar a cualquier parte, siempre que vaya en dirección opuesta a mi morada antigua.

Porque yo moraba en paraje horrible.

No lo sabía; y moraba en un cenagal, y mi cuerpo pesaba mucho, a fuerza de estar cubierto del espeso limo.

Ni percibía siquiera las sabandijas[160] de sepulcro que reptaban sobre mi piel, y al través de ella buscaban mi alma. A veces salía del charco y me extendía, para secarme, sobre abrasada arena; entonces los escorpiones hacían presa en mí, y la sed retostaba mis labios, hasta punto de agonía.

Y pensaba yo, en mi error, que las sabandijas y los escorpiones eran hermosos.

---

[160] Las sabandijas.—Nelly Clemessy ha señalado aquí un claro recuerdo de la primera de las moradas del castillo interior de Santa Teresa: «Hay almas tan enfermas y mostradas a estarse en cosas exteriores, que no hay remedio, ni parece que puedan entrar dentro de sí: porque ya la costumbre la tiene de haber siempre tratado con las sabandijas y bestias que están en el cerco del castillo (...) mas entran en ella tantas sabandijas, que ni le dejan ver la hermosura del castillo» (*Moradas primeras*, cap. II). Nelly Clemessy, *Emilia Pardo Bazán como novelista*, Madrid, Fundación Universitaria Española, 1981, pág. 692, nota 13. Véanse también las páginas 680-84 del citado libro para otros posibles recuerdos de los místicos.

Por lo cual más baja estaba yo que ellos.

Torpe era, y sobre mis párpados llevaba excrecencias que no me dejaban abrirlos.

Lo que juzgué sabor era amargura de ajenjo; lo que tuve por cristal era turbieza.

¿Será cierto que ahora voy rectamente? ¿Mis párpados habrán soltado su costra?

Me pesa aún el cuerpo. En el arca del pecho siento gravitar barras de plomo.

Quiero ir ligera, volandera.

Quiero vaciarme del todo, y dejar sitio a lo que va a nacer.

Arrancaré, limpiaré, despejaré, quemaré; con dolor, si es preciso; y mejor si es con dolor profundo.

Hay que quitar lo que oprime; hay que arrojar de la nueva morada a los duendes, a las sombras, a los muertos, a los espectros.

Duendes eran, y agitaban el aire.

Sombras eran, y arrastraban.

Muertos eran, y dolían, como el miembro cortado duele desde el cementerio.

Espectros eran, y hacían gestos para remedar la vida.

Vida les prestaban mis apetitos.

Mis apetitos zumbaban, nube de irritadas avispas.

Quiero abejas.

Quiero mieles, para mi boca seca de amargura.

Atrás los remedadores de vida. Vuelvan a la muerte y a la nada.

Les sostenía mi flaqueza, mi gozo, mi esperanza, mi frenesí.

Y cuando resuelvo enviarles otra vez a su reino irónico de mentira, oigo que el imperceptible murmullo musical forma acentos balbucientes, palabras rotas, que reconstruyo y que se escriben en mí con tinta de oro inflamado.

«Para gustarlo todo,
no quieras tener gusto en nada.

Desnuda tu espíritu:
hallarás quietud.

Apaga tu fuego:

llama muy bella y activa se alzará después.
Avanza en la oscuridad;
tienta con las manos:
si caes, levántate y prosigue.
Séate dulce que corra sangre de las rodillas despellejadas.
No tengas miedo.
En la oscuridad palpita y se estremece tu destino.

Te llaman, te llaman, te llaman desde las tinieblas amasadas con rayos oscuros, como los que atravesaron tu carne y te mostraron tus huesos, tu verdadera figura, la duradera...

SEGUNDA MEDITACIÓN.—LA ESCALA[161]

Desnudo está ya mi espíritu, y sigo andando, andando. Entre la compacta negrura que me cerca, mis pies tropiezan con una escala; mis dedos se agarran a los montantes de hierro, duros, polarmente fríos, y empiezo a trepar.

¿Y si la escala no se apoyase en cosa alguna? ¿Y si bamboleándose conmigo, me precipitase al abismo, donde corre el torrente?

Apenas los pienso, trepida la escala, luego pavorosamente se balancea. Oscila, oscila como un péndulo, y oigo el acompasado retemblar de una campana al golpe del badajo, campana rota, que no suena y vibra.

Me rehago. Me resigno a caer. La escala no bambolea ya.

Sigo la ascensión. Peldaños, peldaños, la sensación de la enorme altura. Vértigo y en las palmas hormigueo, que tienta a abrir la mano y a soltar los montantes. La escala oscila otra vez.

Me rezuma de cada pelo una gotita glacial. La piel de mis manos se ha quedado pegada al hierro raspón.

---

161 La escala.—Alusión a la escala que Jacob ve en sueños, cuando abandona su casa para huir de la furia de su hermano Esaú, a quien con engaño había arrebatado la primogenitura. Era una escala que, apoyándose sobre la tierra, tocaba con el otro extremo el cielo, y por ella subían y bajaban los ángeles (Génesis, 28-12). Es un símbolo de la comunicación entre el cielo y la tierra.

Y al dolor agudo noto mayor ansia de subir, de continuar, de engarzar peldaño con peldaño y tormento con tormento.

Aún no estoy en la cima.

Subo, trepo, me arrastro, alzo el pecho a manera de culebra pisoteada y malherida.

Me detengo, porque se me va el sentido y la fuerza se acaba.

Y entonces advierto que he llegado.

¿Adónde? Se me figura estar al pie de un muro colosal, hecho de tinieblas sólidas.

El muro tiene una puerta; la palpo y advierto la resistencia resonante del bronce. Y en mí brota una voluntad de bronce también; pero ardiente como el bronce cuando corre por canalejas, derretido, en la fundición.

La voz tenue, balbuceadora, musical, me insinúa:

«La materia es limitada; pero no hay límite para ti.

Tú eres árbitra y entalladora y cinceladora de ti misma. Elige.

Podrás degenerar en las cosas inferiores como los ciegos, y podrás transformarte en las superiores y divinas.

Si cultivas tu cuerpo, crecerás como planta; si tus sentidos, te revolcarás como el bruto; si tu razón, serás como los hijos de los hombres; si tu inteligencia pura, como los ángeles; y si volviendo a tu centro te abismas en él, serás espíritu feliz.

Ni a murmurarte me atrevo lo que serás. Arcana es la palabra, arcano el presentimiento.

Déjame morir, y en el mármol de tu cadáver entalla tu estatura nueva.

Así que tenga forma, un soplo de amor la animará.

Y sólo entonces, bajo el soplo amoroso, conocerás que has resucitado.»

Sin aliento y sin ánimo me dejé caer ante la puerta de bronce.

El amor es ponzoña de víboras, pensé y mi corazón está hinchado y negro porque no se recató de la mordedura.

Gangrenadas tengo las entrañas, y en mis venas corre el veneno de su descomposición.

¡He pecado, he pecado, he pecado!

La puerta entonces, majestuosamente, giró sobre sus ejes sonoros.

La sentía abrirse de par en par, y el aire que conmovieron sus magnas hojas me refrigeró, aliviando mi calentura.

La voz cantaba esta himnodia:

«Desde hoy ese corazón graso y pesado y que mordió el áspid va a serte extraído, y en su lugar te pondré otro leve, transparente, de diamante y llama; con él amarás amores desconocidos, ternuras mozas, de aurora y de primavera en floración.

Abierta está la puerta; crúzala. Descubre el pecho; te lo sajaré, y verás cuán dulce es de recibir el corazón niño, cofre lleno de perlas que rebosan.»

Y franqueé la puerta, y todo seguía siendo sombra, pero sombra tibia, cruzada por soplos de brisa como la que viene de agitar ramas de árboles bañadas de sol. Descubrí sin desconfianza mi pecho, y sentí como si me arrancasen todo lo encerrado dentro de su caja y lo arrojasen lejos de mí.

Y en vez de padecer desfallecimiento, mi respiración fue más tranquila y mi cansancio se disipó y mis pies heridos se curaron.

Veía mi nuevo corazón como había visto el antiguo, al través de una placa de cristal; pero éste no palpitaba; lo veía quieto, sin bullicio de sangre, alumbrado por una lámpara inmóvil, muy pura.

Y me dejé caer al suelo, que era de pradería tapizada de flores. Mis manos se hundieron en lo mullido y quedaron impregnadas de buen olor.

TERCER[162] MEDITACIÓN.—LAS LÁGRIMAS

Y lloré copiosamente, de alegría.

Según lloraba, decía muy alto, a fin de que me oyesen:

«Al quitarme mi corazón viejo, pesado y graso, debieran quitarme también este cuerpo donde anidaron los áspides y sobre el cual pasaron los fríos reptiles.

---

[162] Tercer meditación.—Es un caso igual al de «la primer gran señora» comentado en la nota 63.

Quisiera perder estas manos y pies que los clavos no atravesaron, que no se endurecieron ganando pan ni se helaron esperando a la puerta del rico.

Quisiera un cuerpo transido, paralítico, acardenalado, ulcerado, de nervios retorcido por la enfermedad y maceradas y marchitas carnes.

¡Quién se viese en el rincón de un pórtico, envuelta en raída lana, tendiendo la mano, recibiendo el escarnio o la moneda!»

Y la voz de armonía susurró:

«Todavía los sentidos te oscurecen la llama de la lámpara interior.

Los clavos atravesarán tu espíritu, y el dolor será más agudo.

Los padecimientos y miserias de tu alma, peores que si atacasen tu envoltura mortal.

Has tendido la mano pidiendo socorro de bondad, y has sido despreciada, y la escarcha de la noche ha envarado tus miembros.

Has palpitado de sufrimiento; en la tortura has gritado.

Has padecido injusticia, y has tocado con la mano la concupiscencia y la bajeza y la dureza humana.

Y todo eso te ha macerado en mirra, para resucitar de la sepultura.»

Bajé la frente y supliqué:

«Un deseo consume a mi nuevo corazón.

Quisiera saber dónde está el aroma, porque a mí misma no me puedo sufrir; despido hedor.

¿Dónde se encuentra el nardo precioso?

¿El nardo espique[163], el nardo de Judea?

Mientras huela así mi vida pasada, creeré que estoy muerta y que soy como el desventurado a quien he visto ayer corriendo a caballo. ¡Cosa extraña, pues muerto está!

Dime si quieres tú que viva esta pobre mujer, ¡oh infinito, hacia quien voy, pisando eso que tanto les envanece, eso de

---

[163] Nardo espique.—Espicanardo. Es un recuerdo del *Cantar de los cantares*, donde se menciona repetidamente esta planta.

que se pagan, eso que les pudre todas las flores, eso que llaman cordura!

Cuando tú, ¡oh infinito!, me saques del foso profundo, hagan de mí lo que quieran aquellos que tienen forrado de grosura el corazón.

¡Ellos, del corazón, son ciegos y necios, aunque tienen los ojos claros!

Mi corazón ve; y porque ve, lloran mis ojos.

Lloran sin hincharse, lloran sin enrojecer, lloran invisibles lágrimas.

Me baño en un lago tranquilo, del país donde se llora callando.

Este lago de lágrimas y perlas no tiene orillas en cuanto mi vista alcanza.

Y cuando pregunto quién ha vertido tanta lágrima, la voz me contesta que con las lágrimas ocultas, que corrieron hacia dentro, que no quisieron hacer barro, y que son más hermosas que las descaradas en gritos y sollozos.

Porque las margaritas no se arrojan al camino para que las pisoteen animales inmundos, y lo mejor del espíritu no se comunica en la plaza.

Y estas lágrimas secretas hierven al sol del infinito querer, y abrasadas se vuelven fuego.

Como el vino, embriagan, y sostienen como la ambrosía.

Estas lágrimas son ruegos mudos; deseos, ansias, flechas rectas al blanco; estas lágrimas ungen, ablandan, punzan, mueven y fuerzan.

Son la bebida que aduerme y son el rocío sobre la tierra seca, surcada del escorpión.

Al caer ellas en lo árido, verdea y cría espiga.

Acrecienta, mujer, el lago maravilloso, baño de palomas, baño del serafín.

Cada lágrima te acerca a mí un paso; y según lloras, gemas irisadas por luces de felicidad van recamando tus vestiduras nupciales.»

Apenas entré en el lago, cayóse mi vieja piel, mi piel de serpiente.

Ángel me creía en mi orgullo, y serpiente era.

Mi nueva piel blanquea como el lino lavado y asoleado, y las lágrimas adheridas a su superficie me visten enteramente de una túnica de gemas finas, de oriente suave.

No merezco esta vestidura de fiesta real.

Ahora, el infinito se me aparece en su verdadera forma, que es amor, y con su reverberación se enciende el caos y resplandece.

¡Cuánta iluminación!

Nace el amor, se ceba en la infinita hermosura, crece la llama, cobra ímpetu irresistible; nada queda que no se transforme en él.

Ya está hecha la unión, atado el lazo.

Amor, no te conocía. Te buscaba entre muertos, y vivo estás.

Te confundí con sombras, y la luz es consustancial contigo. Te encerraba en mí, y ahora en mí no estoy; está el eterno amante.

¿Dónde me esconderé que no me roben este bien sumo? ¿Dónde celo esta ventura, que no le hagan las brujas mal de ojo? Porque el mundo es corrosivo al amor, y lo disuelve.

Si ven mi rica túnica de lágrimas emperladas, robarla querrán. Moverán las cabezas los necios del corazón, y dirán sentenciosos: Enferma está, transtornadas tiene las facultades.

Y a mi túnica nupcial podrán asechanzas.

Mi hermosura ofenderá su vista.

Me ha dado el eterno amante un resplandor de rostro, un aderezo, que lo ha vuelto más cándido que los jazmines; blancura de humilde fe. Me ha puesto más colorada que el rubí espinelo[164]; porque el calor del amor me enciende y aviva mi esperanza.

---

[164] Rubí espinelo.——La espinela es un mineral que se presenta cristalizado y se emplea en joyería como piedra preciosa. Sus variedades más estimadas

Las caras de los que viven en el mundo me son odiosas; yo conmigo y con el que se ha apiadado de mi larga pena.

Yo conmigo y con el que no miente ni revuelve en su boca engaño y falacia.

Yo sin mí, pues he de darme tan por entero que no se me quede ni sombra mía.

Ni la que era soy, pues ya donde encovaba el dragón nace junco y espadaña, y en el alma sin refrigerio de gracia brota la esperanza tan verde.

No me conocerían los que saliesen a cerrarme el paso: he cambiado del todo, y mi habla también. Me tendrán por extranjera, y ellos ya no saben la senda por donde se va a mi morada.

¿Qué tenían tus otras esposas; dímelo, eterno y leal amigo a quién voy? No más de un alma; un alma también.

Con la misma dote nos recibes, con igual ajuar.

Hiéreme a mí como a ellas las heriste, con llaga que no tiene cura.

Hiéreme hasta que salga de mí misma y me disuelva en ti y en tu regalo.

Hiéreme con la entrañable herida.

No me arañes la piel; hiere en lo central y hondo del alma, y quema y haz cenizas cuanto no eres tú.

Si aún queda algo ajeno a ti, purifica con el cauterio ese residuo.

No he de ver sino tu faz, que es el sol.

No sufres tú que me reparta; no cabe ni lo más limpio si te quita un átomo.

Ni el amor tolera reparto; que si no es todo, no es amor.

Y si permites que así te quiera, dame fuerzas para llevar el peso del bien, a mí que soy débil y caigo rendida.

Si me levanto de noche y te busco y no te hallo, podré creer que tú también me abandonaste.

Y no serviría que yo por ahí preguntase: «Habéis visto al

---

son el rubí espinela, que es de color rojo sangre y al que se llama simplemente rubí; la candita, que es azul; el rubí balaje, rojo vinoso; y la rubicela, rosado claro.

que deseo?» Porque la gente, divertida en pensamientos de vanidad, no me entendería, que no sabe lo que es amor.

Tendrías que volverte y llamarme por mi nombre, con silbo de zagal a oveja muerta de cansancio.

«¿Qué es esto? ¿Mi nombre pronuncian?

¡No hay duda, mi nombre; la música deleitosa del nombre propio dicho con acentos de amor!

¡«Clara! ¡Clara mía!

No te detengas, esposa: la tarde declina, brillan las hogueras en las majadas.

No te detengas: el lobo se preparará a salir de su escondrijo.

No te detengas: yo aguardo en la linde del bosque, y mi casa está enramada de rosas purpúreas, cuyas espinas te clavaré para que gimas de dolor celeste.

¡No te detengas, apresúrate!»

. . . .

La Ayamonte, que tenía la cabeza recostada en la diestra y el cuerpo lánguido reclinado en la meridiana[165] de raso gris, moteada de botoncitos plata, se incorporó súbitamente, respiró con ansia y dijo casi en alto: «Es hora. ¡Algún día había de ser, Dios mío! Tú sabes que esto es lo único que me cuesta trabajo...»

Esparció la mirada alrededor. La habitación, puesta con coquetería, con intimidad, con esa gracia viva que revela juventud, era una especie de tocador biblioteca; sus dos rasgadas vidrieras caían a la calle. Una credencia[166] dorada, de cajoncitos, sostenía Talaveras henchidos de rosas y lilas blancas, acostumbrado regalo matinal del Doctor Luz. El sol de mayo, radioso, entrando por la ventana abierta, avivaba los tejuelos de las encuadernaciones de los escogidos libros de

---

[165] La meridiana.—Especie de sofá, sin respaldo ni brazos, que se utiliza como asiento y también para tenderse en él (DRAE).

[166] Credencia.—Aparador en que se ponían los frascos de vino y agua de que, previa la salva, había de beber el rey o alguna persona principal (DRAE).

poesía y mística, alineados en estanterías bajas de madera de limonero. Un primoroso retrato francés, de dama empolvada y profanamente descotada, sonreía con incitativo melindre, a plomo sobre la meridiana recargada de fofos almohadones con espuma de encajes y hopitos[167] de cinta: «la jaquequera», según Micalea de Mendoza. Y en un ángulo de la estancia, descansando en grácil estela alabastrina ornamentada de bronce a cincel, el grupo delicadísimo de Psiquis y el amor se enlazaba, blanco y casto en medio de su transporte. Los muebles, el decorado, sonreían, halagaban, alejando toda idea de ascetismo. Nada menos ascético, más mundano que el atavío de Clara. Aunque para salir a la calle la Ayamonte vestía con lisura[168], sin picantes y especias de ultra moda, dentro de su casa era refinada, y pendían en su ropero vaporosos *deshabillés,* y en sus armarios se apilaba un ajuar exquisito, nivoso[169]. En aquella mañana, el crespón de China color rosa té de su *vatteau*[170] se plegaba incrustado de rombos de amarillenta guipure antigua, y calzaban sus estrechos pies chapines de raso sobre medias de seda, transparentes de puro caladas y sutiles. Sin saber por qué, al romper a andar, este detalle de indumentaria fijó la atención de la ahijada del Doctor Luz. Se diría que era la primera vez que notaba la extremada sutileza de sus medias. Pensó: «El pie casi desnudo, el pie descalzo, puede decirse.» Y sonrió de un modo involuntario.

Salió de su habitación, y por angosta escalerita de caracol, reluciente de frotaje, de enterciopelada barandilla, bajó pron-

---

167 Hopitos.—Diminutivo de hopo: copete o mechón.

168 Lisura.—Sencillez. En los ficheros de la RAE hay ejemplos antiguos de esta acepción, recogidos en Tirso, Cascales, Jovellanos... Aplicado al modo de vestir, se encuentra este término en el cuadro de costumbres «El ama del cura» de José María Tenorio, publicado en *Los españoles pintados por sí mismos (1843-1844),* Madrid, 1851, pág. 23: «En los pueblos pequeños y en las aldeas presentan más lisura, pero siempre el ama se diferencia de sus convecinas por el aseo, primor y finura de la tela de sus ropas.» Agradezco a Pedro Álvarez de Miranda su información sobre este término.

169 Nivoso.—Según el DRAE, «que frecuentemente tiene nieve». Doña Emilia lo emplea en un sentido nuevo: de color y aspecto de nieve, es decir, blanquísimo y esponjoso.

170 Vatteau.—Se trataba de una especie de capa o bata amplia de tela sutil, semejante a la que visten las mujeres de los cuadros de Watteau.

to al otro piso, a las habitaciones del médico; atravesó la sala de confianza donde se reunían de noche, y se detuvo un minuto antes de pegar con los nudillos en la puerta del despacho. Su respiración se apresuraba, su garganta se cerraba, y repetía para sí: «No hay remedio, no hay remedio.»

—¡Entra, Clara, criatura! —dijo la franca y simpática voz del Doctor.

—¿Estás solo?

—Ya no —respondió él cariñosamente, abriendo y haciendo los honores. Sin conceder tiempo a ninguna zalamería, imperiosamente, la dama exclamó:

—Da orden de que no recibes a nadie. Tengo que hablar contigo cosas reservadas.

El Doctor se estremeció. Temblón de pulso, hirió el timbre y, al asomar el criado, formuló la orden. Clara esperaba, flechada la voluntad, procurando la calma de las conferencias supremas.

—¿De qué se trata? —preguntó con cierta dignidad Mariano. Su voz se había quebrantado un poco, y su sangre refluía al corazón, en oleada de angustia.

—Quiero que lo sepas antes que nadie, como es natural. Aunque soy árbitra de mí misma y no es un consejo lo que vengo a pedirte, padrino, a ti solo confiaré que voy a tomar estado...

—¿Estado? —repitió él, sin comprender. ¿Qué novedad era aquella? ¿Se habría arreglado lo de Silvio?

—Estado... Voy a retirarme a un convento.

El choque fue violentísimo. Luz brincó de sorpresa en el sillón, que había recibido, en dilatadas horas de trabajo y quietud, la impronta de su cuerpo. Sin embargo, algo parecido a lo que oía se le había venido a las mientes en los últimos tiempos, y determinaciones más trágicas había recelado. Formas del no ser temía para Clara: ésta, sólo como una centella de extravagancia le había cruzado el cerebro. Le asombraría quien le recordase que él mismo había enseñado a Clara la definitiva verdad, la verdad mística por excelencia, en un experimento modernísimo de laboratorio.

Sobresaltado, Luz despotricó como un demente.

—Vamos, ya te pescaron, ya hicieron presa en ti... ¡Tus

frecuentes salidas de esta temporada eran a la iglesia, y allí habrás tropezado con algún cura o fraile listo, con un intrigante...! La mujer es materia dispuesta para tales cosas... Ea, sepamos el nombre del embaucador; ése no desconoce la cuantía de tus rentas...

Fruncido el entrecejo, desdeñosos los labios, Clara pronunció con lentitud categórica:

—No me crees tú capaz de mentir. ¡He ido a la iglesia espontáneamente, porque... se me ha ocurrido; he resuelto lo que he resuelto, antes de haber cruzado palabra con nadie acerca de... de estas cuestiones; me he arrodillado en el confesonario ayer por... por primera vez, desde hace años! Y *allí, allí* mismo, no he dicho palabra de mis planes. Ya quedas enterado, ya sabes tanto como yo.

Luz se cogió desesperadamente la cabeza entre las manos, silencioso. Apoyaba los codos en el tablero de la mesa, atestada de papelotes y libros, y su pelo revuelto, desbordándose de los dedos convulsos, que se incrustaban en el cráneo, le daba semejanza con una figura plañidera de titán aherrojado, vencido.

—Vamos, un poco de valor —murmuró Clara...—. ¡Yo te querré igual desde... desde allá, padrino! ¡Sólo por ti sentiré dejar el mundo, que ya sabes que vale... bien poco! —añadió con repentino alarde de humorismo, llegándose al Doctor e intentando besarle en la frente, cubierta por los mechones de la melena. Luz se retrajo con una especie de gemido, y al separarse los dedos, pudo ver Clara los ojos, a la vez húmedos y ardientes, la cara desencajada de dolor.

—Imposible parece que tú... —murmuró; pero el Doctor, brusco y enloquecido, la rechazó, haciendo un ademán insensato.

—¿Yo? ¡Sí, yo debo alabarte la ocurrencia! De ingratos estaremos rodeados siempre; de ingratos, de sordos, de impíos. ¡Vete, vete! ¡Déjame abandonado, a mis años, con el recuerdo de penas muy crueles, que no te he contado jamás! ¡Déjame, destrozado, al borde del camino, y vete a cantar cánticos! ¡No tienes nada debajo del lado izquierdo del pecho, ni me has querido en tu vida!

—Tranquilízate, padrino mío, por favor —repitió Clara

dos o tres veces, como si aquella invitación a la tranquilidad se la dirigiese a sí propia. Luz proseguía, desatado:

—¡Yo no he antepuesto nada a ti! Hasta mis aspiraciones a dejar mi nombre unido a algún adelanto, me importaron menos que tu bien. ¡Ya ves si te quiero! Todo por ti... ¿Tienes algo de que acusarme? ¿He mostrado egoísmo nunca?

—¡Te estoy agradecida... infinitamente agradecida...! No me pesa sino afligirte... Si no me has enseñado a conocer a Dios, padrino, ha sido... porque creíste que no lo necesitaba. En eso te equivocaste, pero sin mala intención. Cuanto pudiste y supiste, otro tanto me diste. ¡Mi... mi misma conversión es obra tuya!

Luz se levantó, echó atrás su melena leonina, y súbito envolvió a Clara en los poderosos brazos, apretándola hasta sofocarla.

—Te digo que no te irás —balbuceaba, perdida del todo la serenidad que su guerrera profesión y sus hábitos de labor científica le habían infundido siempre—. ¡Te digo que no te irás, que no te apartarás de este viejo, que tengo el medio de que no te apartes! ¡Y no lo harás, no me dejarás solo, aunque te hayas vuelto tigre! Clara, Clara... ¿Cómo no lo has sospechado? ¿Cómo no lo has adivinado? No se trata de abandonar en sus último años a tu padrino, a tu tutor... Soy tu padre: ¿Lo ves? ¡Soy tu padre! ¡Tu verdadero padre, el que te ha engendrado, a quien debes el ser!

Ella no dio un grito ni trató en el primer instante de desenramarse de los brazos... Dijérase que, sin saber aquella verdad atroz, la cobijaba en la conciencia, la sentía que perturbaba el culto del pasado, el sagrado culto de los muertos, el primitivo. Por algo habíale sido indiferente siempre el recuerdo del padre presunto, cuyo nombre tantos años llevó; por algo a la memoria materna había dedicado no sé qué nostálgica ternura, más de compasión que de veneración. Comprendía ahora la causa secreta de su especial manera de sentir, de sus exaltaciones pasionales, incorporadas a la masa de la sangre hereditariamente, desde las entrañas que la concibieron entre remordimientos y temblores, en hurto y delirio; y tan hondo se le había hincado ya a Clara el dardo de su nuevo espíritu, que su primer pensamiento fue para el alma de su madre, impurificada, separada del cuerpo antes de la expiación. «Yo expiaré por ti...» Y despacio, sosegadamente, anegada en llanto, llorando la culpa ajena, se desvió del médico.

Luz se engañó respecto al manantial de aquellas lágrimas, y se precipitó suplicante.

—¡Tu madre era muy buena! Mejor, mejor que cuantas mujeres he conocido. Sólo respeto merecía; si alguien procedió mal, fui yo. Es decir... mal no procedió nadie... De esas cosas... Si me permites que te refiera...

Clara hizo un ademán de infinita nobleza: extendió la mano y la apoyó abierta sobre la boca anhelosa, barbuda. El padre la devoró a besos ávidos.

—¡Ni palabra!... ¡Ni palabra! No soy yo quien ha de tomar cuentas, no soy yo quien puede acusar ni excusar. Mi madre era más buena que yo; sabes que no lo digo por hipócrita afán de rebajarme. Soy indigna de mi madre, y también de ese cariño tuyo. ¿Ves cómo el mundo no es mi puesto? Perdóname. ¡Perdonémonos! Necesito ser perdonada.

Al hablar así la Ayamonte, pagó al autor de su vida el abrazo. Aquellos dos seres, unidos por el más fuerte vínculo —una misma carne, dos espíritus de esencia tan distinta—, permanecieron buen trecho abrazados, enviándose calor de consuelo contra el frío de la inevitable desgarradora escisión. Y cuando Clara, deshecha en suspiros y en sollozos, se desenraizó y trapuso el umbral, Luz no hizo nada por detenerla. Se echó en el sillón de nuevo, idiota de estupor y de espanto, pesaroso ya de haber dejado volar su secreto, ave sombría, por la ventana de la boca.

. . . .

Los primeros días que siguieron a la grave confidencia fueron de tregua; de esos periodos en que el destino parece detener su paso y dejar que nuestro existir corra indiferente. Ni Clara ni Mariano Luz volvieron a referirse a lo hablado: lo evitaban como se evita tocar a dolorosa llaga. Extremaban, en cambio, recíprocamente, las consideraciones afectuosas, llegando a la exageración, síntoma peculiar de ciertas situaciones difíciles; se diría que en archisensible balanza pesaban

319

las palabras y hasta los gestos, por no provocar conflictos. Había dejo de tristeza y honda preocupación en dichos y hechos, pero disimulado con atenciones, por parte de Luz, más que nunca amantes; y por parte de Clara, con respeto y significativa dulzura.

Corrida una quincena, Mariano empezó a vislumbrar una chispa de esperanza, por el favorable cambio que creyó observar en las costumbres de la convertida. Clara, a la verdad, tampoco antes había hecho extremos de devoción, ni manifestado en severidades de traje y de aspecto el sentido reciente; pero ahora parecía haber vuelto por completo a la normalidad social. El Doctor, al espiarla, como espía, hasta sin querer, la ansiedad del cariño, notó que se dejaba llevar a reuniones, teatros y paseos por la alborotapueblos de Micaelita y su fastuosa y divertida mamá, la de Mendoza; y la ilusión de felicidad, tan agradecida al riego, pues no desea otra cosa sino lozanear, lozaneaba. «He temido —pensaba Luz— cosas peores, si cabe, que la eterna separación en vida; he temido el suicidio... y me equivoqué. Puede ser que tampoco sea esto otro..., a pesar de habérmelo notificado. La vida se remedia a sí misma de un modo insensible; se lame las cuchilladas y se las cura.» ¡La vida! El médico tenía en ella fe inagotable. A pesar de rudos embates, no había podido perderla. Vencido tantas veces por el no ser, el ser, con sus reacciones, sus energías, su potencia oculta o triunfante, era el numen del Doctor. Otra razón le impulsaba a confiar en que la tempestad se disiparía. A pesar del amplia facultad de comprensión que se desarrolla en los sabios observadores, Luz no comprendía la resolución de su hija; y al no comprenderla, no creía que se realizase. «Es el sexo —repetía— es la ley fisiológica... Es la curva de la calentura del desengaño... Eso tiene su ciclo, su desarrollo fatal. ¡Monja! ¿Acaso persiste en tal idea una mujer como Clara? ¿Acaso se renuncia así a todo? ¿Suceden ahora, en nuestra época, cosas sólo vistas en libros devotos, en tallas de retablo?» Experimentaba la incredulidad del hombre en plenitud de vida ante la idea de que la gente se muere, y de que él también se ha de morir.

Le cegaba además la influencia que en su juicio ejercía la profesión. Inteligentísimo y naturalmente bueno como era, no podía alcanzar, sin embargo, más allá de lo que permitía la índole de sus serios, útiles y circunscritos estudios. Era el límite forzoso, inevitable. El sentimiento, en Luz, no alcanzaba la refinada complejidad que revestía en su hija. Tocaba, manejaba, aliviaba males y miserias del cuerpo; el dolor de lo infinito no sabía estudiarlo.

Siempre que se encontraba en presencia de ese dolor raro y sublime, lo maldecía. ¡La madre de Clara —a quien había adorado con tal vehemencia y exclusivismo— sentía ese dolor en forma de remordimiento y pesar de cada hora, un reconcomio que fue minando su salud y contribuyó no poco a acelerar su prematura muerte! Recordaba el Doctor sus infructuosos esfuerzos para sosegar la pobre alma aterrada, la pobre conciencia estremecida, con un género de terror y de estremecimiento que no se originaban de haber ofendido y engañado a ningún hombre, de haber quebrantado ninguna ley humana, sino de haber olvidado lo infinito, encenagándose en felicidades de arcilla. Ni entonces ni ahora, cuando con tan patente atavismo reaparecía en la hija el espíritu de la madre, dejaba Luz de atribuir el fenómeno a la materia, menospreciada por las dos idealistas; a las leyes orgánicas que la rigen y regulan. ¡El sexo! ¡La fisiología, fuerzas vitales, actividades desconocidas de células! De este concepto de los fenómenos afectivos que sufre la mujer, dimanaba el curioso criterio pedagógico que había presidido a la educación de Clara. Al contrario de lo que se hace con la mayoría de las muchachas, a quienes se inculca esmeradamente el recato y la grave responsabilidad en que incurren al perderlo, a quienes se enseña una religiosidad que los varones no practican, a Clara como si la preservase de un contagio, la había aislado el Doctor de tales influencias y prevenídola contra ellas. A ser posible, el Doctor practicaría a Clara la extirpación de la conciencia religiosa y moral, para evitarle la tortura del escrúpulo, la protesta del ideal, el terror de la falta, la amargura espiritualista. Se vive mejor en las regiones bajas, mullidas de vegetación, del puro instinto satisfecho, que no clava su aguijón en la memoria. «Instinto es lo que da guerra a Clara —pensaba él—, pero instinto transformado, complicado. Cuando se producen estas reacciones de religiosidad en la mujer, es que quiere olvidar amor falleciente, o combatir amor naciente. Pero si vuelve al mundo, como está volviendo ella, es casi infalible que encuentre derivativos y vaya a la normalidad.»

No era fácil que Luz se diese cuenta de su error. Las dos almas de mujer (lo que él más había adorado en el mundo), lejos de equivocarse confundiendo la conciencia y la pasión, se equivocaron al entrar en los infiernos pasionales, donde encontraron la maldita llama y los sabores de ceniza de las manzanas del Mar Muerto[171]. El Doctor, en el transporte instintivo de su cariño, había pretendido inútilmente cerrar a Clara el camino de la gran verdad. No necesita esta verdad, que es la esencia misma de ciertos espíritus, que se la inculquen ni que se la prediquen. Se aparece, se abre paso a despecho de todo, y un día campea entre las espinas y las rosas, más alto que ellas, el tallo recto de azucena blanca. Sentimiento tan profundo y misterioso como el que hace germinar el bulbo de esta flor pura, no puede calmarlo, debe exasperarlo el escandecimiento de la pasión. De esta clase de afecciones, Luz nada sabía; había procedido con Clara, por ternura y celo, como procedería su mayor enemigo. Más allá de la ciencia, al arcano de un alma superior, su exigencia insaciable, insatisfecha, se le escapaba al sabio en la doctrina de curar y preservar el organismo. Pastor torpe, por esconder a la querida cabritilla la montaña y sus alturas, la había conducido entre matorrales pinchones y desgarradores, y ahora la veía, sangrienta y jadeante, írsele de las manos. Invocando, sin saberlo, el auxilio de los enemigos del alma, de las fuerzas secretas del pecado, que actúan sobre la decaída humanidad, el Doctor fiaba en aquel *mundo* donde veía agitarse a Clara otra vez, y en el cual los anhelos íntimos se extinguen, las aspiraciones profundas se calman, el sentimiento es objeto de ironía, y la vanidad, infladora de globos, lo llena todo con su aire cálido.

. . . .

---

[171] Las manzanas del Mar Muerto.—Creo que se refiere a las manzanas del árbol del Paraíso con las que Eva fue tentada. Se decía que el Paraíso Terrenal estaba situado al norte de Mesopotamia, en una zona, por tanto, próxima al Mar Muerto.

No sin gran satisfacción supo que aquel diablillo de Micaelita y el torbellino de su madre, en quien el prurito agitante crecía con los años, se había apoderado de Clara y la zarandeaban más que nunca. Volvían de pasar en Sevilla las ferias, y Adolfina se dedicaba a pilotear en Madrid a varias extranjeras que había conocido allí, amigas también de la duquesa de Flandes. Eran inglesas, elegantes y excéntricas, curiosas, ilustradas y fútiles a la vez. Invitadas a una comida de aparato en la Embajada Británica, se contó con Adolfina, y para el *après diner,* con Clara, que se presentó, por cierto, bien prendida y más guapa que de costumbre, luciendo un traje primoroso de raso fofo azul, golpeado y franjeado de prímulas de gasa, envío reciente de un maestro en costura. En aquel sarao, las extranjeras, entre las cuales se contaba la renombrada lady Mortimer, contrajeron de esas superficiales relaciones mundanas, basadas en gustos de *sport* y en comezones de galanteo. Dos o tres muchachos de la alta, que empezaban a olfatear el automovilismo[172], entonces muy exótico en Madrid, se ofrecieron para acompañar a las inglesitas en sus excursiones a El Escorial, Aranjuez, Ávila, Toledo, Segovia, amén de castillos y cazaderos donde las invitarían y agasajarían. Se preparaba un fin de mayo y un principio de junio de diversión aristocrática, entre un grupo escogido y contado.

—Figúrate —decía Clara al Doctor, que embelesado la escuchaba— cómo estará de hueca Adolfina; hasta la fecha, no había conseguido ligar enteramente con ciertos cotarros. Las inglesas le han echado un cable. Ver a Micaelita entre Manolo Lanzafuerte, Julio Ambas Castillas, Lope Donado y ese lindo atlético de Werlock, el secretario de la Embajada, un Antinoo[173] que las trae revueltas a todas! Te digo que Adolfina no

---

[172] El automovilismo.—Era deporte de la clase alta, en efecto. Comenta Almagro San Martín: «En la Villa y Corte hay ya siete y ocho coches automóviles (...) Meten mucho ruido, dejan una estela de humo que apesta; pero pueden desarrollar grandes velocidades (...) Las principales casas que los fabrican hoy son Dion-Bouton, un coche con ocho caballos y dos velocidades, que vale 4.900 francos; Renauld Frères, motor de cuatro cilindros, y Panhard, sobre uno de cuyos modelos, de doce caballos, el mecánico francés, Antoine, está enseñando al Rey a conducir.» (*Biografía de 1900,* pág. 220.)

[173] Antinoo.—Esclavo de gran belleza que pasó a ser compañero insepa-

cabe en su pellejo. Van a correrla por ahí. Para la primer correría ¿no sabes? estoy invitada.

Decíalo con un brillo de ojos y una expansión de sonrisa irradiadora, que Luz tradujo por alegría orgullosa, placer de vanidad social satisfecha.

—¿Adónde iréis?

—No está resuelto aún —contestó Clara—. Lo decidirán mañana; Adolfina ha invitado a los expedicionarios a un almuerzo en Lhardy.

En el lujoso restaurant se trazó, en efecto, entre buche y buche de *brut* y bocado y bocado de *espuma* de hígado graso[174], el programa de la primer excursión, a la cual concurrirían, además del automóvil de lady Mortimer, un magnífico Panard de Manolo Lanzafuerte y el Mors de Lope Donado, que se prestó solícito al enterarse de que se contaba con Clara Ayamonte. Donado, cuya fortuna tenía desportillos, rondaba a Clara desde hacía tiempo, atraído por el caudal sano y jugoso y también por la mujer, que se le había mostrado formal, quieta, reservada, en grado humillante para sus pretensiones. La conquista de Clara, por lo legal o lo ilegal, era ya empeño, no sólo de interés, de amor propio. Contaba con la libertad, el roce y las ocasiones del viaje.

La víspera de la expedición, Clara estuvo con el Doctor derretida en cariño, como si quisiese compensar los cortos días de ausencia anunciados.

Esto a lo menos discurrió el padre, que con tal avidez recogía, desde la conversación decisiva, los indicios del sentimiento que Clara podía profesarle. Bebió, lo mismo que se bebe el cordial que ha de devolvernos fuerzas y con ellas la vida, aquellos halagos dulces, aquella humildad tierna y sumisa con que Clara le dirigía la palabra; aquel afán pueril de no separarse un minuto de su lado, de apoyarse en su hombro, de mirarse en sus ojos, de mimarle. Luz pagaba estas de-

---

rable del emperador Adriano (76-138). Murió ahogado en el Nilo (año 130) y para honrar su memoria el emperador lo deificó y mandó erigir templos en su nombre. Se ha convertido en símbolo de la belleza masculina.

[174] Espuma de hígado graso.—Traduce literalmente la comida francesa «mousse de foie gras».

mostraciones extremosamente. En su deseo de identificarse con Clara, quiso que le enseñase el traje de camino, de masculina forma, el amplio abrigo-saco color polvo, el sombrero de fieltro, donde gallardeaba un pichón con las alas extendidas.

—¿A qué pueblo, por fin? —preguntó.

—Creo que la Mortimer quiere empezar por Ávila —declaró ella con velada voz—. Padrino, mucho sentiría tener que ponerte un telegrama llamándote para componerme alguna fractura. Porque me enchiqueran en el automóvil de Donado...

—¿Tú adorador? —preguntó Luz alegremente.

—Sí... El mismo.

—Te cuidará...

—Al contrario... Querrá lucirse como *chauffeur*, y nos estrellaremos —murmuró Clara siguiendo la corriente de la broma—. Yo tampoco soy muy prudente; me gusta llegar pronto, ¡mejor cuanto más pronto! y seguramente le gritaré todo el tiempo a Donado: «aprisa, aprisa...»

Tal es la sugestión del acento amado, que las restantes precupaciones de Luz se borraron ante la que Clara acababa de suscitar; y lo único que oprimía su corazón al despedirse, a la mañana siguiente —al recibir un abrazo extraño, violento, nervioso, al sentir bajo el velo tupido, alzado un instante, humedad y calor de labios que se imprimían fuertemente en sus barbadas mejillas— era la amenaza del peligro físico, la idea aterradora de un vehículo hecho astillas, gravitando sobre un montón de carne magullada y rotos huesos.

«¡Cuidado!» —suplicó—. Y Clara, silenciosamente, se desprendió temblorosa de sus brazos, bajó la escalera balanceando el saquillo de cuero en que había metido aprisa algunos billetes de a cien y una carta de letra grande, muy española, de ancho timbre, basto, arcaico.

. . . .

En el coche que lleva a la Ayamonte va también Micaelita, ebria de alegría, de velocidad, de travesura y riesgo. Impelido por la presencia de Clara, Donado aprieta, aprieta; propónese dejar muy zagueros a los otros dos autos, y sorprender a los compañeros con tener ya preparados, cuando llegasen, alojamiento y refacción en Ávila. Julio Ambas Castillas, fijándose por primera vez en que la chica de Mendoza es muy salada, bromea con ella sin cesar; supone lances terribles, accidentes fantásticos, un perro aplastado, un salto mortal, un choque con un toro de puntas. Clara, lejos de asustarse, ríe, anima al *chauffeur*.

—¡Más velocidad! ¡Toda la que se pueda! ¡Toda!

—¡Qué barbiana[175] está! —piensa Donado—. ¡Debe de ser tremenda! ¡Fíese usted! Verdad que en estos viajes es cuando se descubre a las personas. Es, de seguro, una grande, insaciable y valerosa enamorada.

Volaban sin el menor tropiezo, yendo el recorrido lo propio que una seda. Los carreteros y trajineros miraban atónitos al artilugio trepidante, que respiraba con resuello de monstruo y que ni tiempo les daba a enterarse de su hechura. Volaban; los grises poblados, las casuchas aisladas que, como arenas de sal, granean los desiertos de Castilla, las áridas llanuras, los chaparrales y robledos de polvoriento verdor, los trigales frondosos salpicados de gotas de sangre viva por las amapolas, desaparecían apenas entrevistos, mientras el aire torrencial se metía en los pulmones, sofocaba a fuerza de impetuosidad. Ya el paisaje cambia de carácter: la crestería azul de la sierra se dibuja en dentelladas más agudas, y sobre la inmensa, ilimitada aridez del resquebrajado terruño, ruedan sueltos los gigantescos cantos, recordando desparramados proyectiles de una batalla de titanes. Micaelita, un momento, se asusta de aquel ceñudo y sombrío fondo.

—¡Parece una lámina del infierno de Gustavo Doré![176].

Ya están al pie de las murallas de Ávila. Seguros de haberse adelantado, moderan el paso para entrar en la ciudad melancólica, adormecida. Su llegada la alborota: la gente sale a las

---

[175] Barbiana.—Adjetivo: desenvuelta, gallarda, arriscada (DRAE).

[176] Gustavo Doré.—Pintor, dibujante y grabador francés (1832-1883). Ilustró las obras más importantes de la literatura mundial, entre ellas *La Biblia*, el *Quijote* y *La Divina Comedia* (a la cual se refiere la cita). Es por su estilo un romántico tardío, que gusta de los contrastes, el misterio y lo sublime.

puertas para ver el artilugio, vivo contrastre con cuanto la ciudad representa. Delante de la fonda se junta una piña de curiosos, de admiradores, de mendigos, de viejas que columpian la cabeza, se santiguan, desaprueban y rezongan maldiciendo de inventos y novedades. Es el primer automóvil que ha llegado a Ávila de los Caballeros, a Ávila de los ascetas y los santos, a Ávila del éxtasis; y Donado, haciéndolo notar entre chanzas, habla de banderas como las que los alpinistas suizos clavan en ventisqueros inexplorados.

Cuando después se comentaron las mínimas particularidades de la expedición, que, según lady Mortimer, había de ser para ella inolvidable y digna de referirse en Inglaterra por su carácter eminentemente pintoresco y emocional, español neto, fijáronse en la circunstancia de que Clara, después de recluirse en su habitación una media hora, para quitarse el polvo y arreglar traje y peinado, descendió al comedor de la fonda, que está en la planta baja, y allí, pacientemente, esperó la llegada de los demás expedicionarios. El automóvil de Lanzafuerte quedaba atrás, no se sabe con qué avería. Pero Clara vio bajarse del de la Mortimer a Adolfina, que venía hecha una breva y transida de miedo, y la dijo en tono natural:

—Ahí arriba tienes a tu hija. Está aseándose. Te la he guardado bien.

Y, cambiando algunas frases de cortesía y bienllegada con las extranjeras, subió otra vez a su cuarto. Minutos después bajaba atusada, de abrigo, de sombrero, arrollado al cuello un boa de plumas. Los compañeros de viaje, o se embellecían recogidos en sus aposentos, o daban instrucciones a los mecánicos. Clara, en la primer calleja, tomó de guía a un pilluelo, a quien cargó con su saco.

—¡Al convento de Carmelitas descalzas!

La presentación de la carta del Obispo a la Abadesa hizo que la tornera franquease de par en par el portón, rechinante de vejez y herrumbre.

—Nuestra Madre está en el coro —dijo solícita—. Pase; enseguida acaban.

Y las hojas de la puerta volvieron a cerrarse, la llave y los cerrojos a asegurarlas, archivando el arcano de Clara, celando

327

entre sus valvas tristes y ásperas de ostra criadora la perla sentimental.

—«¡Clara, esposa mía! No te detengas: ya declina la tarde...»

*

(Hojas del libro de memorias de Silvio Lago.)

Junio.

—¡...Merece consignarse! La Ayamonte ha entrado en un convento.

Y lo hizo de un modo original. Formaba parte de la expedición de automóviles —creo que la primera organizada aquí— en obsequio a lady Mortimer, inglesa muy *smart*, a quien voy a retratar por recomendación de la Flandes, que empieza a lanzarme para mi futura campaña de Londres. Dicen que Clara iba animadísima, con traje de *auto*, velo enorme y antiparras abultadas. Hasta aseguran que flirteaba con Donado, en cuyo vehículo hizo el viaje.

Donado batió el record; Lanzafuerte se quedó detenido en una venta, con averías, gracias que no en los huesos. Al llegar a Ávila, término de la expedición, Clara subió a arreglarse; apenas llegaron los otros expedicionarios, salió sola y se fue disparada al convento de las Carmelitas. Parece que a prevención llevaba una carta del Obispo para la Superiora, y desde dentro escribió otras dos: una a su cuñada, expedicionaria también, para que no extrañase; otra a su padrino, despidiéndose. Por cierto que cuentan que está como loco el padrino. Ahí había algo más que padrinazgo.

A mí no me ha escrito la romántica novicia.

Encuentro de buen gusto no hacer aspavientos antes de poner por obra una determinación como esa; y me es simpático que Clara huya de las Órdenes modernas, no quiera ser de las monjas correnderas, que pisan con zapatos gordos, a las cuales nos encontramos en el tranvía y en el ferrocarril, y sabemos que cuidan a los viejos catarrosos o se dedican a moralizar a las criadas de servir, lo cual será muy santo, pero es pedestre. No; la pálida Ayamonte necesita el ambiente contemplativo, el misterio de las monjas reclusas, de huerto y coro. Su poesía lírica reclama este fondo, en que tanto hay de arte. He de ir a Ávila sólo para mirar las tapias y las rejas del convento, donde probablemente por mi causa vive dichosa una mujer.

¡Sí, señor; dichosa! ¿No tejemos la felicidad con el hilo de nuestros sueños? ¿No es el mundo quien rompe y mancha el tejido? Clara, ahora, libremente, extiende y goza la rica tela, que debe de parecerse a los bordados góticos de las casullas de Toledo. (¡Los he visto anteayer! ¡Vaya unos bordaditos!)

Envidio a Clara. *Se ha realizado.* Por ahí no se habla de otra cosa. La gente anda desorientada. Sospecha, olfatea; pero, en su egoísmo superficial, no ahonda.

Sentiría, la verdad, encontrarme con el Doctor Luz.

De todos modos, ¿qué reproche, qué acusación podría dirigirme?

He procedido bien; he rehusado una fortuna que tentaría a muchos; y, sin embargo, no estoy tranquilo.

Fuerte lazo nos une a aquellos que padecen por nosotros. Líbreme Dios de tratar de ver al Doctor; acaso no vuelva a tropezarme con él en la vida; y, sin embargo, él y Clara existirán por mí, con existencia más real que la de personas a quienes todos los días hablaré. Un hilo invisible, una corriente secreta va de mí a esos dos seres, en cuyo destino he influido tan activamente. Por eso me empeño en creer que Clara es feliz... en su convento, soñando.

*

Esto no es drama, sino pasillo de risa.

Estoy en el pináculo de la moda. El ahogado runrún relativo a Clara; el probable encargo de Palacio; el retrato de la Flandes, son causa de que se disputen la vez para posar las bellas. Las enemigas que tengo —la Camargo y la Calatrava—, en honor de la verdad, no se han ensañado, quizás porque el odio es una energía incompatible con las vanidades y futilezas. Me llueven encargos; tengo que engañar, como las modistas.

Con exigencia inmediata se me presentó la condesa de Imperiales, y el aplazamiento exaltó su antojo: su amor propio entró en juego. Porfió, rogó, casi lloró; y yo, no sé explicar la causa, me aferré en no darla turno hasta dentro de dos meses.

—Si no puede usted retratarme enseguida —suplicó ella entonces— *por lo menos* véngase usted a almorzar conmigo mañana, en confianza enteramente.

Como voy siendo (lo noto y no lo puedo remediar) algo fatuo, se me figuró... Se hinchó más mi fatuidad, cuando vi que habíamos de almorzar en *tête à tête*. La Imperiales estaba dislocada, nerviosa (eso lo nota siempre quien no es lerdo); apenas comía, hablaba salteado, sufría distracciones y me devoraba con los ojos, a hurtadillas. Es mujer todavía guapa, morena, de tez limpia de artificios de tocador. Sobre su labio, un dedo de bozo la hace vulgar. Sospecho que el bozo este, que amenaza subirse a mayores con los años, ha tenido la culpa de que yo no la quisiese retratar pronto. Estaba vestida con alta coquetería, con ciencia de lo que conviene a su tez: funda azul pálido muy incrustada en encajes rojizos rebordados de perlitas, entre las cuales flojeaban hilos de amortiguado oro. Dos pesados borlones bizantinos, de perlas verdaderas, colgaban de los remates de su estola.

Confirmó mis suposiciones el estudio de este traje. ¿Qué fue cuando, bebido el último sorbo de café, dada la última chupada al cigarro turco, se levantó, me hizo seña de que la siguiese, y, atravesando salones suntuosos, me condujo a un gabinete en figura de rotonda, con cierre de cristales, que es una diminuta estufa llena de plantas raras? ¿Cuándo vi que cerraba la puerta y daba dos vuelta, firmemente, a la llave? Por fortuna, no cometí la ligereza de corresponder a tan extraña acción con hechos ni dichos, a mi parecer, adecuados. ¡Si lo hago, me luzco!

Apenas encerrados, la dama se volvió hacia mí, y con ademán expresivo señaló a una mesa. Miré, y distinguí hacinados un caballete, una caja de colores, rollos de papel, tableros: los chismes del oficio, nuevos, flamantes, excelentes (me pertenecen ya, me los ha enviado al taller). En voz emocionada —voz que salía de muy hondo— ordenó la señora:

—A sentarse, a retratarme ahora mismo; la luz es buena... ¡Sin objeción! ¡No la admito!

Mal repuesto de la sorpresa, empecé a presentar dificultades; absolutamente no podía; me esperaban en mi taller a las tres y media; me comprometía a volver pronto; daría a la Condesa, sin dilaciones, hora en mi casa, pues tal era su empeño... Pero ella, colocándose delante de la puerta en la actitud de la Valentina de *Hugonotes*[177], abriendo los brazos, echando lumbres por unos ojos españoles todavía muy flecheros, exclamó:

—¡De aquí no sale usted, así sean las cinco de la madrugada, mientras no me haya retratado! ¡Que no sale, he dicho! A menos que emplee la fuerza... A menos que me pegue...

La situación no era para tomarla por lo trágico. Mejor reír. Ella también reía, con enervante risa, que la obligó a sentarse, a secarse los húmedos ojos. No aproveché el momento para hacer girar la llave y zafarme del compromiso. Decidido, me instalé ante el caballete, busqué la mejor luz, preparé los trastos. En la vida hice retrato con más facilidad, ni encajé tan a gusto, desde los primeros toques de color, la figura. La Imperiales, extasiada, repetía:

—No se preocupe porque hayan ido al taller y no le hayan encontrado. ¡Mejor! Volverán más entusiasmadas al día siguiente. Las mujeres somos así. Yo, si usted me concede el retrato cuando fui a pedirlo, ¡pchs!, ni me da frío ni calor... Desde que me lo aplazó hasta sabe Dios cuándo, le aseguro que me entró una especie de manía, un afán tan desmedido, que si no lo consigo creo que caigo enferma. No he sentido nunca, en los días de mi vida, en *ningún caso,* emoción como al prepararle esta encerrona... Fíjese: los peluqueros y los modistos más insolentes son los que más partido tienen y más caro cobran. ¡Hágase desear! ¡Remóntese!... ¡Sea inaccesible... ahora que yo logré mi capricho!

_____

177 Valentina de Hugonotes.—Protagonista de la ópera *Los Hugonotes* de Jakob Meyerbeer (1791-1864), compositor alemán de origen judío. Es un papel muy dramático, que se presta a los grandes gestos. Valentina, católica y casada, se enamora del protestante Raoul y muere junto a él la noche de la matanza de San Bartolomé, cuando el padre de Valentina inicia la represión.

*

Tenía razón la antojadiza. Cuanto más impertinencia, mayor prestigio. Lo malo es mi pícara condición, mi incapacidad de ahorrar, por lo cual tengo que admitir trabajos que no me dan tono. No puedo, como ciertos modistos, escoger la parroquia. Ayer retraté (detestablemente) a una chamarilera, a quien debo aún mi Madona estofada y dorada. El retrato irá por la antigualla, y en paz. En la escalera se habrán cruzado la anticuaria, que bajaba los peldaños, y una cliente excepcional, embutida en el ascensor. Me la había anunciado la Flandes, que la trata mucho; y en casas remontadas he oído comentar su próxima venida a Madrid. Es del número de las aves de paso, de primavera. Ahora procede de Sevilla; a Sevilla se vino desde París, donde reside.

Tiene aquí amigos de los más encumbrados esta María de la Espina Porcel —Espinita, familiarmente—. Es andaluza por parte de padre, mejicana por parte de madre, parisiense por residencia habitual y gustos; yo la llamo «la cosmopolita». Me anuncia su presencia un ruge-ruge de sedería, de volantes picados y escarolados, un taconeo atrevido y menudo, un golpeteo de contera de sombrilla larga sobre el entarimado del pasillo, y comparo esta entrada bulliciosa con la majestuosa de la Flandes, y la bocanada de jaquecoso perfume, compuesto de varias esencias, que penetra al mismo tiempo que Espina, al olor discreto de violetas, apenas perceptible, que la rica hembra exhalaba a cada movimiento de su señorial persona.

No puede ser más vivo el contraste entre estos dos recuerdos.

Espina, desde el mismo punto en que se me aparece, es una revelación.

Se diferencia de cuantas señoras he retratado en América y en España; es la mujer de una civilización avanzada, y refinada y disuelta o ¿descompuesta? en la decadencia artística. Sobre un plantío de garbanzos, Espina surge como una de las más raras orquídeas que se cultivan en las estufas calientes. Muchas veces me he dicho en mis soliloquios: «¿Cuándo me veré lejos del garbanzal?»

El garbanzal es Madrid. La estufa, París. París, simbolizado por Espina, acaba de metérseme en el estudio. De fijo las madamas que antes he retratado visten en París igualmente; sus corsés, sus zapatos, su ropa interior, sus postizos, de París procederán; sin embargo, no son así, no son como Espinita... Al cambiar con ella las primeras frases de acogida y saludo, me ocurre que si mis pasteles pudiesen hacerse carne viva, carne sin músculos, sin venas, sin hueso, con nervios solamente —una carne artificial—, encarnarían en esta mujer. Percibo en ella, bajo su estilo ultramodernista y decadente, elementos de la mentira estética de otras edades. Sonríe como un Boucher[178] y pliega como un Watteau[179].

El efecto que me produce no se le escapa. Descifra mi contemplación y la interpreta como suele interpretar la vanidad del sexo. Crece su aplomo.

—¿Vengo a mala hora? ¿Espera usted modelo? ¿Tiene dada sesión?

¡Sí que la tengo dada! En mi *carnet* apunto a los chicos de Jadraque, la señora del Ministro de Estado, ¡la propia Lina Moros! Y contesto apresuradamente:

—No importa. Ya lo arreglaremos.

No me da las gracias. Sin duda halla natural que por ella quede mal con todo el mundo.

—Haremos —la propongo— un ensayo, un boceto, y me lo guardaré yo para mí; luego otro, destinado a usted; y si no la agradase, cuantos desee.

¡Si lo sabe la baronesa de Dumbría, que me echa una filípica siempre que retrato gratis a alguna de estas «estrellas con rabo»![180].

---

[178] Boucher.—Francisco Boucher (1703-1770), pintor francés de estilo rococó, elegante e intrascendente. Se especializó en asuntos mitológicos, resueltos al gusto de la época. Sus mejores obras fueron las que realizó para Madame Pompadour, su mecenas, y entre ellas destacan *La salida del sol* y *La puesta del sol,* que se encuentran actualmente en la Wallace Collection de Londres.

[179] Watteau.—Juan Antonio (1684-1721). Se especializó en la pintura de fiesta galantes y campestres. La cita debe referirse al modo en que pliegan las telas de los vestidos en sus cuadros; no rígidas, sino dúctiles, flexibles y adaptadas a las formas del cuerpo. Varias veces a lo largo de la novela, al referirse a la ropa de Espina Porcel, insistirá en esa calidad sensual y sugeridora.

[180] Estrellas con rabo.—Más adelante hablará de «estrellas rabudas».

Espina indica mohínes, reverencias entre burla y gratitud.

—Amabilísimo... ¿Empezamos?

Se instala frente a mí, en un sillón Luis XVI, forrado con tela de desvaídos tonos, amarillo y violeta. Emprende la operación de descalzarse los guantes. Son de esos guantes largos y flexibles que no tienen botones, que guantean dejando a la mano y al brazo soltura, acusando hasta las uñitas. La contemplo. Me acuerdo de Lina, y comparo. Ésta no es un tipo de belleza; sus líneas no evocan reminiscencias clásicas. Hasta diré que carece de líneas. La línea, en ella, es algo tan flexible y muelle como ese guante de tonos neutros, de corte facticiamente elegante, distinto del de la verdadera mano.

Mientras preparo los chirimbolos, Espina, con sazonada y picante menestra de frases, con indiscreciones y reticencias divertidas, va rompiendo el hielo. Listo como soy para entender a media insinuación, la calo; creo reconocer en ella a la criatura amasada de vanidad y antojos, pero infalible en estética femenil. La veo anestesiada para el sentimiento, y con histérica sensibilidad para el refinamiento del lujo delicado, del arte de vivir exaltadamente, agotando el goce. Sus ojos de color de aventurina[181], de contraída pupila, no sabrán llorar, pero ¡mejor! Me detallan implacables; me miran como la fierecilla a la presa. ¡Mejor, mejor! Desmenuzan mi taller, y en él lo encuentran todo tan feo, tan menesteroso, tan ordinario. ¡Mejor! Así me afinaré yo también. Miradme, ojos perpetuamente exigentes y descontentos.

No es un traje, unos guantes, una armonía de exterioridades, lo que se me impone en mi nueva parroquiana. Es el espíritu de desencanto, de inquietud, de desprecio, de insaciabilidad, es el ideal maldito que supongo en ella. Trajes, galas... se las planta cualquiera; la superioridad no está en vestir como se viste en las decadencias, a lo bizantino y a los arcángel; está en tener el alma ávida y exhausta a la vez que las de-

---

Puede tratarse de una forma coloquial y metafórica del lenguaje entre Minia y Silvio, para designar a las bellezas de la época, «fugaces» como toda belleza.

[181] Aventurina.—Venturina: cuarzo pardo amarillento con laminillas de mica dorada en su masa.

cadencias forman. ¡Gracias a Dios! Una mujer que me divierte. Con Espina no sentiré los accesos del mal del retratista, el aburrimiento de la sesión. Cada palabra, cada ademán, me irrita, me conmueve, me produce un sentimiento no previsto.

Vuelve al día siguiente. Es cosa convenida que se despedirá a todo el mundo, con una sola excepción: el marqués de Solar de Fierro[182], a quien la propia Espina ha citado aquí.

Este señor, versadísimo en antigüedades, ha venido ya a mi taller dos o tres veces cuando retraté a su nietecillo, prodigio de belleza. Pero ha de saberse que el abuelo es casi más guapo que el chiquillo. Con su cutis marfileño y rosado, de vitela ligeramente tocada de miniatura; con su plateada trova[183], enrollada alrededor de un rostro oval, sereno, esclarecido por ojos azules, limpios como los de los niños; con sus facciones de una precisión gótica, exquisita, de San Juan de retablo, es el marqués de Solar de Fierro otro objeto de arte, al cual el paso del tiempo ha comunicado esa gracia de distinción que nunca lo contemporáneo tiene. Viste el marqués con románticos dejos, del romanticismo extranjerizado, culto, intelectual, estilo Madrazo. Posee colecciones importantes y afamadas, y en las casas de anticuarios se lo encuentra uno siempre; son las únicas *matinées* a que concurre; se sienta en las pacíficas trastiendas, en sillones de cuero sobado, y allí, tertuliando con los demás, aquejados de igual manía, charla de adquisiciones recientes, de falsificaciones, de descubrimientos inauditos en algún poblachón, de soberanos chascos a los inteligentes —las solas historias que les interesan—. Todo entre el brasero y el gato, en calles angostas del viejo Madrid. No co-

---

[182] Marqués de Solar de Fierro.—Algunos rasgos de este personaje coinciden con los del general Romualdo Nogués. Ver Introducción.

[183] Trova.—Aparece tres veces en el texto. No he podido averiguar su significado. Los únicos textos que aparecen registrados en los ficheros de la RAE son los de esta novela. Por la forma en que emplea la palabra parece que se refiera a una prenda de vestir, que va «enrollada» alrededor de la cara. Sin embargo, creo que se refiere a la barba que se extiende a lo largo de la mandíbula hasta las orejas y que rodea de una especie de halo plateado el rostro del persona. (Ver nota 326.)

nozco nada más garbancero que las reuniones de casas de anticuarios.

La amistad del marqués con Espina, de este arcaizante con esta modernista, nadie sabe de cuándo procede, y sobre su origen hay varias versiones. Unos dicen que el marqués, antaño muy tenorio por lo fino, se entendió con la madre de Espina; otros, que Porcel, padre de Espina, sacó al marqués de graves apuros económicos. Lo cierto es que apenas llega Espina a Madrid, el marqués prescinde de sus tertulias de gato y brasero, se lanza al mundo, acepta invitaciones, se olvida del reúma y demás alifafes, y sale hecho un cadete. Verdad que las apariciones de Espina coinciden con la primavera.

Solos todavía la cosmopolita y yo, trabajo en adelantar el estudio de la cabeza. Es el primer retrato, el que proyecté boceto y está saliendo con todos los requisitos. Espina viste traje de calle, sencillo, gris: no consiento que deje de sombrear el áureo pelo la enorme ala del sombrero, de negro tul rizado. Guiñando los párpados, recogiéndome, la examino bien, me impregno de su forma y de su color. ¿En qué consiste su encanto?

¡Su cara, su cuerpo, pchs! Sus ojos avellana, en que parecen hormiguear puntilleos de oro, ni son grandes ni dulces. Su nariz respinga, delatando algún plebeyo atavismo. Su boca ya sonríe juguetona, ya señala un pliegue de tedio desdeñoso. Su pelo de luz no lo debe a la naturaleza, sino al peluquero, a botecitos de aguas y mudas. Afeite debe de ser también lo que presta a sus mejillas, hundidas imperceptiblemente, ese toque tan puro, esa idealidad de lo florido sobre lo nacarado, y a sus labios pequeños, carnosos, sinuosos y húmedos, ese tono de coral marino entre agua amarga, demasiado vivo, insolente.

Su ropa sólo se diferencia de la que gastan las demás señoras que me visitan, en que parece inseparable de su cuerpo. Se enrosca y ciñe con tal esbelteza a él, que en cualquier postura que adopte, los pliegues hacen olvidar la tela. Lleva las faldas muy largas, pero ni tropieza ni se atasca en ellas; las maneja con soberana maestría. Son tan blandos los tejidos y van tan fundidos en la tela los adornos, tan difumadas las degradaciones del color, que el gentil bulto parece terminar en una bruma, en la molicie de un jirón de niebla pronto a borrarse.

336

Las damas de Madrid llaman vestir bien a encargarse ropa cara y enfundarse en ella. Desde que he visto a Espina, se me descubre la mujer moderna, la Eva inspiradora de infinitas direcciones artísticas, agudamente contemporáneas.

En un descanso que ella misma reclama, saca de su escarcela de piel ceniza, toda cuajada de capitolinos[184] de rubí caro y diamantes menudos, una petaca y una fosforera de oro verde, decoradas con lirios de esmalte, primoroso modelo acuático. Pido las joyas para admirarlas y apreciar de cerca el lujo intensivo y exasperado de la cosmopolita. Hasta los cigarros son especiales; según me dice, se los fabrican en Egipto expresamente. Enciende uno y me lo presenta. Fumamos, risueños, libres por un instante del trabajo y de la *pose*.

La cachorra danesa, que dormía en un rebujo de tela antigua, sobre un almohadón roto, despierta en aquel punto, y se acerca, entre desperezos de a cuarta y ladridillos de queja mimosa, esos lamentos histriónicos de los animales privados, cuando no se les hace caso a ellos exclusivamente. Echa la boca a la niebla que envuelve los pies de Espina, y empieza, a mordiscos y tirones, a destrozarla. Me precipito, cojo en brazos al animal, le doy un coscorrón.

—¿Qué haces, bobita? —exclamo.

—¿Es hembra?

—Por desgracia.

—¿Como se llama?

—No está bautizada aún.

Espina brincó del asiento.

—Ahora mismo la vamos a bautizar.

Y batiendo palmas de alegría, llamó a mi criado, le dio órdenes reservadas; yo, naturalmente, las adiviné. No me sorprendió ni pizca ver entrar un cuarto de hora después al muchacho, portador de una botella con cápsula dorada, y de dos copas anchas, sobre delgado tallo de cristal.

No fue fácil la tarea del descorchado; faltaba cortaalambres y tirabuzón; nos divertimos con las dificultades, como chiquillos. Al fin el corcho saltó, hecho un rehilete, y fue a pegar en la misma nariz del retrato de Lina Moros —el famoso re-

---

[184] Capitolinos de rubí.—Puntas de pedrería usadas como adorno.

trato vestido de terciopelo *miroir*[185] amarillo—. Las carcajadas de Espina redoblaron, incoercibles.

—¡Estropeada la obra maestra! —gritó triunfante—. ¡La gran obra maestra! ¿Y si la bautizásemos también?

Según lo dijo, así lo hizo. Tomó la copa de Champagne, colmada, y en pleno la arrojó a la faz morena, al escote mórbido, a los ojos negros de la beldad. Me sentí trepidar de rabia; pero una mezcla de encontrados movimientos del alma me paralizó. Mi impulsión era tan brutal —con que se reducía a pegarle una bofetada a la señora— que su misma violencia sirvió para contenerme. La noción relampagueante de las consecuencias de un acto tremendo impide realizarlo. Muchos crímenes morirán así en capullo. Casi instantáneamente, la reacción fue encontrar «chic» la enormidad descortés. ¿Qué, después de todo? Rivalidades de mujeres; envidias... ¿Quién sabe si algo más?...

—Es un experimento que hice —dijo acercándose a mí y presentándome la copa llena de nuevo—. Se corre que está usted enamorado de Lina. Si fuese cierto, me hubiese usted matado.

Y, sirviéndose en la otra copa, mojó en ella los labios ligeramente, hizo un gesto donoso para indicar que la marca era detestable, y tomando en brazos a la cachorra, derramó por su cabeza y sus sedosas orejitas un chorro líquido. El animal, al llegarle el vino espumoso y azucarado al hocico, se estremeció primero y se relamió después.

—¿Y el nombre? —pregunté, subyugado.

—*Bobita*. Así llamóla usted antes... Bobita *for ever*[186].

*

Había terminado la ceremonia cuando entró el marqués de Solar de Fierro. La vista del retrato de Lina, churreteado, perdido, le hizo exclamar:

---

[185] Terciopelo miroir.—procede de la expresión francesa «velour miroité», una clase de terciopelo de bastante brillo.

[186] For ever.—Inglés: para siempre. Es el título de una canción famosa de la época. Ver nota 71.

—¡Válgame Dios! ¡Buena ha quedado la reina de las hermosas!

—¿Quién la puso tal mote? —interrogó sardónicamente Espina.

—Mucha gente. Y nuestro joven artista ha consagrado su fama, retratándola seis y ocho veces, por el gusto de estudiar a un modelo así.

—No han sido sino cuatro veces —protesté—, y otras tantas he retratado a Minia Dumbría, que no es ninguna belleza.

—Y a mí, ¿cuántas me va usted a retratar? —preguntó Espina.

Rendido, murmuré:

—Las que usted quiera.

—¡Bah! Puede usted comprometerse. No tengo yo tanta paciencia para la sesión como la reina de las hermosas. ¿Cuatro pastelitos? ¡Eso, al repostero! ¡Estúdieme usted primero, ya que se le antoja; luego retráteme en serio una vez, si puede, y luego... frrrtttt! Aquí, por lo visto, a la gente la sobra tiempo. En París vivimos más aprisa.

Sin duda con objeto de poner paces, el marqués nos propuso que fuésemos a almorzar a su casa. Vive solo; tiene buena cocinera, criado antiguo, ama de llaves, una grave dueña que pisa tácito[187]. Aceptamos. El coche de Espina aguardaba a la puerta; nos llevó.

Teníamos un apetito estimulado por la novedad del convite. Fue escogida, discreta la minuta. El servidor es viejo, rasurado, de facha sacristanesca, y la dueña tiene una cara de luna, tranquila, monástica. El comedor luce dos grandes lienzos de cacería de jabalíes, atribuidos a Pablo de Vos[188], con alanos despanzurrados y fondos intensos, jugosos, de troncos y verdura. Pocos platos colgados; pero esos pocos, según me expli-

187 Tácito.—Adjetivo: callado, silencioso.

188 Pablo de Vos.—Pintor flamenco (1590-1678) especializado en temas de caza. En España, en los comedores de las casas de clase alta, eran frecuentes estos cuadros con escenas de caza muy sangrientas. En el Museo Lázaro Galdiano está *La cacería de venados,* que responde, en líneas generales, a la descripción del cuadro de la novela.

ca Solar, se cuentan entre los rarísimos, hispanoárabes auténticos, por los cuales se pagan miles de pesetas. Uno sobre todo, el *Triunfo del Ave María,* me enamora con su reflejo desdorado y moribundo, de poniente, y la gracilidad de su lema gótico. Espina señala con la conterita de la sombrilla al magnífico ejemplar.

—¡Dicen que eso vale tanto! A mí me gustan más los cacharros que fabrican ahora en Dinamarca y Suecia. ¡Son unas porcelanas lindísimas, con cambiantes como de nácar, y tan originales! Algo de poético, ¿eh? El plato antiguo español recuerda la escudilla. Basto, basto.

¡La que se armó! Creí que excomulgaba Solar de Fierro a la modernista. Se enzarzaron. Espina no se achicó; sostuvo su criterio con intrepidez. Todo es ahora, según ella, doble de bonito que en los tiempos de la nana. Lo antiguo tiene mérito... sólo porque se les antoja dárselo a cuatro señores. En fin, con Luis XV y XVI transigía; ¡pero nada más! Por ejemplo... ¡vaya una decoración para comedor, esos perros destripados y esas fuentes de barro tosco! ¡Diéranle a ella plata cincelada inglesa, porcelana delicadísima de Sévres[189] o de Wegdwood[190], *terra cottas*[191] de las que se ven en los escaparates de París; estatuillas de alabastro y jade incrustadas de pedrería, ninfas de *pâte tendre*[192] danzando en rueda sobre el blanco mantel, muebles de una sencillez refinada, de unas hechuras cómodas, y retratos al pastel, elegantes, deliciosos! —El marqués, por último, apeló a mí.

—Yo, ni con usted, ni con usted —respondí señalando a derecha e izquierda—. Yo..., lo real... y nada más que lo real.

---

[189] Sévres.—La fábrica de porcelana de Sévres se fundó en Francia a mediados del siglo XVIII, en 1740.

[190] Wegdwood.—Ceramista inglés (1730-1795). Fue nombrado alfarero real en 1762. En 1766 estableció la fábrica de loza que lleva su nombre cerca de Newcastle, transformando la fabricación de cerámica en gran industria. Su obra más importante son las reproducciones del *Vaso de Barberini* o *Vaso de Portland.*

[191] Terra cottas.—Italiano: terracotas, esculturas en barro cocido.

[192] Pâte tendre.—Francés: materia artificial que sirve para realizar porcelanas o cerámicas no recubiertas de esmalte y que reciben una cocción única (Larousse).

—¿Y qué es para usted lo real? —preguntó el arcaizante—. ¿Llama usted real a lo material? ¿No es real el sentimiento que preside a la labor, por ejemplo, de un misalista o de un mosaísta? ¿Considera usted real únicamente lo popular y lo zafio? ¿Es usted un realista de la carne, como Rubens; un realista del dibujo y del color, como Velázquez; un realista de la luz, como Ribera; un realista de la caricatura y del color local, como Goya? Porque hay cien realismos.

No supe qué contestar al pronto, y Espina saltó:

—¡Cien realismos, y todos horribles! Lo hermoso no está en lo real; si estuviese, viviríamos rodeados *naturalmente* de hermosura, ¡y sucede lo contrario! Lo más hermoso, lo artístico, es lo que se diferencia de eso que anda por ahí. ¡Vaya con lo real! Si las mujeres nos dejásemos como la Naturaleza nos ha hecho, seríamos hembras de monos.

Quise romper una lanza por mi estética. Al hacerlo, pensaba:

—«Hay flagrante contradicción entre lo que pinto y lo que defiendo, y esta objeción tan fácil no se le escapará a Espinita.»

En efecto, poco tardó en argüirme:

—¿Y sus retratos de usted? ¿Y esa Lina Moros tan ideal que nos presenta, con veinticinco años y la mitad de cintura? ¿No sabe usted la edad de Lina? ¿Cree usted en su pelo negro como el ala del cuervo? ¡Vamos, señor artista!

¡Qué hondamente mujer es esta mujer! La teoría no la conmueve: lo único que procova su apasionamiento es el hecho concreto, es la rival; y no la rival en el terreno del sentimiento, sino en el de la vanidad, campo de extensión infinita, más amplio que el del corazón.

Bebido a sorbos el mejor café que he probado en Madrid, Solar quiere enseñarnos sus colecciones[193]. Primero —estratagema— lo menos importante; dos retratos desglosados de la colección *Carderera*[194]: Lope de Vega y Antonio de

---

[193] Solar quiere enseñarnos sus colecciones.—La enumeración de los objetos y la descripción de los mismos coincide casi exactamente con la que hizo en *Nuevo Teatro Crítico*, núm. 7, año I, julio de 1891, págs. 57-71 de la colección del general Romualdo Nogués. Ver Introducción.

[194] Colección Carderera.—De Valentín Carderera y Solano (1796-1880).

Solís[195], fronteros de dos copias de las clásicas jetas de Quevedo y Calderón. En un recuadro, una especie de trofeo de la
guerra de la Independencia española; litografía de heroínas
aragonesas, caricaturas de Pepe Botellas[196] y el ogro de Córcega[197]. A mí esto me parece recoger por recoger. No veo valor
artístico.

Lo único de algún mérito es la reproducción de la estatua
de Fernando VII, que fue derrocada en Barcelona, allá por
los años 35. Alzábase la estatua —explica el marqués— en el
centro de un jardín, y por esa actitud mandona del brazo y la
violencia con que la derecha señala al suelo, dijeron los catalanes, en excusa de haberla derribado, que el tirano les ordenaba «comer hierba».

—Hicieron bien en derrocarle. A quien nos manda
pacer...

—Sin embargo —objetó Espina con el airecito cándido
que adopta a ratos—, el que puede pagarse el gusto de hacer
comer hierba a los demás, no dude usted que... ¡Oh!

Indicó el gesto ponderativo que ya he sorprendido dos o
tres veces, y me avasalló, como siempre, su franqueza sin velos, su menosprecio de la humanidad.

Sigue el buen marqués graduando efectos y mostrando retratos, a mi parecer, todavía mediocres: San Francisco de
Borja y San Ignacio de Loyola; mucho betún, mucho ascetismo, mucho españolismo... Por detrás de la cabeza romántica
del coleccionista, Espinita me hace un impagable gesto de
horror.

Luego, una madona dulzarrona, atribuida a Sassoferrato[198];

Fue pintor, arqueólogo y coleccionista. Legó parte de su colección a la Biblioteca Nacional, y muchos libros, apuntes y cuadros a los Museos de Zaragoza y Huesca.

195 Antonio de Solís.—Historiador y autor dramático español (1610-
1686). Fue cronista mayor de las Indias y debe su fama a su *Historia de la conquista de Méjico,* libro que doña Emilia leyó varias veces durante su infancia,
según cuenta en los *Apuntes autobiográficos:* «He perdido la cuenta de las vueltas
que di a la *Conquista de Méjico,* del elegante Solís» pág. 17.

196 Pepe Botellas.—Nombre burlesco que se aplicó en España a José Bonaparte, aludiendo a una supuesta afición a la bebida.

197 Ogro de Córcega.—Napoleón Bonaparte.

198 Sassoferrato.—Juan Bautista Salvi (1609-1685) llamado el Sassoferra-

una placa de bronce, esmaltada de oro, la puerta del Sagrario de las monjas Teresas. Ésta empieza a interesarme. El marqués, con el acento misterioso de los maniáticos, secretea:

—Van a ver la cajita que rondé dieciséis años antes de llegar a obtener su posesión...

Con dedos respetuosos la toma de dentro de un estuchito y nos la presenta.

—Desde que nadie tiene el vicio asqueroso de tomar rapé, hay coleccionistas de tabaqueras... Desde que se acabó el heroísmo nacional, se coleccionan sus recuerdos...

En la tapa vense incrustados en oro tres pedacitos de madera, y grabada la siguiente inscripción: «Testimonio de hispánico valor. Carlos III. De la Estacada de Gibraltar[199], 30 de Setiembre de 1780.»

¡Dieciséis años! Reconozco en esta tenacidad el sello de las garras de la Quimera, la tema del coleccionista. He oído hablar mucho del carácter y modo de ser del marqués. A veces atisba años enteros, rondándola con visita diaria, pretextada diestramente, una obra de arte para su colección. Se cuenta —no sé si en serio— que hizo creer a una solterona incasable que la pretendía con honestos fines, cuando sólo preparaba la adquisición de cierta medalla única de Jácome Trezo[200], conservada inmemorialmente en la familia, y que al fin cayó en poder de Solar. A esta tenacidad de cazador, a estos ardides de indio bravo, el marqués reúne una memoria que es un cilindro fonográfico; memoria de persona de entendimiento limi-

to por el lugar de su nacimiento. Se hizo especialmente famoso por sus Madonnas, de expresión humilde y sencilla.

[199] La Estacada de Gibraltar.—Estacada y empalizada son términos prácticamente sinónimos en las fortificaciones militares. Se trata, por tanto, de un trozo de la empalizada con la que se sitió a Gibraltar en el más duradero de los intentos españoles de recuperar la plaza: el sitio que duró de 1779 a 1783 y que sólo en su batalla final costó a los sitiadores (españoles y franceses aliados) dos mil bajas.

[200] Jácome Trezo.—Escultor y grabador italiano (1519-1588). Vino a España recomendado por el gobernador de Milán para realizar unos encargos del rey Felipe II. Trabajó en el altar de El Escorial, según los planes de Herrera, pero murió antes de acabar la obra.

tado y recortado, de voluntad perseverante, reducida al deseo de cosas concretas y accesibles, de esas que ceden al esfuerzo paciente y diario.

Nos enseña después un retrato de Isabel II, en mármol, obra de escultor hábil y amanerado. Esta sí que es la «Inocente Isabel», tan querida de sus vasallos, la reinecita en la frescura de su juventud y su morbidez; y Solar, con sonrisa maliciosa de indiscreto triunfante, advierte:

—Recuerdo histórico de este retrato... Es dádiva especial de la Señora a D. Francisco Serrano Domínguez[201], el que había de arrebatarla el trono.

Retratos, más retratos, miniaturas, medallas, óleos, camafeos, de eminencias, de testas coronadas, de la dinastía borbónica (asusta pensar lo que la han retratado en este mundo); y a renglón seguido, una colección de relojes, desde Adán hasta nuestros días... Coleccionar relojes ha sido la manía más terca del marqués, la que le hizo desarrollar más diplomacia y arte. Reloj hay de éstos que lo ha cortejado, como a la cajita, años y años; era propiedad de un amigo; el amigo falleció. Con las primeras luces del alba, adelantándose a los prenderos, entraba Solar en la almoneda del difunto.

—En vez de corazón tienes esta saboneta[202] —dice Espina señalando a una de forma cordial[203], toda incrustada de granates, y cuyo tic-tac imita el latido.

El marqués sonríe y nos presenta, satisfecho, relojes libertinos, que ocultan bajo un esmalte de asunto cándidamente pastoril, segunda tapa con escenas de sátiros y ninfas, desnudeces paganas. Espina, sin asustarse, se encoge de hombros:

---

[201] Francisco Serrano Domínguez.—El general Serrano (1810-1885), llamado en la corte de la joven Isabel II «el general bonito», gozó del favor de la reina en los años siguientes al matrimonio de ésta (1846), hasta el punto de ser considerado «un segundo Godoy». Se le concedió el título de duque de la Torre en 1862 por su participación en la campaña de Méjico. Participó activamente en la Revolución de 1868, que destronó Isabel II, y fue regente en el primer gobierno provisional.

[202] Saboneta.—Reloj de bolsillo, cuya esfera, cubierta por una tapa de oro u otro metal, se descubre presionando sobre un muelle. El nombre procede del italiano «savonetta», de Sabona, la ciudad donde se construyeron por primera vez estos relojes.

[203] De forma cordial.—En forma de corazón.

—¡Pchs! ¡Desnudos! Hay desnudos infinitamente más correctos que el vestido. El desnudo no inquieta; ¿verdad?

La miro y compruebo la exactitud de su observación. Los maestros de las decadencias y las afeminaciones voluptuosas del arte consiguen sus efectos con ropajes y paños. Ahí están los artistas del siglo XVIII, que no me dejarán mentir. El desnudo estorba para la picardía.

¿Acaso en los silencios expresivos, saturados de tedio, que guarda Espina cuando me da sesión, no he notado que el atractivo peculiar de esta mujer está en la ropa, en su habilidad para adaptarla al cuerpo, enroscar, ceñir y plegar la tela, incorporada, identificada a su persona? Revuelve y ondula tan bien las faldas, son tan cómplices los tejidos que la envuelven, que no se la figura uno, en las audaces figuraciones, sino vestida.

Bajo el ropaje de Lina Moros, su forma se exterioriza; en Espina no sé distinguir la forma de la vestidura. En esto debe de consistir el arte supremo.

El marqués, alzando una cortina de terciopelo bordada de seda y oro, nos hace pasar al último salón —el ojo del boticario[204]—. Aquí se guarda la espuma del Museo. Plata repujada, realmente magnífica; jarras españolas (nunca las había visto) sobredoradas, cinceladas. Me deslumbran; recuerdan los vasos sagrados de los pintores venecianos[205] en las Cenas y en las Bodas de Caná. Hay objetos con que nos ha familiarizado el arte, y que parecen irreales vistos. También me encantan las veneras de la Inquisición, de pedrería, cristal de roca y esmalte, y los grandes bandejones de plata del XVI, regiamente relevados a martillo. El dorado de tan bellos objetos es muriente —una caricia para la vista— y la labor un portento. En el tesoro de Toledo hay algo semejante. ¡Cómo se trabaja-

---

[204] Ojo de boticario.—Sitio en las boticas donde se guardan las esencias y medicamentos de más valor (DRAE).

[205] Pintores venecianos.—Se refiere a los grandes cuadros de este tema de Tintoretto (1518-1594) y Veronese (1528-1588). Tintoretto realizó varias versiones de *La última Cena,* considerándose la más perfecta la que se encuentra en la actualidad en el Museo de la iglesia de San Giorgio Maggiore, en Venecia, realizada en los dos años finales de su vida. Veronese pintó *Las bodas de Caná* (hoy en el Louvre) para el refectorio de San Giorgio Maggiore.

ba entonces! ¡Qué fuerza, qué prolijidad, qué ciencia, que técnica! Mis ojos se encandilaban, y dentro de mí se producía esa dilatación del ser que acompaña a una modificación profunda de la sensibilidad. No me explico bien por qué la soberbia plata antigua de Solar me impresionó como no me había impresionado el Museo, a pesar de aplastarme de asombro. Tal vez el Museo, por su mismo caudal y por las diversas edades que abarca, es una cosa genérica, que no cifra determinado momento estético, mientras esta plata, en su esplendor, me echa encima del alma todo el siglo del Renacimiento, nuestro XVI, periodo heroico de nuestra nacionalidad, con las corrientes artísticas italianas. Nace en mí una nueva visión de arte; comprendo lo que no comprendía.

El marqués no cabe en sí de gozo porque me ve extático, y lo atribuye al mérito particular de *sus* bandejas y jarras, no a la idea general que me suscitan.

Espina, sin transigir, acentúa la expresión fría, inerte, de sus ojos piel de Suecia.

—Todo esto de plata —dice—, para las iglesias, muy bueno.

—De iglesias procede —declara el coleccionista—. Estas bandejas son de postular en las catedrales. Y aquí tiene usted —abrió misteriosamente un armario— algo que todavía huele más a iglesia.

Del armario (antigua alacena de sacristía) salía un piadoso y enervante aroma de incienso; dentro, en dos estantes toscamente pintados de azul, vislumbré tesoros.

Solar fue sacando un incensario maravilloso, guarnecido en derredor de un círculo de arcángeles con las alas plegadas y las manos unidas, una naveta, menos fina, una caja de óleos, un porta-paz que, según su dueño, figura en los grabados del catálogo Spitzer[206], y, por último, el ojo del ojo —una meda-

---

[206] Catálogo Spitzer.—Se refiere al catálogo que se publicó con motivo de la venta de la Colección Spitzer. Constaba de un catálogo propiamente dicho, lujosamente editado, en cuya portada se lee: *Catalogue des Objets d'Art et de Haute Curiosité,* Antiques, du Moyen-age et de la Renaissance, composant l'important Collection Spitzer, dont la vente publique aura lieu a Paris, 33, Rue de la Villejust (Avenue Victor Hugo), du lundi 17 avril au vendredi 16 de juin 1893. Mide 38 cm. de alto y contiene la descripción de los objetos, así

lla, como de una cuarta de alto, que encierra la efigie de Santa Catalina[207] con su rueda.

—Es única —me dijo—, no sólo por su perfección, sino por la conservación. Si yo no la hubiese encontrado donde la encontré (secreteo, balbuceo), temería una de esas sofisticaciones que se hacen en el extranjero con tal maña. Pero esta medalla tiene más probada su ascendencia que muchas casas que se precian de ilustres. Es tan singular, que yo le he formado un expediente, una probanza en toda regla. ¡Mírela usted! ¡Mírela usted bien!

La Santa me sonrió, fascinadora. Las elegancias de actualidad me parecieron pobreza ante la artística, suprema elegancia de la mujer engalanada por el orfebre, joyero y esmaltista del siglo xv.

Con ademán a la vez púdico y majestuoso, la Santa se recoge el manto verde oliva, franjeado por una orla de delicioso dibujo, en que alternan diamantes menudísimos y perlas imperceptibles, tostadas por los años. La túnica es azul, de unos azules tornasolados y cambiantes de acuática transparencia, que la visten como del agua dormida de solitaria fuente. La cabeza de la Santa ostenta ese tipo andrógino peculiar del Re-

---

como dibujos a pluma de muchos de ellos.

Existe, además, un lujosísimo libro de láminas, en seis volúmenes de 49,5 cms., con reproducciones en color de las obras de la colección, en una tirada de veinticinco ejemplares sobre papel imperial del Japón: *Colection Spitzer*, Antiquité Moyen-age Renaissanc, París, Maison Quantin, Librarie General des Beaux Arts, 13 rue Láfayette a Londres M. M. Davies, 147 New Bond Street, 1890-1892.

En la Biblioteca del Museo Lázaro Galdiano de Madrid se encuentra el ejemplar núm. 18 de la tirada de 25, así como un ejemplar del *Catálogo*.

El propietario de la colección, Federico Spitzer, nació en Viena en 1815 y murió, repentinamente en París en 1890. Sin fortuna, se había lanzado al comercio del arte y consiguió reunir una impresionante colección de objetos de la Edad Media y del Renacimiento. Instalado en París, su residencia, convertida en una especie de museo, era frecuentado por la aristocracia y los artistas de todo el mundo. Su muerte, y la posterior subasta, significó el fin de la colección.

[207] Santa Catalina.—Esta medalla aparece también descrita en *Dulce Dueño*, novela que se inicia con el relato de la vida de Santa Catalina de Alejandría, personaje muy admirado por la novelista por su combinación de inteligencia, refinamiento y belleza.

nacimiento: el pelo crespo y rizo acentúa la expresión altiva, heroica, del blanco rostro; a la garganta lleva una cadena de oro, rematada en pendentivo de perlas y esmeralditas. Las manos son un prodigio de dibujo y de modelado: su elegancia patricia al hundirse en los pliegues, la separación de los torneados dedos, su forma de huso —todo divino—. Sobre la frente, algo bombeada, la ferroniera [208] (adorno muy anterior a la época que se le atribuye, explica Solar), y bajo los reducidos pechos, un cinturón que es una filigrana. La palma, la rueda de desgarradoras puntas, milagros de ejecución. Tal intensidad de arte me deja aturdido. ¡Ahora que todo lo hacemos a toques, a brochazos! El marqués ve mi impresión y se daba del gusto de poseer tal preciosidad; sobre todo, «la envidia de Valencia de Don Juan» [209] y otros aficionados que se pirran por la joya, le viene al paladar en onda de dulzura. Se relame, literalmente, y con señita confidencial me cita ante otro tallado armario. Abierto, veo dentro un casco de torneo milanés, una coraza nielada [210], repujada, cincelada, con mascarones, bichas, monstruos, dioses, diosas, héroes, esclavos que se retuercen bajo la cadena, mujeres de perfecto torso desnudo que terminan en caballos marinos, centauros de pujantes riñones, el cántico de la fuerza y del triunfo. Solar me dice:

—Desde que los asuntos que trata son pacíficos, el arte se afemina.

Espina fuma, sin dignarse mirar al armario. ¡Lo ha visto tantas veces! ¡La tienen tan sin cuidado las antiguallas!

---

[208] Ferroniera.—Es un adorno que se lleva en la frente, compuesto de una cadenita y un colgante, generalmente una piedra preciosa. Hay en el Museo del Louvre un cuadro de Leonardo da Vinci, llamado *La Belle Ferronière*, en el que la dama retratada lleva esa joya.

[209] Valencia de Don Juan.—Se refiere a don Juan Crooke Navarrot, conde consorte de Valencia de Don Juan, casado con doña Adelaida Guzmán. Iniciaron hacia 1860 la colección que continuaron su hija doña Adelaida Crooke y su esposo don Guillermo Joaquín de Osma. Desde 1916 esta colección, con piezas de cerámica muy importantes, pasó a ser propiedad del Instituto Valencia de Don Juan.

[210] Nielada.—Adornada con nieles: labor en hueco sobre metales preciosos, rellena con un esmalte negro, hecho de plata y plomo fundidos con azufre (DRAE).

—¿No sabes —pregunta de pronto dirigiéndose al marqués— que llega esta noche Valdivia?

Rióse Solar.

—Sí, ríete... Quisiera ponerte en mi lugar, a ver si te divertía mucho...

Nuevo guiño del marqués —ya inequívoco, pues señala hacia mí, como diciendo—: «¡Esta muchacha está loca! ¡Delante de un extraño!»

Ella hace un gesto de indiferencia fatigada, y murmura:

—Lago lo sabe, de seguro, por algún mala lengua... Y lo cree: a las malas lenguas se las cree siempre, porque siempre dicen verdad. ¿Niéguelo usted?

Yo, realmente, *no lo sabía*. Esta murmuración mundana no había llegado hasta mí. En la sociedad no se maldice tanto como cuentan, y, además, suele evitarse hablar de ciertas cosas delante de los advenedizos. Por otra parte, Espina, ave de paso, no suscita aquí las encarnizadas enemistades que inspiran las campañas de descrédito. Se la obsequia, se celebran sus adornos y su gracia exótica, y nadie incurre en el mal gusto de colgarla moralejas. Esto me decía el coleccionista cuando Espina, malhumorada, acababa de despedirse, con rumbo a una partida de polo que en el Hipódromo se jugaba.

—Si yo no sé lo que pasa con esta chiquilla: tiene bula... Si otra hiciese las niñerías que ella hace... La pobre... ¡Qué desgraciada es, en el fondo! ¡Pobre María! Yo la defiendo a capa y espada, eso sí. Su marido, el ser más egoísta: siempre paseándose por Bélgica, por Inglaterra, por Mónaco, a verlas venir, sin darla un céntimo para su ropa, cuando Espina al casarse era poderosa, opulenta, y ese tahúr casi le ha disipado la fortuna. Para fin de fiesta, el majadero de Valdivia, un brasileño hijo de español, que tendrá el oro y el moro, conformes, pero que está gastado y hecho una plasta, y para ostentar su protección no vacila en ponerla en berlina, y para espiarla la sigue a todas partes... No; a ése, cuanto le suceda le estará bien empleado. ¿A qué se mete en aventuras?

Comprendo, como si leyese en el pensamiento del coleccionista. Este no es padre clandestino: es un galán, contemplativo por fuerza. Está furioso con Valdivia, de esos extraños celos que pueden existir sin amor, al menos sin lo que por amor se entiende. Yo tampoco estoy ni estaré enamorado de Espina, y, sin embargo, el amigo pachucho que va a aparecerse me impacienta; daría algo bueno porque no hubiera tenido la ocurrencia de descolgarse en Madrid ahora.

Salgo de casa de Solar al caer la tarde. Paseo a la ventura por las calles inundadas de gentío. Como en Fornos, sin ganas. Sudo, pues hace bochorno, y al mismo tiempo experimento la sensación desesperante de incurable frialdad en el estómago. Plomo es en él la comida. Allá dentro debo de tener un glacial suizo.

Y, sin saber por qué, tal vez por la mala disposición gástrica, me siento mortalmente triste. Lo vano de la vida, lo inútil del esfuerzo, lo deleznable de todo, hasta de las Quimeras sujetas por el ala, me cae encima como una losa. Salgo del popular café, salto a una manuela[211] y digo al cochero:

—¡Vaya usted por ahí... por donde se le antoje! Hacia la Florida, hacia los Viveros[212]. Donde no haga calor.

Las vías céntricas son un horno. La Puerta del Sol está envuelta en una especie de vapor rosado y ardiente, que parece el hálito de una boca juvenil. La concurrencia hormiguea. Voces, murmullos, jipíos que salen de los cafés, violines de ciegos, gritos de chicos pregonando los periódicos de la tarde, rodar de coches que cruzan apresuradamente, llevándose a las señoras retrasadas en el paseo, y que regresan a sus casas con el apremio de vestirse para el Circo o para la comida... La melancolía de las multitudes, entre las cuales se siente uno más abandonado, me asalta. Quisiera estar en las Mariñas de Marineda, a esta misma hora, cuando la campana de la parroquia de Monegro llama a la oración y por los caminos se encuentra a los labriegos que vuelven del trabajo y saludan con un «santas y buenas noches»...

Se espesa la telaraña de hipocondría, mientras bajamos por

---

[211] Una manuela.—Se llamaba así en Madrid al coche de alquiler, abierto y tirado por un caballo (DRAE).

[212] La Florida. Los Viveros.—Era lo que se llamaba en el siglo pasado «el paseo exterior» y comprendía las huertas de las orillas del Manzanares. Allí se encontraba la finca llamada La Florida, que había pertenecido a los duques de Alba y los viveros del Ayuntamiento y de la Casa de Campo. (Ver R. Mesonero Romanos, *El antiguo Madrid,* Madrid, 1861.)

la calle del Arenal, caemos en la Plaza de Oriente, donde dan solemne guardia a la mole del edificio regio las barrocas estatuas de granito; y bordeando el costado de Palacio, pegados a la verja de los jardines del Campo del Moro, descendemos hacia la estación y la ermita de San Antonio de la Florida, cuyos frescos, acuden a mi memoria en este instante, como si lo estuviese viendo a toda luz, según los vi. Al pasar ante la iglesuela, una luna resplandeciente y tibia, de verano, inunda la fachada y se derrama en olas de fluida blancura por todo el paisaje. Bajo esa luz siempre fantasmagórica, al paso, por orden mía muy lento, del desvencijado alquilón, los ángeles goyescos asoman, flotan, como formados de neblina y de claridad lunar, en vapores de plata, del blanco plata de los pintores. De toda la obra de Goya, en el tapiz de la *Gallina ciega* y en el de la *Vendimia,* lo único esencialmente lunar —prescindiendo de sus terroríficas aguafuertes, que son nocturnas— me parecen estas ángelas.

Las veo, con encarnaduras casi inmateriales a fuerza de delicadeza, vestidas de ropajes que, al igual de los de Espina, se ciñen con molicie alrededor de formas mucho más sugestivas que ningún desnudo; veo esa mezcla singularísima de realidad y de ensueño delicuescente que las ángelas ofrecen; veo que trepan al cielo, cándidas, leves, cuando son el pecado mismo, la suprema idealización del pecado, la mayor irreverencia que cometió jamás un artista; y veo sus cortos talles en contraste con sus larguísimas, flotantes, abandonadas faldamentas, que las visten como esas nubecillas azulinas o violeta que forman pabellón al disco de la luna. Al sentirme cercado de estos fantasmas de belleza enteramente actual, con la nota del sentimiento presente, empiezan a hervir en mí las impresiones del día, y noto una sorda angustia, una zozobra inexplicable, un tormento que se parece al mareo de mar.

Lo que se me marea es el espíritu. Mi enfermedad es la duda. Dudo de lo que siempre creí. Reniego, a pesar mío, de mi ideal estético.

*

Las ángelas desaparecen. Estoy en una calle muy amplia,

351

de un pueblo antiguo, que no conozco. Se desarrollará a lo largo de la vía una procesión, precedida de música estruendosa. Desfilan pajes y heraldos, que llevan en almohadones una armadura de torneo, nielada, repujada, incrustada de oro, damasquinada, deslumbrante. Destacándose sobre el gentío, una gallarda figura altiva, de paladín, se eleva mirándome con calma orgullosa. Carlos de Gante[213], desviando con su mano aristocrática la vuelta de su gabán aforrado en martas cebellinas, avanzando la mandíbula prognata, con el tusón de oro al cuello, ladeado el birrete que prende rico joyel, pasa esperando que yo me incline y le salude hasta la tierra. El César va de pie sobre el carro triunfal, revestido de paños de seda, del cual tiran ocho mujeres en la flor de la edad, vestidas sólo de su hermosura y juventud. La escena no la ilumina la luna, sino el sol, un sol de victoria, que juega en las largas, trigales, destrenzadas cabelleras de las vírgenes que arrastran el carro, de maderas preciosas, guarnecido de brillantes bronces. Los balcones, llenos de gente, ostentan tapices. En pos del César se atropellan viejos vestidos de terciopelo; matronas enfundadas en brocado de plata, preso el cabello en red de perlas; niños rubios, de cabeza ensortijada, en cueros las carnes lácteas, una gorrita de terciopelo negro sobre los bucles; mancebos cuyos trajes acusan musculaturas viriles; panzudos burgomaestres de ondulosa barba y almenada toca; un obispo llevando en alto una cruz procesional de oro, esmaltes, gemas, capitolinos, de un trabajo de hadas, y detrás, monagos frescos y bellos, con el pelo en tirabuzones, sosteniendo bandejas de postulación de labor magnífica, en que fuertes romanos se apoderan de las Sabinas[214] o Faunos aprietan a las Dríadas[215] forestales. Y cuando se ha alejado el cortejo, se ha callado la

---

[213] Carlos de Gante.—El emperador Carlos I de España y V de Alemania, nacido en Gante.

[214] El rapto de las sabinas.—Fue promovido, según la tradición, por Rómulo, rey de Roma, para conseguir mujeres para sus súbditos. Tuvo lugar durante una fiesta a la que había invitado a sus vecinos los sabinos. El rapto originó una guerra a la que pusieron término las sabinas raptadas, mediando entre ofendidos y ofensores.

[215] Dríadas forestales.—Eran ninfas de los bosques cuyas vidas duraban lo mismo que la del árbol al que estaban unidas.

música, se ha quedado desierta la calle, un hombre muy hermoso, calvo, de serena frente ebúrnea, envuelto en túnica de lana armoniosamente plegada, se encara conmigo y me dice:

—Soy Platón. ¿No me conoces? Soy la Belleza.

*

¡Y acabo de ver pasar en hirviente oleada, en imperial muestra, el Renacimiento! Eso, eso, sólo eso, sólo eso era el arte. No haremos nada que a eso se parezca. ¡Miserables de nosotros! Dibujo de atletas; modelado de escultores; colorido que es la sangre y la carne transportadas al lienzo; en el más sencillo objeto de uso, la vencedora hermosura, y por cima de todo, la expansión victoriosa, el himno... Una voz mofadora me susurra: «¿Cuándo has podido pensar que cabía belleza en una labriega de pies descalzos, maculados de negruzca tierra? ¿En el tiznado minero? ¿En la muchacha tísica, moribunda en el hospital?

»Dame ropajes de velludo y brocatel, cadenas refulgentes, nucas pujantes, formas estatuarias.

»Dame el cortejo de Baco[216], su carriza de tigres.

»¿Qué es la Naturaleza? ¡Un concepto abstracto! ¡Y tu ensueño de interpretarla fielmente? ¡Una vanidad! ¿La has de interpretar según es en sí? Y ¿cómo es en sí? ¿La has de interpretar según la ves? ¡Entonces ya la interpretas en ti!

»Y si la interpretas según la ven los maestros, lo que haces buenamente es pisar la hierba pisada.

»Ríete de esa Naturaleza pura.

»Mira este glorioso irradiar de helénica alegría que el Renacimiento derramó en el mundo.

»Ten sangre, ten músculos, sé insensible al dolor, sé estoico.

»Sólo hay un objeto digno de la vida: la victoria[217].

---

216 Baco.—Es el dios romano del vino, equivalente al Dionisos griego.

217 La victoria.—Gonzalo Sobejano ve en este sueño una de las más claras influencias de Nietzsche en doña Emilia, tanto en la forma versicular, como

»Sólo hay una fe digna del que no nació con alma de siervo: la sabiduría antigua, la más alta.

»No seas de estos cobardes vacilantes de la presente generación, impregnada de la mujer, de su piedad, de sus lágrimas, de su histeria.

»Se varón. Te lo ordena el Renacimiento.»

*

Entretanto, el coche, rodando despacito, me conduce a los Viveros, y echo pie a tierra, y me pierdo entre las frondas en flor, envuelto en el aroma penetrante, embriagante, de las acacias.

Una mujer viene a mi encuentro —¡Espina, Espina!—. Arrastra un traje de gasa, de incierto matiz, de esos matices afeminados que la moda ha bautizado con el nombre de *colores pastel:* tales son de tenues, como suavizados por un dedo de artista. El traje, sin embargo, es lo más atrevido que he visto nunca. Porque bajo la gasa, Espina lleva un viso de tela sedeña, nacarada, de transparencias misteriosas. Sobre su fosco pelo, una original capelina de la misma gasa, orlada e incrustada con idénticos encajes vaporosos y caídos, como ablandados por la negligencia, por la languidez.

«—¿Qué tal? —pregunta la deliciosa aparición—. ¿Le gustan a usted mucho los señorones vestidos de reyes de baraja? ¿Las mollazonas indecorosas, de calcañales recios? ¿La carne? ¿La mitología? ¿Todavía no está usted enterado de lo que es bonito, hombre? ¡Es usted un pedazo de estuco! Debía de estar ya desasnado; creí que tenía usted temperamento artístico verdadero, no como el del pobrecillo marqués, que confunde lo hermoso con lo rancio. Hoy se hacen cosas más encantadoras que nunca. Afínese usted, afínese; aprenda a

en los temas: alabanza del mundo helénico y del renacimiento, de la energía y de la virilidad, desprecio del débil e incitación a la victoria. Cita una referencia concreta: «Euch rate ich nicht zum Frieden, sondern zum Siege» 'os aconsejo que no busquéis la paz sino la victoria' (Zarathustra, «Von Kriege und Kriegsvolke», 312), *Nietzsche en España,* Madrid, Gredos, 1967, página 184, nota 48.

354

mirar. Lo natural es un mote con que se tapa lo grosero. ¿De dónde saca usted que lo natural, por ser natural, ya es bello? Al contrario, tonto, al contrario. Lo bello es... lo artificial.

»¿No soy bella yo?

»Pues en mí lo natural no existe.

»Soy una civilización entera, que ha infundido a lo raro, a lo facticio, la vibración del arte.

»Mi pelo es tintura, mi húmeda boca es pintura, mi atractivo no es la exhibición de mi cuerpo, sino el saber recatarlo, cual se recata los misterios de los santuarios.»

Angustiado, como el creyente a quien se le derrumba el ara de su fe, exclamo lanzándome hacia la cosmopolita:

—¿Dónde está la verdad?

Ella responde:

«—En ninguna parte. Todo es apariencia, ilusión, desfile de sombras chinescas sobre las paredes iluminadas o lóbregas de nuestra alma[218].

»Todo cambia, nada persiste; y lo que ya profanó la admiración del populacho, no merece ni la mirada del artista.

»Las opiniones, los sentimientos de la multitud, ignórelos usted. Las sensaciones sencillas y francas... a los mozos de cuerda. La sensación hay que pasarla por alquitara, destilarla y oscilar entre ella —pero exiquista y sobreaguda— y el negro tedio que nos encamina a la realidad antiestética de la muerte...»

*

Un sudor de fatiga corre por mi sien; se me figura que me llaman apresuradamente, desde muy lejos, en tono del que avisa un peligro...

---

[218] Las paredes iluminadas... de nuestra alma.—Alusión a la alegoría platónica de la caverna desarrollada en el diálogo de la *República:* nuestro conocimiento del mundo de las Ideas es imperfecto, como el de un prisionero encadenado de espaldas a la boca de una cueva, en cuyo fondo sólo puede ver las sombras proyectadas por los objetos que están en el exterior.

—¡Señorito! ¡Señorito! ¡Anda, se ha dormido como una piedra! ¿Se baja aquí, señorito, o vamos a seguir?

Despierto sobresaltadísimo, me froto los ojos, no entiendo ni respondo en un minuto.

Estamos ante la puerta de los Viveros. La luna me baña en pleno la faz.

—No, no me bajo...

Y doy las señas de mi estudio.

*

Fines de junio.

En el desconcierto de mis ideas sobre arte —porque tengo perdido el rumbo, y estoy como los devotos a quienes el ara se les viene abajo— me acuerdo sin cesar, a cada hora, de aquel sueño raro que tuve en el camino de los Viveros, una noche de luna.

Los sueños son más directos, más leales que la vigilia.

Despiertos, nos engañamos, nos mentimos, por la comprensión que ejerce el mundo ajeno. Dormidos, sale afuera lo entrañable, lo que ni sabíamos que llevábamos dentro, tan recóndito. En sueños toma forma radiosa la vaguedad, lo oscuro resplandece[219].

Soñando se me derrumbaron mis convicciones, me sentí cambiado; otra es ya mi fe, o por mejor decir, lo que es fe, no la tengo; al contrario, vivo de dudas y de incertidumbres; también dudar es un modo de vivir y de creer; antes imaginé poseer método para realizar un poco de arte; ahora no sé por dónde ir: la perfección antigua me desespera y me abruma; los rumbos nuevos me hacen parpadear, lo mismo que si estuviese mirando a un foco eléctrico muy intenso.

Minia me ha aconsejado:

—No se crucifique. No disperse su espíritu. Usted no pue-

---

219 En sueños... lo oscuro resplandece.—*La interpretación de los sueños* de Freud, es de 1900. Creo que hay una clara referencia en los párrafos anteriores a las teorías freudianas de los sueños como manifestación de contenidos reprimidos por la conciencia.

de seguir las huellas de ningún pintor antiguo. Entre los modernos, para atravesar el periodo de imitación, mortificante pero forzoso, elija al maestro que mejor se adapte a su modo de ser, y después de chuparle los tuétanos, mátele dentro de usted mismo. De los antiguos, sin embargo, podría usted sorprender secretos. Me han asegurado que Lenbach[220], de absolutísimo incógnito, haciendo creer en su país que viajaba por Grecia, se detuvo un año aquí, copiando a Velázquez en el Prado, apoderándose de procedimientos que saca a relucir ahora.

—A Goya copiaría yo más bien —respondí.

—Sí; tiene con su alma de usted mayores afinidades. Cada día sube Goya. Su decadentismo castizo le preservaría a usted del afrancesamiento a que está muy expuesto. Sobre todo, si se apodera de usted Espina Porcel, que debe de ser una vampira!

La verdad es que Espinita, como pueda, arrolla los tentáculos al cuerpo. Sin duda no tiene qué hacer en Madrid, y no sale de mi taller; me acapara.

Veré si emborronando estas hojas consigo definir lo que me sucede con Espinita...

En primer lugar, dicho sea en buen hora, de no estar enamorado de ella, según la gente diagnostica el enamoramiento... ah, de eso tengo seguridad completa.

Vería a Espina arrastrada por la corriente de un río, destrozada por la explosión de un bomba de dinamita; la vería entrar en una casa inequívoca... y me sería igual.

Sospecho que ella, por su parte, me vería en el banco del garrote, argolla al cuello, y, pudiendo, no abriría la argolla; es verosímil que prefiriese no perder la emoción.

El sentimiento hacia ella, en mí, unas veces es acre curiosi-

[220] Lenbach.—Francisco Lenbach, pintor alemán (1846-1904). Nombrado profesor de la Escuela de Bellas Artes de Weimar, dejó el cargo para establecerse en Munich. Protegido por el coleccionista barón de Schack viajó por Italia (1863) y España (1867), copiando para su mecenas las mejores obras de Velázquez, Rubens, Tiziano y todos los grandes maestros. Se dedicó al género del retrato con gran éxito, retratando a las figuras más destacadas de la sociedad europea: el príncipe de Bismarck, León XIII, el emperador Guillermo II, Wagner, Liszt...

dad, otras irritado deseo de subyugarla, otras antipatía repentina, el gusto imaginado de pegarla un latigazo que saque sangre; otras atracción inexplicable, complicada —una perversión que descubro en mí, y que me asombra sin desagradarme, pues no puedo aguantar a la gente bonachona, de psicología blanca.

Espina me atrae, tal vez por el sumo refinamiento de su existencia y la desdeñosa altanería con que prescinde de las nociones admitidas y vulgaronas.

No es la Porcel una de aquellas rebeldes románticas que siempre estaban a vueltas con la moral, y que, al combatirla, la afirmaba: sencillamente, para Espina no existe eso, ni nada, fuera de lo bonito y lo selecto, de ese aquilatamiento sensual de la exterioridad, que hace de ella una especie de Cleopatra —pues, como le sucedía a la reina de Egipto, *su vida es inimitable*[221]. En otros términos: probablemente me atrae Espina porque es exaltadamente elegante y rematadamente mala.

Comprendo que lo primero se justifica, mientras lo segundo es dificilillo de justificar, aun cuando no tengo otro juez aquí que yo mismo; pero sentimos ahincadamente infinitas cosas... que no se justifican. Son.

Yo no causaría a nadie el menor daño. Yo sufro cuando por mi culpa sufre alguien. Yo soy capaz de darle a un desgraciado la camisa. Yo he pasado noches horrorosas cuando se suicidó aquel mal bicho inútil de Solano. Yo quiero a mis amigas excelentes —la Palma, la Baronesa, Minia. Yo deploré no acertar a querer mucho, de corazón, a Clara Ayamonte. Todo esto parece bondad, parece altruismo—. Y sin embar-

---

[221] Cleopatra... «su vida es inimitable».—Parece una cita textual, pero tal y como aparece no he podido localizarla. Es muy posible que se trate de un recuerdo de *Antonio y Cleopatra* de Shakespeare. Doña Emilia fue gran lectora del dramaturgo inglés en su juventud. Carmen Bravo-Villasante da un testimonio de la propia autora: «Un año entero, mientras aprendía la lengua inglesa, fue Shakespeare mi lectura casi exclusiva, un tomo de 1007 páginas a dos columnas, de apretados y menudísimos caracteres» (*Vida y obra de Emilia Pardo Bazán*, Madrid, Revista de Occidente, 1962, pág. 42).

También puede ser un recuerdo de la novela de Teófilo Gautier *Una noche de Cleopatra*, sobre la cual el músico Victor Massé hizo una ópera que se estrenó en París en 1885, época en la que doña Emilia se encontraba allí.

go me deleito en la amoralidad de Espina, como si deshiciese en la boca un fondán[222] muy delicado, sápido a quintaesencias, de gusto desconocido, de perfume que trastorna.

¿Será que, si uno es artista ante todo, puede tener muy buenos instintos, pero nunca tendrá verdadera regla ética para la vida?

En fin, no me devano más los sesos. Lo efectivo es que Espinita me trae y me lleva y me zarandea como se le antoja. Se verifica lo que profetizó Minia: la mujer se apodera de mí, me subyuga —sin que el amor prevenga la excusa dulce.

Porque realmente, ¿ha ocurrido entre Espina y yo algo que lleve sello amoroso? Nada; lo cual es casi ridículo, para mí se entiende, cuando esta señora está siempre aquí, y se pasa las mañanas fumando, tendida en mi diván, confianzuda como en su propia casa.

Valdivia no aparece hasta la tarde. ¡Hago con él, desde luego, migas excelentes! Toda mi prevención se ha desvanecido ante el primer apretón de manos. Llega difícil de respiro, retocado, peinado, perfumado, con una ropa inglesa que quita el sentido de bien cortada, con esa superioridad de actitud y esa calma algo triste, de buen gusto, señorial, que sólo cría el hábito de vivir en grande. Es liberal y simpático; sabe obsequiar con galantería a las señoras; no habla nunca mal de nadie; no se mete con nadie; no tiene opiniones crudas y acerbas acerca de nada; huele bien; su visible agotamiento y sus quebrantos de salud hacen que se le tolere la insolencia de una fortuna calculada en millones, sólo parcialmente comprometida —dicen— por los fantásticos caprichos de Espinita, a quien igualmente se disculpa, en nuestro país todavía idealista, porque se adivina que no son felicidad sus relaciones con un hombre machucho y dispéptico. La dicha es lo único que no suele perdonarse.

*

Espina —voy estudiándola— no me parece tan mala

---

[222] Fondán.—Francés: clase especial de bombón cuyo interior es líquido.

como negativa, inconsistente. Es un ser instable; ondea y culebrea. Sus impresiones son repentinas, transitorias. No la he visto dos días de igual humor. Hay mañanas en que parece en extraordinaria placidez; otras, está abatida, suspira, no responde; otras, cae en un tedio negrohumo; frecuentemente se muestra excitable, cruel, rabiosa; al cuarto de hora, jovialmente achiquillada, en antojos de criatura. Yo soy también bastante veleta; lo malo es que no coincidimos al girar. Entra ella saltando, y me encuentra de murria; me levanto tarareando, de buen talante, y llega Espina reconcentrada, muda, y empieza a fumar con una furia que descubre el estado de sus nervios. Somos dos gatos pelo arriba, dos sistemas nerviosos en conflicto. Saltan chispas, hay electricidad en el aire.

¡Qué suerte no quererla, no importárseme de ella! Se me figura que, en el fondo, esta mujer, tan vertiginosa en sus goces, se aburre hasta la desesperación.

Como el prisionero cavila para evadirse de su carácter, cavila ella para fugarse del aburrimiento. Llega a mi taller y trae alguna distracción discurrida, o quiere que se la discurra yo.

—Piense usted... A ver... ¿Qué haríamos?

La he llevado al Museo, la he llevado a la Academia de Bellas Artes, la he llevado a la ermita de San Antonio. Lo único que noto que la impresiona algo es Goya. La maja desnuda y la maja vestida fuerzan su entusiasmo, y ante esas dos figuras enigmáticas, profundamente perturbadoras, hablamos otra vez del desnudo, hacia el cual reitera su desprecio.

Las etéreas figuras de la Florida la seducen.

—Goya —me dice— es un moderno, un moderno. No lo son muchísimos que pintan ahora, y que por dentro están en el año 60.

Como se cansa pronto, porque ya ve pronto, hay que variar, y la conduzco a barrios populacheros, a admirar tipos madrileños, a los lavaderos del Manzanares, donde llamamos la atención y nos dicen cosas chulas, desvergüenzas, sobre el tema de que somos «parejita». Nos creen en escapatoria, y esa opinión deben de compartir las personas conocidas de sociedad que, casualmente, hemos encontrado en nuestros paseos matinales. Esto me va a dar postín. ¡Espinita! ¡Vaya! Sí, tono y mucho tono.

Y la pregunto, con picor de curiosidad indiscreta:

—¿Que dirá el señor Valdivia, si sabe las correrías a que se dedica usted en lugar de posar para el retrato?

Me mira como sorprendida por una incongruencia y repite:

—¿Valdivia? ¿Valdivia? ¿Mis correrías? ¡Pch!

No añade sílaba más; pero yo bien he adivinado que Valdivia es celoso, y observo que un goce que saborea Espina es hacerle tragar a Valdivia todo el acíbar de los celos. Con uñas de gata feroz, proyectadas fuera de la patita terciopelosa, araña despacio, profundo, este corazón tal vez fatigado de sentir, pero todavía sensible, acaso más sensible que nunca, en el caso de un temperamento esencialmente pasional. Bajo su aspecto de vividor ditinguido, escéptico, es evidente que persiste el Amadís[223] de antaño. El muro viejo brota alhelíes. Los cincuenta y pico no preservan al desdichado de la infección mortal. Y al mirar al mísero esclavo, me envanezco del sentimiento de detestación que, en el fondo, consagro a Espina y... a todas, genéricamente.

En cambio, le voy cobrando un cariñazo enorme a Bobita, mi perra. Es una delicia... Ningún chico hace más gracias. La verdad es que me lo destroza todo, que no me deja cosa sana, que mis zapatillas se las trae arrastrando al taller y mis calzoncillos lo propio, que ayer me descacharró un cuenco de Talavera antiguo, que me ha borrado un retrato medio concluido; será preciso remendarlo... Y esto me viene tanto peor cuanto que ahora, con la absorción de la Porcel, casi no hago nada de provecho. Voy a encontrarme mal de fondos, pero muy mal. Mis mañanas me las estropean las excursiones en compañía de esta señora que me trae al retortero. ¿A que un día me cuadro? Va siendo el bromazo pesadito.

Lo peor es que no sólo me priva del trabajo, sino que me impone gastos tontos. Siempre que voy por ahí con ella le an-

---

[223] Amadís.—Protagonista de *Amadís de Gaula,* la primera novela de caballerías española, y encarnación del enamorado puro y perfecto.

tojan porquerías, que al regresar a casa tira con desprecio. Claveles, rosas, piñones, dátiles, macetas de albahaca, naranjas, panderetas, caricaturas de ministros, juguetes ordinarios, ¡hasta una pepona! Así que llegamos al portal, me dice imperiosamente:

—Dele usted al portero ese horror, para sus sobrinos... O si no, bótelo usted por la ventana...

¡Esos horrores me cuestan lo que tal vez no tengo!...Son efectivamente baratos, de baratura inverosímil; pero al fin hay que pagarlos, y en una bolsa tan flaca... ¡El castigo de vivir al día!

No contenta con la gracia de las compras, Espina ha dado en la flor de venirse a almorzar conmigo. Los días en que no se encuentra invitada por alguna diplomática, por alguna de sus cremosas amigas, no sabe qué hacerse y aquí se encampa. Una veces dispone traer de casa de Lhardy platos a la francesa, otras se encapricha por los comistrajos de los muchos figones que en Madrid abundan; pero invariablemente hace gestos a la minuta, declarando que aquí nos envenenan, que esto es infecto, que no concibe cómo tenemos paladar. Y agrega despótica:

—Se viene usted conmigo a París; se viene usted.

Lo poquísimo que come, lo come de través y con la punta de los dientecitos, cogiéndolo con el tenedor, remilgada, de la manera más mona que se puede soñar. Sus manos son perlas peraltadas, gemelas, dignas de un estuche. El más prolijo cuidado se revela en sus uñas, diez pulimentadas ágatas, de un rosa de concha del Mediterráneo, con reflejos brillantes, que hacen resaltar la mate blancura del menudo dedo.

Se las alabo, y responde en tono de tristeza:

—¡Si aquí están horribles! Me falta Madame Denoir, mi manicura de París. La que Lina me ha recomendado y que decía que era un portento, es una imbécil. No sabe bruñir ni tallar. Esa «reina de las hermosas» es poco exigente. No entiende de tocador.

A pretexto de convencerme de la torpeza de la manicura, cojo la diestra perlina y la retengo, examinándola, cerca de mis ojos. Detallo una por una las sortijas, de incomparable pedrería, de artístico engaste. Las joyas de Espina, lo he notado, son muy ricas, pero el arte en ellas hace olvidar la riqueza. La mano, cautiva, en las mías, que se insinúan con hábil presión, no palpita, no se estremece; parece una de esas manos de plata del tesoro de las iglesias, en las cuales lo humano es un hueso inerte, una reliquia. La memoria de los sentidos me hace evocar las trémulas estrechaduras de Clara, la profunda palpitación de todo su cuerpo al contacto menor. Y suelto, indeciso, la mano ensortijada, hierática. Puedo dar un paso en falso, y como no me enloquece Cupidillo...

*

Ahora sí que ha sucedido. ¡El diablo cargue con lo que ha sucedido! Porque en vez de satisfacción, ni de engreimiento, ni de alegría de ninguna especie, lo que experimento es fatiga, hastío, pésimo sabor de boca...

Desde que ocurrió el lance estoy de tal humor, que me rompería la cabeza contra las paredes del estudio.

Si los hombres y las mujeres tuviesen sentido común, ¡escarmentarían! Lo mejor que pueden hacer cuando estén juntos es prescindir de las tonterías que cometen... no sé por qué: por cariño, por ilusión, no será. Antes vivían en paz... Después, tiene razón Tolstoy[224], se detestan.

Al menos éste es mi caso. ¿Habrá tantos casos como individuos?

No; el verdadero origen de mi preocupación no he de callarlo... ¿A qué disimular ante yo mismo? Es una aprensión ridícula, es que siento... vulgares remordimientos de haber engañado a Valdivia, y bochorno de las circunstancias en que se ha verificado el engaño. Lo que yo hice no se hace; ¡no hay

---

[224] Tolstoy.—León Nicolaievich Tolstoy (1828-1910) escritor ruso, autor de algunas de las novelas más famosas del siglo XIX, como *Guerra y paz* y *Ana Karenina*. En 1883 sufrió una profunda crisis moral que lo llevó a convertirse en un apóstol del cristianismo primitivo, renunciando a sus bienes y a la literatura de ficción y dedicándose a labrar la tierra. La Pardo Bazán, que desde 1885 conocía la novelística rusa contemporánea, la dio a conocer en España en una serie de conferencias pronunciadas en el Ateneo de Madrid, convertidas después en el libro *La Revolución y la novela en Rusia* (1887).

perversión, no hay decadentismo que valga! Lo que yo hice es *vil*, y no puedo borrar, ni reparar, ni decirle a este hombre, como le dije a Churumbela:

—Pégame...

Si se lo dijese, es verosímil que me contestase cual la pobre gitana:

—Pa no matarte, desalmao, no te toco...

No me sirve de descargo acusarla a *ella* de haber preparado la ignominia. En Espina eso es natural; no se burlaría poco de mí, con su chispeadora burla, si la dijese: «¿Sabe usted? Me acusa mi conciencia.» ¡Conciencia, lealtad, sentido de lo infame! No, lo que es este secreto me lo guardo. Porque si algo me ha llevado hacia Espina, fue el diabólico afán de probarla que soy más indiferente a lo bueno y más inteligente para lo bello que ella y que toda su casta.

Llegó, pues, esta criatura infernal a mi estudio, bastante temprano, hecha un sol. Antes me había enviado una carga de flores y un billete. «Colóquelas usted; repártalas en cada rincón.» Engalané el estudio, el comedorcito, mi alcoba, el pasillo y, sobre todo, el tocador donde Espina se viste. Eran magníficas rosas, de estas que en junio empiezan a escasear en Madrid, pero todo se consigue tirando dinero. Me pareció no haber visto nunca, ni en Alborada, rosas como aquéllas, tan satinadas, tan tersas, tan suavemente húmedas, tan bien acapulladas, tan vírgenes. Y, en un relámpago, concebí el retrato de Espina —el que había de llevarse ella a París—, como anhelaba: algo nuevo, inusitado, sin perlas, sin moños, sin arrequives, sencillamente nubado de tules blancos, vestido de un manojo de rosas de las cuales surgiese el busto de la mujer, entre gloria primaveral.

Inspirado, y sin esperar la llegada del modelo, empecé el bosquejo de memoria, sólo para fijar la radiante visión y aprovechar el momento en que no habían principiado a languidecer las divinas, las fragantísimas rosas.

Al entrar la Porcel, antes de hablarme, cerró con llave la puerta del taller que comunica con el pasillo, y me dijo en voz tranquila, fina y como infantil:

—No tengo gana de que nadie nos interrumpa.

La miré sin comprender, absorto en mi boceto.

—¿Qué va a pensar el criado? —fue la simpleza que solté por fin.

—Yo siempre ignoro que existen criados; para mí no son personas —contestó encogiéndose de hombros.

Se acercó al caballete y en sus ojos de venturina, de siempre contraída pupila, advertí una luz de júbilo. Prorrumpió en exclamaciones. Era encantador, era una idea; en París arrebataría. ¡Qué delicia exponerlo, enseñarlo en su casa! Inmediatamente, es decir, por la tarde, traería una pieza de tul blanco, y la arrugaríamos los dos a ver quién lo hacía de un modo más artístico...

—La rosa, con todo, es flor algo trivial... —murmuró—. Orquídeas debieran ser. Pero acaso no se presten. El efecto no sería el mismo —y, con cierta ansiedad, añadió—: Supongo que aunque el pastel de la Dumbría tampoco tiene cuerpo, no es sino grasas, el mío no se le parecerá, no repetirá aquél. Dicen que es el mejor retrato de usted, y que los de Lina Moros, hechos con tanta prolijidad, no pueden comparársele.

—¿Qué sé yo? —respondía—. Es difícil dar el premio en concurso. Yo deseo que el de usted salga admirable...

Ella, arrimándose, se pegó tanto a mí, que percibí su aliento, no perfumado por la naturaleza, que pocos alientos perfuma, sino por elixires y mascadijos muy delicados, en una boca tan cuidada o más que las agatinas uñas. Su respiración se espació sobre mis mejillas, con revuelo sutil de mariposa, y su brazo derecho desquició violentamente mi cabeza, inclinándola hacia sí, mientras la mano perlina me revolvía los mechones del pelo y me arañaba con las sortijas la frente. El *nevimaterno* o antojo[225] que tengo cerca de la sien la extrañó, y sopló con cierta repugnancia:

---

[225] Nevimaterno o antojo.—El *antojo* es una mancha o tumorcito eréctil que suelen presentar en la piel algunas personas y que el vulgo atribuye a caprichos no satisfechos de sus madres durante el embarazo (DRAE). En el *Diccionario terminológico de ciencias médicas,* Barcelona, 1920, dirigido por León Cardenal, encuentro el término nevomaterno o *nevusmaterno,* definido como 'mancha congénita de la piel, plana o prominente, de coloración variada, pigmentario (*sic*) o simplemente vascular'. La forma *nevimaterno* que usa doña Emilia es, pues, una deformación del término médico.

—¡Puah!

A renglón seguido, con el infantilismo que exterioriza sus sensaciones, clamó regocijada:

—Y no es ilusión; se parece mucho a Van Dyck.

Después, al darme yo cuenta de lo que todo aquello forzosamente envolvía, buen cuidado tuve de evitar demostraciones pasionales, que podían convertir en mofa su benevolencia. Silencioso, como jugando, me apoderé de la presa. Para ensayar el retrato la envolví en rosas, que deshojábamos magullándolas, y que se morían en el ambiente caluroso del taller, en el cual las grandes vidrieras, a pesar de las cortinas moderadoras, derramaban chorros filtrados de sol. El silencio pesado de la mañana de junio era perceptible, y sugería aislamiento, soledad, libertad secreta. En la casa parecía no rebullir ni una mosca. Bobita dormía hecha un ovillo. No había sonado ni una vez la campanilla de la puerta. De pronto sonó; me incorporé pavorido. Ella se puso en pie igualmente, y me dijo, en voz susurradora:

—Nada de abrir sin saber a quién.

Me acerqué a la puerta del taller y oí pasos en el corredor, el característico ruge-ruge de la faldamenta femenina. Espina puso un dedo sobre los labios. Desde afuera gritó la voz de Lina Moros:

—¡Lago! ¡Lago! ¿Puedo entrar? Me ha dado cita aquí Espina Porcel, para que vea cómo adelanta su retrato... ¿Está usted solo?

Espina hizo seña de que ella abriría y tardó, aparentando torpeza o malagana. Lina, al entrar, se comió la partida inmediatamente. Había que ver fulgurar sus negros ojos.

—Hija, si no te arreglaba que viniese, pudiste no citarme aquí...

Entonces Espina se mostró incomparable. Sin manifestar otra cosa que una satisfacción que afectaba no poder reprimir, miró cara a cara a Lina, se acercó a ella y la dio en el aire, no en las mejillas, un beso, murmurando suavemente:

—Al contrario, *ma charmante*[226], si te avisé porque me

---

[226] Ma charmante.—Francés: expresión cariñosa derivada del adjetivo «Charmante» «encantadora».

arreglaba... Quiero que sepas antes que nadie que el mejor retrato de Lago va a ser el mío. ¡Una idea tan original y tan poética! Saldré de unas especie de triunfo de rosas, de una delicadeza ideal. En París producirá entusiasmo. Cuantos retratos hizo Silvio hasta el día, son... psch... banales. Así me lo ha dicho él...

La morena belleza sonrió despreciativa, y sin responder a su interlocutora, se volvió hacia mí y lanzó:

—¡Es usted el hombre más galante... pero más embustero! Eso mismo me contó cuando terminaba el famoso retrato del traje de terciopelo *miroir*. Por cierto, deseo que cuanto antes me lo envíe usted a casa. Quieren verlo unas amigas, de las que no son envidiosas, por lo cual profetizo que lo encontrarán admirable... ¿A ver, dónde anda esa obra maestra?

¡Dios mío, qué compromiso! Quise aplazar, mentir... pero Espina, exultante, desenterró el retrato, que yo había trasconejado ocultándolo detrás de varios chirimbolos. Calcúlese cuál se quedó Lina al ver el ultraje inferido a su imagen por el arrebato de la Porcel. Palideció como las morenas, con tonos lívidos. Motivo había, es innegable. Yo, en cambio, colorado de sofocación. No sabía por dónde salir. Y Espina, la muy bribona —¿qué otro nombre puedo darla?— se echó a reír con risa que de puro alegre era un gorjeo, y entre la cristalina cascatela de sus carcajadas, exclamó con tono de perfecto candor:

—¿Pero cómo ha hecho usted, Lago, para estropear la maravilla?

Era demasiado fuerte. Lina, frunciendo las cejas de terciopelo, se volvió hacia su amiga, y la disparó a boca de jarro:

—Abur, *ma tonte belle*[227], te regalo el retrato y el autor... Están en el mismo estado poco más o menos; buen provecho te hagan...

Y salió, ocultando con la ironía la desazón enorme. ¡Su retrato, el alabadísimo, el que había de consagrar la memoria de su hermosura triunfante, indiscutible! Sin permitirme cum-

---

[227] Ma toute belle.—Hay que decir lo mismo que en el caso anterior. Equivaldría al castellano «preciosa mía».

plir el deber de cortesía de acompañar hasta la antesala a la ultrajada beldad, Espina cerró nuevamente la puerta del taller con doble vuelta de llave...

*

Y aquí entra lo que verdaderamente me preocupa. Aunque la escena con Lina fue desagradable, y en ella resulté faltando a una mujer a quien sólo debo amistad, consideraciones, no tiene comparación con lo que sigue. Al cuarto de hora de marcharse la Moros, volvieron a llamar, se oyeron de nuevo taconeos en el pasillo, esta vez sin ruge-ruge de sedas, y Valdivia, el propio Valdivia, hirió con los nudillos... Aterrado, me volví hacia Espina, consultándola con la mirada.

Detrás de la puerta me parecía que jadeaba una respiración, que palpitaba agónico un aliento... y era el mío; el zumbar de la sangre me aturdía las orejas. Espina, lenta, risueña, vino hacia mí. Creí que iba a dirigirme algún advertimiento de prudencia, alguna palabra de esas que el instinto de conservación dicta. Lo que hizo fue un guiño de complicidad, un gesto pícaro, envuelto en una caricia fogosa. Y riendo bajo, satisfecha, campante, exclamó:

—Aguarde un poco... ¡Nada de darse prisa!

La voz de Valdivia cruzó a través de la hoja de palo.

—Estás ahí, María. ¿Por qué no me abres?

Empujándola, imponiéndome, abrí. No sabía de qué manera recibir a aquel hombre. Mi actitud sola era prueba clara. Jamás comprenderé, jamás me explicaré este episodio de mi vida; verdad que la vida está llena de enigmas sin clave.

Yo no puedo dudar de que Valdivia es un mártir de los celos. Pero ¿hasta qué punto esta amarga enfermedad, tan amarga que sólo por ella debiéramos renegar de la tontaina de los amores, es compatible con la lucidez? ¿Por qué, vamos a ver, se ríe la gente de los celosos? Pues justamente porque los celos ponen venda más espesa que el amor todavía.

Valdivia, como todos sus compañeros de tortura, gime en su potro, desconfía, no duerme; pero cuando se le antoja confiar, lo estaría viendo y negaría el testimonio de sus ojos, la realidad que palpase. Tal le sucedió en este caso. ¿Qué sujeto de experiencia, y Valdivia la tiene muy cabal, hubiese dudado, y qué carcajada no soltaría el propio Valdivia si de otro le refiriesen esta aventura? ¡Encerrados, solos, turbado yo, esparcidas las rosas! Pues sin embargo, no contento con mostrarse tranquilo y sin escama de ninguna clase, por un fenómeno que no es único, que es frecuente en los celosos, cuya razón acaso sea el instinto egoísta de precaver sufrimientos, se adelantó a facilitarnos la explicación, que yo al menos no era capaz de inventar:

—Han cerrado para librarse de importunos, de indiscretos que divulguen por ahí lo original de la idea del retrato. Bien hecho. Pero yo no cuento, ¿verdad? Yo me siento aquí tan formalito... y usted sigue en su tarea...

Y Espina respondió, impávida:

—Si estorbas, te echaremos. Pero no estorbas. Has sido muy amable en venir, como te encargué.

¡Ella misma le había avisado! ¿Qué aberración es ésta? Llamar a Lina será una diablura; pero ¿llamar a Valdivia? Tiemblan un poco mis dedos al coger los lápices, al extender las tintas. Valdivia aprueba; él y Espina fuman, serenos, amigables.

*

Y sigue la historia. Me había levantado ayer hostigado por la preocupación más común, estúpida y agobiadora del mundo. No tenía un cuarto; no tenía lo que se dice un cuarto para hacer bailar a un ciego.

Las encerronas con Espina en esto habían venido a parar. No trabajar, rehusar encargos de gente que según Espina no es lo bastante *smart* para que yo le dispense tal honor... Y el sacristán de lo que canta yanta...

¿Cómo no se me había ocurrido antes?

Es que me estomaga pensar en dinero. El dinero es una de las peores cochinadas de este cochino mundo.

Pero también, como pasa con otras cochinadas, si nos falta viene la muerte.

Cada peseta representa una gota de sangre; cada duro es un nervio; cada millar de duros, un pulmón.

Estaba anémico, neurasténico y tísico, sin dinero.

Empecé a revolver mis libros, por si desentrañaba algún

retrato sin cobrar, y me encontré que, excepto los consabidos millonarios y una diplomática ausente, lo entregado estaba cobrado todo. Lo que pasaba era que tenía algunos retratos empezados; pero como hace tiempo que rehúyo dar sesión, no he terminado ninguno.

Un sudor de angustia me corría por las sienes. Encontrábame además en ridículo. Espina tenía derecho a burlarse de mí, pues le había sacrificado neciamente mi manera de vivir, mi sustento diario.

¡Dinero! ¡Me faltaba dinero! No podía sosegar. ¡Ni que yo fuese un codicioso! Es que el dinero, qué diablo, no hay hora ni momento en que no nos haga una falta terrible. Sin miaja de codicia, somos esclavos de él. No es codicia necesitar aire respirable. Nuestra sociedad respira por el bolsillo.

Todo esto lo voy poniendo aquí, probablemente para disculpar...

Me he creado necesidades; tengo que pagar, sin falta, el alquiler de la casa, la soldada del fámulo, las cuentas galanas de la portera, la leche de Bobita, mi ropa, el gas, la electricidad... Tengo que vivir.

¿Qué hacer? ¿Suplicar un adelanto a la baronesa? ¿Cómo me recibirá? ¿Qué cosazas dirá de mi desorden, de mi falta de cabeza, de mi desbarajuste?

Y cuando me hallaba sepultado en desesperadas meditaciones, llaman, entra Valdivia tétrico y ceñudo.

—¿María no ha venido aún? Me alegro. Tenemos que hablar...

¡Adiós! Sospechas, recriminaciones, lance... ¡Qué saldrá de aquí!

—Tenemos que hablar... —repite—. Pero antes, hágame usted el favor de un vaso de agua clara...

—¿De agua clara? —repito embobado.

—Sí... Necesito absorber un poco de bicarbonato; mi estómago me está gratificando, desde por la mañana, con una gastralgia[228] horrible... ¿No le ha dolido a usted nunca el estómago?

---

[228] Gastralgia.—Dolor de estómago. Es término muy utilizado por la autora, que gusta de estos vocablos de aspecto científico.

—¡Ya lo creo que me ha dolido! —respondo con expansión—. Sin ir más lejos, ayer...

Y, llenos de cordialidad, unidos por una corriente de franca simpatía, empezamos a confiarnos nuestra tribulaciones. Valdivia no tiene hueso que bien le quiera, es un mapamundi de alifafes; le fastidia unos días la cabeza, otros el estómago, siempre las articulaciones, muy a menudo los riñones y no pocas veces el corazón. Cree tener síntomas del mal de qué se yo quién y de la afección de qué sé yo cuántos. Los médicos le han ordenado rigurosamente campo, reposo, nada de emociones fuertes, un régimen de lo más severo.

—Pero —objeto yo— entonces...

—Entonces —replica afablemente, mientras deslíe el bicarbonato— tales prescripciones no se siguen jamás. No hay valor para separarse de María. Los médicos, ¿qué saben?

—¿Por qué no se van ustedes los dos al campo? —pregunto—. Allí, con un poco de voluntad...

Los ojos de Valdivia, del antiguo Tenorio, del hombre con espolones de acero —lo he visto, no puedo dudarlo—, se arrasan de lágrimas. Me echa una mirada infinitamente expresiva, de esas en que se vuelca la urna de la pena, y murmura, bajando la cabeza y como acortado:

—Ella no quiere... No es cosa, ya ve usted, de encerrarla en una aldea a la cabecera de un enfermo...

Y, pronunciada la primera frase, quitado el primer tapón, la confidencia, de un modo casi involuntario, surte de los labios secos, marchitos. Sale a pedazos, unas veces brusca y fiera, otras humillada, resignada; pero sale, entreverada con quejidos sordos que la tenaza de la gastralgia arranca del fondo del pecho. Lamentaciones sobre la salud perdida se mezclan con quejas del animal que sufre y del enamorado que no ha podido curarse del daño que el filtro causa. Al principio se tropieza en las palabras, se quiere tapujar, velar con formas decorosas lo ignominioso. Poco a poco se va ahondando, se introducen los dedos en la llaga, se descubre la infección. Por los bordes abiertos y sanguinolentos, asoman su cabeza de víbora los celos afrentosos.

—¡Ni un día sin celos! —repetía hecho un ovillo en el sofá, porque arreciaba la gastralgia—. ¡Ni un día de dulce sosiego, de serenidad, de fe! ¿Comprende usted esto, Silvio? Es como un maleficio, y a veces, créalo usted, sin ser superticioso, me ocurre que estoy embrujado. Hay días en que me parece que odio a María más que otra cosa. ¡Desconfiar, desconfiar siempre! Y ¿sabe usted la razón de mi desconfianza? Mi detestable experiencia. Si yo fuese un poco menos corrompido, fiaría más en María, y eso ganaba. Por haber sido traidores creemos que nos traicionan. Me da por ataques repentinos, como el dolor de estómago, y es gracioso; se me ocurren cien barbaridades que no cometo. Mi desgracia es tanta, que estoy gastado para la voluntad firme de realizar un acto de energía, y no lo estoy para el sufrimiento que dicta esos actos a otros hombres, a la gente ordinaria. Se me ha puesto aquí que si mato a María quedo libre de mi obsesión; porque muerta ella no hay celos, y mi pasión es celos; nada más. Suprima usted esa negrura, y el amor se evapora. Si me parece que con tanto devaneo celoso no estoy enamorado; no quiero, lo que se dice querer, a María... oiga usted esta monstruosidad: si María cogiese ahora el tifus y se muriese, estoy por decir que me alegro. ¿En qué piensa usted? ¿Me cree loco?

—Pienso en qué cosas tan diferentes nos marean a cada uno. En su caso de usted, yo tan fresco. Ahí tiene usted... Sólo me desvela mi pintura, los medios de irme a estudiar lejitos. Y aunque aparentemente se diría que me aproximo a mi ideal, la verdad es que a cada paso lo veo más distante. No tengo cabeza para hacer economías; me las arreglo tan mal, que...

Apenas dicho me pesó; quisiera recogerlo. Este hombre no va a creer nunca que hablé así... arrastrado por el torrente de las espontaneidades. Me miró con interés, y exclamó con una bondad que me pasó el alma como un cuchillo:

—Cuente usted conmigo para todo. Tendré verdadero, verdadero gusto en serle útil. ¡Y, a propósito! Me alegro que se suscite esta conversación, porque soy su deudor de usted, y he de pagar, antes que con mis males y mis chifladuras me distraiga. Dos retratos de María ha hecho usted ya.

—No —me apresuré a gritar—, uno solo. El otro es un boceto, un estudio.

—El otro es más bonito por lo mismo, por la libertad, por

la fantasía. Ese es mío; lo compro yo. El otro casi está terminado, y en París le dará a usted gran cartel. Total, dos retratos... ¿Cuánto le debo? Sencillamente, entre amigos...

Al oír la cifra protesté.

—De ningún modo. ¡Qué desatino! Esos son los precios madrileños; aquí es de balde todo. Permítame que inaugure los precios franceses. Dos mil francos vale por lo corto cada pastel, y aquí traigo, justamente...

¡Qué deslumbramiento! ¡Cuatro mil francos de un golpe! Oscilé de emoción. Me veía salvado, libre, pertrechado por la guerra. Pero era demasiada vergüenza, demasiada felonía tomar tanto dinero de aquel... ¡Extraña casuística! Si me paga al precio de Madrid, no me da empacho...

—Vamos, no haga usted repulgos. Lo ha ganado usted bien, le debo a usted más. Ya sé lo que pasa con María. Le ha hecho perder un tiempo precioso, y de fijo le ha indispuesto con un sinnúmero de parroquianas. Porque María es así. No habrá consentido que retrate usted, esta temporada, sino a quien se le antoje a ella. Tendrá usted, por su culpa, diez o doce enemigas...

¡Perspicacia singular, alternando con absoluta ceguera: tú eres la característica de los enfermos de celos crónicos!

Todavía añadió:

—Y, por supuesto, cuente conmigo en París, adonde espero que se vendrá ahora en nuestra compañía, para lo que le haga falta, sin restricciones... Me causaría usted una contrariedad si se dirigiese a otra persona. No tema, no recele carecer de nada al establecerse allí. La amistad de Valdivia es algo más que fórmula. No lo dude.

Hablando así, alargóme la mano, seca y calenturienta, y no me atreví a retirar la mía, de seguro temblorosa.

—Sea usted mi amigo —dijo melancólicamente—. No soy un hombre demasiado feliz, sino todo lo contrario. Sólo la amistad mitiga, a veces, las quemaduras de lo que me abrasa. ¿No es cierto que esa mujer tiene algo de irresistible? Y, en el fondo, créame... ella no es responsable del mal que hace. Se encuentra sometida a una fatalidad... ¡Si usted supiese lo que he batallado para apartarla de mi pensamiento, para quitarme el vicio y la borrachera de su amor! Usted puede prestarme un gran servicio, a cambio de todos los que yo estoy dispuesto a prodigarle. Escúcheme con paciencia cuando le cuente mis penas, y no se burle, como se burlan los amigotes de María en París y aquí. Delante de ellos me presento como un hombre material y cínico, harto de todo; y me creen, porque son lo mismo. Están gangrenados, les aborrezco. Hay, especialmente, un compañero de usted, un pintor belga, ¡que si yo tuviese valor para malquistarme con María, mi mayor delicia sería clavarle una bala, después de escupirle! Sé de fijo que me ha engañado con él, y he de seguir recibiéndole, y he de tratarle como si tal cosa, y hasta dar almuerzos y comidas en su honor. ¿Verdad que es aplastante sentirse hombre civilizado, de una civilización extrema, que divorcia la acción del sentimiento? Ya le conocerá usted, ya conocerá a ese tartufo... Marbley se llama. ¡Porque usted le hundiese daba yo ahora mi sangre!

—¿Marbley? ¿El del *Harem turco?*

—¡El mismo! ¿Tiene usted noticia de él? A fuerza de reclamos se ha impuesto. Un farsante, sin miaja de genio; un hombre que sólo piensa en cobrar, en sacar dinero a las norteamericanas ricas. ¡Si supiese usted cómo cultiva el género! No hay ardid que no emplee. Paga artículo en los periódicos; no sale de los tocadores y de las faldas. ¡Y envidioso! Ya verá usted en cuanto eche la vista encima a este delicioso retrato. Se lo voy a refregar... Quítele usted la clientela, arrincónele, aplástele. Ese complot tenemos que tramar... Y cuente usted con Valdivia. ¡Si yo soy el que queda obligado!

*

En lugar de dormir bien, guardando en cartera cuatro mil francos, no descansé en toda la noche. Dando vueltas y más vueltas, como uno de esos insomnios invencibles que determinan en mí al igual las impresiones de placer y las inquietudes profundas, oía a mi cabecera el tiquitiqui del relojillo metido en su marco de plata repujada, y me parecía, sensación en mí bastante frecuente, que la cama estaba invadida por miriadas de hormiguitas, y que estas hormiguitas, zigzagueando, se me paseaban por el cuerpo abajo y arriba. Mi pensamiento se devanecía como el humo disperso por el vendaval. Me ardía la frente. Y, en el alma, bochorno, dolor inexplicable. Me golpeaba el corazón el recuerdo de las palabras de Valdivia.

Yo no he nacido, yo no sirvo para esto. Yo no me rebullo en la perfidia como en el agua el pez. Soy débil, o tonto, o lo que se quiera... No puedo. La indiferencia moral que me pareció hasta una gracia en Espina, en mí —reconozco la contradicción— me parece sencillamente, en este caso especial, una canallada. A darle su nombre verdadero, yo seré un canalla, el último, el presidiable, si me aprovecho del dinero de Valdivia y, al mismo tiempo, de... no le llamo el amor... el capricho de Espina por mí.

Bienaventurados aquellos que o son malos o buenos del todo. Yo no siento constantemente el estímulo, la inquietud del deber. Sin embargo, tengo impulsividades honradas. Cuando empezó a filtrarse el día al través de los resquicios de la ventana, había formado una resolución. Estos cuatro mil francos... bueno: el precio de París. ¡Pero ni un céntimo más! Y por mí, sosiéguese Valdivia. Ya puede Espina agotar sus artes. Muy amigos, sí; trato, conversación... No otra cosa.

Y con esta decisión firme, que a mi ver lo concilia y lo borra todo, las hormigas desfilan en silenciosa caravana, mi frente se refresca, mi pulso se normaliza... Me quedo dormido regalonamente.

*

Mi fatuidad —porque en este medio me he vuelto fatuo— me sugería que iba a ser necesario luchar para dar un corte a la relación íntima con la Porcel. Lejos de eso, apenas me eché atrás, con torpeza, con exageración (lo hice detestablemente), Espina adivinó, tragó la píldora, me miró con sorpresa burlona; después exhaló un ¡ah! gracioso y cómico; luego, con calma e indiferencia en que había menosprecio, sacó un cigarro de su primorosa petaca y lo encendió, demostrando, como casi siempre que fuma, impresión de bienestar, de *euforia,* debida, sin duda, al opio que encierran sus papelitos largamente emboquillados.

Cuando la dije que, por indicación de Valdivia, les acompañaría a París, me miró atentamente, y en sus ojos de venturina derretida, irradiaciones, vi lucir una chispa sardónica, cruel. Hizo luego un gesto de los que se hacen cuando el destino se impone.

—Mucho me alegro de que le tengamos a usted por allá —pronunció despacio, con expresión enigmática.

No me había apeado nunca el tratamiento, ni en medio de nuestras breves pasionalidades; el toque de ternura del tuteo me fue rehusado, tal vez por desdén. Asimismo observé que ha guardado conmigo cierto género de pudor, no permitiéndome ver de su cuerpo absolutamente más de lo que exigía el retrato.

Acaso crea que mi retraimiento es un pasajero capricho; segura de su atractivo perverso, sonríe de un modo insolente, con reto en la actitud. Me consagro a adelantar el retrato, y por cierto que sale encantador.

*

Empieza a correr en los círculos sociales la voz de que me voy a París con Espina, y la gente me jalea, me halaga más que nunca. Convites en todas partes. Las animación matritense es ahora extraordinaria, febril, por la venida del rey de Portugal[229] y consiguientes festejos.

Madrid, tablar de garbanzos; te dejo gustoso. Correspondes a una etapa de mi vida en la cual no hice sino falsear y bastardear mis instintos verdaderos, mentir a mi vocación, perder mi fe, mis convicciones, que eran mi apoyo, sentir que a cada paso me aparto del ideal... y ni siquiera reunir ochavos, porque la verdad es que en Madrid las bolsas andan escurridas y lo único que se logra es «ir trampeando».

Siempre que emprendemos un viaje, entra por mucho en nuestra animación la esperanza de que va a cambiar el aspecto de la vida, de que vamos a renovarnos.

A bordo del barco en que vine de América, recuerdo cuán-

---

[229] El rey de Portugal.—Debe referirse a Carlos I, que reinó de 1889 a 1908.

to me sonreía esa ilusión. La nueva existencia sería, forzosamente, mejor que la pasada; aquello era la prueba, esto sería el premio. Y con todo, si entonces me hubiesen vaticinado el golpe de fortuna y el arrechucho de moda que me aguardaba en Madrid, hubiese dicho que era imposible.

Ha sucedido; he logrado infinitamente más de lo que podía fantasear, y sólo experimento, al emprender otra peregrinación hacia la tierra prometida, repugnancia a lo pasado. Casi raya en el asco que infunde la comida mascada y el pan mordido. Quizás me espera en París verdadero desencanto: la certeza de que no tengo puños para lo único que importa.

Si me convenzo de esto... Pero ¿puede uno convencerse nunca?

El retrato de Espina trastorna la cabeza a las señoras que lo ven. Realmente (lo conozco) es (aunque algo cromito, cromito siempre) de una *etereidad,* de una magia seductora. La cabecita rubia, los nacarados hombros, virginales (Espina tiene una porción de detalles que no pueden llamarse sino así), son un hechizo de finura. Los tules y las rosas, vamos, no sé quién los haría mejor. Parece que las flores están salpicadas de rocío, y que sus hojas de seda van a moverse, a caer lánguidas, dulces. El efecto de absoluta sencillez, evitando la cargazón de lujo y mal gusto de las señoras de aquí —y no exceptúo a Lina Moros, que por cierto está torcidísima conmigo, que no tengo culpa de las extravagancias de la Porcel—, el efecto de sencillez, un cuadro sin una joya, sin un lazo, es atrayente, exquisito. En fin, el retrato de Espina hace la competencia, como acontecimiento mundano, a la venida del monarca portugués.

En ecos periodísticos, en las conversaciones, un concierto de elogios. Y decir que al mismo tiempo que me inciensa, yo creo sentir alrededor del pescuezo un collarín que me ahoga, la argolla de mi eterna mediocridad.

¡La obsesión, la obsesión! Felices los imbéciles como Valdivia, esos a quienes la fidelidad o infidelidad de una pindonga...

Estas crudezas que pienso y escribo aquí me avergüenzan también; pero comprendo que si tuviese la seguridad de mi talento, de mi genio; si la tuviese perseverante, en vez de tenerla por accesos y caer luego en desaliento incurable; si yo fuese Van Dyck, me creería autorizado a pensar como me diese la gana de cosas y personas, y a retratarme con mi engañado protector, sin escrúpulos...

Un genio en arte no reconoce ley; es rey, es águila.

Yo vivo anonadado, porque no sé si soy más que un pastelista de salón.

Es urgente averiguarlo. ¡Maldito yo si no lo averiguo!

*

He rehusado casi todas las invitaciones, sobre todo las de los bailes: esto de no asistir me da tono... y comodidad. Las comidas las he aceptado, porque se come mejor que en casa, naturalmente. He ido a despedirme de las Dumbrías, que se alegran francamente de mi salida en busca de aventuras. He dicho adiós igualmente al marqués de Solar de Fierro, que se ha conmovido algo (como se conmueven los viejos, pensando en sí mismos, en contingencias de no volver a ver al que despiden), y me ha llenado de consejos acerca de lo que debo reparar en el Louvre, en Chantilly, en Cluny[230]. Además me ha dado cartas y tarjetas para que visite colecciones particulares que no se enseñan. Y a fin de cumplir de una vez con todas mis amigas —llamémoslas así, aunque sea presunción—, aprovecharé la butaca que me envía la Sarbonet para la función regia en el Teatro Real.

*

¡Qué concurrencia, qué calor, qué lujo! Las peticiones de localidades han sido tantas, que el ministro, oigo que dicen a mi lado, andaba loco. Ha sido preciso enchiquerar[231] a seis u

---

[230] Louvre, Chantilly, Cluny.—Son los museos más importantes de París. El Museo de Chantilly es importante por su colección de pintura del renacimiento y barroco, y el de Cluny por sus tapices góticos, como los famosísimos de *La Dama del unicornio*.

[231] Enchiquerar.—En sentido estricto significa «encerrar a los toros en el chiquero». En sentido figurado «poner a uno preso en la cárcel» (DRAE). Abundan en la novela este tipo de expresiones peyorativas, puestas en boca de Silvio cuando se refiere a las mujeres.

ocho señoras en cada palco. Los señores, como puedan. Las que han conseguido sitio desde el cual se ve a la Corte, satisfechísimas; las que no han logrado esa fortuna, se prometen invadir el palco de una amiga en los entreactos para saturar sus ojos de la atracción. Cantan nada menos que el *Don Juan,* de Mozart, pero nadie quiere oír una nota de la divina música. Más que los cantantes, cuya voz ahoga completamente el abejorreo de los diálogos, de las observaciones acerca de tocados, galas y joyas, interesan al público los dos alabarderos de guardia en los ángulos del escenario con el telón, inmóviles. Son dos apariciones de antaño —morenos, mostachudos, serios—, estatuas de la lealtad monárquica. Ayer he visto a estos mismos alabarderos, en la corrida regia, resistir con las alabardas, al pie del palco que ocupaban las reales personas, la arremetida del toro. Sería un bonito asunto de cuadro, un Zuloaga.

Todo el mundo tuerce la cabeza para mirar a la Corte, cuyo gran palco domina la Sala, tratornando la categoría de las localidades, elevando al primer rango a los palcos principales, otros días refugio de la gente de medio pelo, y hoy reservados a los diplomáticos, a las damas de la reina, a la alta servidumbre, a lo más granado de la concurrencia. Se respira un aire embalsamado, asfixiante. Aquí sí que queda eclipsada mi perfumería. Es difícil discernir qué olor domina: si los aromas fuertes, ingleses, que gastan los muchachos *bien,* o las sutiles composiciones francesas, mixtiones delicadas y personalísimas, de las cremosas. En conjunto levanta dolor de cabeza y solivianta los nervios.

Enarbolo los gemelos que acabo de alquilar por dos pesetas, y me dedico a pasar revista.

Es un abigarrado, un mariposeador remolino de hombros y senos salpicados de padrerías, arroyados de perlas; de cabezas coronadas de brillantes; de uniformes, de dorados, de plumas, de pecheras de blanco cartón. Es lo que desde hace meses me dedico a retratar; son mis modelos, mi clientela, mi mundo, reunido y luciendo el tren de sus vanidades, de sus pretensiones de tono, riqueza, belleza, posición, galantería, superioridad social; éste es el momento crítico en que las pequeñas Quimeras, las Quimeritas, revolotean ladrando, soltando humo por las fauces...

Descanso los gemelos un instante. A mi derecha tengo un gallardo, un magnífico maestrante de Ronda. Su casaca ceñida le presta arrogancia militar, bombeando y diseñando el bien formado pecho; sus calzones blancos modelan sus esculturales muslos. Mira con mezcla de interés y desdén a los palcos, sonríe de vez en cuando a una cara conocida, arquea las cejas de puro ébano, contrae una frente juvenil, encuadrada por el pelo negro alisado exageradamente, según el decreto de la moda. Se ve que tiene calor y que más bien se aburre que otra cosa... pero sería lástima que se fuese, con tan hermosa estampa. A mi izquierda dos damas muy maduras, emperifolladas, cejijuntas, desesperadas toda la noche de Dios porque no han conseguido asiento en un palco. Su mal humor se traduce en murmurar de todos y de todas, en cuchichearse, escandalizadas, historias sin pies ni cabeza, en encontrar falsas las perlas y los brillantes de cuantas lucen corona heráldica, y en criticar el reparto acerbamente. Viene a saludarlas un señor calvo, obsequioso, y le endosan la relación. «Figúrese usted que nos ha engañado el ministro... Hasta última hora prometiendo palco, y luego nos encaja esta ridiculez.»

El señor, sin duda para consolarlas, musita misteriosamente: «¿Y saben ustedes que está en las butacas la Maricielos? ¿La amiga de Julio Ambas Castillas? ¿Una *cocotte*? Está, acabo de verla... Un escándalo...

Tiendo la vista por las butacas, y en el mujerío apenas descubro una cara satisfecha. Querían palco todas. Unas disimulan, otras están furiosas sin rebozo; sin embargo, se han colgado la espetera y sacado el fondo del baúl. Entre los trajes claros hormiguean los fraques y los uniformes; y me fijo, admirado, en la cantidad inverosímil de condecoraciones, placas y cruces que brillan sobre el paño negro, azul o rojo. Si a estos signos se atendiese, somos el pueblo que cuenta con más héroes, con más sabios, con más gente ilustre por un concepto o por otro. Hay pechos que son, no un calvario, como impropiamente se dice (¿qué valen tres cruces?), sino la Vía Apia el día de la célebre crucifixión colectiva[232].

---

[232] Célebre crucifixión colectiva.—Se refiere al final de la rebelión de los esclavos, capitaneada por Espartaco (113-71 a. C.), jefe de esclavos de la anti-

Tampoco escasean las veneras y distintivos de Ordenes militares, ni faltan maestrantes de Sevilla, Zaragoza y Ronda —pero ninguno con la planta arrogante del que a mi lado se sienta—. Sin embargo, la vanidad burguesa se sobrepone a la nobiliaria; la inundación es de bandas y condecoraciones militares y civiles, llegando a parecerme de buen gusto, por contraste, la bermeja cruz gladiada de Santiago, que algunos llevan como único distintivo. Miro a mi frac enteramente liso y desnudo, condecorado con tres tallitos de muguet y dos violetas blancas en el ojal, y me siento muy vacío de vanidades, escastillado solamente en mi orgullo loco de querer ser algo que no se expresa con una cinta de colores ni con un trozo de metal.

¡A los palcos! Ahí se gallardean las que conozco, las que he retratado, y también las que no he querido retratar. Ahí las Dumbrías, en platea, con las hijas de un político de fama. Ahí la Palma, con su heráldica diadema, su aire de gran señora. Ahí la marquesa de Regis, honradota, luciendo apelmazadas alhajas de familia, absolutamente *fagotée*[233]... y su hija, la de los bandós virginales, encinta ya de cuatro meses. Ahí la Fadrique Vélez, pintada, empavesada, dislocada, porque tiene cerca, de uniforme de gentilhombre, al consabido... Ahí Adolfina Mendoza, que no cabe en su pellejo de contenta, porque la han puesto con la Lanzafuerte y la Vegamillar, la pura crema de la pura nata... Y un vapor de recuerdos me forma y dibuja la silueta de una carmelita, postrada en un coro donde hay sacófagos de piedra, góticos, de Infantes de Castilla y León...

En el cristal de los gemelos se incrusta la cara regordeta, de cocinera, de la Sarbonet. Sobre su pelo, teñido de color caoba, brilla, entre los follajes de yedra, una serie de estrellas de pedrería, y riachuelos de brillantes se escalonan en su tabla de pecho apetitosa, de jamona en punto. Desvío los gemelos, y

---

gua Roma. Derrotado tras años de lucha por Marco Craso, fue crucificado junto con gran número de sus seguidores en la Vía Apia.

[233] Fagotée.—Francés: adjetivo derivado del verbo «fagoter» que, en una de sus acepciones, significa 'adornar con mal gusto, con exceso' (Larousse).

recaen en la duquesa de Calatrava y en la marquesa de Camargo, reunidas con Celita Jadraque, cuyas perlas engordé yo, cebándolas como a pavos en Navidad. Justamente, la Camargo las alzaba, las sopesaba en aquel momento, recordándome la escena del taller.

A renglón seguido, Lina Moros, con un traje negro, refulgente de lentejuelas de acero, una rosa roja, enorme, en el tocador, y una hermosura que sólo la envidia de una neurótica pudo discutir. En el mismo palco, una de esas diplomáticas averiadas, viejas y horribles, que aquí nos endosan a veces, y otra encantadora —la francesa— deliciosamente ataviada, con un talle y un *chic* que a París me transportan ya. Al lado, la Torquemada, la madre de aquel Robertito travieso que descubrió una petaca que yo creía sustraída por la infeliz Churumbela... Y más allá, la de la encerrona inocente, la marquesa de Imperiales, que me sonríe, dirigiéndome un signo confidencial... A su lado, el palco de la noche, después del de los Reyes; el palco hacia el cual convergen las miradas; el palco donde da postín entrar y sentarse un entreacto; el palco donde están de visita Lope Donado y Manolo Lanzafuerte, e irreprochablemente vestido, con la sonrisa en los labios, Valdivia. En ese palco, donde, por colmo de tono, sólo se sientan dos señoras, están la Frandes y Espinita. Y es toda la contradicción de la sociedad actual este palco: la alta representación de la casa de Flandes, lo puro, lo grandioso de la tradición, al lado de la equívoca cosmopolita; junto al oro sin aleación, el talco...

La Flandes, erguida, larga de líneas como una ninfa de Goujon[234], no parece sentir el peso de la soberbia corona ducal que surmonta[235] sus negros cabellos, ni el del collar de perlas, memorable, que rodea su garganta, donde caben aún una carlanca de perlas más chicas y un río de enormes solita-

---

[234] Ninfa de Goujon.—Jean Goujon, escultor y arquitecto francés (1510-1566). El rey Enrique II lo nombró arquitecto real. Una de sus obras más famosas es la «Fuente de los inocentes», en París, con cinco grandes figuras de ninfas.

[235] Surmonta.—Galicismo flagrante, derivado del francés «surmonter»: 'coronar'.

rios. Espina, por estudiado golpe, se ha complacido en reproducir fielmente, en su traje, el pastel mío. Tul y más tul nubado sobre una seda flexible, y la guirnalda de rosas naturales, sin otra diferencia sino que la salpican, en vez de gotas de agua, una infinidad de brillantes pequeñísimos, que al moverse la envuelven en chispas de irisadas luces. Y está seductora, y de boca en boca comprendo que corre la noticia: «Es el traje con que Lago la retrató.» Me parece escuchar los madrigales, las bromas, los comentarios. Miro al palco de las testas coronadas, y se me figura que la Reina, valiéndose de sus lentecitos de concha por no fijar los gemelos, nota, se entera, sonríe con su inteligente sonrisa, haciendo no sé qué observación a media voz, algo que podría ser elogio. Entre el remolino resplandeciente de bandas, placas, colgajos, se destacó entonces mi liso frac negro, y los gemelos empezaron a trabajar en mi dirección, como si buscasen en mi cara la explicación de muchas historias. Entonces, sin esperar a que se alzase otra vez el telón y la estatua del comendador pisase con pies de piedra la casa de don Juan, opté por desfilar; me abrí paso difícilmente, esquivé a los cumplimentadores, a los preguntones, a los buscadores de emoción; huí del acosón del grupo de muchachos que en el *foyer* se apiñaban, y tuve la oportunidad de desaparecer, dejando en el teatro mi idea, mi nombre zumbado en mil charlas, detrás de los abanicos, como un nombre de triunfador.

Al trasponer el umbral del teatro y buscar con fatigas un simón que me soltase en mi casa, me reía de mí mismo; me estimaba al propio tiempo, por la distancia entre mi altiva Quimera de fuego, y las Quimeritas de cartón que quedan agitando sus alas tenaces, en ese ambiente tan lleno de olores y de mentiras...

*

Al otro día Valdivia me informa de que ya tenemos asientos reservados en el sudexprés.

Aviso a Cenizate, paso con él un día entero. Está conmovido, más blando que una breva. Le falta poco para llorar. Me pide, como a una novia, que le prometa escribirle.

—Mira —le digo—, las Dumbrías, la Palma y tú, es lo único que siento dejar en Madrid. Porque a Bobita... me la llevo. Va a darme la lata, ya lo sé... pero no es posible que se la confíe a nadie.

—Te la cuidaría yo bien —objeta Marín afanoso.

—No; si es que carezco de valor para separarme de ella. La quiero conmigo, ¿sabes?

Cenizate queda encargado de «darse una vuelta», por el taller, a ver si los porteros lo tienen barrido, limpio y ventilado, y de escribirme todo lo que ocurra.

—En septiembre o en octubre —murmuró— debieras venirte a París, a pasar conmigo unos días.

Me ayuda a hacer la maleta, a empaquetar mil cachivaches, y cuando me dejo caer fatigado y descorazonado en el sofá, me habla de mis triunfos franceses próximos, de que voy a ser allí un Gayarre[236] de la pintura, a metérmelos a todos «en el bolsillo». Le permito disparatar por su cuenta. ¡Madrid, adiós!

[236] Gayarre.—Julián Gayarre (1843-1890) tenor español que, tras algunos años de estrechez, triunfó rápidamente en Italia y desde allí en toda Europa.

III

París

Sentar el pie en la estación del Quai d'Orsay no causó a Silvio el efecto que se había figurado. Le sucedía así con frecuencia —agotar el contenido de una emoción con la fantasía, desflorándola de antemano—; previendo todo, y más aún, de lo que la realidad contiene.

La presencia del ayuda de cámara y el lacayito de Valdivia le evitaron esas molestias de la llegada que influyen en la impresión de una ciudad desconocida. No tuvo que pensar en su saco, su rollo de mantas y su baúl. Se encontró el equipaje entero estibado en la galería de un fiacre, y hasta dadas las señas del hotel donde Valdivia le había retenido habitación. Al despedirse, Espina le notificó que le esperaba a almorzar al día siguiente, añadiendo el brasileño que, a ser posible, le llevaría algún colega distinguido, algún periodista, algún crítico de arte.

—¡No! —suplicó Silvio, azorado—. Señor Vadivia, ¡otro género de exhibición! Vengo aquí a estudiar.

—¡Pero también a vivir! —arguyó el protector—. ¡Si no le lanzamos, no le encargarán, no ganará! ¡Es preciso que corra la voz, que se conozca esa preciosidad que traemos bien encajonada, esa lindísima efigie de María!

No respondió Silvio. Valdivia llevaba razón; pero al hollar el pavimento de París, le dolía sentir otra vez el yugo del maldito trabajo útil; presentía, con repulsión, el subibaja de los arcaduces de la noria, el retratar para vivir, el vivir para retratar, sin alma, sin ideal, sin tregua...

No se hallaba fatigado, a pesar del feroz traqueteo del sudexprés, el más quebrantahuesos de todos los trenes. Apenas el fiacre le soltó ante el zaguán del hotel —uno barato, en la calle Daunou— y encomendó sus bagajes, se echó a corretear a la ventura, con ese afán de apoderarse cuanto antes de la topografía y los aspectos de las cosas, que caracteriza a los viajeros algo inteligentes. Fue a dar, de la primer zancada, a la calle de Rivoli. Contaba, para no perderse y no tener ni que preguntar, con el conocimiento instintivo de esa ciudad que nadie ha dejado de ver en sueños antes de pisarla. Sabía de memoria el plano de París. Todo era familiar, previsto, manejado, como rostro conocido, cuyos rasgos se llevan en la memoria. Le sorprendería que algo de París le sorprendiese: hasta tal punto estaba seguro de cobijar dentro de sí, por incesante frecuentación espiritual, a París, a su forma, a su esencia.

Los nombres de las calles eran música, cuyos ritornelos tarareaba. Desde América, se había impregnado de París. En Buenos Aires, de París hablan los artistas como de la tierra de promisión. En Madrid, hasta los gatos hacen la naveta[237], van y vuelven cada verano. Los nombres de los grandes pintores franceses, como clavos hincados por martillazo seguro, habían penetrado en su cerebro, y advertía, al perderse en las vías de la amada Metrópoli, esa impresión a la vez prevista y honda de los sitios respirados moralmente antes de haberles bebido el aire.

De la larga y amplia calle de Rivoli, revolvió a la Plaza del Teatro Francés, y con goce pueril deletreó el anuncio de las funciones para la semana: *Le Misanthrope, de Molière; Phédre, de Racine*. El teatro estaba iluminado; entraba gente; Silvio sintió impulsos de pasar también. Pero el antojo de seguir *flaneando*[238] pudo más, y echó Avenida de la Ópera arriba. La Ópera

---

[237] Hacer la naveta.—Traduce la expresión francesa «faire la navette» 'ir de un lado a otro'.

[238] Flaneando.—Otro galicismo en bruto, derivado de «flaner», 'callejear', o «flaneur», 'paseante'.

—el edificio neroniano[239]— se erguía más elegante de noche, apagado el brillo de sus oros y el colorido de sus mármoles, fundido todo en armonioso conjunto. El grupo de Carpeaux[240], entrevisto, era ligero, puro, de una sensualidad espiritualizada. Ante la Ópera, el Bulevar rechispeaba de luces, rebosaba gentío; se agolpaban alrededor de las mesas de los cafés, sacadas a la acera; circulaban sorbetes y refrescos.

Silvio, rápidamente, anduvo, anduvo hacia la Magdalena; contempló un minuto el seco monumento; después retrocedió, atraído por el foco de animación; volvió a cruzar frente a la Ópera; caminó en dirección al antiguo solar del Teatro de la Ópera Cómica, destruido por voraz incendio; evocó minutas de comidas refinadas al rasar el café Inglés, letras cobradas y millones removidos rozando el Crédito Lionés, y no paró hasta llegar cerca de la Puerta de San Martín. Desde allí se perdió, por callejuelas sin fisonomía y sin recuerdos, y embriagado de soledad, recayó hacia el río, desanduvo, se entretuvo en los desiertos jardines de las Tullerías, y se enhebró y engolfó en los rincones de muelles y mercados, a la romántica sombra de las torres que hablan de historias muertas... Altas fachadas le echaron encima su silencio grandioso; el río, oscuro, mudo, le habló con el extraño lenguaje del agua que clapotea[241], que parece calificar de vanidad y miseria cuanto es acción, aconsejando la contemplación tan sólo... Y Silvio siguió adelante; buscaba la Cité, buscaba a Nuestra Señora.

No era difícil descubrirla: su masa solemne atraía la mirada desde lejos. La luna, roja y ardiente, como de julio, había salido y ascendía; y Lago iba a ver y admirar, ni más ni menos

---

[239] Edificio neroniano.—La ópera de París, que se inauguró en 1875, es un edificio estilo Segundo Imperio, grandioso y un tanto desmesurado. Quizá por ello lo califica de «neroniano».

[240] El grupo de Carpeaux.—Es *La Danza,* grupo escultórico de Juan Bautista Carpeaux (1827-1875), que se encuentra en la fachada del edificio de la Ópera.

[241] Clapotea.—Galicismo derivado de «clapoter», 'rizarse o agitarse ligeramente el mar'. Doña Emilia parece emplearlo más bien en un sentido onomatopéyico: el ruido de clap-clap del agua del río al chocar con los pilares de los puentes o los muelles de la orilla.

que los poetas melenudos del Cenáculo[242], a Nuestra Señora de París a la luz del satélite, ironizada por Musset[243].

Alta ya en el cielo, plateaba la fachada principal, bañando las dos torres, dejando en tinieblas la finísima aguja. El artista veía resaltar las relevaduras prolijas y delicadas, la fila de estatuas bajo la enorme flor del rosetón, las figuras místicas que se alinean en la base de los profundos arcos avialados[244] del pórtico, y la hilera de arquitos bilobulados, bajo los cuales se yerguen las veintiocho figuritas de reyes. El sentimiento que despertaba Nuestra Señora en Silvio era especial, poco sincero, facticio; en aquel instante deseaba ser uno de esos misalistas o imagineros de que Minia le había hablado, que sin dolor y sin lucha, sin la dura angustia humana de nuestro siglo, produjeron labor de arte anónima para generaciones y generaciones. La edad presente, por un momento, le repugnó; la serena hermosura secular de la Catedral se impuso a su conciencia artística. Se vio deleznable, falso y, sobre todo, pequeño, inútil, impotente. Un desaliento incurable le hizo temblar las piernas y caer desmayadamente los brazos a lo largo del cuerpo. «Nunca, nunca», escuchaba entre el silencio de la noche, ese hermoso silencio de los sitios poco frecuentados de las grandes capitales, silencio nervioso, realzado por la conciencia del ruido y bullicio alrededor.

«Nunca, nunca.» Era el efecto aplanador de París; la pri-

---

[242] Los poetas melenudos del Cenáculo.—Eran los artistas agrupados en torno a Victor Hugo: poetas, pintores, escultores: los hermanos Deschamps, David de Angers, Luis Boulanger, Alfredo de Vigny, Alfredo de Musset. El Cenáculo era, con frase de doña Emilia, «foco de inspiración, tertulia fraternal en que todos se tuteaban». Sin que mediara declaración expresa, reconocían por caudillo y jefe a Victor Hugo. (Ver *La Literatura Francesa Moderna. El Romanticismo*, ed. cit., pág. 162.)

[243] Musset.—Se refiere a la «Balada a la luna», donde ironiza sobre el tópico romántico:

C'etait, dans la nuit brune
Sur le clocher jauni,
Comme un point sur un i...

[244] Arcos avialados.—Supongo que se trata de un error por «aviajados», que son arcos que tienen los apoyos colocados oblicuamente respecto a su planta. Pero esta clase de arcos no se encuentran en el pórtico de Notre Dame.

mera emoción depresiva de sentirse pequeño entre la muchedumbre. Así como en torno de la paz de aquel atrio, en tales momentos desierto, percibía Silvio el rumor oceánico de la gran ciudad, notaba también, difuso en el aire, latente detrás de las paredes de las casas, el esfuerzo enorme, la suma incalculable de trabajo y de voluntad que en París se gasta para salir a luz, o sólo para ganar la vida. Acordóse de los poetas del Cenáculo, de los que venían cada noche como druidas a tributar culto a la luna. «El mundo era más joven, la celebridad se lograba más pronto», pensó. Después se fijó en que entre aquellos melenudos también había pintores, y un cierto Petrus Borel[245], universalmente famoso por su luengas guedejas y su velida[246] barba, no había marcado la menor huella en el arte. «Un destino irónico... ¿Y si fuese el mío que nadie me conozca sino por mis pasteles aduladores y mi tipo Van Dyck?

Dejó caer la frente entre las manos, y cerró los ojos por evitar la divina claridad de la luna, que tiene la virtud de causar una especie de embriaguez a los felices, y hacer insondable la tristeza de los poco afortunados. Empezó a acusarse, a vituperarse, a macerar su alma en su propio desprecio. Lo bello de la arquitectura da una sensación de solidez y supervivencia, que hace encontrar mezquino todo lo efímero. Para Lago, en aquel momento, los recuerdos de Madrid eran una niebla; el ansia de crear algo eterno, como un fuego activo, le devoraba las entrañas. La figura de Clara Ayamonte, evocada de súbito por la majestad religiosa de la Catedral, por los insidiosos balbuceos de la leyenda, flotó un instante, blanquecina, envuelta en su hábito, como disuelta entre la claridad ambiente.

«¡Cuánto la envidio!» —pensó el pintor—. «Yo no sé ni querer lo que quiero. Yo debiera no vivir sino para mis fines, para mi resolución. ¿Qué hay de común entre lo transitorio y yo? Está visto; la tela de mi carácter se rompe. Voy sin rum-

---

[245] Petrus Borel.—Pierre Borel d'Hauterive, llamado Petrus Borel, escritor francés, arquitecto y pintor (1809-1859) se convirtió en uno de los más fogosos defensores del romanticismo. Escribió poesías y novelas. Los surrealistas reivindicaron su obra.
[246] Velida.—Forma antigua de vellida, 'de vello abundante'.

bo. ¡Cuántos años todavía de anhelar y no conseguir! ¿Tengo siquiera lo que se llama vocación? El que *quiere,* hace lo que Clara hizo. ¡Es que Clara logró asirse a algo! Yo hasta he perdido la fe con que estudiaba la naturaleza, sencillamente la impresión real de la naturaleza, sin poner en ella nada de mi alma. ¿Será culpa de mi cuerpo? Indudablemente tengo los nervios desasentados. Muy a menudo siento la corriente de agua fría que me cruza por el estómago. Consultaré aquí a un buen médico. ¡Bah! Dirá lo que todos. Higiene, campo, prívese de esto, tome lo de más allá... Y lo que me consume, este afán, esta locura, ¿me lo va a curar ningún potingue de farmacia? Ya estoy desengañado... Nunca pintaré. Nunca saldrá de mis manos lo que se llama *un trozo de pintura.* Cuento cerca de veinticinco años; pinto desde que era un muñeco; no he cesado un día de embadurnar. Si tuviese aptitudes, lo que se llama aptitudes, ¿eh?, ya las habría demostrado. Soy un pelele, un blando pelele. No hay que esperar nada de la inspiración. La inspiración no existe. Una serie de esfuerzos vigorosos y pacienzudos para libertarse de las admiraciones y encontrarse a sí propio —ahí está el arte actual—. Los románticos como Víctor Hugo descubrían genialidad desde los dieciocho años. ¡Miseria la nuestra! Estoy a las puertas todavía, no he llegado ni a ese periodo de la admiración y la imitación. Iré al taller de un maestro y seré *le petit espagnol.»*

Río con risa exasperada, alto. «Bien, pues todo eso hay que hacerlo» —gritó con violencia frenética— «Hay que hacerlo, así cueste la vida. ¿Pende de mí, y no se había de realizar? ¿El ansia que me devora, de nada ha de servir? ¿Lo que otro obtiene, me será inaccesible? Pende de mí, de mis cualidades inferiores... Paciencia, dotes de oficinista, de erudito apelmazado; ¡os solicito! Si es necesario invertir seis años, ocho, en labor oscura... qué rayo, se invertirán...»

Abrumado de desolación; convencido —allá en el fondo, muy en el fondo— de que no se invertirían, se levantó, contempló otra vez la majestuosa fachada. Allí estaba la Catedral con la túnica de gloria, de celestes desposorios, vestida por los rayos de la luna. Su eterno candor, su eterna virginidad, sonreían castamente, murmurando estrofas vagas, himnos, sin rima, cánticos misteriosos. Delante de la inmensa rosa que flanquean las otras dos menores, la figura mística, soñadora, de la Virgen, se ofrecía a la adoración de los dos ángeles extáticos, mientras allá lejos Adán y Eva lloraban su caída, que les había divorciado eternamente de la Belleza. «Sí —pensó Silvio—: la bienaventuranza, el Paraíso, no es sino la hermosura.» Los simbolismos de la basílica le agitaron el alma un instante: creyó que arriba las gárgolas terribles, las fantásticas alimañas de la Era de plomo, se inclinaban para aojarle y cuchicheaban: «Destino, destino.» «Fatalidad.» Dolor súbito le paralizó. Su obra, fuese la que fuese, desaparecería tragada por el tiempo. Nunca debía aspirar a duración en la memoria humana...

—¡Qué majadero soy! —murmuró, sacudiéndose, desembrujándose—. Necesito dormir, y estoy aquí lo propio que si fuese uno del Cenáculo... Al hotel, al hotel; pero antes a tomar algo caliente.

Mucho le costó encontrar dónde tomar ese «algo caliente». París no trasnocha: los restaurantes cierran tempranísimo; los cafés, punto menos. Por fin, en un café tardizo, pudo obtener un *beefsteack*[247] y una bavaresa hirviendo. Al retirarse al hotel, pensaba:

«Para acostarse a las once y admirar catedrales, no merece la pena de venirse a París. Lo mismo sería residir en Burgos.»

*

Al otro día almorzó en la primorosa residencia campoelisíaca de la Porcel. Los demás comensales eran Valdivia y una señora quintañona[248], viva, azogada; madama de Mélusine[249], especialista en reunir la actualidad y la novedad —artistas, poetas, cantantes, emigrados, estrellas rabudas[250]—, dando saraos magníficos, en los cuales el mundo social se codea con

---

[247] Beefsteack.—Voz inglesa: bistec.
[248] Quintañona.—Centenaria.
[249] Madame Melusine.—Casi con seguridad se trata de la princesa Ratazzi. Ver Introducción.
[250] Estrellas rabudas.—Ver nota 180.

el mundo estético, y donde los que han de vivir de la celebridad y el reclamo pueden hacerse notorios relativamente. Madama de Mélusine ha consagrado a esto su tiempo y fortuna; no la guía interés alguno, excepto el ansia, tan parisiense, de dar pasto a su emotividad, de buscar aliciente para la vida. A toda costa esa levadura, esa sal en el manjar insípido. Madama de Mélusine sólo se agita para ofrecer a sus tertulianos la novedad, sea del género que sea; pianista húngaro, coplero felibre[251], novelista rumano, conspirador polaco, *authoress*[252] inglesa. Silvio, mediante el almuerzo, caía en las uñas de la emotiva. Desde el primer plato tenía la invitación a comida y postcomida en la casa internacional.

—Pienso —declaró Silvio— concurrir poco a fiestas. Aquí, mi deseo es rehuir cuanto no sea el trabajo. Pero aceptaré una vez... y agradecido.

El almuerzo era delicioso; sobre todo, servido con filigranas y detalles que sorprendieron a Silvio, aun después de haber sido comensal de casas muy copetudas de Madrid. Todo sencillo, en apariencia, y en efecto, refinadísimo. Las manzanas de las canastillas de frutas, por ejemplo, sobre que no se comprendía verlas tan frescas en julio, eran todas exactamente del mismo tamaño y forma, y se advertía que habían sido frotadas, bruñidas, para sacar un lustre que las hacía parecer de oro y carmín. Las uvas tardías, limpias, como recortadas en jade, ofrecían la misma igualdad. Las flores eran raras; los últimos descubrimientos en floricultura. Las había por todas partes. En medio de la mesa se alzaba y se derretía dentro de un tazón enorme de cristal un grupo de ninfas tallado en hielo cercado de orquídeas de forma extrañísima, y de hojas diminutas, velludas, de begonia plateada. Manjares, vajilla, cristalería, servicio, mantelería, llevaban la marca del vehemente lujo de la Porcel, y aumentaba la sensación de alta vida el encontrar todo tan en su punto, a las pocas horas de llegar a París la dueña de la casa. Como madama de Mélusine demostrase halagüeña sorpresa, Espina sonrió, irónica, ante el elogio.

---

[251] Felibre.—Poeta provenzal moderno (DRAE).
[252] Authoress.—Voz inglesa: autora.

—Lo mismo estaría si viene usted a cenar anoche. Y lo mismo me tiene la casa preparada —excepto las esculturas en hielo; para eso es necesario avisar al artista— cualquier día de mi ausencia. Mis órdenes son terminantes. ¡No faltaría más que llegar de sorpresa y poder dibujar el nombre sobre polvo en las lunas de los espejos!

A aquel almuerzo siguieron otros. Diariamente estaba convidado Silvio; hacíanle, de vez en cuando, conocer alguna gente: periodistas, escritores, gente de banca, amigos de Valdivia. Percibía que en Madrid hay varios círculos y una sola sociedad, mientras en París hay múltiples sociedades que apenas coinciden. La rápida entronización de Madrid no era fácil aquí, donde tanto se tarda en pasar de un grupo a otro, que cabe invertir, en el traslado, la vida entera. La sociedad en que Espina podía introducirle era de la mejor, excepto el *barrio* propiamente dicho, y su composición mixta, conveniente a los fines del artista joven que desea darse a conocer y reclutar clientela. Ya había sido presentado a personalidades. Madama de Mélusine representaba el elemento estético y cosmopolita; la condesa de los Pirineos[253], la verdadera aristocracia, arrabal de San Germán; la embajadora de España, la colonia española; Valdivia, la americana, portuguesa y brasileña, almidonada, seria, que puede pagar ultragenerosamente, si quiere, un retrato que agrade.

A proporción, sin embargo, de los medios de favorecerle que poseían Valdivia y su amiga, Silvio creyó notar que no le empujaban tanto, tanto. Una frialdad ligera, suave, se insinuaba en sus relaciones. Algo raro le pasaba a Valdivia: algo distinto de antes había en su voz, en sus ojos desviados rápidamente, en sus gestos. ¿Sería que...? Silvio, por una anomalía muy frecuente, creíase del todo impecable; a Valdivia ningún mal le había hecho... puesto que ya voluntariamente se abstenía. Y declaró al brasileño injusto, versátil.

En espera, se dio a visitar, durante las ociosas mañanas, los museos. El del Louvre el primero; así lo quiere la rutina. Salió del Louvre menos aplastado de admiración, pero más

---

[253] Condesa de los Pirineos.—Muy probablemente la condesa de Valencia. Ver Introducción.

confuso, que del Prado. En Madrid era la pintura de dos o tres maestros lo que le había sumido en una especie de anonadamiento, seguido de fiebre; aquí era el conjunto grandioso, el acarreo de cientos de siglos, de tantas formas de arte, de tantas épocas, de tanta influencia de la historia, la religión, el clima, la forma de gobierno, las costumbres —sobre una cosa que él hubiese querido ver inmaterial y alada, el arte—. Al recorrer las grandes salas asirias, egipcias, persas, griegas, romanas, se dispersaba y evaporaba su espíritu. En Madrid sentía, como sillar enorme sobre el pecho, la grandeza de los titanes, a quienes era inútil pensar en aproximarse nunca; aquí, en cambio, el peso muerto de las edades transcurridas, la fuerza incontrastable que ejerce la época a que pertenecemos, y que nos arrastra, como colosal Caronte[254], por el río negro, hacia donde el barquero quiere, sin tener en cuenta nuestra voluntad. Al mismo tiempo, la idea del *progreso* en arte, la aspiración a fórmulas nuevas, que expresen algo bello mejor y con más intensidad de lo que en ningún tiempo se ha expresado, se desvanecía para siempre en Silvio. En cada edad hubo obras maestras, definitivas, y no existe escultor moderno que supere en naturalismo, en verdad sencilla, de puro sencilla fulminante, al desconocido egipcio que modeló el *Escriba,* ni ceramista que venza en elegancia al autor de ciertos azulejos asirios del palacio de Artajerjes. Se admira su obra; pero nadie conoce su nombre. Este anonimato le parecía a Silvio una aureola. ¡La miseria del nombre! El caso es haberse realizado plenamente en una obra soberbia. Pensativo, se detenía al pie de algún coloso de pórfido rosa, cavilando en lo que sería la crítica en aquellas remotas edades; en lo que dirían los inteligentes de entonces, que seguramente los habría, pues no se concibe arte sin quien lo saboree y lo juzgue. Se figuraba los pórticos guarnecidos de hiladas de esfinges, las teorías de columnas con capitel de loto o de cogollo de palmera, y soñaba egipcios de facciones aniñadas y regulares, egipcias con tocado de escarabajo hierático, discutiendo la última obra de un ilustre de entonces. «¿Me satisfaría a mí esa

---

[254] Caronte.—El barquero que conducía la barca de los muertos al otro lado de la laguna Estigia.

clase de público?», discurría Silvio. «¡No! Necesito gente de ahora, que siente como yo y sufre las mismas ansias. Sólo me importa el efecto que una obra mía pudiese causarle a Minia, o a *aquel a quien yo desearía parecerme*... Y según esto, la gloria, nuestro hipo de gloria, ¿qué es? ¿Es orgullo? ¿Es vanidad? ¿Es el simple goce del niño que enseña un juguete a sus camaradas?»

Por más que se esforzase, no podía representarse a los egipcios admirando algo que hubiese pintado él. ¿Qué placer serían los aplausos de Tebas? ¿Aplaudirían al menos? No; les pareceríamos bárbaros. Y, sin embargo, la estatua del *Escriba* es el *non plus ultra* de lo que pudiese hacer un moderno para ajustarse a fórmulas de estética que han revolucionado el arte en nuestro siglo...

Mientras Silvio devanaba estas filosofías, Valdivia, algo distraído y remiso, le proporcionaba, no obstante, un taller alquilado en una calle próxima al bulevar de Estrasburgo. El pintor a quien el taller pertenecía viajaba a la sazón, tomando apuntes de paisajes por las montañas del Delfinado; proponíase terminar su veraneo en una playa, y había dado al portero orden de subarrendar. A Silvio le ilusionó infinito el taller, asaz modesto, amueblado con cuatro trastos, tapices hechos jirones y remendados, cacharros encolados y rotos, sillas paticojas; un tufillo de bohemia; pero al cabo, ¡taller en París! Desempaquetó y colocó, ante todo, el retrato de Espina, que en aquel camaranchón polvoriento semejaba un rayo de primavera, entre la frescura de sus rosas y la nube cándida de sus tules.

—Tenga usted paciencia —díjole desabridamente Valdivia—. París no es Madrid. Pequé de optimista, empiezo a comprenderlo. Todavía no hemos podido encontrar para usted retratos. María pensaba dar una fiestecita y enseñar el suyo... ¿No le habla a usted ya de este plan?

Al formular la interrogación, la mirada del celoso era indefinible. Silvio creía notar en ella una interrogación, un reproche, algo bien distinto de la cordialidad de antes. Por contraste, Espina no daba ni señales de recordar lo que más hiere el amor propio de una mujer: el corte de la relación de amor, sin excusa válida. Nunca en sus ojos de avellana puntilleados se encendía la llamarada del capricho o se tendía la niebla del recuerdo; nunca hablaba a Silvio con ese vago tono de tristeza del bien perdido, que delata la tortura de la memoria y la persistencia del cariño invencible.

Por instantes alarmaba a Silvio la actitud demasiado serena de Espina. No era lógica tal conformidad, mediando lo que había mediado, mientras continuaba viéndola, tratándola, frecuentando su casa. ¿Qué había bajo aquella tranquilidad desdeñosa, complicada de aparente protección?

Silvio temía. La prudencia aconsejaba concesiones, pero creía que no le era posible ya tocar a un cabello de aquella mujer, después de las confidencias desesperadas de Valdivia. Se reía a solas de sí mismo, de su quijotismo eternamente ignorado. Una vulgar modelo, una mujer de la calle, antes que la inimitable Porcel: satisfecha la fatuidad y la malignidad, Espina sería para él una de las ninfas de hielo, transparentes, que se liquidaban, bañando de frescura las flores de la mesa. Este orden de sentimientos se reflejaba en su trato con la cosmopolita. Había en su modo de hablarla admiración teñida de acidez, cortesía interesada, con matices glaciales, involuntarios esguinces de repulsión que la voluntad no siempre acertaba a disimular, un oculto fuego de desprecio moral cuyo humo salía afuera; todo lo que componía el sentimiento complejo, más de odio que de otra cosa, que había llegado a infundirle la singular mujer. Ella —en los primeros días de la estancia de Silvio en París, y aun en las ocasiones que el viaje ofrece— había intentado disimuladas investigaciones para averiguar la causa de la retirada amorosa del artista; curiosidad también burlada. Silvio, en su tosca franqueza, resabio de sus tiempos de vida popular, no se recataba para encomiar, delante de Espina, a otras mujeres; y aunque observaba los labios de Espina, no veía en ellos huella de sangre, sino la del carmín fino que los pintaba. Ni escuchaba siquiera. Lanzando un ¡ah! gracioso, se tendía en el diván a fumar sus cigarrillos saturados de opio, que la calmaban y la sumían en adormilado bienestar.

No renunciaba a llevarse a Silvio consigo al través de París, como le había llevado al través de Madrid. Y el artista, por lo mismo que estaba en paz con su conciencia, que nada había allí de peligroso, se dejaba arremolinar, cediendo al atractivo puramente cerebral, peregrinamente mezclado con repugnancia, que ejercía sobre él una naturaleza estética ultrarrefinada, al iniciarle en los misterios de París.

Por entonces Valdivia cayó enfermo. Le postró en la cama una serie de alifafes, y Espina, en vez de cuidarle, se lanzó con su *«rapin espagnol»*, ya al Bosque de Bolonia, ya a las *baignoires*[255] de los teatrillos subalternos, donde las estrellas de Citera y Pafos[256] se codean con las beldades empingorotadas y curiosas. Eran expediciones clandestinas, que no parecían inocentes, siéndolo en realidad hasta la bobería. Por ventura la acompañaban amigas venidas de Madrid, a pasar los primeros calores y a vestirse de verano, para las playas o para Biarritz en agosto, o de París mismo, que prolongaban la temporada antes de desparramarse por costas e islas inglesas, escolleras de Bretaña y Normandía o bellos castillos del interior de Francia. Silvio pasaba inadvertido; era un protegido, tal vez un apasionado; algo adjetivo, subalterno; y en el torbellino de París, donde el tiempo está avaramente contado, a nadie se le ocurría hacerse retratar por aquel advenedizo. Silvio aprovechaba las mañanas apuntando, dibujando, enterándose de mil cosas, en museos y galerías particulares. La pintura contemporánea empezaba a revelársele, no con el aspecto de improvisación, de revelación súbita, que afecta en España, sino en forma de lenta reflexiva conquista de la técnica, antes de hilar la idea o entonar la copia sentimental de cada uno. Y volvía a sus primeros honrados propósitos: dibujar, dibujar, dibujar, hasta que los huesos de las falanges se le cayesen. «En España no se dibuja lo bastante, se fía todo al color.» Avisó modelos; estudió encarnizadamente la forma humana, la infinita magnificencia del músculo sobre el hueso y de la piel sobre el músculo.

---

255 Baignoires.—Francés: palco bajo o de platea del teatro.
256 Estrellas de Citera y Pafos.—En Citeres (Chipre) se adoraba a Venus, y en Pafos había un templo fenicio dedicado a la diosa Astarté, equivalente a la Venus griega. A veces doña Emilia utiliza perífrasis rebuscadas para referirse a aspectos de la vida erótica. Recordemos que antes ha hablado de «palomas torcaces».

Una tarde, Valdivia, desde su sillón de achacoso convaleciente, anunció a Silvio que «tenemos un parroquiano. ¡Y qué parroquiano! De estos que sólo se cazan en París... Mi amigo Perico Aladro[257], el pretendiente al trono de Albania...» En el regocijo malicioso con que hablaba Valdivia, Silvio pensó descubrir la satisfacción de escamotearle el encargo sensacional a Marbley, el belga. A éste no le conocía Silvio aún, a pesar de oír su nombre, pronunciado en tono de consideración por la gente de buena sociedad, en tono de burla por los contados artistas con quienes había cruzado dos palabras... Valdivia, entre sus curas al salicilato y sus baños eléctricos (el sistema de un Doctor yanqui de paso en París), saboreaba de antemano la mortificación del belga, al cundir la noticia de que el pretendiente de moda se retrataba con el españolito. Marbley le había infligido crueles sufrimientos. Sangraba la herida del celoso, mientras en el alma arenisca de Espina, donde toda emoción de simpatía pasaba barrida por el viento, donde sólo persistían los sentimientos de malignidad, ya Marbley no ocupaba sino el lugar secundario de los objetos que se utilizan para dañar a su hora, el lugar de un puñal colgado en una panoplia, con la punta cuidadosamente emponzoñada.

Silvio se alborozó. ¡Aquel retrato sería un reclamo magnífico! ¡Traería dinero, indispensable, porque los cuatro mil de Valdivia se derretían a semejanza de las esculturas de hielo! Era la misma actualidad parisiense el elegante *hidalgo* español, bulevarista, por otra parte, hasta la médula, y convertido, cuando nadie se lo imaginaba, en personaje de *Los Reyes en el destierro.*[258]. La figura del jerezano, hasta entonces una de tantas siluetas del París que se divierte, subió de pronto a ser una de las figuras con que París se emociona todas las mañanas; su

257 Perico Aladro.—Juan Pedro Aladro y Kastriota, diplomático español nacido en Jerez de la Frontera (1845-1914). Como descendiente de la princesa Kastriota aspiró al trono de Albania.

258 Los Reyes en el destierro.—Alude a la obra de Alfonso Daudet *Les Rois en exile* (1879), novela donde se satirizan las costumbres de la alta sociedad política y financiera. Alejandro Sawa hizo una adaptación escénica con el título *Los Reyes en el destierro.* Agradezco esta referencia a mi colega Luis López Jiménez.

fotografía figuraba en escaparates, en las publicaciones ilustradas de los kioscos. Silvio contaba con el retrato, en pintoresco traje nacional albanés, para fijar un momento, a su vez la atención de ese París distraído —la imagen, creía él, de Espina—. Con entusiasmo sentido pocas veces comenzó su tarea, charlando y fumando en compañía del candidato al trono, que le refería datos genealógicos, la sucesión directa del héroe, sus derechos claros, notorios, a una diadema novelesca, oriental. Lo que preocupaba a Silvio era pensar si sería ridículo o cortés e imprescindible el tratamiento de Majestad. Con el buen tono de un hombre de mundo, Aladro adivinó las dudas del artista. «Somos dos amigos, dos españoles.» Estaba encantado del retrato, en el cual su apostura, todavía gallarda e interesante, aparecía realzada por el carácter y riqueza del atavío; y le agradaba la destreza de Silvio para reconstruir una cara y un cuerpo borrando el estrago de los años sin perder la exactísima semejanza. Y la pintura ni era afeminada ni muelle; la cabeza tenía un aire de altivez melancólica, la justa idealización que cabía en el papel del retrato, en la significación de la vestimenta. El pretendiente no se hartaba de alabar. «¡Qué talento de muchacho!» Se expansionaba con Valdivia, le daba gracias. «Es preciso que no quede descontento; haremos como quien somos.»

De la noche a la mañana, Aladro salió precipitadamente para Viena; Valdivia quedaba encargado de pagar. La extrañeza de Silvio fue grande al notar que Valdivia ni pagaba ni volvía a mentar el retrato. Se atrevió a recordarle que lo expusiese. El brasileño sonrió. «No es posible, no es prudente siquiera. ¿Qué sabemos por dónde lo toma París? ¿Y si ponen en solfa el traje de albanés, si dicen que está vestido para un baile de máscaras, y sobre la chunga de aquí viene el mal efecto posible *allá*? No, no puede ser, Lago. Aladro no me lo perdonaría.»

Como Silvio insistiese, preguntando quién había sugerido a Aladro tal recelo; Valdivia respondió con negligencia:

—A Aladro no se le había ocurrido el peligro de tal exhibición; Marbley, con buen sentido, fue quien le abrió los ojos.

—¡Ah, vamos, Marbley! —repitió Silvio, atónito de que

Valdivia ahora invocase y acatase la autoridad del belga.

—Marbley... Verá usted —detalló Valdivia—, tiene práctica; dice que para exponer debe tratarse de un retrato serio, de algo que nadie pueda discutir, de una firma segura. «No despistemos a París», repite; y Aladro, a su vez, no quiere despistar... María, a la sola idea de presentar a Aladro con chaquetilla, faja y pistolas, se ha reído inextinguiblemente...

Silvio, sin replicar, se retiró aniquilado. Aunque el retrato del pretendiente le proporcionase recursos (Valdivia ni aún en eso pensaba), él había soñado otra cosa. Su conciencia artística le decía que el retrato tenía el arranque, la vitalidad infundida, por ejemplo, a la cabeza del Doctor Luz. «Al buscar clientes bonitas —pensaba— hago lo contrario de lo que me conviene. Los mejores modelos son los hombres, y no pudiendo ser, las mujeres feas.» Estaba arrebatado en la contemplación y estudio de los grandes retratistas europeos; no volvía de su asombro ante el cuadro del «Mariscal Prim», obra del malogrado Regnault[259]; ante los Carolus Durán[260]— un estilo tan español—; ante los Bonnat[261], maravillas de realismo, retratos de inteligencia, de cerebros, que resumen la energía mental de los modelos, los Taine[262], los Renan[263].

---

[259] Regnault.—Henri Regnault (1843-1871). Murió muy joven en la batalla de Bucental de la guerra franco alemana. Quizá su obra más famosa sea el retrato del general Prim, que se encuentra en el Louvre. Sorprende la admiración de Silvio (y de doña Emilia) ante un cuadro tan poco original, tan influido por Gericault y Delacroix. La Pardo Bazán ha dejado constancia de su admiración por este artista en su obra *Cuarenta días en la exposición, O. C.*, t. 21, Madrid, V. Prieto y Compañía, editores, s. a., pág. 260: «...los retratos de mi predilecto Regnault, autor de aquel asombroso *General Prim* que está en Francia porque no agradó a una familia española».

[260] Carolus Durán.—Charles Durand (1837-1917), más conocido por su pseudónimo de Carolus Duran, se especializó en retratos y cuadros de género. Su obra más famosa es *La dama del guante*, retrato de la princesa Rattazzi, que aparece en la novela bajo el nombre de Madame Melusine. También era un cuadro famoso *L'Assassiné* (Doña Emilia se refiere a él en *Cuarenta días en la exposición*, pág. 260).

[261] Bonnat.—León Bonnat (1833-1922) es también un retratista famoso y, tal como destaca la novela, de estilo realista. Además de los retratos mencionados es famoso el de Victor Hugo.

[262] Taine.—Hipólito Taine (1828-1893) historiador y crítico francés, cuyas teorías sirvieron de base al movimiento naturalista. Su obra teórica prin-

Como seducción, llegó a preferir los Benjamin Constant[264]. Este era el maestro prestigioso, el mago de la paleta. Provocaba las dificultades por el placer de vencerlas, y daba a su pintura toda la lujuriosa intensidad del color que acaricia y prende, con el vigor de una ejecución profunda. «Esto es pintar», exclamaba Silvio, atónito; y entonces encontraba justo que el pretendiente no hubiese querido exhibir su estudio al pastel, un juguete, una miseria.

Completamente fascinado, repetía ante las obras fuertes: «Así se pinta.» Renegaba de sí; a sus transportes de entusiasmo seguían accesos de inmenso desaliento; él no llegaría a nada nunca; no había que forjarse ilusiones; todo estaba cumplido, los puestos ocupados, el arte en su plenitud. Blasfemaba: desconocía la inexhausta fecundidad, la virtud de renovación del arte, y daba por hecho que, después de una generación gloriosa, rica, se secaba el suelo y nada germinaba ya bajo el sol.

Otras veces, en sus correrías —cuando soltaba el yugo de Espina y se lanzaba solo a apoderarse de París—, la loca esperanza le concedía besos incendiarios. Lo mismo que le parecía motivo de desconsuelo, era ahora causa de ilusión para su cambiante naturaleza. Donde se habían ramificado tantas y tan variadas direcciones, donde tantas personalidades sur-

---

cipal, *La inteligencia,* intenta demostrar que el genio de los grandes escritores y artistas está regido por una facultad maestra, dominada a su vez por influencias sociales (la raza, la herencia, el medio). Las obras posteriores, *Historia de la Literatura Inglesa, Del ideal en el arte,* desarrollarán sus teorías. Doña Emilia, aún admirando a Taine, es contraria a la sistematización de esas ideas. Véase *La Literatura Francesa Moderna. La Transición,* ed. cit., págs. 344-366.

263 Renán.—Augusto Renán, historiador y filósofo francés (1823-1892). Su obra más famosa fue *La vida de Jesús,* al que consideraba un «hombre incomparable», pero del que no admitía la divinidad. Doña Emilia evoca así la resonancia que tuvo el libro en España: «El escándalo fue tal, que niña yo cuando llegó la noticia a España, recuerdo haber sentido una especie de miedo misterioso, algo que al solo nombre del libro impío me helaba la sangre. Y el caso es que ni estaba en edad de leerlo, ni lo leí hasta bastantes años después.» *La Literatura Francesa Moderna. La Transición,* pág. 367.

264 Benjamín Constant.—Pintor francés (1845-1902). Viajó por Marruecos y llevó al lienzo, en obras de grandes proporciones, escenas de la vida del país: *Mujeres del Rif, Una encrucijada en Tánger.* Tiene también obras de género histórico y mitológico.

gían, ¿por qué no surgiría él también a su hora, con su fórmula, con su don peculiar, con su individualidad sagrada?

Después de la generación de Bastien Lepage[265], de Moreau[266], de Millet[267], ¿no se alzaba ya otra llena de vida, no sospechada por ellos, distinta de ellos? ¿No había visto en pos de los retratistas acatados, a los nuevos, al genial Chartran[268], al extraño neblinista Carrière[269] y no era él de carne, de hueso, no tenía dedos, no tenía ojos, no tenía corazón para sentir, sangre que derramar en la pelea?

«Ahora», pensaba, «paciencia y unos francos de reserva es lo que he menester... Iré al estudio de Dagnan Bouveret[270]: es el más impecable dibujante».

Le obligó Espina, a pretexto de *lanzamiento*, a hacer efectiva la invitación a comida y postcomida de madama de Mélusine.

---

[265] Bastien Lepage.—Julio Bastien-Lepage, pintor francés (1848-1884), expositor constante del Salón de París. Aunque defendía la observación de la naturaleza, se nota en sus cuadros la influencia del primer romanticismo. Entre sus obras destacan *Cosechadora de patatas*, *El deshollinador* y *La mies madura*.

[266] Moreau.—Gustavo Moreau, nacido y muerto en París (1826-1898), sucesor de Delacroix. Es uno de los pintores más representativos del erotismo finisecular. Se especializó en la recreación de los mitos antiguos: *Edipo y la esfinge*, *Hércules y la hidra*... Una de sus obras más conocidas es *Salomé con la cabeza del Bautista*, que se encuentra en el Louvre y al que se referirá el protagonista más adelante. Doña Emilia alude a este cuadro en *Cuarenta días en la exposición* (pág. 260) y dice que está pintado con polvo de oro.

[267] Millet.—Juan Francisco Millet (1814-1875), uno de los pintores favoritos de doña Emilia. Pretendía reflejar en sus cuadros la dignidad de la vida campesina y ofrece unas visiones idílicas, llenas de paz y sosiego de las labores y la vida del campo. Algunas de sus obras alcanzaron gran popularidad, como *El Ángelus* y *Las espigadoras*, ambos en el Louvre.

[268] Chartran.—Teobaldo Chartran, 1849-1907, pintor francés, pensionado en Roma en 1877. Después se trasladó a Estados Unidos, llevado por su fama de retratista. Entre sus obras destacan los retratos del presidente Roosevelt y del papa León XIII. Pintó además grandes murales para la Sorbona.

[269] Carrière.—Eugene Carrière, pintor francés (1849-1906) muy estimado por los artistas y escritores simbolistas. Le caracteriza el halo o neblina que envuelve a las figuras de sus cuadros. Entre sus obras más conocidas están el retrato de Verlaine, *El beso maternal* y *La madre joven*.

[270] Dagnan Bouveret.—Pascual Adolfo Dagnan Bouveret (1852-1929) se dedicó a la pintura de cuadros de tema religioso, composiciones decorativas, retratos y escenas de costumbres. Destacan: *Romería bretona*, *Los discípulos de Emaus* y *La virgen y el niño*.

La morada de esta señora es espaciosa, espléndida, algo abigarrada como el espíritu de la dueña: ostenta un lujo sin intimidad ni densidad aristocrática; recuerda la fisonomía cosmopolita de los grandes hoteles. La comida era más bien frustrada: los convidados no habían sido elegidos con esa inteligencia exquisita que revela el tacto del alma de casa, sino al capricho de la notoriedad o al azar del último descubrimiento de las que Espina llama islas desconocidas, pobladas de antropófagos. Silvio, con su lucidez instintiva para lo social, vio desde el primer momento que aquello no era gran mundo, ni siquiera mundo homogéneo, donde todos se conocen y desde el primer momento saben cómo tratarse y qué decirse. Mientras esperaban en el salón blanco y oro, deslucido por tanto tráfago, que precedía al comedor, los invitados se miraban puntiagudamente, las presentaciones eran laboriosas. El artista comprendió por qué Espina se excusaba de asistir al banquete, proponiéndose limitarse —había dicho con acento desdeñoso— a «dar una vuelta», una aparición en la velada. Valdivia también apelaba a su enfermedad para evitar el convite. Dejaban allí a Silvio, náufrago.

En el concepto gastronómico, la comida fue insuperable. Silvio, estómago exigente, encontró perfecto lo de mascar. Detalles y monerías se echaban de menos. Era oro derrochado en comestibles, cocineros, vinos, servicio.

Silvio devoró, vencido por una tentación de glotonería. Estaba al extremo de la mesa, cosa que le sorprendió algo, pues suponía que el banquete era en su honor, y notó que nadie le hacía caso, que le habían colocado entre una inglesa espiritista y teósofa, religionaria de la Blavatzki[271], y una esposa de literato semicélebre, que sólo hablaba de la última novela de su esposo. La heroína de la fiesta era una morena de tipo español, de escote llenito y ojos de azabache, vestida con discutible gusto, de raso azul, recargado de lentejuela azul también. El ama de la casa, después de hacer la presentación de

---

[271] La Blavatzki.—Elena Petrova Blavatski o Blavastskaia, teósofa rusa que se estableció en Estados Unidos donde fundó la Sociedad Teosófica y editó la revista *The Theosophist*. Escribió sobre materias esotéricas y afirmaba que tenía comunicación con espíritus.

Silvio a la morenita, había murmurado, con ese tono enfático que sugiere la importancia del personaje y da por hecho que no es necesario explicar nada de él:

—La señorita Gregoresco[272].

Sólo al levantarse de la mesa y encontrarse próximo a la morenita, Silvio recordó, enlazó datos confusos, lecturas de periódicos... Era una historia secreteada primero, divulgada después por las agencias, los telegramas, las murmuraciones europeas; y Silvio creía notar ahora en la Gregoresco no sé qué de apasionado, de lunático, chocante en medio de la corrección mundana.

Estuvo a pique de darse una puñada en la frente. ¡Ah, ya! Estaba viendo a la acariciadora de una doble quimera de amor y ambición, la que había soñado una corona entre capítulos de una novela, y aspiraba a conquistarla por medio de la poesía, sin abdicar de su dignidad de mujer, de su pureza de virgen. ¡Imprevistos caprichos de la naturaleza, que no adapta sino raras veces la exterioridad al destino! La inglesa que colocaron a la izquierda de Silvio, con el largo cuello, el pelo de seda clara, los ojos de pervinca[273], la inmaterialidad de su tipo, parecía de molde para el papel romántico de mujer precipitada de lo alto de su ensueño, de Safo casta que deplora, en versos inflamados, la mentira infinita de amor. Y se figuraba a la señorita Gregoresco así, cuando las peripecias de sus amoríos con un príncipe heredero, protegidos por la diplomacia, hacían el gasto de los telegramas y eran la fábula del mundo diplomático. Hubiese querido Silvio más palidez en aquella frente, más esbeltez en aquel talle, más afinamiento de tristeza y nostalgia en aquella cabeza, otro estilo de vestir: unas gasas salpicadas de lánguidas ramas de glicinia... Porque el mundo entero sabía que Daría Gregoresco no se había consolado, que no quería consolarse, que las cuitas de su corazón las exhalaba en estrofas empapadas de lágrimas; y Silvio, ante

---

[272] Gregoresco.—Elena Vacaresco (1866-1947), poetisa rumana que vivió una historia de amor con el príncipe heredero de Rumanía. Ver Introducción.

[273] Pervinca.—Es una planta, también llamada vincapervinca, que da flores azules, como los ojos de la inglesa en cuestión.

el aspecto más bien vulgarmente atractivo de la desengañada, añoraba el retrato que hubiese podido hacer, no menos sensacional que el del pretendiente a la corona. Pero con el tipo de la Gregoresco... ¡quiá! Y recordando que le habían ofrecido presentarle pronto a Isabel II, decíase:

—Esta república, está llena de reyes que fueron, que serán, que anhelarían ser...

Sin salir del salón de madama de Mélusine, podía ver a dos de estos aproximados a la corona; Daría contestaba al saludo de un príncipe, Bojidar Karageorgewitch[274], hermano de otro pretendiente; y el día anterior Valdivia había hablado a Silvio de ponerle en relación con Roldán Bonaparte[275]. ¡París!

—Algo así como el propio salón de madama de Mélusine, una vega abierta, en apariencia hospitalaria, en realidad cortésmente despegada, que no tiene reparo en aceptar lo que llega, siempre que su nombre resuene, brille, pique la curiosidad—. El sentimiento de su nulidad en París volvió a abrumar al artista. Recordó una conversación en el Círculo de Bellas Artes de Madrid, adonde sólo había concurrido media docena de noches, y en la cual se trataba del proletariado artístico de París. ¡Diez mil pintores luchan en la capital francesa con la penumbra, el anonimato, la indigencia! ¡Destacarse de entre esta piña!

«Pero —discurría, en la primer modorra suave de una digestión feliz, que predispone al optimismo— es imposible, vamos, imposible que yo no sea algo; que esta calentura sin cesar renaciente, que esta obsesión incurable, no lleguen a cristalizar. Yo veo, yo siento, no sólo los colores y las formas de las cosas, sino su esencia íntima, oculta para los groseros y

---

274 Karageorgewitch.—Miembro de la familia real serbia de los Karageorgievic que subió al trono con Jorge Petrovic. Su hijo Alejandro fue príncipe de Serbia y el otro hijo, Alejo, tuvo por descendientes a los hermanos Alejo y Bozidar, que es el aquí citado.

275 Roldán Bonaparte.—Probablemente se refiere a Rolando Napoleón, nacido en París en 1858. Fue militar en su juventud y dejó el ejército en 1883 para dedicarse a los estudios etnográficos e históricos en los que llegó a ser una figura destacada. Perteneció a numerosas corporaciones científicas y publicó un buen número de obras de su especialidad.

los serviles. He menester tiempo, constancia, posibilidad de hacer valer estas dotes.»

Mientras pensaba así, ofrecía a la Gregoresco un sillón, después de ser presentado a la madre, señora respetable que acompaña por todas partes, en su peregrinación, a la dolorida joven. Y Silvio se decía, implacable en la exigencia estética:

«La mamá también me estorba. Esta novela de nostalgia pide lo bravío de la soledad. ¡Una hija de familia! ¡Una mamá al canto!...»

El salón iba llenándose de gente: ilustraciones masculinas, damas vestidas con más atrevimiento que en Madrid. Había poetas capilares[276] codeándose con celebridades indiscutibles, como el gran Heredia[277]. Presentado a él, Silvio le miró con veneración fetichista. El destino de aquel hombre de corta estatura, de tipo español, sordo, distraído, ya metido en años, era el destino envidiable, ideal, del artista. Con reducida labor, breve pero intensísima, de una intensidad como no ha solido verse desde el Renacimiento; sin soñar en renovar formas, aceptando la más rígida, la más hecha y manejada de todas, el soneto; sin reincidir en el intento victoriosamente logrado; sin perderse en el afán de renovarse; sin decadencia posible, por lo único de la obra; sin la lucha innoble con la necesidad y el envilecimiento de la sobreproducción y del industrialismo; serenamente, bellamente, señorialmente, había llegado a la plenitud de la gloria. ¿Y qué pintor podía preciarse de haber igualado a Heredia, el colorista —a menos que sea Moreau?—. No era la primera vez que Silvio, sufridor de todas las dudas por la misma incandescencia de su fe, se había preguntado, leyendo a Flaubert, a Heredia, a los coloristas de

---

[276] Poetas capilares.—Es una metáfora poco precisa porque puede significar «poetas melenudos», que serían los herederos del romanticismo, o «poetas de escaso caudal», como los vasos capilares. De lo que no cabe duda es de que se trata de una expresión peyorativa.

[277] Heredia.—Se refiere al poeta francés José María de Heredia (1842-1905), no al cubano de igual nombre. Era de origen cubano y escribió algunos poemas en castellano, pero su obra más importante es la colección de sonetos *Los Trofeos (1892)*, inspirados en figuras o sucesos históricos, de la que va a hablar enseguida.

la pluma, si era dable superarles con el pincel; y ahora la duda reaparecía, al recordar el esplendor de *Los Trofeos*[278], Antonio en brazos de Cleopatra, viendo en sus ojos el inmenso mar y la huida de las galeras de Accio, los Conquistadores españoles sobre el fosforescente azul del mar de los Trópicos, en la proa de las blancas carabelas, inclinados para ver surgir estrellas nuevas del fondo del Océano.

Sin haber tanteado aún sus disposiciones para el arte, ya padecía Silvio la penosa incerteza, el titubeo de los desorientados y los deslumbrados, la solicitación de las otras formas artísticas, la ambigüedad ambiciosa que obliga al escultor a buscar efectos pictóricos; al pintor, a introducir poesía lírica o épica, literatura, en fin, en sus cuadros; al músico, a calcular efectos descriptivos y notas de color, en vez de notas musicales; al escritor, a emular al pintor, produciendo, a toda costa, la sensación artística, el efecto de la luz o del sonido; al arquitecto, a forzar las líneas, alterando la serenidad, volviendo al barroquismo; a todos, en fin, a meter la hoz en mies ajena, a sentir el desasosiego panestético, ansia de expresar la belleza con mayor amplitud, más recursos, sentimiento más vario, algo que abarca, en abrazo eterno, lo infinito de la hermosura, lo ilimitado de su goce. La idea de que nunca pintaría como hace sonetos Heredia sumió a Silvio en una de esas me-

---

[278] Los Trofeos.—Son evocaciones bastante precisas (que parecen revelar una lectura reciente) de dos de los sonetos de la obra de Heredia: los que llevan por título «Antonio y Celopatra» y «Los conquistadores». Reproduzco los versos a los que se refiere:

> Et sur elle courbé, l'ardant Imperator
> Vit dans ses larges yeux étoilés de points d'or
> Toute une mer inmense où fuyaient des galères.
> (Antoine et Cleopatre).

> Chaque soir, espérant des lendemains épiques
> L'azur phosphorescent de la mer des Tropiques
> Enchantait leur sommeil d'un mirage doré;

> Ou penchés à l'avant des blanches caravelles,
> Ils regardaient monter en un ciel ignoré
> Du fond de l'Océan des étoiles nouvelles.
> (Les conquerants).

(Les Trophées, París, Pierre Belfon, 1965, págs. 87 y 119.)

ditaciones desconsoladas en que se quisiera renegar hasta del ser y convertirse en piedra. Hay instantes en que los pensamientos nos ahogan como olas. ¡Ante Heredia, Silvio se humilló: se vio tan pequeño, tan burlado por la suerte! Era su gran sufrimiento, *querer ser otro;* era la negación del *yo,* de lo que más se ama.

Las doce caían cuando penetró en el salón de madama de Mélusime Espina Porcel. Sus pupilas agudas, vivaces, registraron el recinto y descubrieron al joven pintor, perdido en la selva oscura de sus reflexiones. Sacudió la cabeza Silvio y se acercó a la dama, colocándose a su lado. Espina hacía gestos monos al fijarse en la concurrencia, y decía por lo bajo:

—¡De mal en peor esta casa! Llegará día en que no se podrá venir. ¡Qué ancha base! Seguro que me va a endosar, sin previa consulta, a dos o tres notabilidades estrafalarias.

No se engañaba en sus presunciones la Porcel. Ya la Mélusine, con el transporte entusiata que la acometía al descubrir islas, se aproximaba, llevando de la mano a Daría Gregoresco, y la presentaba entre un balbuceo de simpatía apasionada, con igual emoción y secreteo que Solar de Fierro al mostrar una maravilla única de sus colecciones.

—La señorita Gregoresco... ¡Ya sabe usted!... ¡La señorita Gregoresco!... Nos ofrece la encantadora sorpresa de recitar algunas poesías no dadas a conocer hasta hoy...

Espina se inclinó, lanzó un ¡ah! inefable, y murmuró un «¡encantada!» de los más vagos y distraídos de su repertorio.

La Gregoresco se adelantó; hicieron corro a su alrededor, en primer término, la dueña de la casa, sonriente de beatitud. Estaba la poetisa turbada, y leve ronquera velaba su voz al empezar. Heredia, a quien respetuosamente habían dejado sitio en el aro estrecho del corro, hizo con la diestra cartucho a la oreja para oír bien. Silvio notó que en aquel salón parisiense se escuchaba, como no se escuchaba en Madrid jamás.

Alzábase ya más segura y timbrada la voz de la recitadora, y su dicción pura y dulce iba encendiéndose con apasionados acentos, expresando la cuita, la incurable añoranza del ayer tan próximo, el inextinguible recuerdo del ensueño destrozado por la realidad; la queja salida de las entrañas, que se deshace y rompe en sollozos al asomar a la boca. Su poesía, no escultural y policromada; no impecable y soberana, como la de Heredia; flébil a veces, como lamento de niño; altiva otras, con la generosa altivez del sentimiento que conoce su nobleza y su derecho a la vida, fluía de labios carnosos, poco espirituales, y los transformaba, los afinaba con idealidad. Aquellas amantes querellas, aquellos insistentes brazos extendidos hacia lo que no volverá, lo que no puede volver, lo que tal vez no existía, porque si hubiese existido seguiría existiendo, se sobrepondría a lo accidental y pasajero de la existencia; aquel poema de pasión, con sus paseos a la luz de la blanca luna, sus citas entre flores, decoración trillada y divina; aquella pregunta ansiosa, triste, repetida —¿cómo se puede olvidar cuando se ha querido de cierta manera?—, aquello que era fibras vivientes, sangre de un corazón transformada en luz por la rima, al exhalarse por la boca de la enamorada, la hacía momentáneamente sublime. Sus ojos de sombra brillaban; sus mejillas, bruñidas al sol, se animaban con carmín de fiebre; su estatura parecía crecer. De pronto cubrió su vista un velo, una escarcha de llanto, y la emoción, haciendo palpitar su seno, se reveló en la profundidad vibrante de la voz, en la trepidación involuntaria del torso. Era una gran soprano dramática, y sus acentos tenían poder comunicativo de dolor y piedad. Silvio, con sorpresa, se sentía subyugado. Por primera vez un gemido de amor le conmovía. Se lo dijo a Espina, que, insensible, metida en su concha de mundano aplomo, observaba como se observa una curiosidad cualquiera, un bicho raro, un pájaro de colores. Y, alzando los hombros, contestó a Silvio quedamente:

—¿Le hace a usted efecto la cómica esa? Porque ya comprenderá que de comedia se trata. Ni hubo tal amor, ni tal empeño del príncipe heredero en casarse con ella...

Lago sabía lo contrario, como lo sabía todo el mundo; pero no le preocupaba la autenticidad de la historia. Su naturaleza estética hacía que los efectos le interesasen más vistos al través del arte que en la realidad. «Una impresión bella no miente nunca», era su divisa, y fue su respuesta.

—¿No le parece a usted —añadió— que el amor es la cosa más vieja y más nueva, más fecunda en sugestión, después de todo? ¡Cuánto siento que el amor nada me diga! Es posible que me engañe mi sueño de arte, y esté perdiendo lo mejor de mi vida, los años que no tornan, privándome de la única emoción que compendia lo infinito!

Espina le fijó sin pestañear y no contestó.

«Tal vez —pensaba Silvio— la Gregoresco, con su emoción perpetua, que derrama en versos y que reabsorbe al recitarlos, vive vida más colmada, más intensiva, que el sordo glorioso que la está felicitando en este momento.»

Se acercó a la poetisa cuando la dejaron algo libre los admiradores, y apartándose del remolino de la multitud, que ahora se precipitaba para oír recitar fábulas de Lafontaine[279] a Coquelín menor[280], se encontró aislado con Daría en una especie de gabinetito formado por cortinajes de brocatel, plantas y dorados muebles. Daría respiraba afanosamente aún, y, no creyéndose observada, se pasaba el pañuelo por los ojos, donde se había vuelto agua corriente el rocío.

Silvio, como si la conociese de hacía muchos años, familiar, imperioso, la preguntó:

—¿De modo que no le ha olvidado usted aún?

Hizo ella con la cabeza señal negativa, y se sentó, abrumada sin duda, quebrantados los huesos y anegado el espíritu.

—Siempre —indicó el artista— la poesía consuela.

La poetisa le miró. Estaba, sin duda, habituada a distinguir la verdadera simpatía de la compasión ficticia o burlona. La cara delicadamente expresiva de Silvio, el encanto artístico de su semblante, la mirada sentimental de sus ojos cambiantes, verdiazules, la tranquilizaron, y murmuró, melancólicamente, sumisamente:

—No sé si consuela... Por lo menos, da desahogo al sentimiento. Dicen los médicos que si yo no hiciese estos pobres versos, me hubiese muerto o me hubiese vuelto loca.

---

[279] Lafontaine.—Jean de La Fontaine (1621-1695), escritor francés, universalmente famoso por sus *Fábulas,* escritas en verso libre, en las que hizo una crítica aguda y sutil de la sociedad de su tiempo.

[280] Coquelín menor.—Los Coquelín eran una familia de actores: Constant Coquelín Ainé (Coquelín el Viejo) (1841-1909), su hermano Ernest (1848-1909), llamado «Cadet» (el Joven) y un hijo de éste, Jean (1865-1944). Todos ellos excelentes actores dramáticos. La cita se refiere al segundo y traduce «cadet» por «menor».

—¡Si supiese usted —balbuceó Silvio— cómo la envidio su pena! Quisiera desde que la he oído, poder sentir así. No soy feliz, pero mi pena no es de amor.

—¿De qué es entonces? —preguntó sorprendida ella; tal vez no creía posible que se sufriese por otra cosa.

—De ambición artística... Soy pintor; nada he producido y aspiro a una obra fuerte, señalada, que me eleve...

—¡Vanidad! —murmuró Daría.

—¡Delirio quizá el de usted! —declaró Silvio.

La enamorada suspiró, haciendo un noble ademán de resignación a su eterna tortura, mitigada sólo por el canto. Y mientras se comunicaban, sin conocerse casi, lo más arcano de sus almas, el gentío, desimpresionado ya, olvidando la queja de la tórtola viuda, no sospechando el anhelo del soñador de fama, del ansioso de creación, se agolpaba en torno del actor de la Comedia francesa, escuchándole bordar y cincelar con recitación sorprendente la fabullilla salada por el buen sentido.

Daría y Silvio, un momento, hicieron fondo común de sus penas hermosas. La prosa les rodeaba; se refugiaban en la poesía de lo imposible. ¡Vanidad! ¡Delirio! Para ellos, la mayor verdad; la que nosotros mismos criamos.

*

Hízose más pesado el yugo que la Porcel imponía a Silvio; y el artista tenía que someterse. Confiaba todavía en el apoyo de Valdivia, en la cacareada exhibición del retrato de las rosas. Salir del anonimato en esa forma no le era halagüeño; pero no había otro recurso.

Tampoco era infalible. Las victorias madrileñas podían convertirse en naufragios parisienses. Una frontera, unos centenares de kilómetros... y todo cambiado. Silvio contaba, no obstante, con la homogeneidad del gran mundo, que, en lo fundamental, es idéntico a sí mismo en cualquier latitud.

Para fijar la atención distraída y volandera de ese gran mundo, el señuelo era Espina. Ella podía, en un acceso de malignidad, retrasar indefinidamente el momento en que Pa-

411

rís se convirtiese en escenario y mercado para Silvio. Creía tener en la mano el medio infalible de subyugar a la Porcel. La fatuidad le sugería que una escenita, magistralmente representada por el histrión que hay en todo artista, restablecería las relaciones en pie de complicidad; pero no se poseía lo bastante para resolverse a tal farsa. La perversa atracción de Espina se le había transformado en repulsión, y Lago se conocía; sabía que sus sentimientos eran brotes bravos de espino montés; que la misma traición, el mismo disimulo artero, de los cuales sentíase capaz, no podía provocarlos a voluntad y mediante reflexión: le reventaban del alma bajo la presión de las circunstancias. Ni siquiera le movía ya el romántico respeto a Valdivia; su alejamiento era otra cosa: una especie de náusea moral. El cutis de Espina se le figuraba frío como el de un reptil. La neurosis, el diablillo de la neurosis, debía de danzar en esto...

Siempre que se aflojaba algún tanto su cadena, se sumergía en el dibujo, o desentrañaba el París artístico. Hundíase con deleite en el inextinguible foco y luminar de arte, saboreando el placer que causan las obras maestras en relación íntima con nuestra sensibilidad, o que la modifican y renuevan. Había dado por hecho Silvio que entre los pintores modernos le arrebataría Courbet[281], y comprobó sorprendido que el realismo, exagerado calculadamente, del discutidísimo *maître d'Ornans,* casi le molestaba. Era la transformación de su ideal propio lo que anulaba su admiración hacia Courbet, exaltada por los ditirambos de Zola[282]. Se quedó Silvio pensativo cuando

---

[281] Courbet.—Gustavo Courbet, nacido en Ornans (1819-1877). Evolucionó desde los autorretratos de carácter romántico a los cuadros de realismo social como *Los picapedreros* o *Los campesinos de Flagey volviendo de la feria.* Courbet fue una figura muy controvertida, por su vinculación al socialismo y por el realismo agresivo de sus obras, una de las cuales *Regreso de la conferencia,* que representaba a unos clérigos borrachos, fue adquirida por un católico que la destruyó a continuación.

[282] Ditirambos de Emile Zola.—Emile Zola prodigó elogios a Courbet sobre todo en dos artículos, titulados «Proudhon et Courbet», publicados en el periódico de Lyon *Salut publique,* los días 26 y 31 de agosto de 1865. En estos artículos formuló por primera vez la definición de la obra de arte que después repetiría varias veces: «Un coin de la création vu à travers un temperament.» Este artículo está recogido en el volumen *Mes haines,* nouvelle édition,

hubo notado que Courbet, antes, en su imaginación, rey de la pintura —no era, al verle de cerca, sino «un temperamento», un sujeto de cualidades mal aprovechadas y hasta estragadas por la estrechez de una fórmula.

Courbet —decidió Silvio— fue una naturaleza burda; tenía mucho de grosero, no sólo en la producción, sino en su vida, en aquel su eterno fumar y beber cerveza. Sintió que la devoción cambiaba de santo, que se pasaba a Moreau y a Millet, ¡dos ideales tan diferentes! Millet le embelesaba por impresionar a su manera la naturaleza, dominándola con la intensidad del propio sentimiento, y soñaba hacer él en Alborada otro tanto. Las Mariñas distantes le parecían entonces ese rincón del mundo donde cada artista extrae una concepción peculiar de la realidad, según sus propios ensueños de poeta «En Alborada haré yo mis *Espigadoras* —resolvía—. No aquella *Recolección de la patata,* tan tosca, tan villanesca. Otra cosa..., otra cosa... a lo Millet.» Pero Moreau le fascinaba más, no imaginando siquiera que pudiese su pincel ejercer la influencia que ejerció aquel creador genial más próximo a fray Angélico y a los místicos que a los modernos. Silvio comprendió que su alma era del grupo poco numeroso a que perteneció el autor de *Salomé*[283]. Almas complicadas, pueriles y pervertidas, misantrópicas y candorosas, modernas y bizantinas... Nunca almas panzudas de burgueses. Almas siempre resonantes por la vibración de las cuerdas polifónicas de sus nervios.

Silvio encontraba en la sensación peculiar de Gustavo Moreau mucho de lo que había supuesto en París, en el alma de

G. Charpentier éditeur, París, 1880, págs. 21-40. Fue probablemente esta edición la que doña Emilia leyó, ya que corresponde a la etapa de su máximo interés por el escritor francés. El artículo está recogido actualmente en el tomo X de las *Obras Completas,* del Cercle du Livre Precieux, edición de Henri Mitterand, París, 1966-1970, págs. 35 a 46. A partir de 1866, año en que Courbet triunfó en el Salón de París, menudean las críticas de Zola al pintor, a quien acusa de dulcificar su realismo para hacerlo aceptable a la burguesía, y así escribe en el periódico *L'Evénement,* el 15 de mayo de 1866: «Courbet a rentré ses serres d'aigle, il ne s'est pas livré entier (...) Courbet, pour l'ecraser d'un mot, a fait du joi» (artículo recogido en el volumen *E. Zola. Mon Salon, Manet, Ecrits sur l'art,* París, Garnier Flammarion, 1970, págs. 80-81).

[283] Salomé.—Ver nota 266.

París, y que no descubría en el París verdadero. Este nada tenía de común con la ciudad de fiebre y placer, cocotismo y despilfarro, de la leyenda internacional. La «Babel» era un telón efectista hecho jirones, y aparecía la colmena, el trabajo asiduo, normal, funcionando y saneando la atmósfera. Los zánganos, en apariencia numerosos, eran en realidad contados. Y de bracero con el trabajo, como esas parejas contentas de serlo que se esparcen por París al anochecer, Silvio veía a la razón, obrera metódica; la voluntad al servicio de la invención. La lección severa de Lutecia[284] era lo contrario de la sangría suelta de tiempo y energías de Madrid.

Recordaba Silvio la capital española como si aún se encontrase en su taller de la calle de Villanueva: las vías públicas, concurridas lo mismo a las cinco de la tarde que a media noche; aquel visiteo injustificado, aquel zanganeo y zascandileo en que las horas se esfuman, cayendo en el curso del mes y del año como granitos de sal en mares de tedio, placer y turbulencia. Y en cambio, en el París que la literatura diseca para descubrir perversiones, y que fotografía sorprendiendo extrañas muecas, en imposibles actitudes, Silvio, al echarse a la calle temprano para dirigirse a su taller, se tropezaba con bandadas de madrugadores intelectuales, pálidos de sueño, que asaltaban las limpias cremerías[285] y se desayunaban con un panecillo de media luna y un vaso de leche, antes de desparramarse, vademécum bajo el brazo, a enseñar o aprender; ¡a trabajar! A tal hora, en que los madrileños, pobres o ricos, leen entre sábanas el primer diario que su mujer o sus criados les suben, Silvio veía a los parisienses, ciudadanos de la metrópoli del sibaritismo, según fama, entregarse con taciturna asiduidad a los preliminares de una jornada laboriosa, seguida de otras y otras, interrumpidas por el descanso dominical disfrutado en sencillos esparcimientos, tan distintos del pagano y sanguinario dominguerismo taurino de Madrid. Los porteros, mozos y dependientes de comercio, barriendo, bruñendo y atersando aceras, llamadores, vidrios y escaparates, como el

---

[284] Lutecia.—Pronunciación española del latín Lutetia, nombre de la ciudad galorromana que fue el origen de París.
[285] Cremerías.—Galicismo derivado del francés «crémerie», 'lechería'.

soldado acicala sus armas para combatir; los profesores, corriendo con ropa raída y estómago mal lastrado a arrancar de
entre colchones al alumno, si éste no aguarda ya con las orejas
relucientes de fricción y los ojos entumecidos de soñolencia;
el personal de los establecimientos públicos, oficinas, tiendas,
desde temprano en plena actividad, repetían que la palabra de
la esfinge parisiense es TRABAJO. Los ciclistas desfilan, portadores de mensajes o carga; los coches circulan, socarrones,
acechando al peatón, que se apresura y los evita; una multitud
seria, preocupada de su objeto, invade las aceras, sin agolpar-
se en cualquier parte a curiosear cualquier cosa; Silvio se confunde entre esta multitud, se codea, se hinca, hace cuña y no
percibe esa chispa de pasión, de simpatía o antipatía, que en
Madrid se transmite de uno a otro transeúnte. La gente que
pasa a su lado, que le empuja involuntariamente, que le esqui-
va con ágil respingo para no detener ni ser detenida, no le ve
siquiera. Va a la obligación, va al trabajo. Contados están los
minutos, trazado y distribuido el día, tasado el reposo y repar-
tida la tarea.

Esa decisión de funcionar, esa trepidación como de máquina que rinde su contingente, corre en oleada desde los res-
plandecientes bulevares hasta los barrios semiprovincianos
de la *banlieue*. Hay en París zonas solitarias, pero no holgaza-
nas. La colmena no zumba en la calle; se refugia en las celdi-
llas, en los pisos modestos sobre cuyas ventanas se leen un
nombre y un oficio... Ni las breves vacaciones parecen amen-
guar la actividad de la colmena invisible. Cuando el azar de
sus correrías lleva a Silvio, por ejemplo, hacia el Jardín de
Plantas, la calma del tranquilo barrio no le impide notar la
palpitación del esfuerzo, el anhelar de yunta que abre surco.
Humilde es el vecindario; conságrase a labor poco retribuida,
pero acata el precepto, de cuyo cumplimiento nacen la riqueza, el vigor y la hermosura. Siente a su alrededor Silvio la
ahincada presión del trabajo. Hasta la daifa que recorre un
trozo de acera, siempre el mismo, y que interpela al transeúnte, muestra la aplicación de la laboriosidad, tiene dejos de
obrera, compelida por la tarea forzosa.

La conseja de la bohemia artística, del descuido y la hol-
ganza entrecortada por hipos de genio y arrechuchos de ins-

piración, con risas, trampas y fumaduras de pipas, se derrumbaba en su romántica falsedad. El divino grupo de Capeaux, *La Danza,* que Silvio había creído símbolo de la desenfrenada existencia parisiense, ahora se le figuraba, en su nervioso vértigo, expresión de un afanar constante, el de tantos cerebros y tantos brazos.

«Cabe bohemia en literatura —deducía Silvio—, porque una estrofa puede inmortalizar, y una estrofa puede nacer sin esfuerzo; pero nosotros, pintores, escultores, ¿hemos de improvisar monigotes en la pared, muñecos tallados al cortaplumas?» Recordaba su antigua fe en el milagro, sus esperanzas —la de todos— en el golpe de suerte, en la idea feliz que saltea al despertar, en el cuadro-gancho, en el cuadro-trompeta, en lo que a infinitos alucina, y ya se reía de sí mismo. Lo que se hace sin aplicación es deleznable, banco de arena seca y suelta que el aire arrebata, resplandor momentáneo de luciérnaga en estío.

«Un artista bohemio —discurrió— no es bohemio porque deba dinero a todo bicho viviente, ni por correr juergas, que también los filisteos corren. La característica de la bohemia es querer triunfar sin tiempo y sin lucha constante y terrible. La pereza milagrera —he aquí la bohemia—.» Acordóse una vez más de Minia, de su teoría del monje miniaturista, del arquitecto medioeval, y pensó que, sin el hábito de burel, pero con el espíritu perseverante y el alma muda de esos artistas de antaño, hay en París bastantes obreros que crean porcelanas, alfombras, muebles, joyas, obras maestras donde el arte se disfraza de industria.

«Estas telas de dibujos robados a la naturaleza, estas decoraciones de elegancia ideal, estos bronces, estos Gobelinos[286], los mismos primores, abrillantados por la imaginación, de la indumentaria femenina, esta densidad de civilización refinada en el puño de una sombrilla, en una bujería cualquiera, se-

---

[286] Gobelinos.—Tapices de la fábrica de Gobelinos. El nombre procede de una antigua familia de tintoreros, los Gobelin, que vendieron su local al rey Enrique IV, hacia 1603. En 1667 Luis XIV, por sugerencia de su ministro Colbert, fundó los talleres de la tapicería real de París en el Hotel des Gobelins, creándose una floreciente industria.

llada por el depurado gusto de París, ¿no son —pensaba Silvio— obra de artistas, que si no bajan a rezar al coro, se esconden en las grandes manufacturas nacionales, y sin ambición, sin calentura, resignados a que nadie pronuncie su nombre, crean su porción de belleza y la expiden, entre el tráfago comercial, a esparcirse por el mundo, a refinar la vida humana?

»Y los mismos que en París quieren que el aire sufra el peso de su nombre, ¿cómo lo consiguen? En sus frentes arderá la llamita simbólica, pero sus hombros sufren la carga del trabajo. Sus manos son recias y duchas. Sus hombros son de cariátide. Su mirar es abstraído. Hasta en sueños buscan la fórmula. Su edad florida ha pasado; ha llegado la viril, ruda, concentrada en el objeto, y ya con el pelo gris, tal vez laureados, siguen rodando, entre sudor y fatiga, la peña de su gloria, para que no les recaiga sobre el pecho y les aplaste. No quieren chapuzar en el olvido, vivos aún. Han probado el licor que embriaga; disipada la embriaguez, no pueden prescindir del licor. Mas ¡ay del que deja apagarse la lámpara!»

Y entonces, espantado del porvenir —cuando aún no tenía presente—, deseaba la oscuridad, el encierro a solas con la hermosura. Creía bastarse. Recordando que poseía singulares disposiciones para la labor del adornista, se veía viejo, habitando en una de esas fábricas de cerámica o de tapices en que hay un jardín abandonado a propósito, donde las plantas y las flores, libremente, adoptan formas gentiles, indómitas; y se veía cortando brazados de ramaje, componiendo después, en su estudio, motivos decorativos, cuyo tema es la rosa húmeda de rocío o la clemátida envuelta en su guirnalda verde.

En los talleres que empezaba tímidamente a frecuentar, Silvio confirmaba sus observaciones. ¡La pereza ha muerto! ¡La bohemia ha muerto! Aquellos artistas que desafiaban al calor y sólo se prometían unas cortísimas vacaciones en la primera quincena de agosto, tenían, más que la preocupación, la obsesión del trabajo. Distribuían su capital de tiempo con una regularidad tan racional, que olía a burguesa prosa, a oficina. En sus conversaciones, en sus indiscreciones chismográficas sobre las costumbres de los privilegiados del arte, se revelaba el método estricto que practica hoy el artista céle-bre, cultivador y conservador de su fama. Como el acróbata y el jockey, que necesitan entrenarse, los artistas hacían gimna-sia, salían al campo a plazo fijo, dibujaban, apuntaban sin ce-sar, leían, seguían la marcha estética, y demostraban una in-quietud higiénica sabiamente fundamentada en consejos del Doctor. Salir al campo en muy bueno porque se domina el *plein air*[287], y también porque se hace ejercicio y se respira. Bastantes escultores y pintores cultivaban el músculo y que-maban los ácidos por medio de la esgrima, y, entre trapos an-tiguos y restos de tapiz, junto al velador árabe que sugiere orientales indolencias y fumaduras soñadoras, se veían por el suelo las pesas y las cuerdas, las caretas y los guantones suda-dos. Saben las cocineras de estos artistas —ni más ni menos que si sirviesen a esos ricachones que anhelan conservar la personita muchos años— recetas y condimentos que no en-calabrinan el estómago; y hasta Venus la dominadora, la em-baucadora, la destructora, espera a la puerta del taller, igual que la lavandera y el brochador del piso, a que llegue su hora y su día de la semana, el prescrito, que no debilita la mente ni desasienta el pulso.

Lo ímprobo del trabajo y lo calculado del esfuerzo: eso sal-taba a los ojos del joven retratista, como se percibe el congojo-so palpitar de la bayadera, el sudor de su dorada piel, bajo las gasas de su túnica y los sartales policromos de su garganta. No: París no tiene el alma de Espina, insaciable y saturada de sensaciones, esa es, a lo sumo, su careta, su disfraz de Carna-val, su collar de bayadera danzarina.

Silvio se juraba que se evadiría de la Porcel, que se entrega-ría venturosamente a la labor. Las aguas frías y serenas de la gran piscina probática[288], depuradoras, agitadas por el ala de

[287] Se domina el plein air.—Los impresionistas defendieron a ultranza la necesidad de salir a pintar al aire libre, fuera del estudio. En algunos casos esta preocupación por la luz llegó a extremos enfermizos, como es el caso de Cezanne, que no asistió al entierro de su madre para poder pintar una vez más la montaña Sainte-Victoire, que aquel día tenía la luz que él de-seaba.

[288] Piscina probática.—Se refiere a un relato de la Biblia, del evangelio de San Juan: «Hay en Jerusalén, junto a la puerta Probática, una piscina, llamada

la inspiración, le sanarían. Espina... ¡Bah! Un gesto de París; lo que fermenta, lo que gusanea en toda civilización avanzada. Su refinamiento, ¿qué? Fruto del sudor de tantos laboriosos. Para sostener el artificio de su belleza, ardían los hornillos de los laboratorios, se destilaban las esencias de los cálices, se inclinaban sobre la almohadilla frentes de encajeras, allá en solitarias calles de Brujas o de Malinas[289], velaba el dibujante, cosían en domingo a doble precio las modistas, se estropeaba los ojos la enfiladora de perlas. El gigante árbol del trabajo parisiense echaba una flor venenosa: Espina.

Sin embargo —reconocía Silvio—, esta mujer, su aparición a una hora dada en mi camino, fue el cambio de mi credo. Estoy divorciado para siempre del verismo servil, de la sugestión de la naturaleza inerte, de la tiranía de los sentidos. Soy libre y dueño de crearme mi mundo; ya no venero a los que se limitan a copiar; ya no tengo fetiches; si imitase, sería para dar muerte.

Y comprobaba, en su tendencia perseverante al realismo, la infusión del ideal, la exigencia del espíritu, algo que va más allá del color y de la forma. El mundo ya no le parecía solamente tierra fecundada por el sol. En su superficie corría un agua encantada, y de su seno se alzaban embrujadas vegetaciones, arborescencias de oro y cristal.

«Esto tengo que agradecer a la Porcel, a su individualismo aristocrático y poético, a su desprecio de la imitación literal y de la verdad gruesa. ¡Tal vez ella me ha revelado a mí mismo!»

La hubiese perdonado, hasta la hubiese adorado, si ella no le tiranizase, si le dejase en paz. Pero se desesperaba al recibir por el teléfono de su hotel (donde dormía, no pudiendo hacerlo en el taller) imperiosas llamadas, órdenes de presentarse en el palacete de los Campos Elíseos.

---

en hebreo Betzata, que tiene cinco pórticos. En éstos yacía una multitud de enfermos, ciegos, cojos, mancos, que esperaban el movimiento del agua, porque el ángel del Señor descendía de tiempo en tiempo a la piscina y agitaba el agua, y el primero que bajaba después de la agitación del agua quedaba sano de cualquier enfermedad que padeciese.» (San Juan, 5, 2.)

[289] Brujas y Malinas.—Ciudades belgas famosas, en el siglo pasado, por las manufacturas de bordados, que llevaban el nombre de sus ciudades.

Rendida por el calor, Espina se pasaba las mañanas y las primeras horas de la tarde sin salir, reclinada en su meridiana favorita, de forma griega, amplia como un lecho, revestida de telas blancas, incesantemente renovadas, de cubrepiés de encaje, de almohaditas minúsculas, copos de espuma que la envolvían en el aleteo de un bando de palomas. Delante de la meridiana, una mesita inglesa, de bronce y laca, sostenía refrescos y helados, y otra diminuta mesa, toda de porcelana de Satsuma[290], los chismes de fumar y un cacharro persa atascado de jazmines. En el centro de la rotonda —que rodeaba una serie de columnas con capiteles de piedras raras, ágatas y jaspes traídos de Italia—, sobre amplia concha de cristal nacarado, pieza rara de Salviati[291], una gorgona dejaba escapar de sus fauces, incesantemente, un surtidor de agua helada, y en los ángulos de la habitación, no muy grande, pulverizadores automáticos y ventiladores eléctricos sostenían temperatura deliciosa. Silvio no podía menos de complacerse; el contraste era encantador; venía de las calles, polvorientas, trasudantes, de luz cegadora, aturdidas por el estrépito de coches, carros y ómnibus —los pedestres ómnibus a que recurría el pintor por no gastar—, y sentía el hechizo de la penumbra, de la frescura, del lujo, del supremo refinamiento, del silencio, del cuadro compuesto ya, que le movía a exclamar: «Mañana traigo lápices.» Al oírlo, la Porcel saltaba: «No lo sueñe usted. ¿Soy yo la Moros? Si quiere modelo, llame a las de oficio.»

Cuando se presentaba Valdivia, Silvio, a pesar de lo irreprochable de su proceder, sentía confusión de culpable; comprendía que no era fácil que el celoso leyese en su conciencia, y, puesto que leyese, también leería las páginas de Madrid; sabría el agravio, lo imperdonable, lo que no se lava ni se borra. Una existencia entera de abnegación no compensa, ante la exigencia de los celos, un minuto en que se ha pecado. He ahí

---

[290] Satsuma.—Provincia de Japón donde se desarrolló desde el siglo XVI una industria de cerámica que alcanzó su mejor momento hacia 1800.

[291] Salviati.—Antonio Salviati (1816-1890), mosaísta italiano. Restauró los mosaicos de San Marcos de Venecia y decoró la capilla Alberto del castillo de Windsor y la cúpula de San Pablo de Londres.

420

la mancha que todos los perfumes de Arabia no limpian. El beso es más indeleble que la sangre.

Valdivia, al entrar, si encontraba a Silvio, hacía indefectiblemente un gesto dolorido, fruncía un ceño torvo.

Silvio no iba a decirle: «Estoy porque Espina me ha llamado.» Limitábase a exagerar la actitud correcta, el mutis de respeto, el implícito reconocimiento de los derechos de Valdivia... No era mejor táctica, como no lo es nunca lo artificioso, lo fabricado, en la esfera del sentimiento. Al celoso, un vez alarmado, todo le previene. El hecho más sencillo es tortura; la desconfianza es tan desmedida, como la confianza fue incondicional.

Al tender la mano al brasileño, sentía Silvio retraerse nerviosamente la diestra, volverse rígida, o apartarse con un movimiento mecánico, de los que no domina la voluntad. En los ojos apagados y estriados de bilis de Valdivia, pasaban, como nubes ligeras sobre una charca, fugaces expresiones de odio, de indignación y —lo que más preocupaba a Silvio— de dolor sin consuelo.

Y Silvio no podía soportar la falta de perspicacia del celoso.

«Estoy por llamarle a capítulo y asegurarle...»

¡Qué inocentada sería! ¿Acaso el celoso da crédito a las verdades?

«Este hombre sería dichoso y, además, encantador, si no fuese la víbora que lleva enroscada —pensaba Silvio—. Acabará él también por mordernos a todos.»

De la impaciencia de Silvio ante la ceguera del brasileño, nació una especie de menosprecio hacia hombre tan simpático, cuya felicidad deseaba sinceramente, dispuesto a sacrificarse por ella. ¡Al fin y a la postre, de nada servía...! Esta reflexión vulgar fue acaso la excusa que se dio Silvio a sí propio, al sentir reflorecer, involuntariamente, por cortos accesos, el capricho, la curiosidad de Espina. Extraña y casi puede decirse monstruosa atracción, análoga a la que nos lleva a acariciar y jugar con el perro que muerde o el gato que araña y saca sangre. En la soledad del gabinete donde Espina le recibía; en aquel eléctico silencio ritmado por la canción hialina[292] de la

---

[292] Hialina.—¿Se trata de una sinestesia o de un error lingüístico? La úni-

fuente, pervertido por los violentos aromas del jazmín y las gardenias, la tentación nacía del enervamiento, y Silvio la percibía unida al deseo de herir y hacer daño, a un impulso malévolo, rabioso. ¿Por qué le llamaba aquella loca? ¿Por qué se figuraba tonterías aquel insensato? ¿Por qué no le dejaban de una vez tranquilo, tendiéndole una mano si podían, y si no, abandonándole de una vez, a luchar nuevamente, solo, pero suelto y sin falsos auxiliares? Y en la imaginación del pintor se delineaba la escena de violencia que le aliviaría y le vengaría: una carcajada burlona en la cara del celoso, después de una mofadora y ultrajante caricia a la mujer...

Solo con ella tantas horas, el enigma de la Porcel le irritaba. ¿Era efectivamente, según la afirmación de Valdivia, una víctima de la fatalidad? Silvio la clasificaba algunas veces, comparándola a Clara Ayamonte. «Aquélla —pensaba— era una histérica del corazón, y ésta es una histérica del cerebro.» Pensándolo mejor, esta frase, como todas las frases, nada decía: no descubría lo sustancial de las cosas, lo que latía en el arcano de aquel espíritu refinado y desquiciado. La clave del sentir de aquella hija de la decadencia no la poseía Silvio, a pesar de prolongadas cavilaciones, cuando veía a Espina tendida lánguidamente sobre la meridiana, fumando con visible beatitud, entre el bando de palomas de sus almohadoncitos de encaje con hopos de cinta, frescos como flores entreabiertas. ¿Qué silbo de culebra había salido de aquellos labios retocados con carmín, para que se despertara en Valdivia la desconfianza? Porque no lo dudaba el artista: el tránsito de la fe a la negra duda no podía deberse sino a ardides de mujer herida en su amor propio y resuelta a no perder el goce de vengarse atormentando.

*

Una tarde, Silvio se sintió más acometido por la tentación que de mancomún sugerían el calor, el agua cantadora, la calma musical, los efluvios del jazmín y la inquietud maldita del

ca acepción de hialino es, según el DRAE, «diáfano como el vidrio o parecido a él». Quizá quiso decir «cristalina».

concupiscente espíritu. No pudiendo deletrear lo interno de Espina, ansió sorprender la forma, desconocida y recatada, de su cuerpo. La dama, bajo el cubrepiés de rica guipure aplicada sobre transparente de seda hortensia, se cubría y anubaba[293] con las batistas de su ropa blanca y las gasas de su *deshabillé* flojo, de flotantes mangas y plegados múltiples[294]. Como siempre, Espina no mostraba sino lo que permite mostrar la más exquisita corrección. El misterio de Espina estimulaba la insolencia de Silvio.

Con fría lucidez en medio de su arrebato, calculó el golpe. Contó con la sorpresa de la señora; se acercó arteramente, tomando un pretexto... y con movimientos pensados e instintivos a la vez, la atacó, precipitándose, desgarrando y desviando en un relámpago encajes y telas... La nube se disipó, y Silvio retrocedió, de sorpresa y de susto.

Sobre el nítido torso, donde la línea de la espalda se inflexiona tan graciosamente destacándose encima de nacaradas tersuras y morbideces de raso, había divisado Silvio algo horrendo, una informe elevación, vultuosa[295] y rugosa como la piel de un paquidermo, una especie de bolsa inflada, que causaba estremecimiento y asco. ¡Allí estaba la fatalidad a que se refería Valdivia, el estigma del vicio maníatico, la señal de las picaduras de la morfina! Se disipaba el misterio de aquel

---

[293] Anubaba.—Emplea anubar (otras veces nubar) en el sentido de 'difuminar', 'envolver como una nube'. En *Dulce Dueño* encontramos: «La camisa, casi toda entredoses, nuba mis formas prestándolas vaporoso misterio» (ed. cit., pág. 128).

[294] Plegados múltiples.—Con esta descripción es difícil a primera vista enterarse de cómo va vestida la dama. Lo único que queda claro es que se envuelve en sucesivas capas de tejidos sutiles y semitransparentes. De dentro a fuera parece que lleva: ropa interior de batista blanca y sobre ella un amplio salto de cama de gasa. Como está tumbada, tiene por encima un cubrepié, que es una manta o colcha que se pone a los pies de la cama y que en este caso es de encaje de guipure, pegado o aplicado a otra tela que le da cuerpo y que es de seda trasparente, color hortensia.

Creo que es una descripción significativa en una escritora de quien se dijo que tenía «un talento macho».

[295] Vultuoso.—Se dice en medicina del rostro abultado por congestión (DRAE). Probablemente lo emplea en lugar de un adjetivo bultoso, que no existe en el idioma.

alma, al ver sin velos su prisión de carne: la insaciabilidad, el tedio, tal vez el ensueño nunca realizado, la enfermedad de toda una generación, el lento suicidio, en la aspiración a momentos que hagan olvidar la vida, y que sólo proporciona la droga de muerte!

La negra hinchazón, el estigma que Silvio acababa de descubrir, revelaba la verdadera naturaleza de Espina, su exigencia interior, no menos insaciable y desenfrenada que su lujo exterior. Por redimirse de la pedestre realidad que tanto despreciaba, era por lo que Espina, diariamente, introducía en sus venas el veneno. El amor a lo infinito, el ansia de evadirse del prosaico mundo, podían más que los consejos de los médicos, que las enseñanzas de la experiencia, que dice que no llegan a viejos los morfinómanos.

El veneno también destruye el alma. El sentido moral desaparece. Si Lago lo supiese, comprendería a Espina capaz de todo por engañar el tedio. La ponzoña que corría por sus venas era la de las civilizaciones avanzadas en su corrupción, el idealismo prisionero de la materia, el ansia que busca, allende la realidad, flores de más ancho cáliz, placeres desconocidos... Era la Quimera también, la Quimera mortal.

*

Bajo el afeite que reavivaba los colores de la tez de Espina, un observador ya hubiese discernido letal huella, signo de irremediable descomposición orgánica. Tal vez había principiado a usar la droga, obligada por una de esas catástrofes morales que no dan lugar a la prudencia y sólo reclaman un olvidadero, aunque sea transitorio. La droga no se limita a producir esa peculiar embriaguez venturosa, esa *euforia* que tiende un instante velo de luz sobre la opaca vida: suprime la memoria de lo reciente, aboliendo así, en una especie de inconsciencia dulce, la razón del dolor humano. ¡Dolor que se olvida, dolor que ha dejado de existir!

Tampoco se daba cuenta Silvio de que el mal de Espina iba en aumento, que la dosis ha de subir para producir su contingente de felicidad satánica. No sabía hasta qué punto, al través del cuerpo, ataca al espíritu la droga, cómo aniquila las facultades afectivas, cómo anestesia la conciencia. No sabía, después de los periodos de postración que sufría Espina (que Silvio en Madrid atribuía al tedio), cuán extrañas impulsividades, cuán loco remolino de antojos alza su polvoreda turbia. No sospechaba (correspondiendo a las feas bolsas de piel dura, como lardácea)[296] otra deformación psicológica. El alma de Espina se ensangrentaba en la lucha del que, advertido, amonestado por médicos, no puede vencerse, y si se priva del veneno, siente la necesidad de sustituirlo por caprichos, extravagancias, el goce maldito de hacer sufrir... Aunque Silvio era complicado, no abarcaba la complicación de Espina, su goce en el pesimismo, su desprecio sarcástico de toda bondad y de toda fe, ni menos suponía cuál era el ideal monstruoso —irrealizable dentro de la civilización, semejante al de las reinas y heroínas fabulosas, decapitadoras del hombre[297] con quien han palpitado—, de la Porcel herida de muerte. Aquella soñadora, a quien la morfina había abierto breves instantes el paraíso, guardaba particular rencor a los que sólo se lo habían hecho entrever; y cuando fumaba, muda, entornando los ojos, veía entre nubes de púrpura tiendas asirias, cabezas exangües que agarraban por los negros cabellos blancas manos, y suspiraba, porque ya el mundo antiestético ha olvidado los ritos de la fábula hermosa[298] y cruel...

No había leído Silvio palotada de los efectos de la morfina; no sabía que los médicos califican el estado de alma de los morfinómanos de *moral insanity*[299]. La flora del mal se desarro-

---

[296] Lardácea.—Quiere decir 'parecido a la corteza del tocino', pero el DRAE dice de lardáceo: 'Parecido al lardo, gordo del tocino.'

[297] Decapitadoras del hombre con quien ha palpitado.—Se refiere a Judit, que cortó la cabeza al caudillo asirio Holofernes, y a Salomé por cuya intervención fue decapitado San Juan Bautista. No interpreta estas historias en el sentido en que lo hace la Biblia, sino según versiones literarias del siglo XIX: la *Salomé* de Oscar Wilde (obra que escandalizó a la sociedad de su tiempo), que pide la cabeza del profeta porque él no correspondía a sus incitaciones eróticas, o las numerosas Judit que desde la de Federico Hebbel en 1840 se sienten atraídas por el general al que tienen que degollar para salvar a su pueblo.

[298] Fábula.—No es fábula sino episodio histórico, recogido en el *Libro de Judit*, de la Biblia.

[299] Moral insanity.—Expresión inglesa: demencia moral.

lla vivaz en el espíritu del enviciado. La droga lleva consigo perversión, locura, suicidio. Aun sin sospechar esto, la vista de los estigmas le reveló el infierno con el hombre de aquella vida tan intensamente refinada, aquella «vida inimitable». No acertó ni a disfrazar su impresión de espanto. Literalmente dio dos o tres pasos atrás, inmutadísimo. Ella, incorporada sobre la meridiana, altanera, yerta, con una especie de extraña dignidad, se envolvía otra vez en sus rotos cendales de aire tejido, cubriendo las señales delatoras de su perversión. Y en voz reprimida, que por su propia monotonía y lentitud denunciaba el estado excepcional del ánimo, pronunciaba:

—¡Vamos, se ha salido usted con la suya! Ya no tengo secretos para usted. Puede escribir una bonita carta a Lina Moros, describiendo mi *bosse*[300], para que ella vaya contándolo. ¿No adivina usted lo que exclamarán? Yo, sí... Me parece que les oigo... ¡Dirán que ya entienden el intríngulis de mi campana contra el desnudo! En fin, usted estará satisfecho. Quería leerme, me ha leído. Sin embargo... no cante victoria. Si yo fuese nada más que esto... —y por cima de la ropa señaló al sitio donde se alza la *bosse*— con haberlo visto podría usted decir: ¡La conozco! ¡Pero dentro hay más, mucho más! La piel engaña, los ojos, mienten, la boca sirve para archivar la palabra. No sabe usted de mí sino lo que sus lápices embusteros de pastelistas son capaces de desfigurar. ¡Queda mucho, mucho que usted ni sospecha, en Espina Porcel...!

Aniquilado, tartamudeó Silvio:

—Perdón, señora, perdón... ¡Hice mal; fui un villano!

Adelantó, se arrodilló, clavó en ella los ojos, al implorar tan dulces.

—Perdón —repetía, sinceramente desconsolado, humillándose.

—¡Perdón! —respondió ella, encendiendo un largo emboquillado; el otro se le había caído en la lucha—. ¿Conque perdón? ¡No les perdono a mis papás que me hayan echado a este planeta!... No sea usted ridículo, y levántese. Si Valdivia tiene la ocurrencia de entrar y le sorprende así, la hicimos buena...

---

300 Bosse.—Voz francesa: joroba.

Su alma amarga, doliente, se asomó a sus pupilas puntilleadas de oro, y una carcajada acre satirizó la postración del arrepentido. Alzóse Silvio, triste, incapaz de decir nada que restableciese la normalidad de la conversación. Espina se encargó de esto. Principió, entre bocanada y bocanada de humo suave, a tratar de cosas indiferentes. Acabó por animarse y por sonreír, proyectando una visita al taller de Marbley, el retratista de elegancias. «Sobre todo, que mi Otelo no se entere. Sería una historia. Tiene al pobre Marbley atragantado. Es preciso que yo le quite aprensión. Por fortuna, andará estos días muy atareado con no sé qué pesadez de operación financiera... Discreción, ¿eh? Para imprudencias bastó la de hace un instante...»

*

Había quedado Silvio tan confuso, que por algún tiempo, mientras no se disipase la impresión de remordimiento y piedad, Espina haría de él lo que quisiese. La reacción contra sí mismo, que había arrojado a Silvio a los pies de la noble Ayamonte y de la bravía Churumbela, le sometía ahora a la voluntad despótica de la Porcel.

Dócilmente se dejó recoger en su fonda y conducir hacia el taller del belga, a las cinco de una tarde neblinosa, sofocante, de esas que encalabrinan los nervios. Espina, vestida de Chantylly negro sobre transparente azul oscuro, parecía aplanada y triste. A la memoria de Silvio acudieron las exclamaciones de Valdivia:

—¡Pobre María! ¡Pobre enferma!

Habitaba Marbley un hotel pequeño y nuevo, con su retal de jardín, en una de las calles encalmadas y aristocráticas que abundan entre los Campos Elíseos y el Arco de la Estrella. Un jornalero limpiaba las calles después de haber regado el *grass* y las flores, cuando llamó a la verja el lacayito de Espina.

El vestíbulo ya infundía consideración. La escalera, desalfombrada, relucía de encerado con holandesa pulcritud, y tenía un balaustre torneado y salomónico, en armonía con los viejos tapices, que vestían la pared de un desfile de paladines, princesas, caballeros paramentados y ciervos místicos, crucíferos[301]; del conjunto resultaba esa tonalidad armoniosa, algo sombría, que vierte dignidad.

Les introdujeron en el piso bajo, en un saloncito desde cuya puerta, al través de alta verja de hierro forjado, gótica, se trasparecía la biblioteca, ricamente encuadernada, con que Marbley se daba tono de artista cerebral, muy documentado para disfraces, instalaciones de casas grandes, palacios y garzoneras[302] con relieve estético. Espina, dando muestras de cansancio, se dejó caer en un sillón. Silvio se acercó a ella con solicitud. Era la primera vez que sentía por Espina algo dulce, puro, humano; que la concebía como hermana en sufrimiento. Durábale todavía el reconcomio de su brutalidad maligna, la vergüenza del profanador, y tiernamente y cordialmente dijo a la señora:

—¿Se siente usted mal?

¡Qué destello de ferocidad instantánea en los ojos de venturina! Irradiaban como esas piedras que parecen guardar luz en sus capas minerales; pero el destello se extinguió, y la voz se hizo infantil, delicada, para responder:

—Gracias... Un poco deprimida... Hay momentos...

No añadió más. Marbley bajaba ya, apresurado, la escalera, para hacer los honores, manifestando a Espina rendimiento galante: la actitud correcta de un hombre versado en el protocolo mundano ante una mujer a quien debe la más honrosa de las condescendencias... Excusándose de no ofrecerla el brazo, por lo angosto de la escalera, sin hacer al pronto caso de Silvio, el belga guió a sus visitantes, y ante ellos subió al tercer piso, ocupado enteramente por el taller; en el segundo tenía su vivienda. El taller impresionó a Silvio: tan ideal lo encontró para sus retratos. Proscribiendo la mescolanza de antiguallerías ya tan trillada o más que los salones amueblados por

---

[301] Ciervos crucíferos.—La figura del ciervo adquirió en occidente y en la edad media un sentido simbólico. Su cornamenta se relacionaba con el árbol de la vida y más tarde con el de la cruz, y era frecuente que se representase con una cruz entre los cuernos para subrayar su carácter de símbolo místico.

[302] Garzoneras.—Galicismo. Traduce «garçonnière», 'apartamento de soltero'.

tapicero, Marbley había arreglado su estudio sólo con mobiliario, telas y obras de arte de un mismo periodo, del legítimo estilo Luis XV francés, sin adulteración de barroquismo ni confusión de épocas. Tallas doradas, sedas rameadas, porcelanas, bronces, retratos de pelo empolvado y amplios paniers[303], todo había sido adquirido por Marbley con fino olfato de coleccionista; porque el belga, eternamente mediocre, poseía los dones críticos, y jamás se equivocaba en un regateo ni en una compra. Realizaba negocios buenos, colocando entre su clientela americana objetos conseguidos a precios aceptables, y revendidos, sin conciencia, a precios locos. Primero le asparían que confesase este tráfico, pues aspiraba a que todo su lujo se atribuyese a la ganancia de sus pinceles. Siempre que vendía, aparentaba sacrificarse y desmembrar sus colecciones, pero lo que adornaba su taller no lo enajenaba jamás. Esperaba al yanqui, trasudando petróleo, o al boyero de la América del Sur, que en capricho, tanto más vehemente cuanto menos razonado, pusiese por el conjunto, realmente admirable, una fortuna.

Silvio detallaba, embelesado, los canapés y sillones de Beauvais[304], tapicería tramada de seda, con su franja mágica de tulipanes y narcisos, granadas y uvas; los vasos de Sevres, azul y blanco, que han pertenecido a la Pompadour[305] y parecen delatar la mano de adornista de Fragonard[306]; los mueble-

---

[303] Paniers.—Voz francesa: miriñaques (Larousse).

[304] Sillones de Beauvais.—La ciudad de Beauvais es importante por la manufactura de telas de tapicería, que se inició bajo Luis XIV en 1664. Sólo durante el mandato de Napoleón III se produjeron para los palacios imperiales 532 sillas, 243 sillones, 180 sofás y 109 banquillos y taburetes (Enciclopedia Espasa).

[305] Pompadour.—Jean Antoinette Pisson (1721-1764), amante del rey Luis XIV que la nombró duquesa de Pompadour en 1752. Fue una mujer inteligente y culta que se convirtió en mecenas de escritoras y artistas.

[306] Fragonard.—Pintor francés (1732-1806), de estilo rococó. Tras haber gozado del favor de la aristocracia por sus cuadros de un erotismo amable y fácil, la revolución le obligó a cambiar de estilo y murió pobre y olvidado. Sus obras maestras son *El columpio,* hoy en la Wallace Collection de Londres, y las cuatro escenas de *El progreso del amor* (hoy en la Frick Collection de Nueva York), que pintó para la condesa Du Barry, amante de Luis XV. El comentario que vincula a Fragonard con la Pompadour y los vasos de

cillos de marquetería, con delicadísimos bronces cincelados; el reloj rococó, que al dar la hora toca una música que habla de fiestas pasadas y amores muertos; los Clodiones[307], en que travesean amorcitos hoyosos; el techo, obra de Natoire[308], escena mitológica, rubia y rosada, con senos de perla, vuelos de tórtola, lazos y carcajes; toda la molicie del siglo.

—Sin talento, sin probidad artística, se puede obtener esto en París —pensaba Silvio—; y acaso algún muchacho genial muere de hambre y calor en una buhardilla emplomada.

Tenía Marbley el físico de su especialidad, ya ofendido por el tiempo, y se susurraba que, temeroso de la vejez, andaba a caza de algo pingüe, santificado y asegurado por la bendición. Era alto, robusto y esbelto aún; bajo su elegante blusa de taller, de seda clara, que le refrescaba y animaba la tez, salteada por arrugas y pliegues de fatiga y libertinaje, llevaba, con alarde de originalidad bohemia, en realidad para no congestionarse, descubierto el bien modelado cuello, y la garganta blanca y sin nuez visible. Su pelo rizoso, donde brillaban hilos plateados, le formaban diadema a lo Lucio Vero[309], caracterizando la figura con sello artístico. Gastaba una barba aparentemente indómita, sin recortar; pero el descuido era cosa estudiada, y aquella barba la impregnaban esencias, la había recorrido mil veces el peinecillo de concha rubia con cifra de plata. Marbley tenía un tipo entre flamenco y español, una

Sevres tiene todo el aspecto de batiburrillo cultural de muchas opiniones de la Pardo Bazán sobre arte.

[307] Clodiones.—Esculturas de Claude Michel (1738-1841), conocido por el pseudónimo de *Clodion*. Sobresalió en la escultura de temas mitológicos.

[308] Natoire.—Charles Natoire (1700-1777), imitador de Boucher en pintura, tuvo éxito como decorador. En este sentido se cita su decoración del Hotel Soubisse de París.

[309] Lucio Vero.—Lucio Ceonio Vero fue un césar romano y su hijo Lucio Aurelio Vero (130-169), emperador. La cita se refiere a este último, y a un busto suyo que se encuentra en el Museo Lázaro Galdiano, de exuberantes cabellos y rizada barba. Probablemente se trata de una obra de la época del emperador, hacia el año 165 y de taller ateniense. Para más detalles ver José María Blázquez, «Esculturas chipriotas y romanas en el Museo Lázaro Galdiano», *Goya,* núm. 106, enero-febrero de 1972, págs. 224-227.

Hay en el mismo museo una copia del siglo XIX, en alabastro, de menor tamaño.

cabeza conquistadora, a lo Rubens[310], cálida, sanguínea; raza de hombres que, de mozos, se gastan por el amor; de maduros, por la gula. Y, en efecto, Marbley empezaba a abusar de los sabios cocineros de palacios y clubs.

No era fácil casar la persona y la pintura de Marbley. Silvio conocía su «Harem turco», obra de juventud, brote de savia pronto agotada, y, juzgándole por su mejor página, profesábale cierto respeto. Quedó estupefacto ante lo que mostraba el belga; el ampuloso retrato de una dama chilena, uno o dos estudios de paisaje —composiciones amaneradas, plagiarias, de colorido falso y pobre. Por mucho que Silvio se despreciase y rebajase, en su ardiente humildad de catecúmeno, no le era posible comparar con aquella desdicha sus pasteles. En éste, siquiera, convenía reconocer gentileza, fluidez, elegancia de postura, leve idealidad, mariposeante por clima de lo ficticio y afeminado del procedimiento; pero en la producción del belga no había sino la nulidad irremediable, la esterilidad de páramo, la angustia del manatial seco. Veíase que el talento de Marbley había sido flor de juventud, ese renuevo de poesía que coincide con la inquietud sexual, brote de primavera que agosta el estío. Quedaba un fracasado resuelto a pelear, no por la gloria, sino por el provecho. Lo peor era eso: Marbley, convencido, amargamente desengañado, no cejaba: iba a su fin sin escrúpulos. Para no carecer de su clientela rutinaria y antojadiza, de rastacueros y *snobs*, apoyábase en la mujer, tejía complicadas redes galantes que sólo a fuerza de estrategia no le enredaba también; no perdía ripio en las salonerías. Espina era un alfil de su juego de ajedrez; últimamente, se había sen-

---

[310] Rubens.—Pintor flamenco (1577-1640), es una de las figuras más representativas del estilo barroco. Cultivó todos los géneros pictóricos y de su taller salieron más de mil obras. La especial carnosidad de sus modelos, sobre todo femeninos, le hace muy fácilmente reconocible por un público amplio.

La Pardo Bazán, que conocía bien sus obras del Museo del Prado y del Louvre, se quedó muy impresionada por los cuadros religiosos del Museo Nacional de Amberes. Refiriéndose al titulado *Cristo sobre la paja* dice: «Me infundió una mezcla de admiración y horror.» Y de los cuadros de la pasión: «Nadie trató con más fuerza, con más continua lucidez de visión semidivina, el drama de la Vida sublime», *Por la Europa Católica, Obras Completas*, t. XXVI, Madrid, s. a., págs. 54 y 55.

tido abandonado por ella, y lo creía imposición de los celos de Valdivia, hasta que llegó a sus oídos el anuncio de la próxima exposición de un famoso retrato «de las rosas», del cual contaban y no acababa; y cuando, poco después, supo que el españolito retrataba al pretendiente de Albania, olfateó el riesgo. Una conversación con Aladro previno el primer éxito de Silvio. Quedaba en perspectiva el segundo, y pendía de un capricho de aquella criatura tornadiza, la Porcel. Al verla entrar con su *petit espagnol*, sintió aguda punzada de despecho. ¡Hola, hola!

Aparentando no mirar a Silvio, de reojo le detalló analíticamente. Reparó la dintinción y afinamiento del tipo, la dulzura atrayente de los verdiazules ojos, la juventud y romanticismo de la figura, inspiradora de simpatías fácilmente transformables, el prestigioso parecido con los retratos de Van Dick... Y percibió además —Marbley de tonto no tenía un pelo— la pasión estética, el entusiasmo, la orientación todavía vacilante, pero de seguro honda y feliz, del artista en marcha hacia su sueño; leyó el fervor del neófito, y descifró algo más mortificante: la triste sorpresa, la mal disimulada decepción que su labor causaba a Silvio. Observó cuánto se le atravesaba la frase cortés de encomio, ante un cuadrito de caballete, escena galante, que parecía, a fuerza de lamedura, un esmalte industrial. Y como en la conversación saliese a plaza el nombre de Millet, Marbley presenció la ferviente efusión de Silvio ante los maestros. Adoptó entonces el belga un continente reservado, la actitud discreta, hermética, con la cual la superioridad se sitúa a distancia; su media sonrisa fue condescendencia de soberano que no se digna descender a discutir. Espina encendía ya su emboquillado, después de rehusar las golosinas y aceptar el té amarillo que una criadita, de cofia y mandil de nieve, acababa de servir en tazas de Sajonia muy auténticas, enguirnaldadas de peonías y rosas. Recobrando su animación tocada de fiebre, pronunciación sonriente de Porcel:

—Maestro, no haga usted mucho caso de las opiniones de este novicio... Rectifique usted sus errores. Acababa de desembarcar; viene de Madrid a probar fortuna. No aspira, naturalmente, a llegar a su altura de usted; pero, como en Madrid le han mimado mucho, se ha salido de sus casillas, y rebosa ilusiones. Se propone retratar a las guapas de París, porque en Madrid no se le ha escapado una; y aunque yo le advierto que aquí no son tan fáciles de contentar...

—¡Oh! —exclamó Marbley, ya en situación, secundando a Espina—, aquí tiene el público su gusto artístico muy educado...

Silvio estaba petrificado ante una acometida con la cual no contaba. Sintió unas uñas de gata rabiosa que le arañaban el corazón. Bajo el destile de ponzoña, palideció. Algo candente subía por su garganta. Espina le vio inmutado, y amainó.

—Ya, ya tendrá usted ocasión, maestro, de admirar los prodigios que hace el muchacho. Me ha retratado en Madrid, y pienso reunir algunas amigas para que vean... Ha sido en España un acontecimiento el tal retrato.

—¡España! ¡Qué hermoso país! —murmuró chanceándose el belga—. Allí el naranjo florece...

La intención satírica de la frase no se le escapó a Silvio. Embromaban a Espina con él, y explicaban por capricho amoroso la protección que ella parecía concederle. Ardiente rubor sustituyó a la palidez de antes.

Espina, tranquila, miraba a Marbley como si no comprendiese. Nadie la igualaba en estas comedias de candidez y asombro.

—Maestro, le ruego que no tome en broma a mi protegido —y recalcó la palabra *protegido*—. Indulgencia: los que llegaron a la cima no deben ser rigurosos con los principiantes. Ya verá usted... Su retrato no está mal. Sobre todo, Lago sabe vestir. Eso sí que sabe. Yo le digo que en algunos de nuestros grandes talleres de modistería le sería fácil ganar dinero.

Escuchaba Silvio petrificado. No entendía si era mofa, si era odio, si era aturdimiento, lo que dictaba la inconcebible conversación. Dudaba entre protestar, tomar el sombrero y desfilar, o hacerse el tonto.

Al fin se le desató la lengua, a pesar suyo.

—¡Me presenta usted bien —gritó— para que el señor Marbley forme de mí un concepto original! ¡Sastre de señoras! Mil gracias... ¿Qué pensará de mí el ilustre autor del «Harem turco»?

433

No podía caer peor la reminiscencia. Para desazonar a Marbley, bastaba recordarle el «Harem», lo único verdaderamente sentido y franco que su pincel produjo. ¡Tema! ¡Todos habían de ensalzar el dichoso «Harem»! La singular rivalidad de un artista consigo mismo, el despecho furioso de haber tenido talento un solo día de la vida, podían tanto con el belga, que había momentos en que, no acertando a repetir o superar su obra, sentía deseos de quemarla. Exasperado, pronunció entre dientes:

—¡Ah, sí, el «Harem turco»! Ya recuerdo... Labor de muchacho... Como usted no conoce lo que hice después... He enviado a los Estados Unidos mi producción seria. Aquí ni siquiera expongo; mi mercado no está aquí.

Era su artimaña, asegurar que expedía de cuando en cuando una obra fundamental a Norteamérica. Las expedía, sí; pero eran ajenas, antiguas, y algún que otro retrato hecho a las aves de paso en París, y enviado en cajas de magnífico embalaje, lo mejor del envío...

—Nada tendría de extraño —pronunció Silvio incisivamente, pues sus nervios triunfaban— que algún día conociese yo esas obras de usted. Deseo recorrer esos países... Suplícole me dé nota de los museos y colecciones particulares donde pueden verse. Además, me figuro que los periódicos de arte habrán publicado reproducciones. En el *Estudio*[311], por ejemplo, ¿no figura al menos una o dos de las más notables?

Marbley, cogido, calló. Un gesto de menosprecio fue su respuesta. Espina mintió por él.

—El maestro prohíbe que se reproduzcan sus cuadros. No quiere que los deshonre el fotograbado y que rueden por ahí. Los riquísimos aficionados que forman su clientela no tienen ganas de que por un franco se adquieran copias. Maestro, dispense la ignorancia de mi protegido y sus preguntas cándidas. No está enterado el pobre...

---

[311] Estudio.—Se refiere a *The Studio. An Illustrated Magazine of Fine and Applied Art,* Offices of Studio 16 Henrietta Street Coven Garden. Empezó a publicarse en 1893 y tenía una sección llamada «Studio-Talk» en la que se daban noticias de las obras y exposiciones de los pintores importantes de toda Europa.

Marbley sonrió a su defensora. Se pusieron de acuerdo en una mirada rápida. El belga respiró: Espina le entregaba a discreción al rival posible...

*

—¿Qué efecto le hace a usted el maestro? —preguntó la Porcel cuando subieron al coche y rodaron hacia el centro de París.

—¿Cuál maestro? —chilló Lago—. Señora, ¿se ha propuesto usted burlarse de mí? En París hay muchos artistas a quienes no soy digno de desatar la cinta del zapato; pero si esto es lo que usted llama un maestro... ¿Y por qué me rebaja usted delante de él? Sepa usted que su Marbley no vale un comino. Hoy no hace sino porquerías.

Excitado por la indignación, Silvio alzaba la voz, manoteaba. Impulsos le venían de agarrar de la muñeca a Espina y zamarrearla, arrojándola del coche al arroyo. Olvidado de los antecedentes, en la ferocidad que desarrollan las heridas personales, no sentía ni asomos de piedad, ni siquiera respeto. Ella le clavó sus ojos, puñales de ágata fría.

—¡Ah! Sí, sí... Me olvidaba de que, comparado con usted, Marbley es un pigmeo...

—No soy nadie ni nada —murmuró con energía Silvio—, pero si no he de llegar a más que Marbley, ¿lo oye usted?, ahora mismo renuncio a toda mi ilusión y ocupo el asiento del pescante. ¡Lacayo, antes que Marbley!

—Según eso, ¿usted creía llegar adonde Marbley ha llegado? Bien se ve que le han levantado de cascos Lina Moros y otras de su linaje. Estamos en París. Vamos, vamos... ¿Quiere usted destruir una reputación consagrada?

—Consagrada en los salones, si acaso; consagrada para quien no entiende... En fin, señora, perdóneme; pero ¿a qué hablamos de todo esto? Con usted sería mucho más discreto charlar de modas. ¡Mujer, mujer! ¿Qué hay de común entre tú y yo? —profirió cerrando los puños y ahogando un juramento—. ¡Maldita la hora en que descendemos hasta la mujer!

—*Stop* —ordenó Espina—. El señor quiere bajarse.

Y dejando a Silvio en mitad de la avenida, recostándose indiferente, la Porcel añadió:

—*Allez vite*[312].

El coche perdió en la lejanía, enrojecida por la puesta del sol ensombrecida por los árboles.

*

En dos días no supo Silvio de Espina; no pudo ni conjeturar si con el incidente a la salida del taller del belga quedaban rotas sus relaciones. Fueron cuarenta y ocho horas de ansiedad irritada, de penosa incertidumbre. ¿Qué hacía el artista sin aquella mujer, al cabo único asidero suyo en París? Se arrepintió de su arrebato. «Debí tener paciencia.» No se decidió, sin embargo, a ir a casa de la Porcel. La temía. «Es ridículo. No me pegará... —pensaba—. Y quedábase.

Al tercer día, estando Silvio en su cuarto escribiendo a Cenizate, desahogando penas, el camarero le avisó de que le esperaba en la calle una bella señora, en un coche. Silvio se atusó, se puso el sombrero, bajó... La propia Espina, ataviada con caprichoso traje, en que la incrustación de bordado inglés ocupaba más sitio que la tela. Bajo la pantalla sedeña de su abierta sombrilla, su cara parecía bañada en amortiguados reflejos de sol, y el nácar de sus dientes la iluminaba con húmedas transparencias.

—Vengo a hacer las paces con usted... —murmuró—. ¿Qué es eso? ¿No se le ha pasado todavía?

Silvio no sabía por dónde salir. No carecía de explicaderas, seguramente; pero la Porcel, al infundirle mil sentimientos opuestos, tenía a veces el don de desconcertarle.

—Vengo —insistió Espina— a raptarle a usted. ¿Vamos, qué aguarda? Suba.

Silvio saltó al coche. Tardaba en encontrar la frase adecuada a su especial situación, y se la proporcionó su interlocutora.

—A ver... Pronto, ese acto de contrición...

Lo salmodiaba el pintor con cómicas añadiduras, cuando Espina interrumpió:

—Por adelantado, la penitencia... Dijo usted que conmigo

---

[312] *Allez vite.*—Francés: ¡a prisa!

sólo se podía hablar de modas... Va a acompañarme a casa del modisto. Figúrese que a los Crouzat-Salvilly se les ha ocurrido dar un baile en su castillo, pero un baile que será el de la temporada; han invitado a la *fleur des pois*...[313]. Yo les hubiese agradecido infinito que no se acordasen del santo de mi nombre, porque esos bailes que obligan a viajar en ferrocarril no tienen pizca de divertidos... Pero Valdivia, erre con que no falte; dice que a esa fiesta es preciso asistir... él sabrá por qué. ¡Tonterías! Cuanto menos se preocupa uno de las invitaciones, más le asedian. En fin, necesito arreglar joyas, y un traje que no sea demasiado ridículo... ¡Estoy tan aburrida de lo poco que los modistos discurren! ¡Y pensar que los modelos de estos calabazas, con diez meses de retraso, forman la base de la elegancia vertiginosa de las madrileñas!

Su antiguo despecho, sus celos sin amor, renacían, se desbordaban en sátira. Describía el guardarropa de Lina Moros, a la moda de un año atrás, admirado con la boca abierta por las que todavía daban golpes a los trapos de hace un trienio.

No tuvo tiempo de completar la descripción. Ya el coche se paraba ante una joyería, en la calle de la Paz. Espina se bajó, ayudada por Silvio, y el joyero, solícito, enseñó modelos; discutieron el arreglo y aumento de los largos hilos de gruesas perlas que Espina poseía y pensaba escalonar sobre el escote, a lo Médicis, y para los cuales deseaba un broche espléndido, un rubí único en tamaño, color y talla. Aseguró el joyero que el rubí se encontraría.

—Esta piedrecita —dijo la Porcel a Silvio— debe ser el *leitmotiv*[314] del traje. Y maldito si sé cómo combinarlo.

Hablando así adelantaban por esa calle en que el lujo de la

---

[313] La fleur des pois.—Literalmente es «la flor del guisante» y era expresión usada en el francés de la época para indicar la exquisitez, ya que la flor del guisante es, en efecto, muy delicada. Después la construcción cayó en olvido, porque el hablante se fijaba más en el guisante que en su flor, y fue sustituida por otras como «la fine fleur». De todas formas, hay que advertir que se aplicaba sobre todo familiarmente a los hombres y no en la situación en que lo emplea la novelista.

Agradezco sus observaciones sobre esta expresión a mi colega Covadonga López Alonso.

[314] Leitmotiv.—Voz alemana: motivo conductor.

mujer parece filtrarse al través de las paredes, irradiar incendiando los escaparates tentadores. Desde las deslumbrantes joyerías hasta las britanizadas tiendas de objetos de viaje, con sus sacos de flexible y crujiente cuero repletos de utensilios de plata y cristal, todo hablaba de necesidades complicadas, de atavíos fantásticos, de viajes en trenes rapidísimos, en que se pasea la insolencia de la fortuna al través del mundo. No cabía pensar en pisar aquellos establecimientos sino con carteras rellenas de billetes, las bombeadas carteras de los americanos y los ingleses, que hincha una tumefacción de caudal. En la calle de la Paz, el lujo no se hace adaptable, accesible, como en tantos puntos de París, por ejemplo, los grandes Almacenes, que anzuelan a la mujer con el cebo de la baratura. Al contrario. La calle de la Paz seduce, altanera, con lo exorbitante, lo que sólo allí se paga a tal precio, aunque en otra parte se encuentre, acaso indiscernible. Los sombreros de la calle de de la Paz, las camisas de la calle de la Paz, las joyas de la calle de la Paz, tienen la pretensión de cifrar la plenitud e intensidad del lujo, lo serio y gallardo de derroche. Fanatizan... Y no son sólo los escaparates con sus vidrios limpios y altos los que incitan al poderoso. En todos los pisos de las casas, los balcones están cruzados de letreros de oro, enormes, con el reclamo del nombre de alguna celebridad o especialidad de alta fantasía; allí han fijado su residencia los grandes modistos, pontífices de la vanidad y dictadores del trapo. Uno de los aspectos de París triunfante es el trapo: el trapo, una de las maneras seguras que tiene Francia de imponerse al mundo. La parisiense, modestísimamente ataviada trabajando toda la semana con sus dedos ágiles, prepara la derrota del extranjero, el cuele de su fortuna en la caja nacional, fruto de inmensa economía, que permitirá a la patria afrontar indemnizaciones, desquites, reorganizaciones de su ejército. Francia se defiende con el trapo; el trapo vale por muchos regimientos y por muchas fortificaciones.

—¿Adónde me lleva usted? —interrogó Silvio.

—A casa de Paquín... No tiene demasiado talento; se repite que es un dolor... pero al fin es el menos seco y amanerado de todos... Vorth ya es enteramente un modisto de teatro; sólo sabe hacer trajes de aparato, de reina de baraja. Redfern,

¡pch! entiende algo el paño... En sedas y gasas, calamidad... Laferriére se está echando a perder... Doucet... un impertinente; tiene un *premier*[315] español que ha sido modisto en Madrid, un joven linajudo, pero caprichoso y raro; sólo trabaja de buena fe para las familias reales... Yo, a veces, le hago infidelidades a Paquín con unas casas nuevas que se me figura que tienen porvenir. Descubro estrellas. Boué es de mi escuela; nada pesado, nada que no pliegue... Es enemigo de estos bizantismos y estos japonismos que les encantan a las yanquis; en su manía de buscar lo pasado, las hace ilusión vestirse con dalmáticas y capas pluviales... Aborrezco ese *genre*[316]. Me gusta otra cosa... Algo de poesía, de ensueño... ¿Verdad que eso es lo bonito?

En esta plática llegaron ante la casa de Paquín. Silvio miró sorprendido la fachada. Los dos pisos que correspondían al gran modisto parecían comentar las últimas palabras de la Porcel. La poesía desbordaba por los balcones. Aquel día, el jardinero, que diariamente los cuajaba de plantas en plena floración, había elegido tiestos de soberbios lirios lancifolios, que abrían sus cálices de terciopelo rosa, atigrados curiosamente, lanzándose fuera del barandal de hierro. Entre las flores, de impolutos pétalos, follaje plumeado de helecho mezclaba sus gráciles airones. Era el único edificio engalanado así en toda la calle; un reto a los otros modistos, un llamamiento, una galante invitación a la mujer, un jardín colgante que gritaba que allí se colmaba el sueño femenino de lujo, gracia, capricho y hermosura. Aquellas flores eran la voz insinuante de la sirena, y la mujer que lo escuchase indiferente tendría su alma enajenada en otro hechizo.

Silvio y la Porcel subieron la escalera y entraron en el templo. La puerta estaba franca: no era necesario llamar. Salvaron la antesala, que cruzaban atareadas oficialistas, y se encontraron en el salón blanco y oro, con ventanas a la calle. En sillas y sillones se repantigaban señoras que, antes de diri-

---

315 Premier.—Voz francesa: se aplica en el mundo de la moda a la persona que, en el taller del modista, se responsabiliza de los trabajos más finos.

316 Genre.—Voz francesa: clase, estilo, aire que se adopta.

girse al paseo, se distraían en venir a ver la exhibición de los modelos. Había allí de todo: verdaderas damas del buen tono de San Germán; opulentas banqueras; extranjeras que fiaban en sus millones para transformarse en un santiamén en parisienses con *chic;* actrices que no trabajan en esta época del año y preparan elementos para la temporada próxima; dos grandes *cocottes*[317], imitadas en su estilo y adornos por todas las señoras, y hechas, en aquel mismo instante, una preciosidad de finura y de elegancia. Silvio miraba a la clientela, y pensaba: «Con el retrato de estas que están aquí, sería lo bastante para hacerme en París un nombre y sostenerme algún tiempo sin necesitar de Espina...» Después, tascando el freno, murmuraba: «Es innoble tener siempre pendiente la cuestión de dinero. ¡Qué miseria!» En momentos así, se acordaba de la Ayamonte. A su lado no necesitaría sufrir ninguna humillación... Pero habría que ser su marido. Espina, remolcándole, había saludado a algunas conocidas que encontraba allí, señoras legítimas: la condesa de Villars-Brancas, la condesa de los Pirineos, nacida Rohan, la marquesa de Saint Pol, una judía archimillonaria, casada con un descendiente del célebre condestable[318] que hizo traición a Eduardo IV ante Calais. Las extranjeras, olfateando categorías sociales, aplicaban el oído, miraban ansiosamente, soñaban un incidente, una casualidad que las pusiese en contacto. Las del círculo aislábanse, estrechaban su grupo. Amablemente, la Saint Pol pedía consejo a Espina, cuyo buen gusto era tan conocido... Ese dichoso baile de los Crouzant-Salvilly...

---

[317] Cocottes.—Voz francesa: mujer mantenida.

[318] El condestable que hizo traición a Eduardo IV ante Calais.—Doña Emilia suele embarullar un poco sus referencias históricas. Creo que, en este caso, se refiere a Ricardo Néville, conde de Warwick (1428-1471), llamado The King Maker (El Hacedor de reyes), que traicionó sucesivas y repetidas veces a Enrique VI y Eduardo IV. Ricardo Néville, recompensado con la capitanía de Calais por sus victorias militares, y envalentonado por la popularidad conseguida en sucesivas victorias contra la armada española en los años 1458 y 1459, se levantó contra el rey Enrique VI y consiguió que fuese nombrado rey el duque de York, Eduardo IV. Poco después se levantó, contra él y se alió con los Lancaster, comprometiéndose a devolver el trono a Enrique, lo cual consiguió. Enemistado de nuevo con el rey, intentó pactar con Eduardo, pero fracasó y murió luchando contra él en la batalla de Barnet.

—No sé —decía ella, remilgada—. Se me figura que Paquín decae. No tiene fertilidad de imaginación. Mírenme ustedes esos modelos. Bonito, sí, bonito... todo lo bonito que se quiera.. pero lo de siempre; los pliegues en la cadera, se han enamorado de ellos, las peregrinas[319]... ¡y estamos de pliegues y de peregrinas hasta el moño! Sería hora de renovar un poco las hechuras, la manera de comprender los adornos, hasta el colorido... Nada: se pone pesado como los viejos...

Mientras Espina hablaba así, las seis muchachas encargadas del oficio de maniquíes vivos se paseaban lentamente, estudiaba la actitud, para mejor hacer admirar el modelo que vestían. Daban la vuelta al salón, dejando desplegarse con armonía la cola, con esa ciencia del efecto de telas sobre las formas, que Silvio había creído privativa de Espina, y que iba pareciéndole uno de los infinitos gestos graciosos y conquistadores de París. Se volvían, para enseñar a cada señora la hechura del vestido o abrigo, de espaldas y de frente, exhalando al mismo tiempo murmullos de encomio, un himno a la originalidad de los adornos, a lo delicioso de la prenda. Aquellos maniquíes vivos eran mujeres hermosas, más hermosas que su clientela tal vez; las envolvía el prestigio de la casa; parecían desdeñar a toda señora que no tirase miles de francos en hacerse ropa; y bajo los caprichosos trajes que un momento las cubrían, llevaban sayas bajeras baratas, adquiridas de ocasión en los Almacenes, calzado fatigado ya, camisas de tres días. Con rapidez vertiginosa, desaparecían, se quitaban un vestido, se enfundaban otro, y volvían a pavonearse, a hacer la rueda, sudando bajo los abrigos de teatro y calle, que las asfixiaban.

Espina pronunció indignada:

—¡También es demasiada avaricia la de este Paquín! Estos modelos están ya imposibles, de tanto enseñarlos todos los días. Mire usted; las gasas parece que han fregado el pico, y

---

[319] Peregrina.—Probablemente es una traducción de la voz francesa *pélerine*, 'esclavina'. Pero, según he podido comprobar por personas que recuerdan aún su uso, la *peregrina* era prenda exclusivamente femenina, una especie de capa corta, semejante a la esclavina, pero no de abrigo sino de adorno.

ese traje rebordado de lentejuela es un pingajo, como un fal-
dellín de acróbata. El maestro se ríe de nosotras... ¡Y pensar
que después de sudarlos así, todavía se los pagan, para modelos del invierno que viene, las modistas de provincia!

Riéronse las parroquianas. Era verdad; no se concebía
tacaño como él. ¡Cebado en la ganancia, y sólo pródigo de
flores!

—Y después —indicó la Villars-Brancas—, quiere que
traguemos que fabrican expresamente para él todas las telas
que gasta, cuando me consta, digo que me consta, que pide a
los grandes Almacenes géneros... Somos unas infelices en
creer sus embustes.

En la conversación de las señoras notábase cierta animosidad; el rencor de las cuentas crueles, la eterna queja del com-
prador contra el vendedor.

—Lo peor es —advirtió Espina— que se le vaya acabando la inspiración. Dentro de poco no sabremos con quién
vestirnos. Y ¿dónde andará ese bajá de tres colas?[320]. Podía
molestarse al saber que estamos aquí...

Se metió precipitadamente en el gabinetito, al lado del salón, al pie de la escalera por donde debía bajar el modisto. Al-
fombran el piso centenares de muestrarios, piezas de encaje a
medio desenvolver, adornos enrollados alrededor de carto-
nes, cascadas de accesorios, piezas de gasa de colores amortiguados, retazos de cintas anchas, botonería de strass[321]. Y Espina gritó imperiosamente a la rubia oficiala, que la miraba
entre alarmada y respetuosa:

—Advierta al señor Paquín que aquí estoy...

La oficiala se precipitó por la escalera misteriosa, pintada
de blanco, fileteada de oro. Entre tanto, Silvio había suplica-
do a Espina: «Presénteme a sus amigas... Sólo conozco a la
Condesa de los Pirineos, y es fácil que ya no me recuerde...

---

[320] Bajá de tres colas.—Bajá es en Turquía un título honorífico o de mando, como gobernador o virrey. Debe aludir a la relación de poder y desdén
del modista con las señoras, como un turco en un harén. Pero lo de las tres
colas es un misterio.

[321] Botonería de strass.—Es una falsa piedra preciosa, de gran brillo. El
nombre procede del nombre del inventor Strass. Se utiliza mucho en el mundo de la moda, tanto en el siglo XIX como ahora.

Acaso alguna se retrate...» Y Espina, sin calor, había presentado: «El señor Lago, un joven artista a quien he conocido en Madrid...»

Bajaba el gran modisto. Silvio le miró con interés. No era un tipo afeminado: al contrario. De aspecto militar, bigotes marciales, ojos negros y duros, tez biliosa, se le podía llamar un buen mozo vulgar, asargentado. Su tiesura poco galante se humanizó ante Espina y las otras parroquianas, de la flor de su clientela. Sin embargo, se veía que la excesiva complacencia no entraba en sus hábitos, y que aquel empaque diplomático era lo único que llevaba como librea de distinción sobre su basta figura.

Espina, resbalando más bien que andando por la alfombra, se le acercó y murmuró:

—Señor Paquín, vengo con una pretensión muy extraordinaria... Que se olvide usted de los modelos que nos enseña desde el mes de abril, y que me haga, para el baile de los Crouzat-Salvilly, algo inédito... Un traje en que el rubí...

El modisto, frunciendo el ceño, herido en su infalibilidad, respondió:

—¿Cómo? ¿La señora querría...?

—Algo inédito, he dicho... Y algo que me hiciese usted el favor de no reproducir en un par de meses, ni para expedirlo a Australia. Vamos, prense usted la imaginación...

—¡Oh! ¡Señora! —murmuró el bajá dignamente—. Espero que no necesitaré gran esfuerzo para encontrar algo delicioso. Indíqueme la señora Porcel su idea, y daré instrucciones a mis dibujantes, y someteré a la señora...

—¡Sus dibujantes de usted! —recalcó Espina—. ¡Si están como caballos de los fiacres! No, Paquín... Se trata del baile de los Crouzat, de algo serio, ¿eh? Me he traído el dibujante, el compositor, el artista en elegancia... Aquí le tiene usted. El señor, en este terreno, es un hallazgo, un tesoro... Me ha de dar usted gracias, y no ha de querer soltarle, así que pruebe sus servicios...

Sin saber qué responder —no estaba en las costumbres de la casa aceptar personal en semejante forma—, el bajá guardaba silencio, y Silvio, atónito al pronto, convulso de ira después que comprendió, con los verdes ojos anegados en sombra, se lanzaba hacia la señora, atropellando exclamaciones.

—¿Qué dice usted? Pero ¿qué está usted diciendo?

—¿Qué le pasa? —repuso ella—. No sea usted niño, no lleve la modestia a extremo tal. Nadie ignora en Madrid las disposiciones de usted para la moda. ¿De qué se alarma? Le estoy situando en su verdadero terreno, y creo serle útil al recomendarle a Paquín. ¿Qué? ¿Lo toma usted a ofensa? ¡Bah! Bueno. No hablemos más.

La extraña escena había fijado la atención del grupo de señoras. Se entremiraban y miraban a Silvio, cuyo rostro demudado podía alarmar. Y la Villars-Brancas y la de los Pirineos, muy amigas, cambiaron expresiva ojeada, como diciéndose: «Aquí hay algo más de lo que sale a la superficie...»

Silvio se había dejado caer en una silla. Su respiración era anhelosa; una resaca violenta hacía palpitar sus hombros y su pecho. Espina se le aproximó. Le prodigaba explicaciones.

—Vamos, no sea usted así... Sobre que hace uno las cosas con la mejor intención... Pero vamos a ver: ¿Qué tendría de particular que usted me dibujase un traje? ¿Es algún delito? ¡No sabe uno de quién echar mano para presentarse bien! Y usted, aunque se enfade, ¡viste tan divinamente! ¡Si viese usted, señor Paquín! ¡Sedúzcale con proposiciones, por si le restituimos a su verdadera vocación...!

El artista tamblaba con todo su cuerpo; se torcía las manos, para contenerse; sentía, con fuerza casi irresistible, la impulsión destructora, el ansia de abofetear, de herir, de gritar improperios, de hacer algo afrentoso, de proferir, como quien escupe: «Esta mujer que así me habla y yo...» ¿Qué se proponía Espina? ¿Qué monstruosa venganza era aquélla? ¿Qué goces para su estragado espíritu? ¿Cabía bañarse así en el agua amarga del ajeno sufrimiento?

No se acordaba Silvio de que la indiferencia moral, el desprecio a la humanidad, de Espina, le habían parecido en Madrid sello de naturaleza escogida y artística, picante atractivo de su trato y su persona... ¡Cuánto daría ahora por beber la expresión de la piedad y la generosidad en unos ojos humanos!

Se volvió, como si los buscase... y encontró los de la Condesa de los Pirineos —alta señora, encantadora mujer, que no ha sido muy bella nunca, pero que tiene como nadie el aire de distinción y de dignidad social que prestan una biografía diáfana y el hábito de recibir el homenaje del respeto— fijos en Espina con extrañeza y reprobación. Y la voz de la dama, mesurada, simpática, pero firme, pronunció, con ese acento sorprendido y algo irónico que manifiesta la censura entre gente de educación exquisita:

—*Charmante*, no insista usted, se lo ruego... Se ve que su concepto acerca de las aptitudes del señor Lago, a quien usted misma me presentó en su casa como artista de porvenir... ¿no se acuerda? en un almuerzo tan grato como todos los suyos, no está de acuerdo ni con los propósitos que a él le animan, ni tal vez con la realidad. El señor Lago aspira a otra cosa, y sus amigas —la Pirineos recalcó ligerísimaente la palabra— deseamos que las aspiraciones del señor Lago se realicen.

No respondió Espina sino con imperceptible mohín. No se atrevió a revolverse. Encogió los hombros, sonrió a medias.

Bajo la influencia de la emoción, Silvio se llegó a la condesa, tomó su mano y la besó, murmurando:

—Gracias...

Después se inclinó ante las otras señoras del grupo, que reservándose habían asistido al incidente, y salió sin despedir del modisto, el cual —envarado y engreído, de pie entre los retazos de encaje, los muestrarios y los metros de gasa desplegada y arrugada por el jaleo de las demostraciones a las parroquianas antojadizas y hartas de trapo— continuó oficiando de pontifical.

*

Los días que siguieron a este episodio, mejor dicho, los meses, fueron para Lago de lo más sombrío de su existencia. París se había quedado sin gente conocida; una calma provinciana aletargaba sus calles. El calor de agosto, unido a las vacaciones, vaciaba la capital. Silvio, en su cuartito de la fonda, amueblado sucintamente, con lavabo, cómoda y percha, y del cual, según la detestable costumbre de los hospedajes franceses, no habían retirado alfombras ni cortinas, se consumía y achicharraba. En su aplanamiento, algunos días le faltaba resolución para trasladarse al taller. Además no podía gastar en modelo. Su escaso peculio se disolvía como un azucarillo en el agua.

Valdivia y la Porcel recorrían entre tanto castillos y playas, asistían a fiestas, se mecían en terrazas colgadas sobre puntos de vista maravillosos, oreadas por la brisa de mares azules, soñados. Así por lo menos se lo imaginaba, en su despecho, el joven artista, abandonado y burlado por los que le habían traído a Francia. Desde lejos se ve sólo el aspecto brillante y teatral de las existencias, y se oculta su elemento trágico, fatal. Acaso, en Madrid, gentes de la Sociedad de Acuarelistas o del Círculo de Bellas Artes, cocidas en el horno de ladrillo matritense, fantaseaban sobre el tema del viaje de Silvio, y en vez de representárselo paseando con melancolía los malecones del Sena al atardecer, en buscar de un poco de aire fresco, se lo figuraban libando placer y gloria, entre los halagos de la fama, en camino de la reputación universal, hacia cuyo templo le empujarban bellas ensortijadas manos.

En realidad, Silvio no podía decir que le sucediese ninguna grave desgracia. Traducido en prosa su contratiempo, era sencillamente la *cebolla* del verano[322], que alcanza desde el humilde obrero al industrial y hasta al artista. Los ricos —¡qué milagro!— se zafaban en busca de diversión y salud, a balnearios y costas: en los ecos mundanos del *Fígaro* había leído Silvio el nombre de Marbley entre los de los concurrentes a unas termas alemanas, donde también se encontraba Espina. Pensó si se habrían citado allí los dos antiguos cómplices. «¿Por qué no?», se dijo, alzando los hombros. Y añadió para sí: «A poder, también iría... O sencillamente, me tumbaría a la sombra de mis cuatro árboles viejos de Zais, a recoger impresiones de paisaje, apuntes y tipos de las celestes Mariñas...

La decepción se manifestaba en Silvio por ese afán de estar en otra parte, nostalgia del rincón natal, suspiro de «alas como de paloma». Hay periodos en que, sin ningún suceso

---

[322] La cebolla del verano.—Se refiere a la pesadez de los calores veraniegos y al aburrimiento que afecta a los que no veranean, pero no he podido documentar la expresión.

grave, el horizonte se cierra en niebla, y el suelo que pisamos se convierte en arenal abrasador. La dorada fantasía se convierte en la imaginación calenturienta, y todo se tiñe de oscuro, se baña en océanos de tristeza y desencanto.

Silvio veía a París como un Sahara. Ni los tesoros de los museos, ni los umbríos y afelpados parques, ni lo regado y perfumado de sus limpios jardines —la República los cuida regiamente—, ni el cuadro de su actividad persistente en medio de los rigores de la estación, quitaban a Silvio la manía de que se encontraba, viajero rezagado de la caravana, en un desierto. Le oprimía la soledad infinita de los centros populosos, donde todavía no echó raíces nuestra alma. Creía Silvio perdida del todo su campaña en el extranjero, su carrera interrumpida... ¿hasta cuándo?

Con Espina, era evidente, no podía contar. No sólo no le ayudaba, sino que le aborrecía con el odio que engendran las decepciones humillantes; conspiraba contra él; se complacía y gozaba perversamente, con refinamiento torturador, en destrozarle. Ella misma —no podía ser nadie más— había provocado los tardíos celos de Valdivia, para robarle la protección eficaz del brasileño. Con cálculo pérfido, había traído a Silvio a París prematuramente, a fin de hacerle regresar a Madrid avergonzado. ¿Cómo ingresar en el taller de un maestro francés, allá en otoño, si no podía sostener, si no salían retratos, si las brillantes perspectivas eran espejismo puro?

Todo parecía decirle que en París no se improvisan ni fama, ni gloria, ni aun dinero. Rápidas surgen a veces las reputaciones; en arrebato de locura brinda sus labios la parisiense; pero en esto, como en todo, bajo su apariencia alocada, es reflexiva, tiene en cuenta muchos antecedentes. En un día salda cuentas de años. Parece caprichosa, y ha calculado... La parisiense no se deja sorprender.

La pérdida de la esperanza trajo a Silvio a un estado de entumecimiento, como parálisis de las energías orgánicas de la vitalidad. Extremoso, creyó tabicado el porvenir, y dio por cierto el fracaso de sus aptitudes; la vida destruida, terminada en la sombra. Rendido, pasaba horas enteras echado sobre la cama, sin ánimos para salir, arredrado por el calor creciente, asfixiante. Los rigores estacionales eran, sin embargo, pretexto; la verdadera causa, la rabia del intento frustrado. Hubo instantes en que la idea del no ser le halagó, como halaga la de dormir tras jornada fatigosa, en la cual se han sufrido ansias de agonía. ¡Dormir siempre! «Si yo temiese a esto —murmuraba para sí—, no sería cobarde: sería sencillamente necio, pues lo único tolerable es dormir... o soñar.»

En medio del agotamiento de sus fuerzas, persistía un ansia que ya no era de gloria; era sencillamente —achaque de infelices— sed inextinguible de bondad humana, de entrañas compasivas. Empezaba por compadecerse a sí propio; se declaraba y reconocía enfermo, solo, abandonado, pobre, despreciado, en París, entre la indiferencia ambiente, la sordera espléndidamente cruel de una ciudad inmensa, y en su necesidad momentáneamente y egoísta de afectos, decidió escribir a cuantos creía sus amigos, para obtener de ellos una palabra cariñosa. Era de los que aniñadamente, necesitan piedad y amor cuando se sienten tristes, sin cuidarse mucho de cultivar ese amor en los intantes de prosperidad. Como quien recuenta el dinero de su bolsillo, pensó en los que sincera y desinteresadamente le habían amparado: se acordó de las Dumbrías, de la Palma... y también, con añoranzas tardías, de Clara Ayamonte. Hubiese dado algo por sentarse a la mesa de las Dumbrías; por oír aquella palabra, a veces dura, siempre franca y llena de interés hacia los fines altos de la vida, de la famosa compositora. En un periódico francés encontró, por casualidad, un elogio de la *Sinfonías campestres,* el anuncio de que iban a ejecutarlas en un concierto, y se conmovió, como si aquello fuese para él distinción personal, halagüeña recompensa. Tomó la pluma y escribió a Minia, a la Palma, cartas extensas, íntimas: la de Minia, humorística y respirando por la herida, llena de caricaturas modernistas de la Porcel, representada por un vampiro con sombrero de plumas o una melusina que entre el esbelto rebujo de las ropas saca su cola de serpiente.

Vino una tarde en que se resolvió a escribir a la Ayamonte. Era un billete extraño y breve, especie de desesperado llamamiento de un alma a otra alma. El billete le fue devuelto sin abrir con lacónicos renglones del confesor de la novicia. ¡Era tarde!, frase en que la cronología responde de tantas irremediables desventuras. Y, por otra parte, Silvio había trazado la carta sin objeto: ni se prometía ni ansiaba la respuesta, el perdón, que hubiera podido otorgarle una mujer de sentimientos menos serios, de alma menos encendida y noble. Para responderle, Clara le había querido demasiado, y quería demasiado ahora, con profundo y fiera amor, a su Esposo *de allá.*

Las Dumbrías, la Palma, tampoco respondieron. Minia se encontraba entonces absorbida por trabajos que no le permitían despachar activamente su voluminosa correspondencia; la Palma había emprendido el viaje de verano a Alemania, y las letras de Silvio no le llegaron, cargadas de direcciones y tachaduras, hasta un mes después. Silvio, impaciente, esperaba respuesta a vuelta de correo. No recibirla le pareció ingratitud, desvío y terquedad de su infortunio. «Está visto, nadie se acuerda de mí.»

Entonces le hostigó la idea de regresar a España. Pasaría el resto del verano en Alborada, con las Dumbrías, patriarcalmente, y a la entrada del invierno volvería a Madrid, seguiría haciendo retratos y retratos, hasta que se le cayese el dedo índice. Todo menos continuar en París sin utilidad y sin un solo amigo. Una tarde, en el bulevar, se puso, instintivamente, a seguir a dos transeúntes: un joven elegante, una señora entrada en años, que hablaban español. La conversación más indiferente e insípida: molestias del viaje, comodidades del hotel, detalles de una consulta médica. Silvio bebía, no las palabras, sino su sonido, la cadencia de lengua patria. Se acordaba de discusiones con Minia Dumbría, que es patriota ardiente y tenaz; de alardes suyos de indiferentismo y cosmopolitismo. Se reía de su chifladura, y continuaba detrás de la señora y el mozo, hasta que en la esquina de la calle subieron a un coche.

«Para regresar a España, como para todo» —pensó Silvio— «se necesita dinero...». Hizo un balance, el fácil balance de los pobretones. Debía en su hotel más de doscientos francos de pensión, en el taller un mes de alquiler, y tenía disponibles quinientos francos por junto. No había medio de salir de allí. Por otra parte, llegado el momento de preparar la maleta, el anzuelo de París, del París todavía inexplorado y arcano, le enganchaba el corazón. Escribió una carta respetuosa y sincera al pretendiente al trono de Albania, manifestándole que Valdivia se había olvidado de cumplir su encargo abonando el retrato; y agregaba la cuenta, los dos mil francos, precio francés. Esperó con ansiedad la respuesta. Era posible y natural que se retrasase, pues las señas que habían dado a Silvio en la garzonera del pretendiente no eran seguras. Se comprendía que las facilitaban con cierto recelo. No siempre conviene decir por dónde andan los rondadores de coronas.

Mientras aguardaba, proyectando marcharse apenas recibiese el *cheque,* su afectividad, dolorosamente exacerbada, se concentró en lo único que tenía a mano. Bobita, la danesa, habitaba en el taller. La portera la mantenía, mediante un franco diario, quejándose siempre del feroz apetito del joven animal, que tragaba, decía la comadre, como un león. Silvio había convenido en que a Bobita nada le faltase: pan, leche, despojos de cortaduría... La perra medraba con rapidez asombrosa; su cuerpo cenceño, enjuto, largo, se cubría de fuerte terciopelo raso, color ceniza de cigarro fino. Su hocico fresco, que exhalaba aliento sano y tibio, se guarnecía de dientes como almendras acabadas de mondar. Tenía los ojos zarcos, preguntones, candorosos. En cualquier posición que adoptase había donaire y vigor, la vitalidad de la juventud animal, sin melancolías ni ensueños. Al entrar su amo, se lanzaba sobre él, juguetona y acariciadora, exigiendo que la entretuviesen, que la sacasen a pasear por ahí. Y Silvio, enternecido, prendado, la daba nombres infantiles, «bobirrita, Bobirris, Bobitesoro», y, con goce de abnegación, la sacaba a la calle, se encaminaba a sitios donde la danesa hubiese de encontrarse a gusto, y, a pesar de las apreturas de bolsillo, la compraba pasteles, galletas, bizcochos, un collar de cuero rojo con cascabeles de plata. Antes de despedirse de ella, en el taller, hasta el día siguiente, la besaba con locura la suave piel del hocico. La portera, para designar a Bobita, no decía sino «el amor», y Silvio, al pedir su llave, preguntaba:

—¿Y el amor? ¿Me lo ha tratado usted bien, madama Laroche?

Así como al prisionero le bastan un jarro y una tarima por mobiliario, porque la desgracia ha reducido sus necesidades, a Silvio, en aquellas horas de desamparo, le bastó, para no languidecer del todo, Bobita. La perra ocupaba mucho, molestaba, imponía obligaciones; era, pues, capaz de llenar la existencia, más que si sólo divirtiese un rato con sus fiestas bárbaramente aturdidas.

Quince días después de echada al correo la carta para el pretendiente, cuando ya Silvio desesperaba, llegó la respuesta, con sellos austriacos. Era del secretario; contenía libranza de tres mil francos y las gracias más expresivas por el acierto con que había desempeñado Silvio su misión.

Por las venas del artista se derramó alegría; su depresión desapareció instantáneamente. «¡Cualquiera pensará que soy un codicioso!» Su dicha era tanta, que le costaba trabajo no bailar, no abrazar a la camarera; al fin lo hizo, bromeando, y mientras la sirvienta protestaba y se reía, sacó del bolsillo cinco francos y se los puso en la diestra.

—Ahora creo yo —pensaba al bajar las escaleras— que este señor tiene derecho a la corona... ¡Me envía mil francos más!... ¡Rey, y muy rey, le llamo!

Con recursos ya, se borró —como se borran las ideas de los momentos oscuros ante la sonrisa de la esperanza— el propósito de regresar a España y refugiarse en una aldea. Alborada se esfumó entre lontananzas y brumas. «¡No vuelvo allá hasta ser célebre!», escribió a Minia, en respuesta a una postal de la compositora.

¡Quedarse en París! ¿Cómo se le había podido ocurrir otra cosa? ¿Qué fuerzas humanas le apartaban a él de aquel foco de fiebre artística? Quedarse, estudiar, esperar la vuelta de los emigrantes... Ya empezaban los bandos de golondrinas a acogerse al alero. En los bulevares, en el patio del Gran Hotel, en las aceras de la calle de la Paz, Silvio encontraba otra vez conocidas españolas, de paso hacia la frontera, que se detenía a hacer provisiones de trapetería para el invierno próximo. Algunas pensaban prolongar su estancia hasta que empezasen a afilar sus cuchillos los cierzos del Sena. Silvio aceptó dos o tres invitaciones en restauranes de fama. Lo que nadie le proponía era un retrato. Se dio cuenta de lo mucho que había influido en el alza y hervor de su mercado de Madrid, la rutina que empuja a la sociedad a atropellarse en un mismo punto.

No le preocupó ni mucho ni poco. Estaba en plena racha de entusiasmo y labor de otro género, labor libre. Como si la subsistencia asegurada le restituyese las vitalidades de la voluntad, se preparaba, por medio de fuertes sesiones de modelo, al ingreso en un taller magistral. Así como así, el dueño del suyo regresaría, y se le imponía el problema de no poder dar pincelada si no buscaba dónde trabajar.

Sus modelos —la hembra, una criatura delgadita, sin plástica, con algo de airoso y delicado en las líneas, la gracia parisiense, que se percibe hasta en la mujer despojada de sus ropas, y el macho, un guapo borrachín en la flor de la vida, no desfigurado aún por el abuso del alcohol— le referían indiscreciones de taller, rarezas de artistas famosos, lances de pingües ventas de cuadros, que no se colocaban en París, y que un cliente americano paga carísimos, llevándoselos inmediatamente en una caja de embalaje. Se veía que este aspecto lucrativo de la profesión artística era lo que danzaba la cabeza de los pobres diablos de modelos, cuya existencia precaria se revelaba en la empobrecida constitución de ella, en los estigmas con que el alcohol, recurso contra el hambre, empezaba a marcar la cabeza hermosa, de Cristo rubio, de él. A Silvio se le ocurrió aprovechar aquellas dos figuras para la composición de un cuadro religioso: una arrepentida, la Magdalena de hoy, semitísica, y un Jesús triste y grave, que, al perdonarla, perdona también a la humanidad, no porque haya amado mucho, sino porque mucho ha sufrido y sufre. Esta idea, la compasión de Jesús por la humanidad, simbolizada en una mujer consumida de privaciones, mostraba cuánto camino había andado el pensamiento de Silvio desde los tiempos en que las burdas y enérgicas reproducciones de una naturaleza sin alma eran su canon de hermosura. Como sucede a ciertas mujeres desatadamente soñadoras, que agotan las emociones de una pasión sin que llegue a saberlo el mismo que es objeto de ella, Silvio había agotado ya dentro de sí, antes de realizar obra alguna de cuenta, la virtualidad de una teoría estética, atravesando las landas del naturalismo y abandonándolas.

Ahora era un idealista, un moderno, y lo que perduraba de sus devociones antiguas, lo que practicaba con mayor fanatismo si cabe, era ese culto del dibujo firme, concienzudo, ahondado, que cada día prestaba mayor seguridad a su mano y mayores vuelos a su imaginación misma, en la cual la forma sensible de las cosas, lo concreto del espectáculo natural, se enriquecía y extendía, pronto a servir a la concepción ideal del poeta que siempre había existido en Silvio, y que se revelaba lleno de sentimiento y de efusión interior. Un Silvio nuevo surgía como la imagen sobre la placa fotográfica cuando la sumergen en el baño reactivo. Ya no aspiraba a la obra fuerte, al trozo de realidad, quería, en esa realidad, realizarse él también, derramar su propia esencia, dominar con su yo lo externo, penetrándolo.

«Pero —meditaba— no es posible imponerse por sorpresa: antes hay que arar, ser buey para poder ser algún día arcángel, como Millet o como Moreau.»

Y borró el trazado del cuadro que pensaba componer con sus dos modelos: él, envuelto en una túnica blanca que parecía vestirle de luz; ella, esmirriada, devorada por la anemia, apagada en su ropa negra humilde, la misma ropa suya, de lana, muy traída y pobre, postrada a los pies del Salvador, mostrándole, no su ardiente corazón ni su rubia guedeja, sino sus pies descalzos y ensangrentados, como si dijese: «Mira cuánto he padecido, cuál es mi miseria, y perdona si he errado, hasta si he sido criminal.» Para fondo de esta página, Silvio pensaba estudiar la melancólica aridez de un arrabal trabajador de París. Pero no se atrevió, asaltado de escrúpulos de conciencia. ¡Un cuadro de composición! ¡Ridículas pretensiones! Dibujar, dibujar... Lo otro vendría: estaba seguro de ello, vendría a su hora...

No era, sin embargo, la modestia lo que cohibía a Silvio. No quería ser modesto. Sorda rebelión le alzaba ya contra el maestro a cuyo lado trabajase. Resolvía formarse a sí propio, no gastarse en vanas admiraciones. Se propuso tener sus númenes entre los ilustres del pasado; erigir altares a «lo que ha sido», practicando, si le era posible, «lo que va a ser».

En esta liberación interior, orgullosa, de Silvio, había algo semejante a un comienzo de envidia, de animosidad, porque otros yas habían llegado, y él... él no llegaría tal vez nunca. En el taller, solo, con la cabeza de Bobita descansando en sus rodillas, esta idea víbora se le enroscaba al corazón. «¿Y si yo no tuviese talento? ¿si, a pesar de mi vocación, de mi terca vocación, no tuviese talento ninguno?»

El taller, mal barrido por la descuidada portera, que siempre pretextaba quehaceres para ahorrar trabajo, tenía ese aspecto decaído, ese velo polvoriento que influye sobre las imaginaciones vivas sugiriendo aprensiones de fracaso, de esterilidad del esfuerzo, de fatalidades lentas.

Los muebles rotos y mal encolados del artista que viajaba, desbaratándose como si a propósito lo hiciesen. Los tapices eran jirones. Todo gritaba la penuria del dueño de aquel refugio. Silvio sentía, con la intensidad que adquieren las molestias minúsculas en la fantasía de los nervios, el peso de tanta mezquindad, y, cabizbajo, pensaba que ocuparía por muchos años un taller semejante, hasta el día en que... ¿Y si ese día no llegaba nunca?, ¿si él era un frustrado, definitivamente un frustrado?

No se trataba de ningún imposible. Llegar a convencerse de que no hay facultades excepcionales, de que no se es un genio —este drama moral se representa diariamente, con un mismo espectador y actor. De una generación artística, de diez o doce mil muchachos que caen en París como la falena en la lámpara, ¿hay acaso cien llamados a saborear la gloria? ¿Y por qué había Silvio de ser uno de los ciento?

Soltaba entonces el lápiz; se tumbaba en el diván, manchado y desvencijado, del desconocido pintor en cuyos penates artísticos se cobijaba, y dábase a pensar, no sólo en su destino, sino —con tenacidad que él mismo calificaba de insania— en el de aquel individuo de quien no sabía cosa alguna. «¡Qué diantre! ¡Qué me importa! Así se lo lleve la trampa.»

Descuidando el estómago, que era como descuidar la vida, Silvio, en el nuevo acceso de pesimismo, no salía del taller, sosteniéndose largas horas con un pedazo de queso, con un bollo de pan.

Una mañana se sintió tan débil, en tal estado de depresión nerviosa, que se alarmó. Empezaba a notar con frecuencia —desde que se había propuesto observarse y consagrar sus fuerzas todas a rehacerse para entrar dispuesto y de refresco en la batalla— que sus estados de perturbación moral iban acompañados de trastornos correlativos en lo puramente orgánico.

454

Un miedo nunca sentido le acoquinaba; el de que pudiese faltarle, además del dinero, la indispensable salud; ¡la salud, un instrumento de trabajo más útil aún que la moneda!

Y a ratos se le figuraba baldía tal preocupación. Sus veinticinco años eran o debían ser inagotable reserva vital. ¿Qué importa la debilidad de un estómago caprichoso y delicado? Enfermedad grave... muerte... Palabras vanas. No creía Silvio que realmente podía morirse. Ni siquiera quería confesarse que la emoción, la esperanza, la aspiración, en suma, el devanar de su espíritu, era justamente lo que disipaba aquel magnífico capital de juventud y de robustez que de la juventud se deriva.

Como quien nota la disminución de una suma en monedas de oro encerrada en un arca, Silvio comprendía que su vigor, que su resistencia mermaban a cada alternativa de calenturienta ilusión; pero no sacaba consecuencias de un hecho tan constante. No podía decir que fuese la decepción lo que le postraba; se gastaba también en los momentos de engreimiento; le rendía el breve transporte de un relámpago de confianza en sí mismo.

No pudiendo luchar con estas circunstancias ni trazarse un método, porque su situación era provisional y transitoria, aplazó, despreocupado. La previsión de la muerte no arraigaba en su espíritu, como no arraiga nunca en el de los que forman grandes planes y tienen demasiadas ambiciones, demasiados sueños, tela cortada para fantasear.

—«Cuando me normalice de vida y de trabajo —pensó— me cuidaré mucho. Ahora... ¿qué más da?»

Una carta —un aguijón del destino, oculto bajo un sobrecito gris sellado con lacre blanco, exhalando el aroma de una composición demasiado conocida, que actúa sobre los nervios— sacó a Silvio de sus fluctuaciones. La dirección mostraba la acaballada letra de la Porcel, letra sin personalidad, análoga a los palotes de todas las elegantes que han aprendido en los mismos colegios por iguales métodos, y que han suprimido, en la homogeneidad de la moderna educación, aquellas características patitas de mosca de antaño.

Espina, ¡cosa increíble, a no tratarse de tan extravagante mujer!, escribía una misiva casi tierna, mimosa. Se quejaba de la soledad y el ruido de los hoteles; se lamentaba de quebrantos de salud; hablaba vagamente de la inaguantable necesidad de consultar eminencias, de su insubordinación a prescripciones que la contrariaban en sus caprichos; ensalzaba la libertad, «doblemente preciosa que una vida indigna de que nadie se preocupe de conservarla a costa de afearla y hacerla prosaica» —y en la postdata, al descuido, anunciaba su regreso a París hacia mediados de octubre, época en la cual ya se ve gente y se podrá enseñar en debida forma cierto bellísimo retrato a las amigas—. Al leer este párrafo, Silvio vio lucecitas en el aire; su corazón brincó como un cabritillo. El problema de París, resuelto. ¡La Porcel, mudable como la ola, le había perdonado y cumplía su antigua promesa!

Respondió en cuatro carillas llenas de zalamerías, de las que su índole, en algunos respectos femenina, le permitía engastar con la gracia de brillantes falsos en el marco de una miniatura. Era carta amistosa, y amistosa también la que contestaba; pero cuando entre corresponsales de distinto sexo ha mediado cierto género de conexiones, hay un dejo de reserva sentida y de insinuación inconfundible en la menor frase, en los giros, en los encabezados y finales. Silvio, temiendo a los celos de Valdivia, procuró componer su carta de modo que, muy rendida y agradecida, no transparentase la confianza material, la especialísima franqueza que engendran determinados recuerdos. Era la misiva, entre las de Silvio (siempre bien escritas, cultas, expresivas), un modelo de felino halago, de infantil abandono, de adulación quintaesenciada. Cartas así se captan los corazones. Pero Espina no tenía, puede afirmarse, lo llamamos corazón, excepto para sentir la belleza más allá del mal y del bien, y acaso preferentemente más allá del mal, gozando la fruición de lo perverso, como se goza un sabor, un perfume, una asociación de líneas.

Loco de alborozo, Silvio se echó a la calle. Almorzó en un restaurant menos promiscuo que los *bouillons*[323], socorrido recurso de los flacos de bolsa; se invitó a media botellita de tisana, buena marca, y al salir del comedero había formado la

---

323 Bouillons.—Voz francesa: restaurante de baja calidad.

resolución de emprender un viaje de arte, porque no iba a poder entretener de otro modo la impaciencia los días que faltaban para el regreso de Espina, y se encontraba hasta sin medio de dibujar, porque el dueño de su taller, ya de vuelta, le había dejado políticamente en la calle. Uno de los españoles tropezados en el bulevar, hijo de un banquero de Madrid, venía de Holanda y le había enterado de que allí se viaja baratamente. Aún no estaban muy escurridos los tres mil francos del candidato al trono. Silvio confió a Bobita a su camarero, y salió aquella misma tarde hacia Bélgica provisto de un billete circular y algunos bonos de hotel.

No por necesidad afectiva, que sólo experimentaba en los momentos amargos, sino por no dejar evaporarse impresiones vehementes que hubiese deseado conservar intactas, Silvio escribió entonces casi diario y largo a Minia Dumbría, con encargo expreso de que no rompiese las cartas y se las guardase en un armario vetusto de Alborada, atadas con una cinta de seda, entre *lesta*[324] y hojas de hierbaluisa, para reclamárselas alguna vez como si fueran «otra cosa».

---

[324] Lesta.—Voz gallega: juncia, planta olorosa.

IV

Intermedio artístico

Bruselas.

Amiga insigne, este viaje es un viaje de muñecas. No se fatiga uno; casi no siente que se traslada, porque los trayectos son cortísimos. El más largo, de París a Bruselas, donde fecho esta epístola, dura cinco horas. Los otros serán expediciones de puro recreo.

Voy a darme un baño de maestros, un chapuzón de pintura seria.

¿Encontraré, entre estos grandes muertos, alguno lo bastante vivo para influir en mí, ahora, en este año de gracia, o mejor dicho, en el que viene, y en el cual, es infalible, ha de fijarse mi orientación?

Porque es tiempo, gentil señora... Tengo veinticinco cumplidos; estoy en la mitad del camino —a los treinta se declina ya— y todavía no soy nada, ni sé qué va a ser de mí.

¿Se acuerda usted de mi última carta, tan desconsolada? Era una tontería; me apuraba sin motivo. Espina, ¡pobre enferma!, después de haberme arañado y mordido un poco, se apiadaba de mí, y a su regreso, que tardará unos días, el retrato será expuesto ante una «taza de crema», ya que no ante la crema toda.

Esa crema me abre el apetito. ¡Ganar, ganar, comer, comer! La crema me gusta, por alimenticia.

Entretanto, como no puedo esperar tranquilamente, tan nervioso me siento (¿será cierto que soy un sistema nervioso

459

predominante y agitado, un neurótico?), me he venido aquí, a recoger impresiones. Iba a escribir una bobería: iba a escribir que usted no puede figurarse lo que uno patalea cuando no encuentra dirección para su aptitud.

Yo tengo disposiciones. Corriente. ¿Con qué salsa las guiso? ¿Qué género va a ser el mío? ¿Cuál de los maestros va a ejercer sobre mí esa influencia primera de que no hay medio de eximirse, hasta que logre matarle dentro de mí, después de que con su ayuda salga a terreno firme? Quiero empezar por esclavo y acabar por rey.

Si viese usted cómo me hace cavilar y sudar todo esto... Apenas llego a Bruselas... (No, no tenga usted miedo a descripciones; sólo de pintura pienso hablar.) Apenas llego a Bruselas, me entero de que aquí existe un Museo de las obras de un solo pintor contemporáneo, que no quiso vender ninguna; un pintor de mediados del xix, Antonio Wiertz[325]. Hállase el Museo instalado en el mismo taller del artista. Tales y tan extrañas cosas oigo de él, que corro a visitar ese Museo. ¡Un mundo de pensamientos me sugiere! Se compone de dos o tres salas y una habitación donde, en alacenas, se guardan el sombrero y algunos objetos que han pertenecido al artista, el cual no murió viejo, y, según su retrato, tenía una figura romántica, con trova[326], *a faire rêver*[327].

Este paisano de Marbley empezó imitando a Rubens. Entonces pintaba, lo que se dice pintar, admirablemente. Hay

---

[325] Wiertz.—Antonio José Wiertz, pintor belga (1806-1865), cuyas obras, de una fantasía demencial y desmesuradas proporciones, se conservan en el museo que lleva su nombre en Bruselas. Por motivos ajenos al arte se hizo famoso su cuadro *Triunfo de Cristo* (de unos once metros de ancho por más de seis de alto), pintado en 1848, en el que muchos quisieron ver una premonición de la lucha de la Iglesia contra el Anticristo, representado por el Manifiesto Comunista. Rusos y prusianos quisieron comprarlo para utilizarlo como propaganda, pero el artista se negó a trasladarlo de su taller.

[326] Trova.—Comparando los retratos de Wiertz que se encuentran en su museo, con el del general Nogués, que creo que es el modelo del personaje Solar de Fierro, la única nota común que encuentro es la barba, en uno canosa y en otro muy negra, que rodea la parte inferior del rostro y, en el caso de Wiertz enlaza con la melena romántica. Puede que sea este tipo de barba a la que llame *trova* la autora. Compárese con la nota 183.

[327] A faire rever.—Expresión francesa: de ensueño.

un torso de mujer, desnuda, que es «un trozo» en toda regla: jugoso de color, justo y razonado de dibujo; inmejorable. Pero después de ser esclavo algún tiempo de la individualidad ajena, Wiertz, que deliraba por triunfar —¡como tantos, ay de mí!— quiso aislar la propia; y no sólo quiso eso, sino que se propuso llevar ventaja ¿a quién dirá usted? a Miguel Ángel y a Rubens, el cual no pensaba; tenía pupila y carecía de cerebro... según dicen ahora. Y nuestro Wiertz se echó a inventar símbolos y embadurnó lienzos, algunos colosales, llenos de extravagancias socialistas y pacificistas. *El último cañón, La carne de cañón;* Napoleón ardiendo en los infiernos, rodeado de espectros que le increpan; los poderosos de la tierra oprimiendo a los débiles, figurados por un gigante brutal, un Polifemo, que con sus patazas aplasta a los compañeros de Ulises... Todo ello parece pintado al fresco, a borrones desteñidos. Arrastrado por su delirio, Wiertz llegó a embadurnar cosas tan horribles y tan macabras, , que no se enseñan sino a quien las quiere ver por un agujero, practicado en un cierre de tablas que oculta el espantajo. Uno de los reservados es lo siguiente. Una cripta. En ella ha sido enterrado vivo un hombre. Consigue alzar una tabla de su féretro y asoma entre el sudario una faz lívida y un ojo demente, y lo que este ojo demente logra ver es una calavera en el suelo de la cripta, y una enorme araña negra, velluda, que trepa por el cráneo...

Otra concepción, también de las reservadas, es una mujer, joven aún, que, impulsada por la locura, la miseria y el hambre, ha cortado en pedazos a un niño suyo de pecho y cuece en una caldera parte de él, mientras estrecha contra su corazón lo restante...

¿Qué opina usted? ¿Es esto artístico?

Mi pensamiento me traslada a Italia. Veo ese arte sereno, luminoso de belleza, griego bajo su cristianismo claro y floral: el arte de los Luinis[328], los Peruginos[329], los Bottice-

---

[328] Luini.—Bernardino Luini, pintor italiano (h. 1480-1532), muy influido por Leonardo da Vinci con quien a veces se ha confundido. En el Museo del Prado pueden verse sus obras *Salomé* y *La Sagrada Familia.* En el Louvre hay cinco frescos y varios cuadros.

[329] Perugino.—Pedro Vannucci, llamado el Perugino (1445-1523) el pin-

lli[330]... y este belga tenido por genial me parece grotesco y ridículo. ¡Puf! Vámonos de aquí; huyamos de esta «galería fúnebre de espectros y sombras ensangrentadas...»[331].

Wiertz, en su periodo de «desarrollo individual», pintaba, oiga usted esto, mucho peor que al principio, cuando quien pintaba por su mano eran los Maestros. Entregado a sí mismo, el colorido, la factura, fueron desapareciendo, y sólo hacía bambalinas a chafarrinones. ¡Y era un entusiasta nobilísimo, se privaba de todo, desdeñaba el interés, sólo vivía para el arte!

¿No es cosa de echarse a temblar?

¿Seremos chiquillos, que en cuanto los dejan solitos no hacen sino disparates?

Aquí tiene usted a Wiertz, a un hombre con innegable talento, con facultades de primera. Además, este hombre no era un mercader; tenía corazón de artista, aspiraba con infinita ansia. No se contentaba con seguir huellas. No era, sin embargo, capaz de pintar como un genio, y pintó como un loco raciocinador.

Y yo, que le escribo a suted esto, y que he salido del Museo asqueado, yo no podré, probablemente, ni pintar así. Tal vez no consiga ni disparatar de manera que salve mi nombre, relativamente, del olvido...

*

tor más célebre de la Escuela de Umbría, maestro de Rafael. Entre sus obras destacan las pinturas al fresco, como la que se encuentra en la capilla Sixtina: *Cristo entregando a San Pedro las llaves de la iglesia.*

[330] Botticelli.—Sandro Botticelli (1445-1510), uno de los más famosos pintores de la escuela florentina. Entre sus obras alegóricas sobresalen *El nacimiento de Venus* y *La Primavera* (en la Galeria Uffizi de Florencia). En sus últimos años, impresionado por los sermones del fraile Savonarola, sólo pintó temas religiosos, como la *Navidad mística* (hoy en la National Gallery de Londres).

[331] Galería fúnebre.—*Galería fúnebre de historias trágicas, espectros y sombras ensangrentadas, o sea, El Historial trágico de las catástrofes del linaje humano. Publícala una Sociedad de amigos,* Madrid, 1831, 12 vols. Su autor es Agustín Pérez Zaragoza Godínez y la obra alcanzó gran popularidad.

Amberes.

He vuelto a encontrar al amigo Rubens, más deslumbrador que nunca. ¿Se acuerda usted de la impresión que me produjo en Madrid, en el Museo, este tiazo?

Aquí me acaba de subyugar (sin serme tan simpático como antes, por demasiado sensual y carnoso). Ya la he enterado a usted de la transformación que han sufrido mis convicciones.

Pero, piense uno como piense, Rubens aturde y emborracha.

¡Qué orígenes de color regio!

Regio es poco. Rubens es imperial.

Amberes posee mucho de lo más sorprendente que pintó Rubens.

En la Catedral hay dos trípticos soberbios el Descendimiento y la Crucifixión; en el Museo Plantino[332], infinidad de retratos y en el Museo del Estado, un tesoro. Estoy dominado, más que por las obras de Rubens, por su persona, por el conjunto de sus cualidades, por su temperamento de Titán. Su equilibrio me causa envidia. Ése sí que no padecía de neurosis. Le veo marchar entre una aureola de luz ardiente, echando chispas de fragua, forjando como un cíclope, sin caer nunca en la debilidad ni en el descuido.

Vea usted, Minia; esto es lo desesperante para mí. Por momentos, en París, he creído en la virtud infalible de la paciencia y del trabajo intenso. Pero hay otra cosa, superior a lo que se hace reflexivamente. ¿Pueden todos los esfuerzos y pacien-

---

[332] Museo Plantino.—Cristóbal Plantín (1520-1589), fue el impresor francés que, establecido en Amberes, editó la famosa *Biblia políglota de Amberes,* encargada por Felipe II y en la que colaboraron los mejores lingüistas de la época. Muerto él, su imprenta continuó trabajando hasta que en 1877 el Ayuntamiento de Amberes la compró, convirtiéndola en Museo tipográfico. La Pardo Bazán hace una pormenorizada descripción de este museo en el cap. VIII de su libro *Por la Europa católica.* Cuenta su fundación y alaba sobre todo la armonía del conjunto artístico allí reunido: «como tesoro de arte brilla el Museo Plantino, pero de arte *orgánico,* inherente a las paredes que lo encierran. Dispersad el Museo y lo habéis matado», ed. cit., pág. 64.

cias del mundo formar un temperamento de artista como el de Rubens?

No. Eso es obra de la naturaleza. Usted, con su catolicismo, dirá que de Dios. Bueno, de quien usted guste. De lo incognoscible. ¡Pintar así, con esta facilidad y esta felicidad; manejar el color de esta manera; producir esta sensación de realidad, cuando la inmensa mayoría de sus cuadros reproduce escenas que él no pudo ver, de las cuales no tiene el menor dato sensible, como son estas cristologías tremendas, este «Cristo sobre la paja», del cual envío a usted una fotografía que nada dice —lo que hay que ver es el color—, y al mismo tiempo tener a la realidad sujeta, esclavizada a la individualidad! Porque Rubens grita desde lejos; avisa; planta su bandera. Yo creo a Rubens tan prestigiosamente rico, que en cualquier época del arte se impondría. A todo era capaz de adaptarse, y en todo hubiese triunfado. Tiene hasta sentimiento, sentimiento católico, muy profundo. Su cuadro *La última comunión de San Francisco* se traga a nuestros místicos realistas, a los Ribaltas, a los Riberas, a los Murillos. Es la característica de Rubens, que se traga a todo el mundo, y que, donde hay un cuadro suyo, de los buenos, lo demás palidece, se desvanece.

Y sin embargo, en Rubens no hay esfuerzo penoso, no hay violencia de ningún género.

Tampoco hay transiciones de maneras, ni decadencia, ni arrepentimientos. ¡Semidiós!

Esto desespera; que nazcan hombres así, y no ser uno de ellos.

¡Pensar que Rubens, desde los primeros años de su mocedad, fue dueño de todos los secretos, encontró su estilo, su color, su *hacer!*

¡Y qué dignidad en este Emperador! Nada trivial, todo triunfante —porque con este colorido, estos azules, estos nacarados, estos plateados, estos violetas— no hay asunto repulsivo, no hay tristeza posible; lujo, fiesta.

¡Ay de mí! Rubens tenía lo que sospecho que me faltará siempre: acaso los temperamentos artísticos son estómago, sangre y vigor.

Por eso su pintura —vengo fijándome, desde Bruselas—

me hace un efecto heroico. Heroísmo y elocuencia —las grandes cualidades de Rubens...

Para consolarme de no ser Rubens, y también porque necesito definir mi estética, empiezo a buscarle defectos al mago de Amberes. Le falta —¡vaya si le falta!— la distinción y el misterio de los italianos, de un Bellini, de un Luini. Gesticula demasiado...

¿No sabe usted lo que me pasa? Tengo aquí un amigo. A mi lado, en la mesa del hotel, se sienta un viajero con el cual ligo inmediatamente. Es un joven periodista sueco, venido a estas tierras para remitir a su periódico noticias del movimiento socialista[333], que según parece es importante. Pero me ha confesado que el socialismo no le da frío ni calor, y que si los socialistas, sobre estropear la sociedad, han de aburrir a las personas inteligentes, entonces sí que no tiene perdón; que él escribe a su periódico lo primero que se le ocurre, para salir del paso; que lo interesante de Bélgica y de Holanda son los artistas, y no concibe que nadie venga aquí a otra cosa que a empaparse de pintura. Dado este modo de pensar, el sueco, que se llama Nils Limsoë, y yo, nos hemos entendido como ladrones en feria. Nos juntamos para recorrer iglesia y museos. Noto, sorprendido, que no está a bien con Rubens, aunque reconoce su asombrosa personalidad. Él será lo que sea, un coloso... pero ¿quién le propondrá por modelo, quien ha de seguirle? Parece fácil de imitar, y no hay tal cosa. Parece

[333] El movimiento socialista.—El movimiento socialista belga fue, en efecto, muy importante y uno de sus apóstoles era el diputado Vandervelde autor del libro *El socialismo belga*. Curiosamente, el socialismo fomentó en Bélgica una reforma del catolismo que la Pardo llama «socialismo católico». El objeto principal del viaje de la escritora, recogido primero en crónicas y luego en el libro *Por la Europa católica*, fue enterarse de cómo funcionaba el movimiento reformista católico. Uno de los monjes de la abadía de Maredsus dice a la Pardo: «Nosotros tenemos que acusarnos de haber descuidado, de haber olvidado al pueblo. El socialismo nos ha hecho un gran bien, recordándonos nuestra misión y las enseñanzas de nuestro Señor Jesucristo.»

El movimiento reformista católico irradia a partir de dos focos: la Universidad Católica de Lovaina y las sociedades cooperativas llamadas «Gilde», inspiradas en el colectivismo socialista.

La Pardo Bazán destacó la similitud de muchas reivindicaciones del catolicismo social y del socialismo. Los veía como dos surcos, uno rojo y otro azul, que partiendo de puntos distintos acababan convergiendo.

que no hace nada, que trabaja según fórmulas vulgares y previstas; pero el caso es que sus discípulos, empeñados en sorprenderle los secretos, se quedaron tan lejos de él... tan por bajo...

Me sublevo. ¿Y Van Dick? ¿Está Van Dick muy por bajo de Rubens?

Limsoë se sonríe y murmura (conversamos en francés):

—Ya, ya... Es usted un apasionado de Van Dick, y, además, la fisonomía de usted recuerda sus retratos... Van Dick... Sí, es seguramente mucho más fino y elegante, y mucho menos teatral que Rubens.

Comprendo, en la indulgencia de la sonrisa, que no le llenan ni uno ni otro.

*

La Haya.

Limsoë y yo hemos acordado no separarnos, visitar unidos la tierra holandesa. Él escribe a su diario como si continuase en Bélgica —y ni visto ni oído—. Iremos, en comparsa, a La Haya, a Amsterdam, a Harlem.

Este sueco padece ataques de un entusiasmo frío, especie de iluminismo —como dicen que les sucede a los nacidos en países del Norte, cerca del círculo polar—. Yo diría de él que sufre vértigo manso. No sé por qué me recuerda, en sus arrebatos en sus accesos, el célebre remolino[334] de su país. Lo

---

[334] El célebre remolino sueco.—Creo que se refiere al remolino llamado Maelstrom o Moskoe-strom, que se forma en el archipiélago noruego —no sueco— de Lofoden y que está provocado por las interferencias de las ondas derivadas de las mareas. El cuento de Edgar Allan Poe «Un descenso dentro del "Maelstrom"» contiene magníficas descripciones de este fenómeno. Transcribo la del narrador, más realista que la del personaje que asegura haber descendido al abismo del remolino: «El borde del remolino estaba marcado por una ancha faja de espuma brillante; pero ni una parcela de esta última se deslizaba en la boca del terrible embudo, cuyo interior, hasta donde alcanzaba la vista, está formada por un muro de agua, pulido, brillante, de un negro azabache, inclinado hacia el horizonte a influjos de un movimiento oscilatorio, hirviente y proyectando por los aires una voz aterradora, mitad chillido, mitad rugido, tal como la poderosa catarata del Niágara no ha ele-

cierto es que este mozo sabe muchísimo, sabe una barbaridad, de mi profesión; sabe, teóricamente, lo que los pintores siempre ignoramos. Le pregunto por qué su periódico, en vez de consagrarle a la sociología, no le dedica a la crítica artística.

—Porque —me responde— el arte interesa a pocos lectores, y la sociología, en mi patria, a todos. Ya escribo a veces, en una revista, estudios sobre los artistas suecos contemporáneos; allí me desahogo... Pero me lee una minoría. Y como siempre les estoy diciendo que pintan demasiado aprisa, y por lo tanto, mal, no pueden sufrirme.

—Y Rubens, ¿no pintaba aprisa? —le objeté—. ¿No hizo en diez días *La pesca milagrosa?* ¡Y cuidado que hay problemas resueltos en la tal *Pesca!*

—Rubens debía de ser un fenómeno, una fuerza de la naturaleza; además, ya sabe usted que entonces los discípulos ayudaban tranquilamente al maestro, ejecutaban trozos enteros de un cuadro. ¡Vaya usted, en estos tiempos de lirismo, a insinuar solamente que puede ocurrir semejante cosa!

Visitamos el museo de La Haya. ¡Alerta! ¡Qué sacudimiento!

—¿No es raro —me pregunta el sueco— que un territorio y una división geográfica produzcan de una vez tantísimo pintor como produjo este suelo de Holanda en el siglo XVII?

En efecto, es cosa rara. ¿Por qué hay países que crían a patulea, en momentos dados, el pintor, el poeta, el escultor? ¿Por qué en España, determinadas provincias son las que dan artistas, sin que exista en ellas mayor estímulo que en otras? Los artistas, ¿somos una planta, somos un tubérculo, fruto natural del terruño? Alguna vez que hablé de esto en Madrid con Solar de Fierro, el buen marqués, muy inteligente en la práctica, pero muy ajeno a las teorías, me sostenía la vieja tesis de la superioridad de los países de sol sobre los de nieblas y frío, explicando así que la zona artística de España sea el Levante y el Sur. Y Holanda, ¿es acaso un país del sol?

---

vado nunca en sus conmociones hacia el cielo» (E. A. Poe, *Cuentos,* Barcelona, Planeta, 1983, pág. 136).

¡Al contrario! Las humedades, las brumas, las tempestades de Holanda han hecho a sus paisajistas y a sus marinistas.

Mi sueco, inspirado en Taine, dice que lo que determinó este frondoso florecimiento de arte en Holanda fue la intensidad de la vida civil, las grandes transformaciones de la sociedad, el civilismo y el ciudadanismo de estos bátavos[335].

Son artistas porque son ciudadanos, porque son comerciantes; pero, si no hubiesen sido artistas, ¿no podríamos sostener la tesis opuesta, que salieron ineptos para el arte por culpa de la ciudadanía y del tráfico! En fin, por algo un país pequeño, en corto espacio de tiempo, engendró tal hormiguero de pintores: Cuyp[336], Van Ostade[337], Terburg[338] —¿se acuerda usted de los vestidos de raso blanco de Terburg?—, Rembrant[339] —¿se acuerda usted de la luz de Rembrandt?; digo la luz; ¡ojo!, no digo el color—, Van der Helst[340], Gerardo Dow[341], Berghem[342], Ruysdael[343], ¡qué paisajitos!; Pablo

---

[335] Bátavos.—Pueblo germánico que en el siglo i a. C. habitaba en los territorios de la actual Holanda, antigua Vatavia.

[336] Cuyp.—Alberto Cuyp (1620-1691). Vivió bastante aislado y no gozó en vida de la consideración que alcanzó su obra posteriormente. Destaca el tratamiento de la luz. Sus cuadros reproducen con frecuencia los alrededores de Dordrecht, su ciudad natal.

[337] Van Ostade.—Adrian van Ostade (1610-1685). Discípulo de Frans Hals. Es famoso por sus escenas rústicas, de interiores de tabernas y cocinas, con personajes campesinos.

[338] Terburg.—Gerard Ter Boch (1608-1681) viajó por Inglaterra e Italia. Vivía en Münster cuando se firmó allí la paz de Westfalia, que puso fin a la Guerra de los Treinta Años. No es extraño que uno de sus cuadros más conocidos sea *La Paz de Münster*. Tiene también retratos famosos, entre ellos uno de Felipe IV.

[339] Rembrandt.—(1606-1669). Sin duda el pintor más importante de la escuela holandesa. Alcanzó el pináculo de su fama con *La lección de anatomía* y *Ronda nocturna*, verdadera revolución en la manera de pintar los retratos conmemorativos de grupo. El tratamiento de la luz, la hondura dramática de sus paisajes y figuras, y la técnica de pintura empastada (que trabajaba a veces con el mango del pincel o las manos) han hecho de él uno de los grandes maestros de la pintura universal.

[340] Van der Helst.—Bartholomeus van der Helst (1613-1670). Fue famoso por sus retratos de un gran realismo, pero es un pintor de segunda fila, como bien señala más adelante doña Emilia por boca de su personaje.

[341] Gerardo Dow.—Gerardo Dow (1613-1675) trabajó primero en el taller de su padre, famoso pintor de vidrieras. Más tarde pasó al taller de Rembrant. Cultivó el retrato y las escenas populares. Se caracteriza por la ilumi-

Potter[344], ¡ah, un tío tremendo!; Steen[345], Der Neer[346], Hobbema[347] —nada, gentuza—. Vandervelde[348]... Wouver-

nación artificial de las figuras, y en la etapa final por un uso excesivo del color rojo.

[342] Berghem.—Nicolás Berghem (1620-1683). Sus paisajes son ciudadosas reproducciones del natural, sin ninguna personalidad propia.

[343] Ruysdael.—Jacob Ruysdael (1628-1682). Su formación como paisajista se inició en el taller de su tío Salomón Ruysdael, a quien pronto superó. Es el pintor por excelencia del paisaje holandés. En su obra, junto al realismo, aparecen rasgos de subjetivismo y elementos simbólicos que anuncian lo que será el paisaje romántico.

[344] Pablo Potter.—(1625-1654). Se especializó en la pintura de animales. A pesar de su muerte temprana se conservan más de cien obras suyas. Su cuadro más famoso, al que se referirá más adelante, es *El torito,* un óleo de 236 × 339 cms., que se encuentra en el Real Museo de Arte, Mauritshuis, de La Haya. En primer término aparece un novillo que vuelve la cara hacia el espectador y junto a él y al pie de dos árboles hay un pastor, una vaca y lo que parece ser una familia de ovejas: el macho, la hembra y una cría. Al fondo se insinúa un paisaje y muchas nubes, todo en un tono pardo-dorado, como la piel del torito.

El conserje del Museo comenta que «son frecuentes las disputas ante el *Toro*. Cada cual lo juzga a su manera». Parecido comentario encontramos en uno de los artículos de «La vida contemporánea» de doña Emilia: «Hay quien dice que está mal pintado. Hay quien lo tiene por el más soberbio trozo de pintura del mundo. Es difícil concertar estas medidas» (*La Ilustración Artística*, núm. 1.643, año 1913, pág. 410.

[345] Steen.—Jan Steen (1626-1679). Cultivó temas diversos. desde el paisaje a los interiores, pero se le recuerda sobre todo por las escenas de tabernas y de festejos populares, llenas de detalles y elementos anecdóticos. En vida parece ser que tuvo más éxito como hotelero en Leiden que como pintor.

[346] Der Neer.—Aert van der Neer (1603-1677) se especializó en escenas nocturnas e invernales, iluminadas por la luna o por llamaradas de edificios en llamas, de ambiente melancólico y poético. Fue muy admirado por los pintores románticos alemanes del XIX.

[347] Hobbema.—Meindert Hobbema (1638-1709), es junto con Ruysdael, su maestro y amigo, el paisajista más conocido de Holanda. A veces es difícil distinguir las obras de los dos pintores, aunque Hobbema es menos dramático, sus paisajes son más sencillos, menos majestuosos que los de Ruysdael, con la excepción de su obra maestra: *La avenida de Middelharnis* (en la National Gallery de Londres), un paisaje con la línea del horizonte muy baja y unos altísimos y delgadísimos árboles, que anuncian la desmesura romántica.

[348] Vandervelde.—Es imposible saber si se refiere a Esaias van der Velde (1591-1630), cuyos cuadros más típicos son los paisajes de la campiña de Amsterdam, o a alguno de los miembros de la familia Velde: Willem van der Velde *El Viejo* (1611-1693) o *El Joven* (1633-1707), autores sobre todo de paisajes marinos, que influyeron por su tratamiento de la luz en Turner y Cons-

mans[349], el del blanco corcel... En fin, estoy aturdido. Me tiene vuelto tarumba estos diablos de pintores nacionales, no por nacionales, sino porque sólo retratan lo que los nacionales, sino porque sólo retratan lo que los rodea, porque no adolecen de ideal ninguno —a lo sumo, como Rembrandt, de un ideal lumínico—, y no sueñan; copian lo que se les pone delante, reproducen indistintamente lo bonito y lo feo, y acaso más lo feo... Estoy literalmente hechizado, porque ¡esto fue lo primero que soñé yo, sugestionado con sus *Sinfonías campestres* de usted! Apoderarme con verdad y energía de una comarca. Eso debe bastar, y aquí basta, ¡vaya si basta! Se confirman todos mis presentimientos.

Mi sueco, mucho menos persuadido, me hace notar que estos pintores en nada se parecen a los realistas modernos, y si les conociesen, les despreciarían por lo aprisa que embadurnan. Los holandeses, copien lo que copien, se recogen, condensan, detallan con paciencia infinita.

—De los lienzos llenos de churretes y sin acabar de cubrir que hoy se permiten ustedes —declara Limsoë—, se reirían estos artistas a mandíbula batiente. Les parecería la obra de un chiquillo ignorante: monigotes. La luz de estos pintores es contra luz. ¡Váyales usted con el aire libre moderno!

—Hoy pensarían como nosotros —le respondo.

—¡Nosotros! Pero si nosotros, no pensamos nada fijo... Nosotros —digo, los que no nos confundimos con la muche-

---

table. También podría ser Adrian van der Velde, hermano del anterior, autor de soleados paisajes llenos de figuras y animales que pastan. Probablemente doña Emilia en su viaje a los Países Bajos no se enteró de que había tantos van der Velde.

[349]Wouvermans.—Felipe Wouvermans (1619-1668) empezó pintando asuntos bíblicos, especializándose más tarde en los militares, de los que realizó más de ochocientos cuadros. Entre los más famosos están *La batalla de la Haya, Encuentro de caballería* y *La caza del ciervo.* En sus cuadros abundan los paisajes en los que aparecen caballos y uno de ellos suele ser blanco. Así sucede en *Pescadores ofreciendo pescado a un jinete,* que está en la National Gallery de Londres. En el Museo del Prado: *Los dos caballos,* uno de los cuales es blanco, y *Partida de caza y pesca,* en el que se ve en primer término un caballo blanco. En el Museo Lázaro Galdiano están *Partida de caza* y *La batalla,* de similares características.

Sus hermanos Juan y Pedro Wovermans también pintaban, pero se les considera inferiores a su hermano mayor.

dumbre— estamos a cien leguas de rutinas de taller. Despreciamos la verdad. ¡La belleza! ¡He aquí nuestra bandera, por la cual moriremos!

Cuando habla así, el sueco está hasta guapo de entusiasmo. Le hago un apunte al pastel. Es moreno, y tiene unos ojos verdes, que relucen como los de un gato, fosforescentes, de mirada insostenible.

Noto en él animosidad furiosa contra los holandeses, que tan celestialmente —digo, tan terrestremente— pintan... ¡quién pudiese hacer otro tanto! No es esto, no es lo que le puede contener a él. Está a mal con la flema de tales artistas, con su materialismo pacífico, su falta de imaginación, su glotonería animal y su lujuria burda, la insipidez de sus asuntos, la atrofia de su sentimiento. «Los admito a ratos y me exasperan» —repite, pasándose la mano por la frente sudorosa, y suspirando hondo, como si lo sucediese una gran desgracia.

Le vi particularmente rabioso ante una obra que me ha dejado con la boca abierta: el famoso *Toro* de Pablo Potter.

Ahí tiene usted algo que bastaba para mi felicidad; hacer una cosa así, un cacho de verdad por este estilo: nada, sencillamente un tajo de carne cruda; y luego... *E poi morire*[350], como dicen en esa Italia que Dios sabe cuándo veré.

Véase el ideal reciente de este pintorcillo de rasos y encajes, perlas y rosas; véase, véase el bicho... Lo dibujo al margen. No es más; nada de composición ni de triquiñuelas. Ese buey, tranquilo, testarudo, ese animal, que impresiona como un numen antiguo, un Apis[351] de hasta devoción.

¡Pensar que Pablo Potter hacía esto cuando contaba veintitrés años de edad, y que yo he cumplido veinticinco!

Mi sueco mira al *Toro;* al pronto no chista, no resuella; se diría que le falta, como a mí, la respiración; se lleva la mano al pecho, como si en él hubiese recibido un fuerte golpe; estriba en el compás de sus largas piernas, se afianza los quevedos en la nariz; frunce el ceño, siempre mudo. Al fin se desata, y

---

[350] E poi morire.—Expresión italiana: y después morir.

[351] Apis.—Divinidad egipcia, representada por un buey negro con una mancha blanca cuadrada en la frente y otra en forma de media luna en el costado derecho.

empieza a poner defectos al *Toro*. ¡Defectos a miles! No los defectos que cualquiera ve, como la insignificancia del asunto, reparos de crítica intelectual, en suma, sino otros del orden técnico, en el cual —¡cómo reconoce uno cada día su ignorancia!— suponía yo al *Toro* impecable. Según Limsoë, Pablo Potter no sabía palabra del ejercicio de su profesión cuando pintó este buey. Así es que, sobre no estar concebido, está pésimamente ejecutado: hay en él trozos enteros que revelan inexperiencia pueril. Por lo mismo que en el lienzo se reconoce algo genial, debemos ser con él más severos. Son malos guías, son corruptores los que, como este Potter, parecen aconsejar a la juventud que estúpidamente reproduzca, para hacer una obra maestra, lo primero que se le pone delante. Yo me siento herido, como si fuese el mismo Potter, y nos enzarzamos en una discusión que degenera en disputa, llegando casi a injuriarnos. A mí me da por sostener que justamente lo bellísimo del *Toro* consiste en no ser nada; una res bajo un firmamento; un sincero estudio, ajeno a todo tiquis miquis de intención sutil o simbólica. Nos acaloramos, Limsoë me impropera; hace ademanes circulares, rasgantes, amenzadores... El conserje —que pasea tranquilamente por la sala próxima— asoma su faz rubicunda, de holandés flemático, y nos dice en voz pastosa algo que no entendemos, pero que será rogarnos compostura. Ve que no le hacemos caso, y chapurrea en francés el mismo ruego, acercándose ya decidido a la expulsión. Como me excuso, responde siempre plácido:

—Son frecuentes las disputas ante el *Toro*. Cada cual lo juzga a su manera.

Y se encoge de hombros. Yo me vuelvo hacia mi amigo, quien en presencia del mismo conserje, me tiende la mano, se atusa la cabellera amarillenta, rebelde y erizada, como la de los muñecos que sirven para las experiencias de electrización.

En fin, amiga insigne, ¡Pablo Potter, cuando pintaba mal, pintaba este *Toro*!

¡San Lucas bendito, San Amaro milagroso hacedme pintar mal así!

*

Una escapatoria a Harlem, desde Amsterdam... Limsoë y yo nos vinimos con un pedazo de queso en el bolsillo, entre dos trenes, pues no queremos perder tiempo ni pasar la noche en Harlem... Cálculos de economía. No somos ricos ni mi sueco ni yo.

Al bajarnos en la estación, el periodista me cuenta que allí hubo un mar, un vasto mar, hasta fecha reciente, y que lo desecaron enterito; se lo bebieron en pocos meses, para evitar inundaciones y ganar terreno, donde establecieron grandes explotaciones agrícolas; y fue medida prudente, porque si ellos no se tragan al mar, el mar se lo traga a ellos. Esta gente vive de milagro; por lo visto, el peor día pueden encontrarse con que las aguas sumergen a Holanda toda... Debían trasladar a sitio seguro los Museos. Lo demás que se lo lleve el diablo.

¡Qué pérdida si una inundación sorbiese los Franz Hals![352].

Franz Hals... ¿Cómo le diría yo a usted? Franz Hals es... algo que me recuerda, sin que sepa explicar la similitud, a Quevedo y a nuestros novelistas picarescos. Habría quien reclamase para otros pintores holandeses este mérito; pero yo no puedo reconocerlo sino en Franz Hals.

¿Quién fue el imbécil contemporáneo nuestro que se imaginó haber inventado el realismo? Es tan viejo como el mundo, y el autor del *Escriba* egipcio no fue ni más ni menos realista que el autor del *Lazarillo de Tomes* o que Franz Hals.

Voy haciéndome muy pedante... Todo se pega; Limsoë es pedante mortal de necesidad. No me deja vivir, me obliga a estar siempre razonando las impresiones bellas.

Bueno, pues, Hals... Óigalo usted... Hals... Me tiembla la mano... Hals... Agarrarse... ¡¡Hals pinta más que Velázquez...!!

---

[352] Franz Hals.—Ver nota 19. El entusiasmo por este pintor es una muestra del arraigo de las tendencias realistas en doña Emilia, menos avanzada en sus gustos pictóricos que en los literarios.

Más que Velázquez, ¡sí, señora, no me vuelvo atrás...!

Es mano más experta (en la plenitud de su carrera, entendámonos), es mano soberana para la reproducción de todos los elementos plásticos, cabezas y accesorios. Menos tierra que en Velázquez. Pincelada más expeditiva y segura que en Velázquez, en el cual hay «arrepentimientos»[353] inconcebibles. Acierto instantáneo. Ni fatiga, ni improvisación, ni prolijidad. Le digo a usted que estoy convencido de que éste es el Júpiter de la pintura.

Nadie le pone el pie delante; nadie pinta más.

Nadie dibuja más tampoco; ¡mentira!

¡La gente pintada por Franz Hals está viva. Es de carne; sus cabezas tienen meollo, sus pies caminan!

Aquí triunfo yo de mi sueco. No puede ponerle a Franz Hals —en su buena época— defecto técnico ninguno, ninguno, ninguno; y ante esta perfección que parece increíble, se inclina; su recurso es refunfuñar. «¡Qué nos importa la verdad! ¡Qué nos importa la misma perfección!»

Y le respondo en español: «¡Nos importa, caramba!» enviando un beso a una figura divina vestida de azul y amarillo verdoso, uno de esos Arqueros del Gremio, que hacen competencia a los inmortales Síndicos de Rembrandt. ¡Verdad santa!

*

Amsterdam.

Ya los he visto, ya he visto a los Síndicos. ¡Ya he visto la *Ronda nocturna!* No me llame veleta. Franz Hals, de quien tales cosas dije a usted en mi anterior, no llega a esto. Hace más... Y hace menos. En fin, en Rembrandt —y aquí nos encontramos conformes mi sueco y yo— descubro algo que hasta ahora había buscado inútilmente en la pintura holandesa: la su-

---

[353] Arrepentimientos.—Se da este nombre, o el italiano «pentimento», a las correcciones de una pintura que se advierten en la composición o dibujo de una obra.

perioridad del artista, de su individualidad, respecto a la nación en que le ha tocado nacer.

Rembrandt no es «pintor holandés», sino pintor del alma universal. Es decir, del alma universal... artística, alucinada, soñadora, apasionada de lo extraño.

La *Ronda nocturna*, examinada desde el punto de vista rigurosamente profesional y de factura, muestra flojedades que sería imposible registrar en un Franz Hals. Con todo eso, marea, confunde, sugestiona. Es tan particular el efecto de luz en este lienzo, que nadie sabe qué lo ilumina. Quién dice el sol, quién vota por las antochas o la luna. ¡Disputa baldía! Es la luz de Rembrant, la luz que él lleva en sus pupilar de visionario. Limsoë lo asegura, gesticulando, sobando su rutilante cabellera escandinava: «Una de las cosas más innobles de la pintura moderna es querer plantar todos los artistas con una misma luz. La luz va dentro de nosotros.» Rembrandt, fulgurando desde la sombra transparente, da la razón a mi compañero de viaje.

No lo digo sólo por este cuadro. Todos los Rembrandt que voy viendo, y los que he visto en París y en Madrid, me subyugan por esa condición, que algunas veces poseyó Goya; porque emiten una claridad que no es la natural; porque son luciérnagas. Rembrandt traza una figura completamente ensombrecida, y por cima de esa sombra sin opacidad frota ligeramente un rastro iluminado, un destello misterioso que procede de una cabellera, de una vestidura, de unas joyas. Es algo irreal, y sin embargo, el cuadro está lleno de verdad. Para mí, lo mejor de Rembrandt son sus figuras de espléndidas judías, de rabinos fastuosos, vestidos de un brocado que alumbra.

Y a mí no me vengan con que la *Ronda nocturna* es *Ronda diurna:* Rembrant sólo pintaba la noche, es su inspiración una gran mariposa negra.

¡Qué pintor tan divino! Perdóneme Hals. Voy creyendo que ni por ser tan perfectamente dueño del secreto de la lectura! Con Rembrandt y Hals me sucede lo que me sucedió con Velázquez y Goya: Goya mató a Velázquez dentro de mí. Está visto; hay en nuestras almas exigencias sin razonar que acallan las de nuestra razón.

A Rembrandt, a Goya, no se les puede meter en el potro del

sentido común, aunque los dos sean, quién lo duda, dos realistas. No hay que irles con preguntas tontas. ¿Por qué ha hecho usted esto? ¿Qué significa tal figura? ¿Cuál es el verdadero sentido de esta escena? ¿Por qué concentra usted los claros en la vuelta de la hopalanda de este personaje? ¡Dios mío! Hay que ser muy gordo de pellejo, muy boto de sentido, para no sentir a Goya y a Rembrandt. Los dos aguafuertistas son dos brujos, y cuando les da la gana, salen montados en su escoba a recorrer el cielo o el infierno.

¡Bah! Si se lo propone uno, demuestra por *a* más *b* que Rembrandt no sabía pintar... Es decir, que pintaba imperfectamente. Amiga mía, pensando en estas cosas que tanto me interesan, que son las únicas que me interesan en el mundo, que no concibo que interesen otras, temo volverme loco. Rembrant y otro pintor que yo no conocía, Van der Helst, un rival que forma con él un contraste despampanante, vienen a dar golpe certero a los principios a que me había agarrado, y según los cuales pensaba dirigir mi carrera.

Escúcheme usted y dígame si esto que discurro es un desatino...

Si el trabajo es la condición del triunfo artístico, como creí en París; si ese lauro lo conquistan la regularidad, el método y el continuado esfuerzo, entonces... Rembrandt no hubiese hecho nada. Y en efecto, como labor concienzuda, hizo poco. Asegura Limsoë que era un bohemio, que murió en la miseria, que vivió entre judíos prestamistas, anticuarios encubridores de robos y piraterías, corredoras de alhajas, zurcidoras de voluntades, posaderos, bebedores, gente de la hampa, y que las personas de cuenta le volvieron la espalda porque sus retratos no se parecían ni chispa, mientras los de este Van der Helst, que ocupa en el Museo de Amsterdam el lugar fronterizo a Rembrandt (haciéndole la competencia después de muerto, como en vida), hablaban, eran la misma persona fija en el lienzo. Este Van der Helst —ya le había visto en Harlem, no renunciando a codearse con Franz Hals—, no sé si diga que en cuanto a pintar, pintar con la mano y con la vista, no tiene que envidiar nada a nadie. Su ejecución es un prodigio. ¡Qué caras, qué manos, qué trajes de paño y de seda, qué bordados de plata, qué copas de vidrio, qué limones, que estandartes, qué corazas, qué valonas, qué cuellos de encaje! Es la realidad; gente que tenemos ahí delante, con su edad, su figura, sus humores, hasta los achaques que padecían. Dan ganas de tocar ese paño, de arrugar esa seda, de dirigir la palabra a esos buenos oficiales de la milicia ciudadana de Amsterdam. Y aun ahora, si cierro los ojos, estoy viendo un portento de abanderado joven, muy guapo, vestido de tisú blanco, arrogante, ¡que debió de trastornar tantos corazoncitos! No es pintura; es *el abanderado*. Respira. Galantea.

Bien; pues calculo yo que a esto se podrá llegar con energía y trabajo, si se tienen algunas condiciones naturales; sí, se puede llegar, como llegó a Van der Helst (que, sin embargo, no es lo que se entiende por un gran pintor) a pintar mejor que Rembrandt, ¿cómo se llega? ¡Qué demonio! Siendo Rembrandt.

Y a los que no lo somos, y, en nuestro satánico orgullo, tendríamos por desgracia ser Van der Helst, el que pinta estas manos, estos ropajes y estas caras... ¿qué nos resta?

¡Pegarnos un tiro!

Así se lo digo a Limsoë. Él me aquieta con una especie de murmurio afectuoso, dándome palmadas en los hombros y dedadas en la sien. Me va cobrando cariño este sueño. Los extranjeros, al pronto, no parecen cordiales, pero apenas se establece confianza...

—Note usted otra verdad muy curiosa —exclama—. Que la originalidad del asunto falta casi siempre en las obras maestras (excepción, su *Quijote* de ustedes, que no tiene antecedentes, ni tradicionales ni literarios). Mire usted los cuadros de Rembrandt. Su famosa *Lección de anatomía,* a la cual tantas significaciones se le han atribuido, es un tema tratado por infinitos pintores antes que él. Tampoco el pensar antes que nadie una cosa vale ni sirve. El toque está en pensarla, y sobre todo, en expresarla de una cierta manera.

—¡Que yo no sé cuál es! —fue mi triste comentario.

*

Brujas.

Aquí estoy, en Brujas la Muerta[354]; y tengo mucho, mucho que contar.

¡En primer término, mi conversión al catolicismo! He renegado de la pintura protestante; de esa pintura de género, civil, anecdótica y nacional; y después, las confidencias de Limsoë, que en el tren —en el tren la gente se vuelve muy expansiva, con sujetos que no hemos de volver a ver probablemente— me confía (después de renegar de los trenes holandeses; los suecos son los mejores del mundo, los mejor suspendidos, parece que se va en trineo) el secreto de su vida y sus convicciones estéticas.

Limsoë está triste a ratos, y no dejará de estar triste nunca, porque, sin querer, disparándosele un arma de fuego, dejó ciego a un hermanito suyo, a quien adoraba; y Limsoë, dentro de su santuario de arte, es... prerrafaelista[355].

¡Acabáramos! ¡Cómo había de entusiasmarle Franz Hals!

De su desgracia, y sus remordimientos habló poco, en frases cortadas; después bajó la cabeza, me apretó la mano, y le vi una contracción en la cara, tan dolorosa, que parece seguro que este hombre no se consolará.

En cuanto a su prerrafaelismo, lo predica con unción religiosa. Espera catequizarme.

Me ha contado los orígenes de la escuela, de los cuales, a la verdad, a pesar de ser para mí obligatorio no ignorar esas cosas, ni la menor idea tenía.

---

[354] Brujas la Muerta.—Alusión a la novela de Rodenbach *Bruges-la-Morte,* de la que hablará más adelante.

[355] Prerrafaelista.—Nombre de un grupo de pintores que en 1848 formaron en Inglaterra la Hermandad Prerrafaelista como gesto de protesta contra la pintura académica de la época. El inciador fue Dante Gabriel Rossetti y entre sus principales seguidores se encuentran William Holman Hunt y John Everett Millais. Intentaron una vuelta a los ideales artísticos anteriores a Rafael: la sencillez y el estudio de la naturaleza, que representaban con gran lujo de detalles, copiándola del natural. Tienden al simbolismo y la alegoría y es importante el aspecto religioso en sus obras. La defensa de su movimiento por Ruskin fue fundamental para la aceptación del público.

¡Qué demonio! los prerrafaelistas son como los duendes; todo el mundo habla de ellos, y nadie los ha visto, al menos en Madrid y París. Sus obras andan tan desparramadas por galerías inaccesibles, en países lejanos, que únicamente mediante la fotografía y el grabado se pueden conocer... mal.

Pero Limsoë dice que lo capital de esta escuela no son sus obras, a pesar de una gran belleza, sino sus teorías, que resumen el Evangelio del arte. Por la doctrina estética, los prerrafaelistas han abierto tanta huella en el mundo.

Eternos son ya los nombres de Holman Hunt[356], Millais[357] y Dante Gabriel Rossetti.[358] Fueron iniciadores, y fueron sobre todo poetas; sintieron, se elevaron.

Hicieron estos tres muchachos lo que infinitos hacen sin que les dé fruto: asociarse, fundar una revista, y formar un cenáculo. Algo tendría esta escuela, que ha salido a flote, entre tantas como naufragan sumergidas por el ridículo.

No se lo escatimaron a ellos, pero su teoría era una perla que ningún malandrín podía cubrir de barro. ¡Las miserias, los atropellos, las impurezas de la labor de los modernos pin-

---

356 Hunt.—Holman Hunt (1827-1910). Su dedicación al arte fue problemática desde el primer momento, ya que tropezó con una fuerte oposición familiar. Entre sus obras destacan *Renzi, La luz del mundo* y sobre todo *El hallazgo del Salvador en el templo,* que, difundido como grabado, consagró a Hunt como el pintor religioso más destacado de la época.

357 Millais.—John Everett Millais (1829-1896). A él se debe el cuadro más conocido de la escuela: *Ophelia* (Tate Gallery, Londres). Mientras pintaba el retrato de John Ruskin, el crítico que había defendido a los prerrafaelistas desde sus comienzos, se enamoró de su mujer y se casó con ella.

358 Rossetti.—Dante Gabriel Rossetti (1828-1882), escritor, pintor y director del grupo de los prerrafaelistas. Aunque por maestría técnica queda por debajo de Hunt o Millais y nunca se liberó de cierta torpeza en la factura material de sus obras, ejerció una influencia carismática sobre los pintores que lo conocieron que lo coloca siempre a la cabeza de la escuela. Una de sus obras más famosas es la anunciación titulada *Ecce ancilla Domini* y en ella aparece ya un tipo de mujer de rostro estilizado e inquietante que había de ser peculiar en sus cuadros. Sus modelos más importantes fueron Elizabeth Siddal, con quien se casó y cuya muerte, por exceso de láudano, amargó al artista; y más tarde Jane Morris, esposa de su discípulo William Morris, con quien mantuvo una complicada relación.

A estas miserias humanas de los exquisitos y «místicos» prerrafaelistas debe de aludir Silvio cuando dice, un poco más adelante, que son «unos histéricos, unos degenerados».

tores, les enseñaron que era preciso volver a los cuatrocentistas, artistas que profesaron el respeto y la dignidad de su arte como fervoroso culto! Pintar devotamente, con la pulcritud de los místicos, con su atención grave y sostenida, sin manchones ni pinceladas rápidas, respetando lo escrupuloso del deber y lo tierno y cándido del amor... Pintar santamente, y si no, no pintar... ¡porque sería indigno!

Ser santo, y a la vez elegante y superior al vulgo, ¿no es un ideal altamente estético?

Y esto sólo se hizo antes del triunfo de Rafael[359]. La prueba de la corrupción del arte, que sigue a Rafael y a Rubens, es toda esta pintura holandesa. Pintura de zafiros, de borrachos, de glotones. ¡Gente que se retrata de sobremesa! ¡Gente que se retrata despedazando un cadáver! Gente que la reproducen devolviendo el vino que bebió! ¡Puach!

Limsoë se indigna, echa lumbres por sus ojos de gato rubio y prosigue:

—Se burlaron mucho de los prerrafaelistas, y alguno de ellos, descorazonado, no anduvo lejos de plantar la pintura y largarse al Canadá a labrar una granja... Vino en su auxilio Ruskine[360], y gracias a él no fracasó el movimiento y sus iniciadores obtuvieron el respeto y la atención de su época. Cada uno de los tres artistas se abrió paso, pero, a mi ver, el envidiable es el destino de Rossetti. Se oscureció a medida que crecía: cada día tuvo menos público, y ese público, más rendido, le adoró más. Cada día, los aficionados que adquirían sus obras fueron más escasos, más inteligentes, más veneradores y más ricos. Y cada día vivió más inaccesible al vulgacho. Es

[359] Rafael.—Rafael Sanzio (1483-1520) desde los diecinueve años con la *Coronación* y los *Desposorios de la Virgen* se consagró como maestro. A los veinticinco, el papa Julio II le encargó la decoración de su residencia en el Vaticano, las «Estancias», que son una obra maestra de la pintura al fresco. Mimado por la sociedad, rico, guapo, elegante, amante de la bellísima «Fornarina», fue prototipo del artista renacentista que disfruta de todas las glorias mundanales.

[360] Ruskine.—John Ruskin, escritor y crítico de arte inglés (1819-1900) estudió y defendió la obra de Turner y los prerrafaelistas. Sus obras más importantes sobre arte son *Pintores Modernos, Las siete lámparas de la Arquitectura* y *Las piedras de Venecia*.

el mito de las Sibilas[361]: cuantas más hojas de sus libros se quemaban, más valían las restantes...

Sin embargo, estos elegidos tienen su descendencia: no demasiado numerosa, porque la misma sustancia de la escuela repugna a lo numeroso; porque, para entrar en las filas del prerrafaelismo, se necesita conciencia, humildad, comunión diaria, ser puro, ser hermoso por dentro...

El sueco hablaba así, y de pronto, encarándose conmigo, fijándome con sus ojos de felino dulce e hidrófobo alternativamente, susurra:

—Desde que conozco la verdad en la belleza, no he cometido pecado impuro; huyo de la mujer como de un abismo; mejor diría, como se huye de una charca cuando se va vestido de blanco...

Lo confieso, amiga: en vez de quedarme edificado, el latino malicioso que hay en mí se echó a reír a carcajadas... El sueco no pareció desconcertarse por esta gansada mía. Hizo un movimiento de hombros resignado, encontrando natural mi escepticismo, dada mi falta de iniciación, y con sencillez infantil prosiguió su conferencia. Yo entonces, avergonzado, le pedí excusas.

—No he debido —confesé— reírme de eso que usted me cuenta, puesto que, al fin y al cabo, si yo no llego al extremo de abnegación de usted el sueño de mi arte me domina hasta tal punto, que me ha privado de la facultad de amar. Y no he amado, ni amaré.

—¡Eso es peor, más duro, más terrible! —exclamó Lismoë—. ¡No saber amar! Yo no extraigo mi vida, yo evito enlodarme, pero... pero amo, amo de un modo sagrado, y ¡es delicioso amar así!

Sus ojos de esmeralda clara se perdieron a lo lejos, en un vago añorar de cosas tal vez amargas, tal vez divinas.

Luego prosiguió:

---

[361] Las Sibilas.—Eran las sacerdotisas de Apolo y se les suponía el don de la profecía, que manifestaban mediante los oráculos. Las más famosas fueron la sibila de Delfos y la de Cumas, de quien se decía que habitaba debajo de la ciudad y escribía sus visiones en hojas de palmera que el viento arrastraba fuera de su cueva.

—Hoy se me figura que el respeto de todos y la admiración de las generaciones nuevas rodean a la escuela prerrafaelista... Hay ya en torno de ella una leyenda de gloria. Entre sus discípulos está el excelso Burne Jones[362], que ha hecho revivir, en nuestra edad prosaica por bastantes estilos (pues se ha empeñado en que posean todos los hombres, no lo bello, sino lo útil), ha hecho revivir, digo, la edad de la caballería, el sueño de la humanidad con alas... ¡Y qué artista admirable es ese discípulo! ¡Qué sentimiento! ¡Qué piedad! ¡Qué nobleza! ¡Qué altivez escondida en esa pintura tan delicada! ¡Qué variedad, sobre todo! Porque usted habrá oído repetir por ahí —¡la muchedumbre no sabe juzgar de otra manera!— que los prerrafaelistas son monótonos. ¡Cada uno de estos grandes estéticos tiene su estilo peculiar! Holman Hunt es más religioso (aunque todos son religiosos, y no se puede ser gran artista, digo artista del ideal, sin religiosidad); Rossetti... le gustaría a usted más, porque es un poeta encantador, de imaginación católica, y tiene algo de la iluminación y del don amoroso de los artistas primitivos franciscanos.

Objeté que ya es vieja la escuela, que ha transcurrido tiempo, sin que haya logrado hacerse popular.

—Ha estado en la penumbra; es una de sus grandes fuerzas. Desde la penumbra ha irradiado sobre las almas exquisitas, sobre las conciencias de los artistas que la tienen. Una corriente gemela de la prerrafaelista ha producido la inspiración del inefable Wagner[363]. En el arte digno de este nombre,

---

[362] Burne Jones.—Eduardo Burne Jones (1833-1898) por influencia de Rossetti abandonó los estudios teológicos dedicándose exclusivamente al arte. Se le llamó el Wagner de la pintura por su interés en las leyendas tradicionales inglesas. La Biblia fue la otra gran fuente de inspiración.

[363] El inefable Wagner.—Incomprendido en su tiempo, aunque protegido por Luis II de Baviera y por Liszt, Richard Wagner (1813-1883) es hoy considerado el gran renovador de la ópera y el creador del drama musical como síntesis de todas las artes. El carácter mítico-religioso que aquí se subraya ha sido puesto de manifiesto en las representaciones que se celebran cada año en Bayreuth, ciudad donde murió el músico y donde está enterrado en el jardín de su palacio.

En uno de sus artículos de la *Ilustración Artística* decía la Pardo Bazán: «No cabe duda, Ricardo Wagner es el último genio que ha producido Alemania (...) creo que puede afirmarse que ningún artista poseerá en mayor grado que

en el arte que no da náuseas, no hay sino religiosidad, religiosidad, caballería andante, alma en busca del cielo... ¿Sabe usted cuál es la última palabra del arte? La misma del amor: el éxtasis.

Lo que sacó de sus casillas a mi sueco fue que yo le dijese, sin mala intención:

—He oído que los prerrafaelistas son unos histéricos, unos degenerados.

Se puso rojo. Le había herido en lo vivo. Pero, por lo mismo que es un convencido, no hizo explosión. Se limitó a pronunciar, conteniéndose valerosamente:

—Sí, conozco todas las críticas, algunas infames, que se han dirigido a la confraternidad y a la Escuela... Los dogmas prerrafaelistas no están cortados a la medida general. Por largas que sean las orejas de asno de los críticos, el dogma va más lejos. No hay que preguntar quién ataca al prerrafaelismo y al fecundo movimiento que ha salido de él. Son los descendientes de aquel farmacéutico de Flaubert, los representantes de la llamada razón... ¡La razón! ¡Que el Maelstroom[364] se la trague!

En este anatema andábamos tan conformes, que repetí, como brindando:

—¡Que el Maelstroom se la trague! ¡Amén!

Y en este hermandad de deseos llegamos a Brujas la Muerta... No tenga usted miedo de que le coloque la descripción; ya sé que está usted al corriente, que ha leído a Rodenbach[365].

Wagner el tecnicismo y la inspiración reunidos, y el sentido a la vez poético y profético que hace del artista la encarnación de los destinos de un pueblo, de una raza, de un conjunto humano.» (6 de marzo de 1899, recogido en Carmen Bravo-Villasante, *La vida contemporánea*, Madrid, Magisterio Español, 1972, págs. 55-56.)

[364] Maelstroom.—Ver nota 334.

[365] Rodenbach.—Jorge Rodenbach, escritor belga (1855-1898), se estableció en París y desde allí puso de moda la pintoresca melancolía de Brujas en obras como *Du silence, Le miroir du ciel natal, Le règne du silence,* en verso, y las novelas *Le carillonneur* y *Bruges-la Morte.* A esta última novela pertenece la descipción siguiente:

«Melancolie de ce gris des rues de Bruges où tous les jours ont l'air de la Toussaint! Ce gris comme fait avec les blancs des coiffes des religieuses et le

No; lo único que le diré a usted es que aquí he tenido el gusto de ser presentado al señor de Memling...[366] y que me encuentro en un estado de ánimo que no sé si atribuir a la sugestión de este maniático de Limsöe o a los efluvios de la ciudad (reléase a Rodenbach), y notó que involuntariamente pienso y juzgo casi como el sueco. Me acuerdo de mis pintorazos holandeses, de sus comilonas, de sus trapatiestas y fumaduras, *kermesses*[367] y tabernas; de los burgueses empavesados con trajes de gala, de su realidad, de su tremenda verdad, y... siento la náusea, el esguince. ¡El alma me pide otra cosa!

¿Será cierto que el artista murió en un convento de España? De todos modos, nuestro misticismo no se parece al suyo.

¡Qué detalles, qué flor de sentimiento, qué novela caballeresca es su *Urna de Santa Úrsula!* No acierto a decir si revela un devoto soñador o un poeta con corazón de niño.

Sobre la historia de la santa, narrada en los tableros del divino cofrecillo, se puede hacer un largo poema. Ahora comprendo mucho de lo que mi amigo me decía en el vagón. El sumo arte asocia lo religioso y lo caballeresco, y salva a la reli-

---

noir des soutanes des prêtes, d'un passage incessant ici et contagieux. Mystère de ce gris, d'un demi-deuil éternel!

Car partout les façades, au long des rues, se nuancent à l'infini: les unes sont d'un badigeon vert pâle ou de briques fanées rejointoyées du blanc; mais, tout a côté, d'autres sont noires, fusains sévères, eaux-fortes brûlées dont les encres y remédient, compensent les tons voicins un peu claires; et, de l'emsemble, c'est quand même du gris qui émane, flotte, se propage au fil des murs alignés comme des quais.

Le chant des cloches aussi s'imaginerait plutôt noir; or ouaté, fondu dans l'espace, il arrive en une rumeur également grise qui traîne, ricoche, ondule sur l'eau des canaux.

Et cette eau elle-même, malgre tant de reflets: coins de ciel bleu, tuiles des toits, neige des cygnes voguant, verdure des peupliers du bord, s'unifie en chemins de silence incolores.» (Editions Labor-Bruxelles, 1986, páginas 50-51.)

[366] Memling.—Hans Memling (1433-1494). La mayoría de sus obras se encuentran en el Hospital de San Juan de Brujas y en la novela se alude a varias. Otras justamente celebradas son la *Adoración de los magos* del Museo del Prado y el *Retrato de gentilhombre* en el Palazo Veccio de Florencia.

[367] Kermesse.—Se llama así en los Países Bajos y norte de Francia a las fiestas parroquiales y ferias anuales que se celebran con gran derroche de medios.

gión, por medio del arte, de los impuros contactos de la multitud. Si me acuerdo de la *Santa Isabel* de Murillo, y la comparo a esta *Urna,* me defiendo mal contra el desdén de obras que admiré mucho.

No cabe duda: los Velázquez y los Franz Hals han pintado asombros; pero ¿pintaba peor, en su estilo, Memling?

En el mismo hospital de San Juan, tan sugestivo, tan callado y recogido, donde nos enseñan la leyenda de Santa Úrsula, vemos unos *Desposorios de Cristo y Santa Catalina*[368], en que hay dos figuras insuperables: la Santa Catalina y la Santa Bárbara. ¡Se descubre allí la firme resolución del artista de no conceder su pincel sino a cosas bellas, ilustres, ricas de forma y de materia; de no reproducir sino caras redimidas de la miseria humana, vírgenes que son reinas o emperatrices, y bajo cuyos pies la impureza, la bestialidad y la violencia no se atreven a desatar sus ondas de fango!

Esta parrafada es de Limsoë ante el cuadro de los Desposorios... «Vea usted qué dos santas ésas. Escogidas, ¿eh? No crea usted que están ahí por casualidad, por antojo. Son las dos santas filósofas que desdeñaron las bajezas materiales del paganismo y entraron en el Cristianismo por amor de la pureza, pero sin renunciar a su elegancia artística, sin confundirse nunca con los ascetas groseros. A Santa Bárbara en su torre, a Santa Catalina en su palacio, se las puede uno representar leyendo un tratado de psicología coronadas de perlas, veladas de gasa, con manos tan liliales como esas que ve usted ahí, las de Santa Catalina; las que tiende al anillo del celeste Esposo, y que son la perfección de la belleza en una cosa ya tan bella como una bella mano de dama.»

Me acordé de la medalla de Santa Catalina que posee Solar de Fierro, y, asociando memorias, me avergoncé de haber pensado un día que se puede hacer un cuadro con la *Recolección de la patata*. Me desprecio, me desprecio; pequé, pequé... ¡Vengan vírgenes de talle largo, vengan paladines, renazca próximo a sus fuentes el sentimiento, el romanticismo aristocráti-

---

[368] Santa Catalina.—La fascinación por Santa Catalina abocará a la escritora a escribir la vida de la Santa en el primer capítulo de su última novela: *Dulce Dueño.*

co y medioeval! Sí, señora; todo esto quiere decir que me voy volviendo romántico, que me saltan dentro manantiales que ignoraba, y que si por casualidad, hace dos años, me pongo a trabajar en Madrid, con el espíritu de un fauno brutal dentro de mi cuerpo y guiando mi mano inexperta, ¡oh! ¡ah! ¡nada, que yerro la vocación!

*

Gante.

—¡Última carta! Es decir, última carta de este viaje. Porque retorno a París en busca de cosas innobles y prosaicas, el alpiste, el gabán de invierno. Aquí Limsoë y yo estamos arrecidos, aunque nos abriga el fuego de nuestras mágicas ilusiones. Y hemos arrostrado la emoción suprema... ¿Suprema por qué? ¡Justamente esto no se razona! Limsoë lo reconoce... a pesar de su chifladura, que en parte me ha pegado.

Si no fuese que hemos remontado la corriente del arte, que subimos de los holandeses relativamente recientes hasta los inventores de la pintura, y que, por lo tanto, nos cumplía ver a Memling antes que a Van Eyck, era justo haber guardado las apoteosis final para este Memling, que es el puro entre los puros, el serafín. Él es quien ha convertido a Eva la contaminada en Beatriz la celestial. En Van Eyck se encuentran mujeres hembras, lo horrible del sexo, mientras Memling sólo nos presenta princesas Delgadinas como las del romance popular[369], azucenas entreabiertas sobre tallos que ninguna

---

[369] *Delgadina.*—La referencia a Delgadina como símbolo de pureza, alejada de «lo horrible de sexo» no es muy acertada, ya que en el mejor de los casos Delgadina es una víctima de los apetitos sexuales de su padre. Veamos lo que dice de este romance don Marcelino: «A pesar de lo brutal y repugnante de su argumento, o quizá por esto mismo, puesto que la casta musa popular (que casta es a su manera) no suele reparar en tales melindres, el romance de *Delgadina* es uno de los más populares de España.» (M. Menéndez y Pelayo, *Obras completas*, t. XXV, *Antología de poetas líricos castellanos*, t. IX, Madrid, C.S.I.C., 1945, pág. 250.)

El romance tiene muchísimas variantes, pero en casi todas Delgadina, encerrada por su padre y privada de agua, después de implorar inútilmente a

mano tocó... Así poco más o menos razona Limsoë. Juntos entramos en la catedral, San Bavón... El sacristán[370], agitando su clásico manojo de llaves, nos guía de aquí para allí, no nos perdona varias capillitas, nos fuerza a tragar los Crayer[371] y los Van der Meer...[372]. Mi sueco me da al codo, me hace guiños y señales de impaciencia y de protesta contra obtusidad semejante. Por fin nos permite el sacris (después de hacérnoslo desear bien) acercarnos a lo único que buscamos, el tríptico titulado *el Cordero Místico*.

Por el trecho que media entre el hotel y la catedral, Limsoë me había explicado detenidamente muchas noticias de este tríptico (que es fácil que usted sepa tambén, a menos que las haya olvidado de puro sabidas). En primer lugar, el capricho violento que inspiró a Felipe II (lo cual no deja de extrañarme, porque debemos suponer que si Felipe II tuviese tal antojo, no dejaría de satisfacerlo); los peligros que corrió de arder o hacerse astillas; cómo lo escondieron, porque un Emperador se escandalizaba de la desnudez simíaca del Adán y la Eva; cómo es ya difícil saber lo que allí resta de la labor de los hermanos, porque, al menos, dos paineles consta que no son

---

cada miembro de su familia que le den de beber, promete ceder a los deseos incestuosos de su padre, pero muere antes de que éste pueda realizarlos.

[370] El sacristán.—Doña Emilia había contado esta escena con ligeras variantes en uno de sus artículos de *Los lunes del Imparcial,* publicados bajo el título genérico *Por la Europa católica,* que después pasó a ser un libro con el mismo título: «Era el sacristán, que acudió por fin con su manojo de llaves, de estos que explican en voz nasal, la historia abreviada de cada objeto de arte y tienen establecido orden invariable para recorrer la iglesia. Quieras que no, seguí al grupo, el cual seguía dócilmente al sacristán, y tuve que tragar dos cuadros de Gaspar de Crayer, pálido artista de un periodo de agotamiento, un Pombus el Viejo (...) y hasta un Van der Noeir»... *El Imparcial,* 26 de agosto de 1901. Recogido en *Por la Europa católica,* ed. cit., págs. 100-107.

[371] Crayer.—Jasper Crayer (1582-1669). Sobresalió en los cuadros religiosos, de los cuales el más importante es la *Canonización de Santa Catalina,* en Gante. Trabajó en España y retrató al rey Felipe IV.

[372] Van der Meer.—Probablemente está refiriéndose a los Van der Meer malos, es decir, Bernard o Catalina, que tienen cuadros religiosos. De todas formas, es curioso que no se enterara de la existencia de Jan van der Meer, más conocido por Vermeer, cuyas escenas de interior son estimadas como obras maestras: *La encajera, El pintor en su estudio, Mujer pesando el oro.* En la época en que se escribe la novela, este pintor, confundido algún tiempo con sus homónimos, había sido ya descubierto y estudiado por la crítica francesa.

los originales... Después de todos estos antecedentes, que debieron prevenirme en contra de la obra de los Van Eyck, apenas me paro ante ella y quedo en un estado de arrobamiento, que ahora conozco que no me ha causado ninguna otra creación artística.

¿Es que pretendo que sea lo mejor de cuanto he visto? No. Probablemente es que está, en este momento, más relacionada con mi sensibilidad especial, en que tan singular transformación viene produciéndose. Habrá que explicarlo así; si no, no se explicaría.

Desde luego se trata de una obra maestra; eso no se discute; pero, además, es *la obra maestra* de este momento de mi vida...

¿Qué pasa en mí?, dirá usted. Sería a veces en plenitud de sentimiento, que ver a Van Eyck ni a Franz Hals.

Bueno; el caso es que me he puesto como loco ante *el Cordero Místico*. Por supuesto, que sólo hicimos caso del painel central, todo de la mano de Juan Van Eyck.

¿Cómo se lo describiría a usted?, porque aquí no valen ilustraciones ni monos fantásticos. De esta clase de pintura no se puede decir que esté bien o mal dibujada, que sea o no preferible su colorido a su diseño... Diseño y colorido son inseparables y no podrían modificarse en un ápice, dada la perfecta y sublime unidad de la intención del artista.

Es preciso no callar nada. Si se ríe usted... mejor; ríase cuanto quiera, no me enojo. Figúrese que el sueco y yo, que estábamos de pie y cogidos maquinalmente del brazo, trocamos una mirada, nos entendimos, y muy poquito a poco, sin soltarnos, arrastrándome él y yo cediendo, doblamos las rodillas, y así de hinojos sobre la tarima del altar nos estuvimos un cuarto de hora, veinte minutos. No sentíamos lo incómodo de la postura, y devorábamos con la alzada vista el cuadro. Nos lo queríamos meter más allá de los ojos y los sentidos. Nos apretábamos las manos de tiempo en tiempo, furtivamente.

Y la del sueco tenía corea[373], y sus ojos eran un lago verde,

---

[373] Corea.—Es una enfermedad grave del sistema nervioso central que se manifiesta por movimientos desordenados e involuntarios. En el texto se

en que había el misterio de las aguas dormidas, pero electrizadas... Vamos, ya escribo como en el manicomio. Todo se pega, y las sugestiones artísticas, en mí, hallan un *sujeto*[374] admirable. Sin embargo, no fue allí donde nos comunicamos mejor y nos convencimos del cambio de nuestro ser. Fue de noche, después de comer juntos por vez postrera, con la efusión de afectividad que trae consigo la certidumbre de que dos personas no han de volver a verse hasta sabe Dios, a lo sumo después de mucho tiempo, cuando ya el placer de estar juntos se haya disipado, sin culpa de nadie, por la ley de las cosas...

—¡Pero qué divino! —exclamaba el escandinavo—. Cierre los ojos. ¿Lo ve usted bien? Ya no es el fondo de oro de los bizantinos: he ahí el arranque, la iniciativa de los Van Eyck, relacionada con sus nuevos procedimientos de pintura, y que la hizo humana, sin quitarle lo celestial. ¿Ha visto usted aquel campo virgen, aquella primaveral vegetación, que es la misma de las campiñas de Flandes, y que el artista reprodujo tallo por tallo y salpicó de innumerables florecillas que parecen también vírgenes, impregnadas de un rocío tan puro?

—Sí, lo estoy viendo y lo veré toda mi vida. Aquella ciudad que se percibe en último término...

—La Jerusalén celeste —responde el sueco, perdida su mirada en el vacío—, la Jerusalén celeste, patria de las almas. Ese cuadro, entre sus condiciones asombrosas, cuenta la de ser cifra perfectísima de un todo, de una ley universal, y es superior a la Divina Comedia (que tiene igual asunto), porque mucho más sintéticamente, sin las crudezas de mal gusto y la brutalidad pastoral del Infierno, nos presenta esa ley: la concepción religiosa íntegra. Encierra la revelación y la redención, la iglesia militante y la triunfante, y para producirnos la emoción más honda no necesita recurrir a ningún elemento dramático bastardo, sino a la simbólica en toda su noble serenidad y hermosura.

—¡Y de qué manera está hecho! —exclamé—. ¡Con qué

---

refiere a temblor de la mano, se trata, por tanto, de una exageración expresiva.

[374] Sujeto.—Galicismo: objeto.

prolijidad sin pesadez están pintadas aquellas hierbas mullidas, bien olientes, los bosquetes de rosales, mirtos y naranjales en flor, las procesiones de figuras, los mártires, las vírgenes, con sus ropajes semi-azules, semi-rosados, como bañados por los reflejos del éter y de la aurora! Y las vestiduras que despiden majestad, y las caritas llenas de unción de esos personajes espléndidos, profetas, patriarcas, apóstoles, papas, obispos, emperadores de leyenda, solitarios y peregrinos, a quienes guía San Cristóbal! ¡Y los ángeles soñados, que hacen guardia a la Fuente de la vida, aquel surtidor tan cristiano que cae en un razón de mármol, y al Cordero, al cándido Cordero!

Callamos un momento, incapaces de expresar lo inefable con palabras siempre áridas y pobres, y el sueco, recobrando primero el uso de la palabra, me balbuceó:

—Voy a confiarle... Porque ya nos separamos, y en usted he hallado casi un hermano... Yo no habré visto en balde correr el líquido sacrosanto que llenó el Grial; y no habré contemplado estérilmente el misterio de la Sangre... Y además... Hace tiempo que mi consciencia trabaja, que el remordimiento de males que causé me lleva hacia Dios, que mi corazón reclama alimento, que necesito sentir mucho, deshacerme, abrasarme. El amor me ahogaba. Wagner me había despertado; Van Eyck espero que me dormirá otra vez en extático sueño. ¡Salgo de Gante convertido! ¡Soy católico!... Es decir, lo he sido siempre. Lo conozco ahora. Mi ideal estético ahí tenía que conducirme. ¡Nos hemos encontrado en un momento bien decisivo de mi vida! La de usted va a seguir su curso..., pero este amigo de pocos días le dirige un ruego: acuérdese de que la belleza no es sino lo profundo y refinado del sentimiento, y que la flor de la belleza es... lo que hemos sentido esta mañana en San Bavón: *el éxtasis*. No encanalle su pincel, no manche su pensamiento, sea casto, sea sencillo, vuelva al arte de los cuatrocentistas; y si quiere ser libre, véngase a vivir aquí, entre Memling y Van Eyck, guardando su dignidad, huyendo y renegando del arte si ha de servir para reproducir sensaciones comunes al hombre y al cerdo. No se deje atraer por el cebo de la naturaleza. La naturaleza no existe; la creamos nosotros; la naturaleza no es digna de atraer nuestra miradas sino en la hora mística de su comunión con lo sobrenatural, cuando la acaricia el soplo del espíritu. ¡La Naturaleza..., yo diría que es el gran cadáver del Paraíso, y los gusanos del sensualismo, rebulléndose, son los que prestan apariencias de vida a ese vasto cadáver!

Sobre este tema, el sueco, que a usted de seguro no le parece loco, y a mí hay ratos, no crea usted, en que tampoco me lo ha parecido, ni mucho menos, disertó hasta el amanecer —porque el tren que a él había de llevarle a Hamburgo para regresar a su patria por el Báltico, salía a las cinco de la mañana— y nos perdimos en un dédalo de confidencias y disquisiciones; en fin, vaciamos el alma. ¡Hablamos también de usted! Cuando se trató de correspondencia, Limsoë dijo:

—No estropeemos este recuerdo con cartas en que va resfriándose la mitad entre protestas y mentiras. ¡Démonos un abrazo... y hasta el cielo!

Le abracé conmovido. No lo estaba menos el neófito.

Momentos después el tren arrancaba, y desaparecía aquel extrañísimo periodista, en busca de sí mismo, hacia los nuevos horizontes de su sensibilidad.

Yo, después de dormir hasta las tres de la tarde, salgo hoy rumbo a París. Ya le contaré a usted mis triunfos, mis glorias... es decir, mis pobres retratos, y mi lucha, y lo que detrás viniere. ¡Allá os quedáis, encantados verjeles de la pintura, Rembrandt enigmático, Franz Hals dueño de los secretos, Rubens imperial, Memling celeste! ¡Allá te quedas, alférez abanderado, todo vestido de plata, todo viviente, como cuando enviabas besos a los balcones! ¡Allá os quedáis, fantasmas de la *Ronda nocturna* graves síndicos, meditabundos doctores que anatomizáis un cuerpo muerto! ¡Allá te quedas, *Cordero Místico!* Adjunta una fotografía... ¿Pero quién fotografía la beatitud?

El hombre que va a cruzar la frontera francesa —diré reproduciendo unas palabras de Limsoë— no es el mismo que la ha pasado con dirección a Bruselas, hace próximamente dos semanas...

V

París

Apenas quitado el polvo, tomado alimento, Silvio se dirigió a la residencia de la Porcel. Encontró cara de palo. La señora, algo indispuesta desde su regreso, apenas recibía. Ya avisaría al señor cuando la fuese posible dejarse ver.

Silvio entonces, alarmado, se encaminó a la garzonera de Valdivia, muy próxima al hotel de su enemiga y señora. Tampoco el brasileño se encontraba visible. Conferenciaba en aquel momento con su doctor, y nadie podía distraerle. Ya avisaría... etc.

Lago volvió a su hospedaje con las orejas gachas. No sabiendo qué hacer, escribió a Espina un billete suplicante y mimoso, de paso que la remitía el consabido retrato de las rosas, que, encajonado, había permanecido hasta entonces en poder del autor. El billete era un quejido, una deprecación; todo lo que pueden ser los renglones en que un hombre pone su esperanza. No se atrevía a mentar el proyecto de exhibición del retrato, pero lo anheloso del estilo, las reticencias tristes, eran sobrado elocuentes.

Respondió al punto Espina. «Se encontraba malucha; sin embargo, no tardaría en avisar a sus amigos para que admirasen un retrato muy bello, que dentro de poco, si las cosas continúan así, ya no se parecerá al original, habiendo que escribir debajo: Esta fue Espina... A la primer racha de mejoría, exhibición; y entonces podré tener el gusto de ver a usted, y que me cuente sus excursiones por Holanda, y sus aventuras, que no le habrán faltado... ¿Ha ido usted con alguna madrileña?»

493

Silvio temió que tan campechana misiva disfrazase una moratoria; duró cinco días la aprensión; a la mañana del sexto, otro billetito, esta vez muy lacónico, le hizo saltar. Se reducía a una invitación. «Esta noche, a las diez, taza de té y exhibición de retrato.»

El día corrió, como corren igualmente todos; los que pensamos empujar a la sima del tiempo con la violencia del deseo, y los que quisiéramos eternizar... y la noche vino, como viene sin falta para el día y para el hombre. Silvio sentía impulsos de danzar su acostumbrada danza inglesa, al punto de dar a un cochero las señas de la morada de Espina Porcel; al mismo tiempo estaba rendido; no había parado desde que recibió el billete, parte por necesidad de comprar varias cosillas, parte por entretener su fiebre de impaciencia. Creía ya pasada la barra de París, aseguradas subsistencia y fama naciente.

Al salir del hotel acababa de acicalarse despacio. Bien ajustado el talle por el frac; el pecho bombeado por la pechera de nieve; el pelo bonito, cenizoso, en calculado desorden, con arreglo de peluquero que no quitaban el gracioso desgaire natural; los ojos cambiantes, brilladores y radiosos de alegría; todo su cuerpo confitado en limpieza y perfumes del baño largo, las manos claras, pulidas; la blancura de la corbata haciendo resaltar la fresca palidez juvenil del semblante, y el reflejo de los dientes entre el bigote semidorado; tenía la apostura de un triunfador, cuya exterioridad comenta y confirma la leyenda de sus obras. A pesar de la calentura, se había retrasado a propósito para no hacer figura desairada madrugando.

A la puerta del palacete de Espina, divisó Silvio —buen agüero— una hilera de coches blasonados, en espera. Eran, en su mayor parte, de esas berlinitas egoístas, donde la parisiense, que corretea sola al través de la Metrópoli, halla modo de acomodar sus bártulos, el espejo donde se mira para arreglar un rizo, el reloj con funda de plata, que asegura la exactitud a pesar del ajetreo, el frasco de sales para el desvanecimiento, el tarjetero y el catálogo de visitas y señas... Silvio reconoció el coche, el blasón de la condesa de los Pirineos, que había visto a la puerta de Paquín.

Indefinible aprensión le salteó a este recuerdo ingrato. Subió aceleradamente los peldaños de ónix que conducen al vestíbulo, dejó su abrigo, entró en el salón bajo, que comunica por un extremo con la galería de las porcelanas, por el fondo con el jardín de invierno, y se encontró cogido en un remolino de gente, sin poder avanzar.

Casi estaba atestado aquel salón —no muy grande, como no lo era ninguna habitación en la residencia de la Porcel, idealmente puesto a estilo modernista, con verdaderos primores de decoración y mobiliario—. Aunque Silvio no conociese a la inmensa mayoría de los concurrentes, su sagacidad y lo observado en Madrid le dijeron que era la reunión lucida y de alto fuste. Había allí señoras del castizo arrabal; alguna celebridad masculina de las que mejor decoran, bellezas profesionales, estrellas del tonismo[375], figuras salientes de la colonia española, con la Embajadora a la cabeza, hartos galancetes, *sportmen*, agregados, hombres de caballo y club, diplomáticos, primates de la banca y algún periodista de la prensa diaria. Se esperaba a la Infanta, de paso por París, y sobre la hipótesis de su venida, que no se juzgaba segura, ni mucho menos, giraban las conversaciones. Silvio sorprendió al vuelo dos o tres. «¡Del autor del retrato», pensó enojado, «no habla nadie; sólo se ocupan de la Alteza...!»

Al pronto, no vio a la dueña de la casa. Consiguió deslizarse entre los grupos, cada vez más compactos, que obstruían la puerta por curiosidad de no perder la problemática entrada de la Infanta, y logró divisar a Espina, asediada de gente, envuelta en homenajes y almíbares. Al pronto dudó si era ella: tal marca de padecimiento había impreso aquel corto plazo de dos meses en el espiritual semblante, mucho más joven que su edad. Al observar el estrago del mal en la fisonomía de Porcel, Silvio notó que se conmovía, cosa inexplicable, pues no creía experimentar por ella nada que se asemejase a ternura, sino al contrario; pero hay en nosotros un ser, y aun varios seres, instintivos, que nuestro ser reflexivo ignora hasta que salen de las umbrías de la selva interior. Si hilamos delgado en nuestros sentires, locos nos volveremos. Silvio acaso se ablandaba, porque había aprendido en su reciente viaje a cul-

---

[375] Tonismo.—Habilidad en darse tono.

tivar la emoción, y porque, además, no habiendo creído las quejas escritas de la Porcel, tenía delante de los ojos su fundamento. Mentalmente, repitió la frase de Valdivia: «¡Pobre María! ¡Pobre enferma!»

Mucho, sin embargo, disimulaba los destrozos de la morfina, el artificio maravilloso para adornarse y componerse de aquella idólatra de lo artificial. El tocador de la Porcel, su modistería, encubrían —para quien no conociese tan a fondo como Silvio, por pericia de retratista y por haberlos contemplado horas enteras, empapándose de ellos, los lineamientos de las facciones y las luces y matices del cutis— la huella del envenenamiento. Vestía la Porcel con más originalidad que nunca: su traje era como formado de una nube de pétalos de flor, flor de gasa, con transparencias de seda plateada debajo. Cada pétalo llevaba cosido, al desgaire un diamantito, y flecos desiguales de diamantes formaban el corpiño y se desataban sobre los hombros. La cola del vestido parecía un copo de fina humareda, entre la cual nieva el almendro su floración y juega el rocío. Sobre el escote, las sartas, cerradas con extraordinario rubí. Silvio pensaba en el estigma, en la hinchazón negra. Todo el mundo ensalzaba a la Porcel: la *toilette* era un sueño. Y las señoras, en voz baja, se decían que era preciso sorprender, cuando Espina se moviese, sus zapatitos de tisú de plata, con hebilla de diamantes y rubíes —un hechizo—. Era la fuerza de Espina, su autoridad en el mundo —aquella intensidad de elegancia—. Silvio maniobraba con objeto de llegar hasta la señora, cuando le detuvo un conocido, el vizconde de Lenzano, español muy aficionado al arte, que solía pasar temporadas en París.

—¿No sabe usted? —díjole—. Esta mañana tuve un mal rato... He visitado al pobre Vierge...

—¿Urrabieta Vierge?[376] —exclamó Silvio con interés—.

---

[376] Urrabieta Vierge.—Daniel Urrabieta Vierge (1851-1904). Después de estudiar en la Academia de San Fernando marchó a París en 1869 y allí se dio a conocer en las mejores publicaciones ilustradas. En 1881 quedó paralítico del brazo derecho a causa de una hemiplejía, pero siguió dibujando con el otro brazo y superó la desgracia. Ilustró obras de Victor Hugo, el *Quijote* y el *Gil Blas*, que se anuncia en la novela.

¡Qué gran dibujante! Es un genio. He visto de él cosas que hay que quitarse no digo el sombrero, sino el cráneo.

—¡Y qué desdicha la suya! —murmuró el vizconde, arrastrando a Silvio hacia un ricón, para mejor desahogar, pues sufría depresión y la aliviaba comunicándola—. ¿Usted ya estará enterado?...

—No sé de Vierge sino que es un dibujante colosal.

—Sí, pero figúreselo usted paralítico. Sólo trabaja con la mano izquierda. ¡Paralítico, incurable! ¡Y si al menos le hubiese acometido el mal en la vejez! Pero no: era un muchacho, treinta años, cuando despertó así una mañana. Precisamente soñaba el hombre con subir (no sé si es subir) del lápiz al pincel; iba a ilustrar una edición de *Gil Blas*[377] que le pagaban espléndidamente, y con ese dinero y algo ahorrado, se prometía hacer lo que se le antojase, realizar sus ideales... Vea usted en qué momento cayó sobre él la enfermedad. ¡Qué vida la nuestra! —añadió, como si dijese cosa muy profunda.

Silvio, aterrado, calló. Sonábale aquella historia dolorosa a eco de su historia. El sueño de Vierge, el suyo, la Quimera de todos. Al revolver del camino, como en las estampas de Alberto Durero[378], la esqueletada con su segur[379].

Por un instante se absorbió en sombría meditación, abatiendo el vuelo y abismando el alma. Entretanto, la gente susurraba, chismorreaba, algunas señoras se retiraban como desdeñosas; la alteza no venía, resueltamente. La mejor señal de que ya no se contaba con ella —si alguna vez se había contado— era que la dueña de la casa empezaba a llevarse a la gente hacia la estufa y el comedor, sin preocuparse de abandonar el salón. ¡Fiesta *manquée!*[380]

---

[377] Gil Blas.—*Aventuras de Gil Blas de Santillana,* novela francesa, escrita por Lesage (1668-1747), siguiendo el modelo de la picaresca española. Durante algún tiempo se creyó que era traducción de un original español perdido.

[378] Alberto Durero.—Se refiere a los grabados de Alberto Durero (1471-1528), más difundidos y famosos que sus cuadros y dibujos. Debe aludir a los de la serie del *Apocalipsis,* el más famoso de los cuales es *Los cuatro caballos* (la Muerte, la Guerra, el Hambre y la Peste), o al que se conoce con el nombre de *Memento mei,* donde se ve a la muerte en figura de esqueleto, con la guadaña en la mano y montada sobre una cabalgadura no menos esquelética.

[379] Segur.—Hoz.

[380] Manquée.—Voz francesa: fallida, echada a perder.

Convencidos de la decepción los invitados, las conversaciones tomaban otro giro: la palabra «retrato», zumbaba, repetida en el aire. A Silvio se le enfriaron las manos un poco; su corazón dio un vuelco. Estaban enseñando su obra, y la gente, a su alrededor, hablaba de ella. Su aguda percepción le dijo que, bajo la admiración convencional de los salones, era la indiferencia, era cierto hastío, lo que aleteaba y bullía en el concurso, en gran parte al menos. Los inteligentes movían la cabeza; Lenzano, que había desaparecido un momento, retornó cejijunto. Varias señoras, sin embargo, se extasiaban: «¡Qué traje! ¡Qué delicioso buen gusto! ¡Qué habilidad la de ese hombre!» Y Silvio, clavado al suelo, temeroso de romper el encanto. Era, por otra parte, natural; de suyo se caía que la Porcel viniese a buscarle, le llevase ante la obra. Su actitud llamó la atención a la condesa de los Pirineos, la cual, del brazo del Embajador de España, volvería en aquel momende la estufa, murmurando: «Dejo sitio, la gente se agolpa allí.» Al divisar a Silvio, hizo cortesía al diplomático y exclamó:

—Permítame; hablaré un instante con uno de sus compatriotas, artista a quien conozco...

El diplomático se alejó discretamente, inclinándose. Silvio, halagado por la iniciativa de la gran señora, sin contenerse, preguntó:

—¿Se dignaría usted decirme, Condesa, qué opina del retrato?

—¿Pero no lo ha visto usted aún, señor Lago? —respondió algo evasivamente la dama.

—¡Figúrese usted si lo he visto! Demasiado quizá. Pero cuando se expone, el juicio de personas como usted...

—¡Oh! —murmuró la dama—. Usted me adula. No soy inteligente, nada de eso. Por otra parte, mi criterio disiente poco del de la mayoría. Los inteligentes verdaderos se muestran reservados, y hasta me parece que severos; yo, sencillamente, no me embeleso, pero creo que es un bonito adorno, una pintura agradable. Por otra parte, hace tiempo oigo decir que el artista desciende. A mí, su colorido siempre me pareció algo falso...

La cara de Silvio debió de expresar tal extrañeza, tal aturdimiento, tal imposibilidad de comprender lo que escuchaba, que la dama, repentinamente, se alarmó.

—¿Qué tiene usted? —murmuró, inquieta y turbada.

—¿Pero de qué artista habla usted, señora? —balbuceó.

—¿De qué artista he de hablar? Del autor del retrato que acaba de enseñarme Espina ahí en la estufa del señor Marbley.

—¿El retrato que exhiben es del señor Marbley? —barbotó Lago—. ¿Está usted segura? ¿No hay mala inteligencia?

—¡Dios mío! —afirmó la Condesa—. Vengo de verlo. ¿Qué sucede para que usted se demude así?

—Es para enloquecer —tartamudeaba él—. ¡Es para dudar de que uno existe! Señora, perdone usted; voy a cerciorarme...

—No —exclamó la Condesa, rompiendo a pesar suyo la valla de aristocrática reserva, arrastrada por la simpatía y acaso un poco por la femenil curiosidad—. No se precipite; ofrézcame el brazo... Vamos juntos... Le guiaré; a mí me abrirán paso más fácilmente...

Y echó a andar, resuelta, justiciera. Rompiendo por entre los grupos se dirigieron a la estufa. La Pirineos sentía el temblequeo del brazo de Silvio, enlazado al suyo. Entraron en el admirable jardín de invierno, donde Espina había conseguido reunir plantas muy extrañas, las que prefería. Una luz rubia, que hacía brillar las hojas bruñidas de los pandanos[381] y las hojas peludas de las dioneas[382], doraba las estatuillas de alabastro, que artísticamente colocadas se entronizaban sobre el follaje. Sus frías carnes adquirían un acaramelado de vida. La techumbre de cristal era tan clara, los vidrios tan grandes y diáfanos, que se creía estar al aire libre. En los ángulos manaban fuentecillas, y se escuchaba su goteo, entre los revueltos del vibrante vals que tocaba la orquesta de zíngaros, invisible en el fumadero inmediato. Olía a esencias de Oriente y a tierra regada. El vapor —ya en París empezaba a sentirse

---

[381] Pandano.—Nombre de la planta *pandanus spiralis*, arbusto (aunque puede ser árbol) que suele tener raíces aéreas, inflorescencias de gran tamaño y hojas grandes y espinosas en el borde.

[382] Dioneas.—Planta insectívora, vulgarmente llamada atrapamoscas.

frío— mantenía dulce temperatura. En el centro de la estufa, alrededor de un caballete dorado que era una filigrana de talla atrevida, modernista, se agolpaba el gentío tapando la pintura. La condesa, sin soltar al artista, se insinuó, hizo cuña con su persona prestigiosa, y se encontraron ante el retrato de Espina, obra de Marbley, en efecto ¡y tanto! Obra limada, lamida, resobada, de colorido acromano, con antipáticas pretensiones de originalidad suprema. Vestían a la Porcel tules negros, rebordados de una especie de arco iris; un traje estilo Fuller[383]; algo que, tratado por mano maestra, hubiera sido estudio interesante; y su pelo áureo, exageradamente flojo, formaba al rostro sin vida, de muñeca de Sajonia, una especie de aureola solar. El retrato era estudiadamente bonito, y sin embargo afeaba a Espina. Pero en aquel momento no importaban a Silvio tales pormenores; lo que le espantaba, lo que le dejaba petrificado, era la perfidia, era el escarnio, era la revelación de un odio tan diamantino, bajo un disimulo tan maquiavélico.

—¡Inconcebible! —murmuraba—. ¡Inconcebible! —y no sabía más que repetir la palabra mecánicamente.

—Señor Lago —insinuó la Condesa—, veo que no está usted bien. No conviene que se pare aquí. Vámonos a la galería...

Tiró de él, literalmente, y le condujo a la galería de las porcelanas, casi solitaria, que tenía puerta de salida al jardinete. Nadie se acercaba allí, donde más bien hacía frío; la gente que había detenida principiaba a repartirse entre el salón para dar unas vueltas de vals, y el comedor, abierto y servido con espléndidos refinamientos.

Con viveza, con interés, con algo de maternal en el gesto, la señora preguntó nuevamente al artista:

—En fin, ¿qué le sucede a usted? ¿Puedo tranquilizarle?

No sé qué tiene esto de la compasión sincera, desinteresada, que no sólo no da lugar a desconfianza, sino que suprime en un gesto, en un parpadeo, distancias de clases, océanos de

---

[383] Fuller.—Loie Fuller, bailarina estadounidense (1862-1928) famosa por sus coreografías, en las que la luz y las telas de los vestidos jugaban un papel muy importante.

indiferencia. Como en casa del modisto, Silvio fue de un impulso hacia la gran señora, que en otro impulso iba hacia él. Se rindió a la piedad que le ofrecían. La dama, por su parte, había olvidado —ella, la misma distinción, la misma mesura— lo que podía tener de insólito el aparte con un desconocido de quien sólo sabía el nombre y la profesión, que no era de su sociedad, ni de su círculo. No hay nada más irregular, entre las irregularidades sociales, que la actitud de intimidad repentina con alguien llovido del cielo. La Condesa de los Pirineos arrostraba, no ciertamente el descrédito, su buena fama era firme, pero esa nota de extravagancia que es el principio de la desconsideración. Mas por lo mismo que la Condesa de los Pirineos no es una mujer de decadencia, que en sus venas corre, con la sangre gloriosa y heroica de los abuelos, algo de sus energías; por lo mismo que esta mujer tiene conciencia de su alta situación, es capaz de infringir alguna vez el código mundano. Legitimista[384]; sobrina de aquellos príncipes de Robech[385], grandes de España, a quienes el Conde de Chambord[386] trataba como a amigos, en cuya casa conserva recuerdos familiares de María Antonieta, la Pirineos experimentaba simpatía especial por lo español. España era para ella —como lo fue para muchos hasta la pérdida de las colonias, y como lo es todavía para algunos—, país noble y desgraciado, caballeresco y mártir. Estas impresiones vagas y di-

---

[384] Legitimista.—Era el nombre que se daba en Francia a los partidarios de la rama de los Borbones, que reconocían por rey a Carlos X (o a su sucesor el conde de Chambord), destronado en 1830 por los partidarios de la rama de Orleans, que proclamaron rey a Luis Felipe I. Éste se mantuvo en el trono hasta 1848, año en que a su vez fue destronado y en Francia se proclamó la República.

[385] Príncipes de Robech.—La grandeza de España fue concedida a don Carlos de Montmorency, IV príncipe de Robech, el 8 de abril de 1713.

[386] Conde de Chambord.—(1820-1883). Fue el último descendiente de la rama de los Borbones de la Casa Real de Francia. Era hijo póstumo del duque Carlos Fernando de Berry, asesinado en 1829, y su nacimiento a los siete meses fue considerado por los legitimistas como un regalo divino, de ahí el nombre de *niño del milagro* con que se le recibió. Su resistencia a pactar con la rama de Orleans para reclamar el trono y su intransigencia con los principios de la Revolución frustraron todos los intentos de los partidarios de la monarquía para hacer triunfar su causa.

fusas pueden encarnar en un individuo capaz de infundir algún sentimiento de simpatía.

La dulce y poética figura de Silvio, su evidente consternación ante una misteriosa tragedia, provocaron la expansión con que la Condesa, atraída también por una curiosidad emocional, insistió, protectora, cariñosa.

—¿Puedo tranquilizarle? ¿Puedo serle útil?

—Gracias, señora... —balbuceó Lago—. Iba a salir de esta casa, iba a la calle, temeroso de cometer un desatino, porque hay cosas que se suben a la cabeza... ¡Perdón! ¡Me hace usted tanto bien! Ya que tiene la bondad de preguntarme, diré la verdad. Yo vine avisado por Madama Porcel para asistir a la exhibición del retrato hecho por mí, de un retrato que en Madrid se convino que lo verían gentes conocidas que pueden encargar... Llego, y lo que se exhibe es otro retrato del señor Marbley... Por eso no comprendía; por eso necesité ir al jardín de invierno, a fin de convencerme de que no la engañaba a usted la vista, cuando afirmaba que era de Marbley el retrato. ¡Mire, mire si ha sido ridícula mi situación en este sarao donde supuse que se reunían para ver algo mío, muy malo, muy insignificante, pero que podía asegurarme la vida en París!

La Pirineos replicó asombrada:

—Todavía dudo... No concibo que pueda hacerse cosa tan poco leal, tan poco disculpable... ¿Dice usted que Madama Porcel le ha escrito...?

Silvio sacó del bolsillo del frac su cartera y extrajo el último billetito de Espina. La Condesa lo tomó aprisa y lo recorrió.

—Aquí no dice que el retrato sea el de usted... Es una invitación como todas... Taza de té y exhibición... Verdad que en el mío añadía: «Retrato, obra de Marbley.»

Por respuesta, Silvio revolvió en la cartera un poco y descubrió la otra misiva, la del sobre gris con lacre blanco, fechada en el extranjero, y la tendió a la Condesa.

—Estoy siendo indiscreta —murmuró ella como a pesar suyo; pero no rehusó la carta: la descifró e hizo un gesto de desagrado, el que se hace a la vista de una lacra física o una bajeza moral.

—No dice aquí tampoco expresamente que el bellísimo retrato que va a exhibirse al regreso a París, y que ya casi no se parece al original, sea de usted; con todo, ya estoy segura. Las precauciones no se han olvidado un momento, la premeditación parece evidente. ¡Miseria! —murmuró hablando consigo misma.

—Sí —confirmó Silvio—, ¡miseria! Es cosa pensada, combinada fríamente. Es la segunda parte de la escenita, por usted, señora, presenciada y reprobada en casa del modisto...

—Siempre hay algo debajo de estas cosas... —murmuró la dama.

Silvio, en medio de su ira y su confusión, conservaba el sentido del gesto artístico, de la bella actitud. Su instinto le dictaba lo que era preciso decir y hacer para impresionar favorablemente a su repentina amiga. Con sencillez de buen gusto pronunció:

—Nada que ofenda a Madama Porcel suponga usted, condesa... Caprichos de mujer bonita, antipatías... ¡qué sé yo! Mi situación no es por eso menos crítica. Y, a no recibir de usted el generoso don del interés que me está demostrando...

—Es usted un hidalgo de su patria —declaró afectuosamente la señora—. Sea cualquiera el móvil de la conducta de Espina (no profundizo), esto no se quedará así. ¡Esto no se hace entre nosotras!

—Señora, yo respeto en medio de todo a Madama Porcel, pero no creo que tratándose de usted y de ella se pueda decir *nosotras*, debe mirar lo que dice.

La audacia no desagradó a la Pirineos. Concordaba con sus íntimos sentimientos, con protestas frecuentes de su altivez y su decoro ante ciertas promiscuidades y transigencias del mundo. Hay desplantes que son homenajes. Silvio lo comprendió al ver que un ligero carmín se extendía por las mejillas, ya algo marchitas, pero limpias de afeite, de su ilustre interlocutora.

—Acaso tenga usted razón... —articuló—. No he dejado de pensar. En fin, vamos, vamos, he de poner en claro esto... Cuando me acerque a Espina, desvíese usted un poco...

Regresaron al jardín de invierno y al salón modernista, tratando de conseguir el casi imposible de conferenciar con la

503

dueña de la casa, sin testigos, en medio de una reunión. La gente se retiraba, desfilando discretamente algunos, pero otros se entretenían en despedidas y felicitaciones, preguntando por qué el maestro no había concurrido a recibir enhorabuenas, y encargando a Espina que se las transmitiese. Los íntimos, o que presumen de tales, forman a esta hora piña más compacta, y se arriman a la dueña de la casa, para convertir en tertulia alegre lo que era ceremonioso sarao. Valdivia, sonriente, carenado por la cura termal, en apariencia el hombre más feliz del mundo, había abandonado el rincón del fumadero, donde se escondía desde la llegada de Silvio. Al ver que se acercaba la Pirineos, sola ya, buscándola, creyó Espina que trataba de marcharse, pues solía ser de las primeras en hacerlo; pero lejos de corresponder al movimiento de la Porcel, que tendía la mano para expresivo adiós, la Condesa se plantó tranquila, dominando sus nervios.

—¿Nos ha enseñado usted, *ma belle,* todo lo que se proponía hacernos ver esta noche? ¿Estoy mal informada al creer que nos oculta otro delicioso retrato, que a fuer de amiga del señor Lago —y con doble retintín que en casa del modisto, la gran señora recalcó la palabra—, ardo en deseos de admirar?

Espina, sobresaltada, vaciló un momento. Sus ojos de ágata, que la enfermedad rodeaba de livor disimulado por artificios, se fijaron en Silvio, cortantes.

—¿Otro retrato? —silabeó—. ¡Ah! Sí, en efecto, perdóneme.

—Pero ¿cómo no ha tenido usted la buena idea de exhibirlo al mismo tiempo que el del señor Marbley? —insistió la condesa, que se decía a sí misma: «Es muy incorrecto lo que hago... Pero sublevan demasiado ciertas infamias...»

—¡Oh! —dejó caer Espina lentamente—. Para exhibir, para convocarlas a ustedes, tenía que tratarse de un maestro... Lo de Lago es muy mono; un juguete, una fantasía...

—Sin embargo —insistió la Condesa—, el señor Lago esperaba, fundado en palabras de usted...

Hablaba ya fuera de sus casillas, perdido el aplomo a fuerza de indignación:

—Ya sabe Lago que se le protege —declaró altaneramente

Espina, que, al contrario, se aplomaba, recogiéndose para luchar—. No se puede ir tan aprisa; lo comprenderá, Condesa... No se quejará de mí... Lo he presentado a usted, por ejemplo... Lo demás vendrá a su hora...

—¡Me perdonará usted, sin embargo, que insista! Desearía ver hoy mismo el trabajo del señor Lago... Esperaré a que la sea fácil complacerme...

Se habían vaciado casi por completo las estancias. Quedaba la Villars-Brancas, que solía navegar de conserva[387] con la Pirineos, la joven Secretaria de la Embajada española, algunos muchachos adoradores y cortejadores de la Porcel en las barbas (sobre todo en las barbas, porque era más divertido) de Valdivia, y en un rincón, fiel a la consigna, Silvio, haciéndose el indiferente, esperando. El brasileño se había evaporado; no se le veía. Espina, escudándose en sus aniñadas versatilidades, rió y acercándose a la Pirineos, murmuró condescendiente:

—Ya que usted se empeña...

Hizo una señal al grupo, una indicación graciosa a las damas, y todos la siguieron. Silvio dudó un momento; al fin, lentamente, echó detrás. Se dirigían al piso de arriba, por la linda escalera que arranca de la antesala y que visten tapicerías simbolistas, ejecutadas expresamente para Espina a cartón perdido.

Guiados por ella, entraron en el saloncito verde, cuyo tapizado de seda desaparece bajo brocado de ramas de almendro en flor, y que procede a la rotonda y al tocador de Espina.

Ésta se volvió, animada, chancera, y empezó a deshacerse en excusas verbosas.

—Siento el viaje que les voy a imponer, pero como la Condesa desea ver el retrato ahora mismo... Si no, podrían uste-

---

[387] Navegar de conserva.—Puede ser traducción de la expresión francesa «naviger de conserve» 'seguir el mismo camino'. En francés hubo un deslizamiento entre «de concert» 'de acuerdo' y «conserve», que explica la frase.

En castellano, en el lenguaje marítimo, se da el nombre de *conserva* a la compañía que se hacen mutuamente dos o más buques en su navegación. La acción se expresa con la frase *navegar en conserva*. (*Diccionario marítimo español*, Madrid, 1831.)

des verlo mejor una mañana; yo lo bajaría, lo colocaría convenientemente...

—Pues ¿dónde lo ha colocado usted? —preguntó con sarcasmo fino la Pirineos.

—Es una desgracia... Como no tiene uno ya pulgada de pared disponible...

A esta frase de la Porcel dieron respuesta el ¡oh! exasperado de la Condesa y la risa sofocada de los galanes. Silvio, desde la puerta, oyó. No había medio de no reírse. En todo el salón sólo pendían de la pared dos diminutos y lindísimos grabados.

Silvio, aunque no era camorrista, sintió cosquilleo en las manos, ganas de hartar de bofetadas a los galancetes de la risa... ¿Por qué no se encontraba Valdivia allí? Y la voz de Espina, una flauta de plata, moduló:

—Vengan ustedes, excúsenme... Tengo que llevarles a mis habitaciones enteramente particulares.

Pasaron primero a la rotonda donde la Porcel se tendía y fumaba sobre la meridiana; después al tocador propiamente dicho. La Pirineos murmuró al oído de la Villars:

—¡Qué paseo tan extraño nos hace dar! Se me figura que tendremos que salir de aquí para siempre...

Todo el mundo se deshacía en elogios. Las habitaciones eran una delicia: no se parecían a ninguna otra. A su despecho, la misma Condesa reconocía el gusto de la dueña, su acierto exquisito.

Se olvidaba el objeto de la excursión, y sobre todo al autor del retrato, a Silvio, rezagado, estremecido presintiendo ya, sin comprender del todo aún. Iba como entre sueños por aquellas habitaciones que conocía de sobra, y en cuyas paredes buscaba inútilmente su labor... ¿Dónde estaba, no estando allí?... De pronto, Espina hirió un timbre y apareció la doncella de guardia, la mulatita brasileña que mil veces le había servido, de la cual había deseado hacer un boceto al pastel. Espina ordenó, en voz aguda:

—*Eclairez*...[388].

---

[388] Eclairez.—Imperativo del verbo francés «eclairer»: iluminar, encender la luz.

Y franqueada la puerta interior del tocador, se vio, al fulgor de las luces eléctricas, unas especie de ropero, una de esas habitaciones útiles, cubierta de armarios de barnizada y sólida madera, y en un rincón, medio tapado por los armarios que proyectaban sombra, entre una fotografía de jockey y un calendario —evidentemente el museo de la doncella—, el encantador pastel primaveral, el busto de Espina surgiendo del ideal boscaje de rosas, al parecer recién cortadas. Hubo un instante de embarazoso silencio. La intención despreciativa que semejante colocación revelaba era patente. Había allí mofa, bofetón. Nadie sabía qué actitud tomar. Al fin, uno de los galancetes rompió a reír, y los demás le hacían coro, cuando la voz de la Pirineos se alzó, dominando la explosión burlona.

—La felicito y la doy el pésame —articuló conteniéndose para mejor asestar el golpe—. La felicito, por tener tan hechicero retrato; y la doy el pésame por haberlo colocado donde ni aún sus conocidos podemos verlo, sin arriesgarnos a que nos tache usted de excesiva confianza. Deploro haberla tenido... aunque, bien mirado, a eso debo un hallazgo inestimable. Señor Lago —añadió volviéndose hacia Silvio, más blanco que enyesada—, no conocía su trabajo. Si la señora Porcel lucha con la dificultad de no tener sitio en su hotel moderno para una obra maestra, yo me alegraría de enriquecer con ella el viejo palacio de los Pirineos, o mi castillo de Alorne, que estoy restaurando. Y si usted, señora Porcel, no quiere deshacerse de esa monada, yo no por eso renuncio a poseer un retrato hecho por el señor Lago. No soy un modelo tan brillante, pero el arte lo vence todo.

Y con un movimiento de «gran aire», de altivez soberana velada en cortesía, la Pirineos tomó el brazo del artista, esbozó una ligera inclinación a la Porcel, sonrió a los demás y se retiró al través de las habitaciones iluminadas, perfumadas, por la escalera «digna de un zapato de raso», saliendo directamente al vestíbulo. Allí dijo a Silvio, con quien no había cruzado palabra hasta entonces:

—Hágame el favor de pedir mi abrigo.

Mientras el artista transmitía la orden, la casa, la reunión, la dueña, los concurrentes, daban vueltas a su alrededor. La

507

excitación nerviosa se desbordaba. Un torrente de sentimientos devastaba su alma impresionable. La vida le parecía otra. Y se asombraba, no de la malignidad de Espina, sino de que aquella malignidad la hubiese él saboreado un día como extraño confite, y la hubiese tenido por signo de elevación en las categorías humanas. Es de las cosas menos lógicas, pero más usuales, que el desarrollo natural de un carácter que conocemos nos sorprenda amargamente cuando nos afecta. Admitimos complacidos, bromeando, un bribón teórico, una malvada abstracta, y empieza la indignación cuando nos traicionan y nos hieren. Ahora le parecía a Silvio que lo verdaderamente distinguido y raro es la bondad, la justicia, la cólera contra felones y miserables. Se recreaba en la majestad de una gran señora, que era buena, tres veces buena.

Cuando la ayudaba a subir al coche, alzó hacia ella el rostro y la Condesa vio que los ojos del artista estaban vidriados por un velo de humedad.

—Niño, niño... —murmuró dulcemente—. Serénese usted... Esto pasó... Aquí tiene mi tarjeta para que sepa mis señas. Me encontrará, excepto los jueves, de tres a cinco. Me complaceré en presentarle a mis amigas. Confío en que retratos no le han de faltar.

Y como Silvio, entre un murmullo de respeto y enternecimiento, le besase la mano con unción, lo mismo que en casa del modisto, la Pirineos, firme en su preocupación del español creyente e hidalgo, añadió:

—Estamos en una triste época; y al ver lo que hacemos las mujeres de nuestra justa altivez, no debemos extrañar lo que hacen los hombres de la suya... Y no olvidaré esta lección. Escogeré mejor en lo sucesivo mis relaciones, y las conoceré, no sólo por la apariencia dorada y la vanidad frívola, sino por lo que no puede engañar, por su origen y sus antecedentes... Usted es extranjero, de un país noble, heroico. No crea que este tipo de mujer es el de la aristocracia francesa.

Tomó de los fuelles de piel de su berlina el *carnet* donde apuntaba sus visitas, y buscando rápidamente el nombre de la Porcel, lo rayó con un rasgo enérgico del lapicerito de oro.

—Adiós, hasta lo más pronto posible —añadió entre una

sonrisa y un saludo de la mano; y para dar fin a la escena, ordenó al lacayo.

—¡A casa!

Silvio se quedó de pie en la acera, palpitando de un gozo y de una esperanza que le movían a alzar los ojos hacia el firmamento, alto, estrellado y frío, con este gesto que hacemos involuntariamente para referir nuestras grandes emociones a algo mayor que ellas, a lo verdaderamente inmenso, a lo que nos envuelve y protege con su magnitud. La helada, que parecía descender de la majestuosa bóveda salpicada de joyeles de pedrerías, le sobrecogió; y la sensación glacial que recorrió sus venas y sus huesos se enlazó con la idea vagamente religiosa que descendía de los astros, de las constelaciones radiantes.

VI

Alborada

Sentada ante la mesa granítica, bajo el toldo claro de las acacias en flor, Minia Dumbría no acababa de resolverse a abrir el correo, y seguía enfrascada en un librote, cuya portada rezaba: *Argos divina. Nuestra Señora de los Ojos Grandes*[389]. El correo la producía fastidio, con los diarios que inunda la contradictoria información telegráfica, con las revistas también inficionadas de noticierismo intelectual, con el epistolario aburguesado por las postales; y siempre vacilaba al recibir el chaparrón de papel.

Acercó a pasar la baronesa, empuñando su tijera de podar y su navaja de injertar.

[389] Argos Divina. Nuestra Señora de los Ojos Grandes.—Se trata del libro del canónigo lucense don Juan Pallares y Gaiofo, *Argos Divina Sancta María de Lugo de los Ojos Grandes, Fundación, y Grandeza de su Iglesia, Sanctos naturales, Reliquias, y Venerables Varones de su Ciudad, y Obispado, Obispos y Arçobispos que en todos imperios la gouernaron.* Según consta en la portada, se trata de una obra póstuma, editada por un hermano y un sobrino del autor, con licencia, en Santiago, en la Imprenta del doctor D. Benito Antonio Frayz: Por Iacinto del Canto. Año de 1700.

Este libro es mencionado también en *Doña Milagros*, a propósito del nombre de una de las hijas de don Benicio Neiras: «Siendo niña aún, el penitenciario de Lugo, admirado de su cara pálida y perfecta como la de una imagen, y de sus ojazos guarnecidos con una rejilla de pestañas que parecían plumas de cuervo, la llamó *Argos divina,* nombre que un librote del siglo pasado da a la virgen del camarín de la catedral, más conocida por *Nuestra Señora de los ojos grandes» (Obras Completas,* t. II, Aguilar, 1694, pág. 362).

El libro en cuestión es una historia de Lugo y su provincia y ha sido reeditado, en edición facsímil por la editorial Alvarellos de Lugo, en 1988.

—Tienes ahí —exclamó— una carta de Silvio Lago. ¿Por qué no la abres?

—¡Verdad! —respondió la compositora—. Y ya no está en Busot. El timbre es de Madrid.

Rompió el sobre y descifró la epístola, de esa letra rasgueada, dibujada, que es la letra de tantos pintores.

—No ha mejorado —advirtió Minia—. Cansancio, sudores copiosos, inapetencia, destemplanza... En Busot debió de ser alta la fiebre... Dice que de noche sostenía animados diálogos con la caja de cerillas y la palmatoria... Que se batió tres días con una paella amotinada en el estómago. ¡Ah! Que nuestro Alejandro San Martín[390] le ha visto y le ordena campo, tranquilidad... Que te pregunte si permites que venga a reponerse un poco, antes de emprender el regreso a Francia...!

Preocupación grave se traslució en el rostro de la señora, y su mirada, a pesar de la edad tan viva y despierta, se ensombreció un momento, cruzándose ansiosa con la de su hija.

Las dos miradas expresaban un convencimiento igual. Minia fue la primera a formularlo.

—Viene a morir.

Y la baronesa, quebrada la voz, repitió:

—Viene a morir.

Callaron. La tarde era divina, serena, radiosa. Otros años, en el mes de mayo, habían tenido que usar pieles; pero en aquél, la primavera vestía de gala, el aire parecía entibiado por un hálito de amor. Los tapetes verdes manzana de la hierba se mostraban salpicados de ranúnculos, cicutas y prímulas silvestres; las locas gramíneas alzaban sus airones y desparramaban su lluvia menuda de mostacilla tamblante sobre invisibles hilos; las biznagas desplegaban su blanca umbela; las primeras mariposas, vanesas[391] amarillas y apolos de car-

---

[390] Alejandro San Martín.—Catedrático de Patología quirúrgica de la Facultad de Medicina de Madrid, autor de numerosas publicaciones científicas y médico muy conocido en la sociedad madrileña. Fue colaborador de *La Ilustración Española* y *El Siglo Médico*.

[391] Vanesas.—Mariposas que tienen el cuerpo y las alas de colores muy vivos: rojo anaranjado, castaño, azul y amarillo.

mín[392], revoloteaban nadando en un céfiro benigno, que las mecía con halago; y la vida inquieta, rebosante, de la naturaleza, se estremecía en el renuevo de la vegetación, en los gorgoritos frescos del agua del surtidor, que recae emperlando de rechazo las hojas carnosas, duras, de las últimas camelias. Minia contempla un instante el jardín, el prado, sobre cuya linde los rosales en lujosa floración tienden guirnaldas Luis XV. Y, pensativa, repite despacio:

—Viene a morir... ¿Qué le respondo?

La baronesa, en un arranque, grita:

—Que venga... Que nos avise, para esperarle en la estación con el coche... Y el lunes, a Marineda, a comprar mantas nuevas... Voy a enterarme de si hay sábanas en abundancia... Las asistencias piden ropa...

*

Silvio llegó como diez días después. En el andén le aguardaban muy preocupadas las señoras; sabían que ningún criado acompañaba al enfermo, y temían que viniese destrozado de tan largo y molesto viaje. No se engañaban. Para saltar del coche hubo que auxiliarle, que suspenderle. No le sostenían las piernas. En cambio, Bobita se disparó de la perrera como demente, con bricos de alimaña fantástica, con rugientes ladridos, y arrastrando al criado que la asía por la gramalla[393].

En el cesto, que corría por el ancha carretera hacia las torres, a la claridad franca del día despejado, Minia examinó al artista con esa avidez curiosa que despiertan las faces humanas donde buscamos la impronta del postrer sello. Aun descontando a la fatiga, la ofensa del polvo y de las partículas de carbón sobre la tez, todavía asustaba la cara de Lago.

---

[392] Apolos de carmín.—Mariposas de alas blancas, manchadas de negro las anteriores y con un par de ocelos (manchas redondas) rojos las posteriores.

[393] Gramalla.—Lo usa en el sentido de cadena que sujeta el perro. Puede tratarse de una adaptación de la voz gallega «gramalleira», que es la cadena de la cual cuelga el pote encima del lar. O puede ser una confusión con la voz francesa «gramalle», 'cota de malla' o 'vestidura antigua larga hasta los pies'.

Sus mejillas se hundían, y bajo la gorra inglesa de viaje, sus orejas de cera se despegaban y transparentaban la luz solar. Sus ojos, cercados de livor, mazados, tenían en la pupila esa transparencia acuosa que revela, antes que síntoma alguno, la rapidez de las combustiones que, desnutriendo el organismo, determinan la consunción.

Para disimular, Minia charló, chanceó. Al pronto Silvio respondía animado; luego pareció abatirse. Enmudecieron. A una revuelta, el artista preguntó:

—¿Llegaremos pronto?

—Enseguida —afirmó la baronesa mintiendo piadosamente—. ¿Qué, no conoce el camino? Media legua faltará.

—Es que no veo la hora de estar en Alborada... Allí enseguida voy a ponerme bueno.

—¡Enseguida!... Es decir, a los pocos días... Le daremos cosas muy sanas, muy rica leche. Ya le tengo un pellón de manteca fresca, de la que le gusta. Y pollito asado, *lirpas*[394] y marisco.

Silvio sonrió con placer pueril.

—¡Es lo único que necesito! Comer mucho, y cosas que me sienten. Lo que yo tengo no es más que eso: la pícara inapetencia, y, de ahí, la debilidad, pero ¡qué debilidad, Minia! No puede usted figurarse. Una desesperación. ¡Ahora que me faltaban manos para tanto retrato como en el otoño me saldría en París!

—No hable usted mucho; cuidado —advirtió Minia.

Involuntariamente se palpó la falda, hacia donde caía el bolsillo. Acordábase de que en él llevaba una carta de Alejandro San Martín, el cual, habiendo reconocido a Silvio, hablaba de pulmón atacado ya de tuberculosos difusa.

—Va usted a ser juicioso, a dejarse cuidar —agregó la baronesa.

—Sí —repuso él—; pero no me ha de embutir usted con el atacador... ¿eh? Comeré de lo que se me antoje, la cantidad que quiera. Y mejor si no me enteran antes del menú. Estoy

---

[394] Lirpa.—Voz gallega. Es un pez muy parecido al lenguado, pero de menor tamaño. Se le llama también lirpia.

muy caprichoso... ¿Se acuerda usted de cuando yo decía que la felicidad es una buena digestión?

Calló, y dejó caer la cabeza, dando señales de desfallecer. La baronesa ordenó al cochero.

—¡Arrea! ¡Aprisa!

Restalló la fusta, trotó largo el tronco, y un granujilla de la aldea, que iba agarrado al juego trasero sin que le viesen, rodó al polvo, mientras otros de su calaña, que diableaban en la cuneta, chillaban a coro con entonaciones burlescas:

—¡Tralla atrás! ¡Tralla atrás!

Silvio, confortado, sonrió.

—¡Cómo conozco todo esto! Aquí, y solo aquí, ¿lo oyen ustedes?, está la vida.

Revolvían ya por el provincial que entre pinares y labradíos conduce a Alborada, paisaje más campestre, no profanado aún por la promiscuidad de tabernas y tenduchos que festonean el real. Desde que nos acercamos a Alborada hay más soledad, más rusticidad, huele a trementina, a madreselva, a lejanas brisas salitrosas, a fiemo[395] de vaca. Se corta la cinta de villas, casuchas, molinos, tapias, prolongación de los arrabales de la floreciente Marineda, y entramos en la región aldeana, en la Mariña rural. El aroma resinoso de los pinos que brotan su tierna ramalla encantó a Silvio.

—¡Qué fresco tan delicioso! —murmuró—. En Alicante y Madrid, el calor me agobiaba. ¡Sudar siempre! ¡Derretirse!

Habían pasado ante quintas antiguas, ante otra de enverjado moderno; y a la nueva revuelta surgieron las blancas Torres, caladas por ventanales atrevidos, dominando el valle, resaltando sobre un fondo de arbolado sombrío, denso, sin límites visibles de murallas.

Minutos después Silvio descendía del coche en el patio. Su habitación estaba preparada, su cama hecha. Propusiéronle que se acostase sin tardanza; se avino, y del brazo de un criado antiguo destinado a servirle, subió las escaleras casi exánime. Pero encontró agua templada, jabón, toallas; el servidor abrió la maleta y le sacó ropa limpia, le cepilló la de paño; y aseado,

---

[395] Fiemo.—Estiércol.

reanimado, quiso bajar, cruzó el atrio de la capilla, y por su pie se acercó a la mesa de piedra.

En vez de las sillas de hierro le trajeron una butaca ancha y cómoda, y se dejó caer en ella, rendido, pero entusiasmado.

Ansiosamente contempló el panorama. La tarde caía; el crepúsculo iba a ser interminable. Era difícil explicar en qué se notaba que el día tocaba a su fin; acaso en que la claridad era mansa, como enlanguidecida, velada por misterioso tul que no podía llamarse sombra. Todo reposaba tranquilo. El poniente se esmaltaba de nácares delicados, como los de las auroras. Los montes lejanos, la ría que engañaba fingiendo un lago cerrado por anfiteatro de colinas, se teñían de matices armoniosos fundidos suavemente, de pastel pasado. Bajo la terraza, las madreselvas intensas y las grandes daturas[396] venenosas aromaban intensas. El humo de las cabañas flotaba inmóvil en la paz del cielo y del suelo. Y, de lo alto de las acacias, llovían con regularidad, acompasadamente, las blancas florecitas, aljofarando la arena, y se creería que su descenso era una cadencia musical, un ritmo de melancolía. El lucero empezaba a ser visible. De la parroquial de Monegro vino el toque de oración.

Silvio alzó la cabeza transportado.

—No quisiera ahora haber salido nunca de aquí: ¡Cuando pienso que me había jurado no poner los pies en Alborada hasta ser célebre!

—No piense ahora en eso... Descanse... Lo que tiene usted será agotamiento, Silvio —advitió la compositora—. Ha sufrido usted mil ansiedades, ha padecido mil privaciones, y eso destruye...

—¡Ah!... Ya sé que esto no es de cuidado... —murmuró él lleno de optimismo—. Pero ¡qué contrariedad! ¡Qué desbarate de planes! Ahora debía yo encontrarme en el estudio de Dagnan Bouveret, o en el castillo de la Condesa de los Piri-

---

[396] Daturas venenosas.—Las daturas son plantas que proceden de las regiones tropicales de Asia y América. La variedad más importante es la *datura stramonium*, que produce el estramonio, que contiene la daturina, un alcaloaide utilizado en medicina contra el asma, pero que a grandes dosis (como todos los alcaloides) resulta venenoso.

neos, pintando un techo para el gran salón... Y ¡preso! ¡preso! —añadió, olvidándose de los himnos antes entonados a Alborada.

Miraron hacia el camino: por él cruzaban figurillas pintorescas. Eran, travesando, pegándose, los niños de la Escuela de las Hijas de la Caridad, fundación hecha por una vieja ricacha; era un cura de aldea, de sombrerón de fieltro, caballero en un rocín; era un inmenso carro de ramalla que atascaba el anchor de la carretera; era una pescadora de Areal, de retorno, con su patela ya vacía. Y cuando se despobló el camino, cuando dejó de pasar gente y se extinguió el chirriar de los carros, exclamó Silvio:

—Sale la luna... ¡Tengo frío!

Se recogieron a casa. Silvio, los primeros días, mejoró visiblemente. Una persona inexperta hubiese podido creer que la tuberculosis se batía en retirada. El júbilo de recobrar unos asomos de fuerza hacía que el artista cantase ditirambos al campo, a la existencia sin agitaciones, a la ubérrima abundancia que las torres ofrecen. Las bellas tardes, secas, aromadas, elásticas, del luengo mayo, se las pasaba indolentemente echado entre almohadas, ya en la hamaca de cuerda, ya en la butaca de persia a floripones, considerando, sin saciarse, los juegos de la luz en el panorama extendido frente a la terraza, y el espejo azul o acerado del trozo de ría que se columbra a lo lejos, entre el marco de felpón de los pinares y los eucaliptus. La paz de las cosas recaía sobre su espíritu, y el descanso de no tener que pensar en nada material le causaba hasta humorísticos transportes.

Una tarde gritó:

—¡Calla! ¡Ahí vienen mis augustos primos!

Ya llamaba Sendo a la campana de la verja. Su frescachona mujer se había parado un poco atrás, sosteniendo en equilibrio sobre la cabeza una cesta de mimbres, posada en un ruedo de paja y tapada con un paño níveo. De su mano derecha colgaba el segundo de sus chicos, el que llevaba el nombre de Silvio, aunque no fuese su ahijado. El pequeño resistía un poco el impulso de la mano materna; era evidente que entraría contra gusto.

Abierta la verja, Silvio les miró avanzar por la larga calle

517

de magnolias, con un paso medido, ceremonioso. Se acordaba de su llegada a Areal, del almuerzo de sadinas saladas a granel y vino *pifón,* y sentía una pena nostálgica, como si aquel recuerdo se refiriese a tiempos de gran felicidad, ya desvanecida, imposible de gozar otra vez. Y sin embargo, entonces estaba en los comienzos de su lucha, incierto, abandonado, con leve esperanza. Entonces, el ideal hubiese sido lo de ahora...

La familia penetró en el circuito que sombrean las acacias, saludando con premura, insistencia y afectado regocijo. Las señoras creyeron deber dejar solos a visitadores y visitado. María Pepa no pudo, al ver a Silvio de cerca, reprimir un movimiento de franca compasión, que le salió a la cara, más que nunca trigueña y dorada como el bollo que acaban de desenhornar —mientras Sendo forzaba la nota de cordialidad alegre, repitiendo con falsa admiración:

—¡Estás muy gordo! ¡Estás más gordo que antes! ¡Estás rufo!

El niño se había ocultado —temeroso de aquella faz cérea, de aquella morada de señores—, tras las faldas de su madre, y ésta, arrimándole un moquete, destapaba la cesta, descubriendo bajo el blanco mantel rudo una empanada decorada con jeroglíficos de tirillas de masa, el tradicional dibujo que tal vez recuerda un arte primitivo. Olor apetitoso se derramó por el aire. La baronesa llegaba en el mismo momento precedida del criado, portador de amplia bandeja, y en ella bizcochos, mantecadas, una jarra de recién ordeñada leche.

—Aquí trajimos esta pobreza, porque al primo le gustan las sardinas en empanada —declaró Sendo excusándose—. No se ha podido arreglar cosa mejor...

—Huele a gloria —afirmó Silvio, engolosinado por capricho súbito.

—Ahora, mejor será que tomen leche todos —ordenó la baronesa—, y este pequeño, que se acerque; darle mantecadas.

—Aquí, nene —suplicó el artista—. Otro día que vengas temprano te he de retratar. Eres rubio y bonito. Y a usted también, baronesa, la retrato seriamente. Ya estoy deseando trincar los pinceles o los lápices... En Busot nada he pintado, ni estos últimos tiempos en Madrid...

—Pero allá en Madrid y en París de Francia, ¿ganabas mucho, verdad? —murmuró como a su pesar Sendo. Y desmenuzaba atentamente al primo, buscando en la ropa señales de la ganancia.

—Lo que gané se fue volando —respondió él con alarde de buen humor—. No creas que vengo millonario... Eran los dineros del sacristán.

La baronesa sonreía. Sabía que Silvio, para emprender su viaje, había necesitado que le diese mil pesetillas una de sus mejores y más desinteresadas protectoras. Y se representaba las ideas que bullían en el cerebro de la pareja artesana, visitada por la prosaica, pero dulce Quimera del primo poderoso en virtud de aquellos santos y aquellos monifates que trazaba sobre el papel, y que (no se sabe la razón) valían tantos cuartos y tanta honra.

El panadero sospechó que su primo «se lloraba», ocultaba la riqueza por no compartirla.

—Luego quiérese decir, que todo lo despabilaste, ¿eh? —murmuró en tono reticente.

—Todo... o poco menos —recalcó Silvio—. Pero ¡no importa! Ahora es cuando voy a ganar... —y el velo de ilusión cubrió sus verdiazules pupilas—. Ahora sí que os prometo que el mayorcito... o si no éste, que es tan guapo... corren de mi cuenta.

Como en aquel momento se acercase la danesa impetuosa, brincadora, ladradora, dispuesta a saltarle el cuello a su amo —el niño, aterrado, rompió a llorar.

—¡No quiero! —cuchicheó a su madre—. ¡No quiero que este señor me lleve! ¡Está difunto! ¡Está difunto!

La panadera le tapó la boca con su mano recia, carnuda.

*

Los doctores venidos de Marineda mostráronse conformes con el diagnóstico de su ilustre compañero de Madrid. Tuberculosis difusa... La más grave, la más rebelde... Existía, sin embargo, una leve diferencia de pronóstico. El doctor Moragas[397], más desengañado, no dejó esperanza alguna. El doctor Lemasis todavía fiaba un tanto en el régimen, en el descanso, en la sobrealimentación, en los cuidados de la baronesa, gran enfermera...

—Al aire libre todo el día... Las ventanas de su aposento, que nunca se cierren... Que coma lo más posible, platos nutritivos... Si aumenta de peso, nos hemos salvado... Tísico que engorda, tísico que cura... La tisis es un fenómeno de desnutrición... Huevos, huevos, aves blancas...

Y empezó en Alborada una época de incesante preocupación alimenticia. Pilara, la mayordoma, excelente cocinera al estilo sencillo y suculento de nuestros abuelos, se consagró a aderezar piperetes y golosinas, a variar, evitando el hastío. Salieron a relucir los flanes, las natillas, los huevos moles, los ladrillados trasudando almíbar, el tocino del cielo, las mantequillas, los roscones, las torrijas, las compotas balsámicas, el chantilly con su toque de vainilla negra sobre el armiño de la crema untuosa. El doctor había aconsejado «disfrazar» los huevos y los laticinios. La baronesa en persona vigiló los asados y los *beefsteacks*. Las pescadoras que cruzaban ante el portalón eran llamadas, para que trajesen en el viaje próximo lo más «vivo» y selecto de mariscada y pesca. Silvio, antojadizo, rechazaba la mayor parte de los platos; pero a veces se entusiasmaba con un manjar, y de aquél devoraba ávidamente. Hubo almuerzo en que se le presentaron doce o quince platos diferentes en fuentes diminutas —pues la comida en cantidad le repugnaba—. La baronesa hacía el panegírico. ¡Qué bueno, qué sabroso! Que comiese, que comiese; el campo haría lo demás...

Y como en el sillón empezaba a fatigarse, se le improvisó una camacatre, mullida, coquetona, con colcha de pabellones, para que pasase las horas de sol echado en el jardín de la

[397] Doctor Moragas.—Casi con seguridad encubre este nombre a don Ramón Pérez Costales, médico amigo de doña Emilia. Ver Introducción. Aparece como personaje importante en *La piedra angular* y como personaje secundario en *Doña Milagros* y en varios cuentos. Lo mismo que Galdós, doña Emilia echaba mano de él cuando necesitaba un médico en sus relatos, recurso que se conoce con el nombre de «retorno de personajes» y que contribuye a dar la impresión de realismo que buscaban los autores.

fuente. Los prefería a la terraza ahora, por ser, de los jardines de Alborada, el más florido y alegre en aquella estación. La musiquita lenta, cristalina, flébil, como de manucordio[398] antiguo, que hacía el surtidor, arrullaba al enfermo, le ayudaba a conciliar un sueño menos fabril que el de la verdadera cama, donde se liquidaba en sudores mortales. A ratos, dormitaba; a ratos, abría lánguidamente los ojos, y su mirada, infinitamente lacia, se posaba, con destellos de placer, en la floración que le rodeaba y que halagaba su sibaritismo, envolviéndole en la embriaguez de los efluvios primaverales.

*

Las tres de la tarde serían. No hacía calor: casi nunca lo hace en Alborada: una brisa deliciosamente húmeda abanica siempre a las celestes Mariñas. Silvio, adormilado, despertó, porque el aire, cargado de penetrante perfume de azucenas y de gotitas microscópicas arrancadas al surtidor, acababa de acariciarle las macilentas sienes. Medio se incorporó, suspirando. Minia estaba allí, en una mecedora.

—¿Por qué se ha vestido usted de un color tan oscuro? —refunfuñó el artista.

Tenía esta exigencia: que el traje de las mujeres fuese claro, delicado, y de última moda.

—¿Pero a usted qué le importa cómo me he vestido? —protestó ella riendo—. Ahora iré a ponerme el traje de batista perla con entredoses, ya que le da a usted por ahí... Figúrese que vengo de dirigir a los picapedreros y se llena uno de arena y de barro... Pero le comprendo a usted bien. El jardín, con este océano de azucenas en flor, está muy artístico, y usted no quiere nada que descomponga el cuadro... La casualidad se lo va a completar. Mire usted...

—¡Qué hermoso! —no pudo menos de exclamar el pintor.

---

[398] Manucordio.—También llamado manocordio, espineta sorda o sordina es un instrumento de teclado, variante de la espineta, del clave o clavicordio. Tenía cuerdas de latón o acero que se hacían vibrar por medio de una lámina o plancha de metal colocada verticalmente en el extremo de la tira de madera a la cual correspondía la tecla.

Por calles tortuosas, bajo el arco de tupida yedra, asomaba un grupo de tres monjitas. Eran las Hermanas de la Escuela cuyo edificio se divisa desde toda la posesión de Alborada. Vestían su humilde traje, rematado por las tocas, que envuelven en sombra y calma el rostro, pero una de las hermanas se diferenciaba de las demás en extraños detalles de su atavío. Silvio creyó soñar, al ver sobre el pecho de la monja, al lado izquierdo, un ramo de azahar de cera, y sobre su cabeza una corona de flores hierática y rígida, alta como las de las imágenes del siglo XVII. La carita oval, pequeña, de una infancia de líneas digna del pincel de un primitivo, la iluminaba la pasión y la radiación de dos ojos negros, murillescos, melados. Un júbilo candoroso, apenas reprimido, se leía en ellas, en la boca bermeja en la frente reducida y aureolada por la blancura de la toca; y al divisar a Silvio, la piedad sustituyó a aquella enajenación de triunfo.

—¿Es el enfermito? —preguntó—. ¡Qué jovencito! ¡Pobre!

Y las dos monjas acompañantes de la desposada, más expertas, se apresuraron a decir:

—¡Pero ya está muy repuesto!... ¡Ya parece otro!

—Es sor Margarita, la parvulista, que ha profesado esta mañana —explicó Minia—. Hoy está de novia, celebra sus bodas.

—De novia está servidora, por cierto —repitió la cándida voz juvenil.

—Refrescaremos luego —advirtió Minia—. Sor Margarita, siéntese junto al enfermo, para que la vea.

—¡Nuestra Señora le sane! —deseó fervorosamente la desposada.

—¿Por qué la llaman a usted parvulista? —preguntó Silvio a sor Margarita.

—Porque servidora es la que enseña a los pequeñitos —contestó la monja—. Los pequeñitos, los párvulos...

Hablaba de los niños con inflexiones muy suaves. Bajaba los ojos, ruborosa, Silvio la contemplaba, y veía temblar sus negras, pobladas pestañas, sobre la mejilla sonrosada, de una tersura maciza de capullo. Y, detrás de sor Margarita, las azucenas formaban semicírculo, como el fondo de una página de misal. Las había muy abiertas; otras no desabrochaban aún, escondiendo en su seno de perla peraltada el oro de sus pistilos. Silvio no se acordaba del mal. Absorto en el hechizo de aquella acuarela —la monjita, con su corona hierática y su ramo de azahar sobre el pecho, rodeada de las flores marjanas, envuelta en el perfume de sus incensarios místicos—, no pensaba en otra cosa. Entre el canto del agua del surtidos —no menos puro, no menos musical—, escuchaba un acento que repetía:

—¡Nuestra señora le sane! ¡Le dé lo que más necesite! Por el día en que estamos se lo he de pedir...

Dos horas después, Silvio secreteaba a Minia:

—¿No cree usted que la monjita ha de pensar algo en mí, al quedarse sola, aunque no quiera?

Minia sonrió de la fatuidad candorosa del artista... Lo que había exclamado sor Margarita al salir del jardín era esto:

—¿Se dispondrá? ¿Le ocurrirá cuidar de su alma? ¡Dichoso él entonces!

Y las dos monjas mayores repitieron:

—¡Dichoso él entonces! Y se va a quedar como un pajarito, a la hora menos pensada...

Preocupado aún, Silvio murmuraba:

—¡Qué mona es esa esposa... sin esposo!

—¿Sin esposo? —repitió Minia—. De las mujeres que conoce usted, ¿es ésta la que está sin esposo? Piense en las demás... en sus amigas... ¿Es tener esposo tener al lado un señor de bastón y gabán? La parvulista tiene esposo; vive por él, con él. Acuérdese usted de lo que me escribió desde Holanda, cuando pudo usted contemplar el *Cordero Místico*... Hay una verdad, una verdad que no está en el barro, ni en la fisiología...

Y el artista, riente como niño que olvida sus miedos, aprobó:

—Está tal vez en las azucenas...

—Está de fijo en las azucenas —confirmó Minia—. Todo lo demás es bien deleznable.

—Parece una niña la parvulista —observó Silvio.

—Joven es, pero no tanto como representa; su inocencia le sirve de infancia. ¡Si supiese usted a qué trabajo se dedica!

Toda su enseñanza es de viva voz. Hay días en que se acuesta despedazada, hecha trizas la laringe.

—Contraerá una tisis —pronunció Silvio, apiadado, sin reflexionar. Y Minia, asombrada de la ironía de las cosas humanas, de aquel moribundo vaticinando a un ser todavía sano su mal mismo, suspiró.

—No suelen llegar a viejas estas parvulistas... —dijo—. Sor Margarita, hoy, era una rosa entreabierta, pero a diario está muy pálida consumida. Quiere de un modo infinito a los pequeños, y aunque hagan mil trastadas, no los castiga jamás. Madre es, madre entrañable... No diga usted lo contrario.

—Lo que digo es que quisiera retratarla, sobre esta línea de azucenas, con su corona de flores y su azahar sobre el corazón. ¡Que hermosa es la primavera, Minia! ¿Cree usted que se dejará retratar la monja?

—¡Estoy segura de que la superiora no se lo permite...!

*

La sacudida se prolongaba en los nervios de Silvio. Llamaradas breves de arte, de gloria, encendían su diaria calentura. Habiendo comido un poco mejor, reposado algo, recibido la benéfica influencia del renuevo, de la germinación y expansión de la naturaleza, esperanzas, impaciencias, llamamientos de lo exterior le soliviantaron. Y una mañana, al rechazar la bandeja con la copa de leche vacía, susurró al oído de la baronesa:

—¡Estoy mejor!... ¡Estoy mucho mejor!... He resuelto empezar a pintar. Iré por ahí, tomaré apuntes de paisaje...

Nadie le contradijo. Levantado al otro día más temprano que de costumbre, afeitado, aseado, galvanizado, dijérase que, en efecto, recobraba la salud por instantes. En la sala del piano, donde acostumbraban pasar la velada, sobre anchurosa mesa antigua, de caoba lustrada por el uso, dispuso el artista que se colocasen y extendiesen los chirimbolos del oficio. De todo había traído en abundancia: rollos de papel, cajas de lápices, lienzo imprimido, pinceles, tubos de color; la baronesa suministró el caballete. Domingo, el criado que atendía al artista enfermo, sin repugnancias ni aprensiones de contagio, acudió solícito a evitarle la fatiga, a arreglar y limpiar tanta menudencia. Mientras el servidor frotaba, ordenaba, dejaba la paleta libre de cazcarrias de color seco, reluciente de aceite como bruñida, Silvio, desde su sillón, seguía las operaciones con ansia, pareciéndole que se tardaba mucho en terminar. Sobre un tablero extendieron el papel gris y lo sujetaron con chinches: Silvio no sabía si empezar por un pastel o un óleo, y también en largo bastidor le clavaron lienzo... Cuando todo estuvo corriente, formado, en orden los pinceles, las brochas, las buretas, el frasquito del barniz secante, a buena distancia el caballete, levantóse Silvio, rechazó la manta con que la baronesa le había cubierto las piernas, como siempre —y a paso vacilante se acercó a la mesa, exprimió color de los tubos, encajó el pulgar izquierdo en la paleta, agarró el tiento[399], un puñado de pinceles... Quería «manchar» cualquier cosa... De repente un vértigo le cubrió de sombra las pupilas, una mano de bronce le cayó sobre el pecho: era la palma de un gigante oscuro, que había entrado por la abierta ventana, y que le arrancaba del manotón paleta, pinceles, todo... Y desvanecido, Silvio soltó paleta y tiento, y recayó en el sillón, gesticulando como un poseso. Sobrevino el ataque de nervios, anunciado por el primero de los rugidos estertorosos que habían de llegar a ser forma usual y aterradora de su queja...

Desde aquel momento, los trebajos de pintar desaparecieron; el artista no volvió a reclamarlos, no porque se hubiese penetrado de la verdad tremenda, sino porque sus fuerzas decaían, y entraba en ese periodo en que el enfermo no atiende sino a sufrir. No era su lenta agonía la extinción suave, insensible, de la vida del pájaro, que habían predicho las monjas; entre todas las formas del mal, había tocado en suerte a Silvio la más cruel. Su enfermedad empezaba a ascender hacia la cabeza. Por momentos, las alucinaciones de Busot volvían, pero no humorísticamente, sino terribles, delatoras de que un

---

[399] Tiento.—Es un bastoncillo que el pintor utiliza para apoyar en él la mano derecha, en trabajos que exigen precisión y buen pulso. Se coge con la mano izquierda y se apoya sobre el lienzo por uno de sus extremos, rematado en un botón o perilla redonda. La mano derecha, que lleva el pincel, puede así apoyarse sobre el tiento.

instinto misterioso anuncia siempre a nuestra sensibilidad lo que la razón impotente y torpe se resiste a ver. Mientras Silvio creía, despierto, que recobraría la salud, dormido, el alma le avisaba, profética, con graznidos de ave sepulcral.

Sobre todas las demás sensaciones angustiosas, percibía una, casi intolerable: la de la disociación. Silvio, que tanto había aspirado a sobrevivirse afirmando su individualidad victoriosa, sentía vagamente disolverse los elementos que la componían. Era sin duda el trabajo sordo, oscuro, de la enfermedad en su cerebro, desbaratando esa trabazón de las percepciones en que se basa la unidad de la conciencia; era el soplo del mal, haciendo oscilar la luz, columpiándola antes de extinguirla, dispersándola en el vacío. Silvio, como artista y sensitivo afinado y refinado, había reconocido siempre poderosamente la identidad de su ser; pero al presente, horas enteras, bañado en viscoso sudor, molidos los huesos por la prolongada estancia en el lecho, invadida la cabeza por las colonias microbianas, perdía la noción de su realidad, se sentía hundido, anegado en la naturaleza enemiga, en la dañina materia. Era una percepción sorda y confusa del aniquilamiento de lo único que nos sostiene y escuda contra el empuje de las fuerzas desintegradoras: del *yo*, esa enérgica reacción de un individuo contra lo que no es él. Y, alzando la húmeda y descolorida frente, Silvio repetía con la dolorosa sonrisa de los martirizados:

—¿Sabe usted, baronesa, que esta noche soñé que era hierba, y que me pastaban los bueyes?

—La hierba es una cosa muy bonita —contestó la baronesa afectando buen humor—. Justamente... hoy el día está magnífico, y usted se va a poner elegante y se va a sentar en la terraza, sentadito, ¿eh?, no tendido en la cama, sino sentado... porque es usted muy comodón, y acaba por perder fuerzas... Ya instalado allí, tranquilo, verá la labor de la hierba, que es preciosa...

Cumplióse el programa. Silvio, alentado por la dulzura aterciopelada del aire, y en una de esas rachas de leve mejoría que traen a los enfermos de muerte repentino engreimiento, se vistió, se acicaló, calzó las elegantes botas inglesas que gastaba en el castillo de Alorne. Y con su presunción de niño, murmuró, pavoneándose:

—Me he arreglado como si estuviese en el *manoir*[400] de la Condesa de los Pirineos.

Minia, algo picada, preguntó, con la tolerancia que se otorga a los enfermos:

—¿Hay una *toilette*[401] para sus grandes amigas de Francia, y otra para las de España?

Silvio, en vez de responder, tomó la mano de Minia y la besó. El amistoso reproche era fundado, y el artista, en su ingenuidad, se acusaba muchas veces de cierto esnobismo.

—Mis grandes amigas de Francia —murmuró— acaso no serían capaces de sufrir mis chinchorrerías de enfermo... Soy un tonto, ya lo sé.

—Ya lo sabemos... —articuló riendo la compositora—. Ea, basta de etiquetas, y vamos a ver la corta de la hierba, que es una sonatina pastoral encantadora.

Salieron, apoyado Silvio en el brazo, todavía tan fuerte, de la baronesa. Costábale trabajo andar; arrastraba los pies como un viejo; se cansaba, se detenía. Sin embargo, vencida la cuestecilla entre el patio y la terraza, respiró un poco mejor, dilató con delicia las fosas nasales. Era que acababa de inundarlas la bocanada del perfume más idílico: el de la hierba, no recién cortada (que entonces no embalsama), sino ya medio seca por el sol encima del mismo prado, y removida para voltearla.

En efecto, ésta era la labor. A distancia, el prado, cubierto de hierba extendida, en vez de su color verde tenía tonos de plata tostada, sedeña; y sobre el fondo de esta cosecha impregnada de sol, trasegándola con los horcajos, nadando en ella, las mozas, de refajo grana y pañuelos amarillos, trabajaban entre risas y canciones. Era imposible concebir cuadro más atractivo.

Se habían elegido por volteadoras rapazas aniñadas aún, de rubia trenza, de pies menudos, ágiles dentro del zueco o del grueso zapato; y cumplían su tarea jugando, desafiándose a arrojar más arriba la desflecada plata de la hierba.

---

400 Manoir.—Voz francesa: casa solariega, mansión.
401 Toilette.—Voz francesa: arreglo personal.

Alrededor del prado gallardeaban las rosas en flor, y en el horizonte, el bosque de castaños tenía un tapiz de verdura honda y reciente, sobre el azul del cielo lavado y vivo como una acuarela. Silvio se extasió desde su butaca. Experimentaba esa impresión de calma y seguridad que produce una residencia como Alborada, cuando la animan las labores campestres. El perfume de la hierba le embriagaba. Y la gran poesía de todo aquello, la formuló con la más vulgar incongruencia.

—¿No le dan a usted envidia algunas veces los jumentos? —preguntó a Minia.

—Mil veces. No habría cosa más simpática que poder soltar la razón, depositándola en una cajita bien cerrada, para recogerla cuando a uno se le antojase. Nuestra tortura viene del cerebro. Las sensaciones plácidas del asnillo en el prado nos aliviarían. ¡Porque, verdaderamente, Silvio, ni aún el sueño nos reposa! Entre sueños, se activa la vida ilusoria, toman cuerpo las ilusiones, y se sufre también.

—Entre sueños —aprobó Silvio— es precisamente cuando se me ocurren a mí cosas estupendas, y me traigo una batalla de desatinos, que se disfrazan de concepciones sublimes. Entre sueños pinto cosas magníficas, y con facilidad asombrosa creo obras maestras. Y las veo, las veo concluidas, radiantes... Entre sueños también lucho con endriagos, fantasmas y visiones que me destrozan... ¡El sueño! Sobre todo desde que enfermé, el sueño no me restaura: me aplana o me excita.

—La parte soñadora de nosotros mismos debe de ser la que sueña, y la que nos restauraría sería la animal, y más aún la vegetativa, el tranquilo cumplimiento de funciones puramente naturales. Por esto envidiamos al jumento cuando se hunde entre los mullidos tablares del prado.

—¡Qué bien me hace el olor de la hierba! —declaró el artista. Y, en efecto, los tres o cuatro días que duró la labor, la mejoría de Silvio pareció sostenerse. No era sino un alto en la enfermedad, cosa frecuente en estos males de consunción; pero bastaba para sostener el optimismo de Silvio, el convencimiento extrafino de que no podía morir. No cabía en la cabeza del joven la idea del desenlace. Las señoras empezaban a pensar con angustia en el momento en que la esqueletada, llamando a la puerta con sus secos nudillos, trajese la terrible y bienhechora verdad, clavase negro alfiler a la mariposa del alma...

Minia había oido hablar mil veces del tenaz optimismo de los tísicos, pero lo creía una de tantas leyendas. Al comportar la realidad del fenómeno se admiraba.

Silvio (tal es la fuerza del instinto que nos apega a la persistencia de nuestra individualidad) no apreciaba su destrucción. Alentando, asistía con goce de los sentidos —de la vista, del regalado olfato— al espectáculo interesante. Lánguidamente miraba alzar, remover, orear y volcar la hierba, hasta que, seca ya por ambas caras, la apilaban en montones de oro, inmensas cabezotas rubias, que surgían sobre el fondo raso, de un verde infantil, del prado afeitado al rape. Con sus horcados[402] iban las mozas formando las *medas*[403], dándoles la primitiva hechura de las *huttes*[404], salvajes, moradas del hombre cuando abandonó la vida troglodística. Realizaban este trabajo con destreza sin igual, con rapidez graciosa, siempre jugando, siempre a carcajadas, en labor que tiene mucho de recreo para jornaleras habituadas al destripe de terrones, al corte y pise del espinoso tojo, al empile del estiércol. Y las excitaba además —con prurito de rústica coquetería— el que desde la otra terraza, frontera a la fachada principal, los canteros y picapedreros las miraban a hurtadillas, comentando vigores, robusteces y gallardías anatómicas... Desde las almenas de la torre de Levante, que aquellos días estaban acabando de coronar, otros obreros, distrayéndose de su peligroso trabajo, también las requebraban, con carantoñas y burlas. A medida que la tarde avanzaba, las mozas cantaban más despacio y medaban menos: la fatiga, el calor, retardaban el movimiento de sus brazos y ensordecían las canciones de sus bocas. En vez de coplas maliciosas de desafío, entonaban un ala-

_____

[402] Horcados.—Es un galleguismo, derivado de la voz gallega «forcado», que es una horquilla de dos dientes que se utiliza para mover los haces de hierba o cereal.

[403] Medas.—Voz gallega. Se llama así a las construcciones de forma cónica que se levantan en las eras con los haces de cereal.

[404] Huttes.—Voz francesa: choza, cabaña.

lalaaá! prolongado con melancolías vespertinas y cadencias lentas de resignación, de soledad, de ausencia y nostalgia. Cuando por casualidad las medadoras (en vez de lanzar ojeadas a los fornidos canteros que silbaban tonadillas como para asociarse al canticio)[405] se volvían hacia la terraza, donde yacía, recostado, aquel señorito de cara de cera, a cuyos pies se tendía un perrazo de pelo color de humo, su voz se volvía más baja, apagada con sordina de respeto y compasión. ¿Qué tenía aquel señorito, malpocado?[406]. ¿Qué le pasaba, que ni andar podía, sino sostenido por otros? Ellas sabían por la hermana de Pilara, un medadora, que se le guisaban muchos platos, que de Marineda venía el médico a menudo... Y susurraban bajo: «¡Tan nuevo! ¡Tan mociño y tan galán! ¡Dios lo remedie!» Después continuaban erigiendo sus *medas* provisionales de oro blanquecino y seda pajiza. La meda definitiva se construiría en la era, cuando se llevasen la hierba los carros. Vinieron éstos y se reanimó la labor, porque en ella tomaban parte ahora mozas y gañanes, y los que guiaban el carro dirigían retadoras miradas, desde el hondo prado que surcaban las *birtas*[407], a los picapedreros y canteros, cuando subían las almenas y lanzaban, al izarlas, un *ahuum* penoso, salvaje. Andaban los de la parroquia —los pocos varones que dejaba la emigración— esquinados con los canteritos jóvenes venidos de Pontevedra, que se llevaban a las rapazas de calle. Y los aldeanos, jactanciosos, erguidos sobre el carro, acalcaban[408] la hierba con los pies para cargar de una vez gran partida. Silvio encontraba hermosísima la escena, deliciosa la nota de color; sobre el prado las yugadas de los corpulentos, pachorrentos bueyes rojos, los carros célticos, con sus ruedas macizas, sus *cainzas*[409] de mimbre negruzco, y desbordándose de ellas, el

---

[405] Canticio.—La acepción que recoge el DRAE es «canto frecuente y molesto».

[406] Malpocado.—Voz gallega: infeliz, desgraciado.

[407] Birtas.—Voz gallega: surcos o regueros que se hacen en los prados para que circule el agua por ellos y regarlos. (Dic. Galego-Castelán de J. L. Franco Grande.)

[408] Acalcar.—Voz gallega: comprimir alguna cosa por la presión de la mano o del pie, para reducirla a menor volumen (Franco Grande).

[409] Cainzas.—Voz gallega: es un tejido de varas o mimbres que forma el

rubio colmo de la hierba encendido por un rayo muriente de sol y el gañán de pie sobre el carro, dorada también su figura y recortada sobre el cielo... Raudales de poesía bucólica la brotaban en el alma, y su sentimiento exquisito le hacía saborear no sólo el cuadro, sino el plañidero toque de oración, que suspendía la labor campestre.

—El cuadro es más hermoso, porque es religioso, Silvio —observó Minia.

—Sí —respondió el artista—. Es la nota de Millet. No es religioso un cuadro porque represente una Virgen o un Cristo; puede representar eso y ser lo más profano del mundo. Y puede representar esto, unas medas, unos carros... y si uno supiese traducirlo bien con el pincel, sería no sólo religioso, sino místico.

—Me agrada que lo comprenda usted... Cada barrera de convencionalismo que usted salve le hará más artista y más hombre.

—Parece que se me han caído de los ojos unas escamas —declaró Silvio—. Yo antes fui esclavo de la naturaleza en su aspecto material. Ahora, sin salir de ella misma, encuentro tesoros de emoción. ¿Se acuerda usted de mi *Recolección de la patata*? Aquello era sencillamente una vulgaridad, un rasgo de ordinariez. El asunto, el modo de tratarlo, el colorido... Compárelo con esto que tenemos delante, tan majestuoso, tan sereno... ¡Y pensar que ahora, que veo claro lo mejor, se me caen de las manos paleta y pinceles!

Persuadido, añadió:

—No moriré de este mal; pero suponga usted, por un momento, que muriese... Es aterrador, Minia... ¿Qué quedaba de mí? Cosas que ya no responden a mi sentir. Ideas que ya rechazo... Y lo verdaderamente íntimo, lo que he ido descubriendo... ¡eso nadie lo sabría! ¡Eso iría conmigo al otro mundo!

Interrumpióse para escupir su pobre pulmón deshecho, y con rosetas de fiebre en las mejillas, agregó:

—¿Qué diría usted, si en el techo del castillo de la Condesa

---

lateral de los carros del país, colocándose perpendicularmente al fondo del carro, y que sirve para sostener la carga.

de los Pirineos reprodujese yo la corta de la hierba seca en el Pazo de Alborada?

El último carro se retiraba chirriando, estridente y fatídico; el horizonte era violeta; las hojas se estremecían.

La baronesa ordenó:

—Va a caer rocío... A casa, a la cama los enfermos...

*

Se inició un periodo aún más angustioso: empezó a faltar el aire a Silvio.

Por momentos respiraba normalmente; pero de pronto, la ansiedad se apoderaba de él, y descompuesta la faz, lívidas las mejillas, principiaba a jadear, a inspirar y espirar con esfuerzo horrible. Un día que, sentado a la mesa, entre desganado y encaprichado, picaba con el tenedor blanco filete de lenguado fresquísimo, rociado con limón, se levantó de pronto llevándose las manos a la garganta, al pecho, a las sienes después; se precipitó hacia la ventana, abrió la boca en redondo, aspiró locamente, y como el jadeo de asfixia no cesase, tambaleándose, se arrojó al suelo, tendido cuan largo era. No podían las dos señoras, la baronera muy forzuda, Minia de endebles puños y delgadas muñecas, levantarle en vilo, ni aun con auxilio del criado, porque Silvio hacía señas desesperadas, lanzaba ayes para que le dejasen así, como un cadáver, aplacado al piso. Y daba horror su cuerpo huesudo, largo, sacudido por el jadeo. Al cabo se logró acostarle sobre un sofá. La disnea se calmó, dejándole en abatimiento sumo,

Desde entonces no tuvo Silvio comida gustosa, y empezó a cerrársele el pico, a repugnarle todo, hasta esos alimentos que crían fibra y sangre.

Eran el último refugio, el último baluarte de su enfermera, los huevos, los santísimos huevos, blancos y limpios como capullos, que la baronesa le enseñaba recién puestos, calientes aún del cuerpo de la gallina, con transparencias rosadas al través de la nitidez de fina escayola de su cáscara. Y, estando cenando, vio la baronesa que el enfermo movía la cabeza, hacía un mohín de repugnancia a la yema batida con azúcar y Jerez, y después, que dos lágrimas se deslizaban, lentas, por las mejillas enflaquecidas.

—¡Me han repugnado! —repetía Silvio con infinito desconsuelo—. ¡Se acabó! ¡Me han repugnado definitivamente! ¡Mejor comería cualquier asco! ¡Repugnado, repugnado los huevos!

La baronesa también sentía la amargura profunda de aquel vulgarísimo y tremendo accidente. ¡Lo más nutritivo, lo que se asimila mejor! ¡Desgracia grande! Y ¿qué darle ahora? ¿Qué discurrirle? ¡Perdido ya el estómago! ¿Cómo defender la plaza? Era la derrota.

Y se empeñó la lucha con lo imposible... La enfermedad se cebaba en su presa, triunfaba. Los síntomas eran a cada paso más varios y crueles. Aflicciones nerviosas, síncopes, desfallecimientos, dolores de huesos, molimiento infinito... Una noche, a las altas horas, la baronesa, que había trasladado su dormitorio para debajo del enfermo, a fin de vigilar la asistencia, oyó la voz del criado de guardia, que la llamaba con apuro.

—El señorito Lago... El señorito Lago...

La señora saltó de la cama, se envolvió atropelladamente en una bata, corrió... Silvio parecía agonizar. Sobre la almohada blanca, su faz era de tierra amasada con yeso, sus ojos se retraían, su nariz se afilaba, su boca se llenaba de sombra lívida. Mil veces había pensado la baronesa en la llegada de aquel instante; empero, sintióse aterrada, como ante un caso imprevisto. Se precipitó a sostener la cabeza del artista, inerte.

—¡Silvio! —repetía—. ¿Qué es esto? ¿Qué tiene usted?

Débilmente, en un soplo, Silvio pronunció:

—Mucho frío... Me hielo...

La baronesa, rehecha ya, empezó a dictar órdenes.

—Calentar una manta... Espíritu de vino[410]... Ron... Coñac. El calentador...

Toda la casa se había puesto en pie, con la alarma. Pilara reavivaba el fuego, sacaba brasas para el calentador; el sirviente empapaba en alcohol franelas, y friccionaba el cuerpo flaco, devorado por la calentura.

Silvio volvió a suspirar...

---

[410] Espíritu de vino.—Alcohol mezclado con menos de la mitad de su peso de agua (DRAE).

Fuera, la noche era espléndida, estrellada. Llegaba el verano con sus caricias y sus vitales soplos. La ventana, por orden expresa del médico, debía permanecer abierta siempre. Pero la baronesa la cerró, bajo la impresión de aquella queja, y dispuso calentar por dentro a toda costa.

A los labios del moribundo acercó una cucharada de coñac. Al principio, Silvio apretaba los dientes y resistía; pero la baronesa le entreabrió la boca con el rabo de la cuchara, y deslizó el líquido. Según iba cayendo, oloroso y fuerte, y por las venas entraba su virtud, el agonizante resucitaba, sus ojos se entreabrían, mirando a la baronesa con transporte.

—¡Dios mío! —murmuraba—. ¡Qué congoja he pasado! ¡Qué frialdad tan horrible! ¡Qué bueno es tener calor! ¡Qué bueno es tener quien le quiera a uno!

Y con efusión de reconocimiento, repitió extendiendo las manos:

—Sólo los buenos, sólo los buenos... Denme la bondad, al abrigo... ¡Me siento tan bien! Me ha salvado usted, baronesa. ¡Qué trabajo le doy! ¡Qué trabajo a todos los de esta casa!

—Déjese de eso, y duerma... A ver si concilia el sueño un poquito...

Llegaba tarde la advertencia. Silvio acababa de aletargarse dulcemente, aturdido por el bienestar.

Al día siguiente estuvo animado, fue por su pie al jardín, tomó leche con gusto (leche *de engaño,* en la cual la baronesa deslizaba la yema de un huevo, afirmando que la vaca daba una lecha amarilla, de un color raro, pero sabrosa, muy sabrosa...). Y la idea de la muerte, si es que un instante había rozado con ala de murciélago su imaginación, desapareció como desaparecen, en cuanto el sol alumbra, los bichos nocturnos y las mariposas atropos, que llevan una calavera en el corselete...

—Es el problema que tenemos aquí —decía Minia en conversación con el antiguo capellán de la casa, bajo los castaños del soto, en la revuelta donde no podían llegar sus palabras a los oídos de nadie—. ¡Es un problema bien extraño! Cuando más se impone la muerte, menos cree en ella, menos siente la presencia de esa definitiva realidad.

—No me sorprende —confirmaba el sacerdote— lo que

usted dice... En mi ejercicio de auxiliar moribundos he visto que, aunque estén con el estertor, muchos no creen llegado su término... Y en esta enfermedad, lo que es en esta... ¡nunca!

—Decírselo... ¡No hay fuerzas para decir una cosa así! Y por otra parte... yo no sé lo que piensa, yo no he calado su alma. Es probable que esté petrificado en indiferencia absoluta; quizá no cabe en él más que su Quimera... ¡Si es así, y se entera de su condena a muerte, y ve que se va sin realizar lo soñado, se entregará a la desesperación en vez de aceptar el consuelo de las horas supremas!

—Explórele usted —murmuró el sacerdote, que había venido desde Marineda con tal fin—. Explórele, usted le conoce mejor... Yo no acierto... Estos artistas ¡son tan diferentes de todo el mundo! Persuádale.

—¡Persuadirle! —repitió la compositora—. Me fiaría más en un arranque de sentimiento...

Entró de mañana en el cuarto del enfermo. Éste no se había levantado aún. Medio incorporado en la cama, intentaba escribir, sirviéndole de pupitre un elegante portafolio de marroquí inglés, con cantoneras de plata —regalo de Lina Moros—. Sobre la cama, andaban esparcidas diez o doce cartas, cuyo perfume revelaba la procedencia femenina. Algunas lucían escuditos heráldicos en oro, plata y colores; otras mostraban, sobre el papel satinado gris, un círculo en que se encontraba inscrito el nombre en elegantes caracteres. Las formas del papel eran originales, y aquella correspondencia daba sensación de vida exquisita, de plena *high life*. Era la clientela de Silvio, sus amigas momentáneas, las de la sonrisa zalamera, las del galanteo ocasional y el repentino capricho, las que se encanallaban un día, por variar, hartas de lo monótono del amorío sin idealidad con los hombres de caballo y club. Y Minia, frente a sí, en el papel, vio agrupadas con la peculiar gracia de Silvio, con su coquetería de arte, fotografías de las corresponsales, en trajes de elegancia rebuscada y efectista, escotadas, haciendo resaltar las bellezas de su cuerpo, en la actitud y con la sonrisa que más favorece.

A ellas es a quienes Silvio quería responder, asiéndose a aquel interés frívolo, bastardo, como a forma palpitante y ardiente de la vida que le abandonaba... Las otras, las protectoras buenas y serias, la Condesa de la Palma, la Pirineos, se habían informado de su salud preguntando extrajudicialmente a la baronesa y a Minia. Éstas, las guerrilleras de vanidad y amor, acaso ni sabrían que sus cartas iban a caer en un lecho mortuorio.

Silvio empezó a hacer garrapatos; su mano temblaba; la letra era ininteligible... Sudor penoso trasmanaba de su sien. Agachó la cabeza, suspirando, soltó la pluma, y exclamó lleno de desconsuelo:

—Imposible... No acierto a trazar dos renglones. No es el pensamiento, es la mano... ¡Ni pintar, ni aun escribir!

Y al cabo de un instante, buscando el engaño de la fantasía:

—Es la debilidad. No es otra cosa. Así que me fortalezca un poco...

—Entretanto —dijo Minia—, ¿por qué no olvida usted enteramente este aspecto de su vida? No hay nada que descanse, que fortalezca, Silvio, como olvidar. Nuestro existir es una especie de mosaico, que no debemos mirar obstinadamente en sus pedazos de piedras de colores, sino en conjunto. ¿Le importan a usted las monísimas corresponsales?

—No las tengo ningún cariño... Al contrario... Ya sabe usted mi modo de ser... pero se me figura que no nos apegamos a la vida por lo que nos infunde cariño, sino por lo que nos causa irritación, picor de vanidad... ¡Minia! ¡Qué hermoso será vivir, cuando me cure y vuelva allá, a realizar mi ensueño de siempre!

Minia callaba.

—¿Cree usted que tardaré mucho tiempo en curarme? ¡Usted no tiene fe en que yo sane antes del invierno!

—¡Quién sabe, Silvio! —articuló ella—. Las enfermedades vienen pronto y se van tarde... Escúcheme... La enfermedad tiene algo de serio, algo de augusto, algo que nos familiariza con lo inmortal que existe en nosotros... ¿No piense usted así? Un enfermo es un hombre que momentáneamente renuncia a vanidades, concupiscencias, flaquezas... La existencia de un enfermo es necesariamente moral, necesariamente pura...

—Sin duda mi enfermedad es más antigua de lo que creí —respondió él—; porque hace meses me conduzco como un santo... relativo. Al Doctor Moragas se lo he dicho; y se hizo cruces. Él creía que, estragado por los vicios de París... Y a mí lo que me ha consumido, lo que me tiene tan débil, es... ir s sueños... ¡mis sueños, Minia! ¡Eso me ha emponzoñado ¡s venas! ¡Eso es lo que me devora!

—No lo dudo... Pero al mismo tiempo... —la mirada de Minia se fijó de nuevo en la pared; buscó las fotografías, las semidesnudeces, las sonrisas artificiosas—, el que entrase aquí creería... ¡Si Moragas ha visto todo eso!

Silvio, otra vez abismado en su almohada, hizo un gesto de indiferencia suprema.

—¡Bah! He puesto eso ahí como podría poner un niño un pliego de aleluyas...

—Pues desdicen esas fotografías de la dignidad, de la nitidez de una alcoba de enfermo, Silvio... Ya sabe usted que soy franca.

—Quítelas; haga lo que considere oportuno.

Minia recogió los retratos, y por un refinamiento de delicadeza, no quiso guardarlos ni en la maleta ni en los cajones. Los archivó fuera, en un mueble. No se escandalizaba, ni creía que tales retratos fuesen reprobables, si allí no estuviese un hombre sentenciado. El cuarto era capilla. Y, al mirar las paredes blancas de cal, desnudas, pensó que todavía no era tiempo de traer allí a la Madre, a la que los ángeles rodean y las estrellas coronan; a la que tiende su mano, húmeda de lágrimas y oliente a incienso, a los moribundos. Ya llegaría la ocasión... Por ahora bastaba un violetero; un cuadrito; un jarrón con rosas blancas. El cuarto perdería su aspecto bohemio, y se purificaría por la hermosura de esas rosas que apenas dan olor.

El camino tenía que ser insinuar el respeto a la enfermedad. No se le podría decir a Silvio que se acercaba la gran Acreedora... Pero sí cercarle de lo que inclina a pensar en ella sin sorpresa, sin incredulidad, sin escepticismo.

Él experimentaba, no obstante, repulsión a cuanto podía traerle un pensamiento ascético. Su fantasía, repleta de formas sensibles, se apegaba a apariencias, a los ruidos, a los fenómenos de la vida terrestre.

A pretexto de que «podía inspirar un boceto o un cuadro», llevó Minia a Silvio a la sacristía de la capilla de Alborada, donde, sobre la cajonería severa, lisa y sin adornos, bajo un dosel de terciopelo granate franjeado de oro, se alza la efigie del Cristo del Dolor. Visten al Cristo unas enagüillas de raso violeta y lentejuela, y la larga cabellera oscura, como enmarañada por sudores de agonía, que vela su faz desencajada y sus cárdenos labios, la sujeta una corona tejida de ramas de espinos del monte, que rodea su frente, salpicada de gotas denegridas de sangre. La palidez del divino Rostro se acentúa con ellas, y son aterradoras las melenas al descender sobre el pecho de saliente costillaje, hasta el costado abierto por la lanza. Es la imagen del más ardiente romanticismo; trágica, sugestiva. Dos cirios la alumbraban, y su luz incierta, amarilla como un diamante brasileño, deteniéndose un punto en el Rostro, le prestaba apariencia sobrenatural. Silvio se detuvo impresionado.

—¿Verdad que es hermoso?

—Me da miedo —suspiró Silvio—. No comprendo cómo usted se rodea de estas imágenes recordadoras de los terrores de la muerte. Allí el arco sepulcral, que ya una vez... ¿se acuerda? ¡Y aquél, este Cristo que expira, y que lleva en la peana la lúgubre advocación del Dolor!

—¡De la muerte no hay que olvidarse nunca! ¡Es nuestra compañera fiel... y cuántas veces bienhechora!

Y él respondió, refractario:

—¡No me quiero morir, no señor, hasta que realice algo siquiera! Hasta entonces, vivir a tragos. Es preciso que yo sane. ¿Qué hacen esos doctores que no me curan? ¡Si yo supiese que el Cristo...!

—Su reino no es de este mundo... —sugirió Minia.

Regresaron de la sacristía por la sala, llena de embetunadas pinturas, lentamente, apoyado Silvio en su bastón, casi arrastrándose, después en el brazo rudo del hortelano. Dejóse caer en la butaca, para contemplar, según costumbre, la puesta del sol. Aquel día era imperial, esplendorosa. Se anunciaban calor y tormenta, y el sol se reclinaba en cúmulos de púrpura, inflamados, acuchillados por toques violentos de plombagina[411], y esclarecidos con luces de erupción volcánica, focos que parecen delatar el flamígero lengüeteo de la llama que sube. Era de esos ocasos extraños, amenazadores, en que el cielo semeja indignado, y que el pincel no puede reproducir a no caer en amaneramiento. Silvio se complacía en él con el interés que despiertan en el campo los aspectos de la naturaleza, y con la impresión de grandiosidad que en su alma de inspirado adquirían fácilmente las cosas. El soberano espectáculo le hacía olvidar por sorpresa sus dolores; le sustraía momentáneamente a la enfermedad. Los rubíes vivísimos, fluidos, movibles, lisonjeaban su sentido de colorista. Y, de pronto, en aquellas nubes ígneas y caprichosas, entre el incendio del cielo, la fantasía le dibujó una forma, destacándose entre las restantes. Era la de una alimaña, mezcla de dragón y serpiente, cuyo dorso se dentellaba en agudos picos, cuyas fosas nasales espurriaban fuego, cuya cola, de retorcidos anillos, se tendía azotando el aire y rompiendo las otras nubes a su latigazo triunfal. La apariencia reinó algunos instantes; pero cuando Silvio quiso enseñársela a Minia, ya se desvanecía su colosal figura, ya su brasero se apagaba.

Traído de Marineda, llegó entonces el correo. Quiso la baronesa sustraer una esquela de defunción que timbraba sello extranjero. Silvio le había echado mano y la abría, y su faz, un momento animada por la contemplación de un cuadro, se descomponía rápidamente...

Era la esquela mortuoria de doña María de la Espina Porcel de Dión, fallecida en Niza, «Villa Plaisirs», según participaba interminable cáfila de parientes, rogando que se la concediesen oraciones. El artista dejó caer la cabeza sobre el pecho; la esquela rodó al polvo. Los pájaros no cantaban en las acacias corpulentas.

*

—¿La quiso usted mucho? —preguntaba Minia al notar el terrible efecto de la nueva que contenía y certificaba aquel

---

[411] Plombagina.—Grafito, material de color gris oscuro y brillante.

papel satinado, con estrechísima orla negra, encabezado por una cruz, atestado de nombres propios.

Silvio tardó en responder. Parte, por dificultad de respiración, y parte, por incertidumbre ante la interrogación analítica.

—No he sabido nunca —pronunció al fin lentamente— si la quise, si me fue indiferente, si la detesté. De todo habría a ratos. No he sabido si me hizo bien o mal. Era como la vida: que nos hiere, que nos despedaza, que nos burla, que nos hace infames a fuerza de desengaños y de mentiras, pero que... ¡es la vida, qué demonio! Y Espina, Espina Porcel, era acaso, en el fondo, más artista que yo. Despreciaba más lo vulgar; sí, lo despreciaba. Ha muerto de su exaltación artística, de su afán de vivir de un modo refinado y bello, de agotar el ideal. Ha muerto de no transigir con las sensaciones comunes y prosaicas. ¡Pobre, pobre María!

—Según eso, ¿la ha perdonado usted?

—Y qué, ¿voy a odiarla, ahora que es un puñado de podredumbre?

—Tiene usted la feliz inestabilidad de los geniales... —advirtió Minia—. Pero no perdone por indiferentismo... Perdone por amor, por sumisión! ¡Rece por ella!

La campana de Monegro rompió a doblar. No era el *Ángelus*. Una casualidad: doblaba a muerto por algún aldeano que había terminado su jornada, soltado el azadón y empezado el reposo. Como en la hermosa poesía de Longfellow[412], el

---

[412] Longfellow.—Henry Wadsworth Longfellow (1807-1882) poeta y novelista americano. Viajó por Europa estudiando idiomas y llegó a desempeñar la cátedra de lenguas modernas en Harvard. Viudo de su primera mujer, tras un nuevo viaje a Europa, se casó en 1843 con Frances Appleton y vivió desde entonces en Cambridge. Fue un escritor que gozó de gran popularidad y entre sus obras poéticas destacan *Voces en la noche, Baladas y otros poemas.* La cita de doña Emilia puede referirse al poema «Afternoon in february» del libro *Song and Sonets,* concretamente a las estrofas finales:

> The bell is pealing
> And every feeling
> Within me responds
> To the dismal knell
>
> Shadows are trailing,

alma respondía al toque de la campana. Silvio percibió una mortaja de sombra que le envolvía y lo envolvía todo. Era, quizá, efecto de la impresión repentina causada por la esquela mortuoria; era, quizá, que el oscuro presentimiento de su propia destrucción se concretaba al fin. Imposible es trazar línea divisoria entre ciertos estados de alma, fijar el momento en que a la confianza sustituye la sospecha, al respeto el menosprecio, a la esperanza el desaliento absoluto, a la seguridad el terror. ¿Qué había sucedido para que aquellos toques, en una parroquial de aldea, en otro caso probablemente apreciados por el artista como efecto estético, suscitasen entonces en él la percepción trágica, honda, no de la muerte, sino de algo a que la muerte sirve de pórtico de mármol negro? Y todo se transformó a sus ojos, adquiriendo la solemnidad que tiene para el reo la capilla donde ha de esperar su gran hora. En un instante la realidad se traspuso a la otra margen, que el agua del trozo de ría, llena de tinieblas, le representaba vivamente. No fue impresión heroica, sino de espanto; de espanto frío, letal. Los árboles, ya borrosos, le parecieron fantasmagóricos; la ría, lago siniestro donde rema el barquero implacable; la silueta de las Torres, temerosa, cual si fuese la de uno de esos edificios de la Edad Media, cuyas paredes ahogaron sollozos y cobijaron dramas; y el toldo de las acacias espléndidas, extendido como regio pabellón, un manto plomizo, del cual goteaba humedad de tumba. ¡Morir! ¡Morir también, como Espina, como la modernidad radiante, la de inimitable existencia! ¡No ser, desaparecer, reunirse con la Porcel en la macabra alcoba de la tierra húmeda, o entre el informe y caótico silencio de los cerrados nichos! Y el ataque nervioso vino, fulminante. Silvio gritó o más bien aulló su pavor, su adhesión a los fantasmas de la realidad, su voluntad terca de no sumergirse en el océano sin orillas, de oleaje monótono y fatal, donde viene a parar todo...

My heart is bewailing
And toiling within
Like a funeral bell

(The poetical works of Longfellow, Londres, Oxford University Press, 1961, pág. 131.

*

Fueron días de prueba los que siguieron a aquél. El cerebro de Silvio, por momentos, se desorganizaba, y sólo lo visitaban las alucinaciones del miedo. No asomaba la resignación, ni aun el estoicismo con que la juventud suele mirar la muerte. ¡Morir ya! —balbucía—. Pero ¿no habrá quien me salve? ¿No habrá quien me tienda la mano? Y por una de esas singulares anomalías patológicas, en el agudo ataque de pavura, el miedo a morir le hacía intentar arrojarse por la ventana, siempre abierta, para acabar de una vez.

Mientras él sufría como un réprobo, la naturaleza desplegaba galas de fiesta nupcial. Había revoltosos enjambres de mariposas y avispas; en la playa arealense las olas se tendían acariciadoras, tibias ya; pintaban las cerezas, y en la noche de San Juan las hogueras, desde lejos, en la cima de los montes, recordaban el rito sagrado, la tradición adoniaca. Desde la terraza podía verse a chiquillos y mozas armar sus lumbraradas rituales, echar en ellas brazados de leña recogida en el monte, y saltar, riendo, por cima de la llama.

En el patio de las Torres, según costumbre, hízose la lumbrarada también, más alta que todas, de leña más seca; una pira regular y monumental.

Hundido en su butaca, Silvio la consideró primero con ojeada indiferente y atónica, después con algo de goce infantil, cuando la llama, chisporroteando, se elevó, y brotó centellas volantes, charamuscas rápidas. Pero así que notó que iba apagándose, le asaltó la congoja. Todo lo que se extinguía renovaba en su espíritu aquel pavor invencible, aquel frío de la nada. Fue preciso cebar la hoguera otra vez.

Su terror estallaba a cada instante. Un día el capellán, a pretexto de cortesía, de acompañarle, creyó poder entrar en su cuarto. La negra sotana le heló la sangre; la poca, lánguida sangre de las venas. No era la persona, era la ropa. Ni Minia ni su madre se atrevían a vestirse de negro.

—Ea, ¿qué le pasa? ¡no sea chiquillo! —repetía la baronesa—. ¿No estamos aquí todos? ¿A qué viene el miedo? Si es un amigo, si no es ninguna visión. Tranquilizarse... ¿Un sorbito de leche? ¿No? ¿Y cómo quiere sanar, si no come?

¡Combate, agonía, tortura, la de aquel alma, incrustada en el vivir, como en la encía la raíz del diente nuevo! La vida, con su adhesividad de pulpo, con sus tentáculos recios, se agarraba; no quería soltar la presa. Deseos, nostalgias, pena de lo incumplido, de lo fallido, de lo vano é irrisorio del destino; dolor de las flores no cogidas, de los aromas no respirados, de las glorias soñadas; agua que se derrama sobre el arenal antes de acercarla a la boca; rabia, calentura, disnea, fatiga, cansancio infinito, miserias orgánicas, ¡la decadencia total!... y, por momentos, otra vez Maia[413] con su velo de oro, con su tul que las pedrerías rebordan.

—¿No sabe usted? Tengo apalabrado taller en París... Lo voy a decorar con telas salamanquinas, charras; algo original, porque allí eso no se conoce... Y me llevaré los muebles de Madrid, mi bargueño, la arquilla que Solar de Fierro me ha regalado. El taller de Madrid lo dejo resueltamente... ¿Para qué quiero gastar? En Madrid está agotado el filón. No: Francia, Inglaterra. Después, probablemente, los Estados Unidos. Pero ¡alto!... cuando ya haya pintado algo serio, ¿eh?, algo de lo que me propongo. En el retrato voy a cambiar de sistema. Es hora de salir de cromitos... Y si no lo quieres así...

—No piense usted más que en la salud... Le hace daño formar planes —repetían las enfermeras.

—¡Vivir! —suspiraba él—. ¡Sanar! ¡Correr por los sembrados!

—No se preocupe de eso de la gloria —murmuraba Minia—. ¿No dice que lo mejor del mundo es ser bueno? Dedíquese a ser muy bueno... siquiera mientras está malo.

—Sí —contestaba él, alzando el macilento rostro—. Voy a procurar que no me importe el arte ni ninguna de esas sublimes tonterías. Nada más que comer, digerir, dormir... ¡qué programa bonito! Vivir como los demás hombres, y no como

---

[413] Maia.—En la mitología griega era la madre de Hermes (Mercurio), que había tenido de sus amores con Zeus. En la mitología latina había otra Maia, que personificaba el crecimiento de los seres, la fecundidad. Con el tiempo ambas se fundieron en una única diosa, que a veces se identifica con la Tierra y otras veces se representa con el cuerno de la abundancia. En monumentos antiguos de Italia aparece esta figura con velo.

yo, que casi no me alimento sino de potingues... ¡La poción de Jaccoud![414]. ¡Valiente porquería!

*

La Torre de Levante se había terminado; y con ella quedaba completo el vasto edificio del Pazo de Alborada. Cierta mañana apareció izado sobre la almena central un pino joven, entero, que a tal altura sólo parecía una rama frondosa. Era el *xeste*[415], signo del fin de la obra de cantería. Aquel ramo pedía un refresco para los trabajadores. Parecióle poco a la baronesa el habitual obsequio de aguardiente y pan, y dispuso un convite en forma. Obras como la de Alborada quieren repique.

Al aire libre, bajo las ventanas del cuarto que ocupaba Silvio, se dispuso la luenga mesa, y se colocaron los bancos toscos de madera, afianzando en el suelo sus pies con cuñas. La cocina activó sus hornillos, y borbotearon al fuego vastas cazuelas atestadas de arroz, carne, bacalao. El festín debía principiar cuando el trabajo terminase. Los obreros lo abandonaron una hora antes, para atusarse y vestir camisa limpia. Era

---

[414] Poción de Jaccoud.—Francisco Segismundo Jaccoud (1830-1913), nacido en Suiza, realizó estudios de medicina en París y Alemania, estableciéndose definitivamente en París donde ejerció la profesión hasta su muerte. Fue profesor de la Facultad de Medicina de París y miembro de la Academia de Medicina. Además de otras obras, en 1881 publicó *Curabilité et traitement de la phtisie pulmonaire*.

[415] Xeste.—Voz gallega. En sentido estricto, xeste es el pequeño banquete que el propietario de un edificio en construcción ofrece a los obreros al acabar los muros de la obra. Así aparece en los diccionarios de Leandro Carré Alvarellos y de Franco Grande. Doña Emilia, sin embargo, llama *xeste* al ramo que, colocado en lo alto de los muros, indica que éstos se han terminado. En el cuento «El xeste» de *Cuentos del terruño*, leemos: «Matías, desdeñando las escaleras, se descolgó por los palos de los mechinales, corrió al añoso laurel, fondo del primer término del paisaje, cortó con su navaja una rama enorme, se la echó al hombro, y trepando, por la escalera esta vez, a causa del estorbo que la rama hacía, la izó hasta el último andamio, y allí la soltó triunfalmente. Los demás la hincaron en pie en la argamasa fresca aún y el penacho del *xeste* quedó gallardeándose en el remate de la obra.» (*Cuentos completos,* t. II, Fundación Pedro Barrié de la Maza, pág. 314.)

su frac; la camisa como la nieve, sin planchar, oliendo a menta y lavanda.

Llegado el instante, no se precipitaron los obreros: entraron despacio, charlando, despachando cigarrillos, aguardando el aviso del mayordomo, la fórmula de acogida e invitación. Pensaban, sin embargo, en la comida, sobre todo por curiosidad de los guisos de señores. Aquellos trabajadores eran campesinos la mayor parte; picaban y sentaban[416] en verano, regresaban a sus casas en Navidad a matar el puerco, engendrar los casados el chiquillo anual, dejar las heredades labradas. El no despreciable salario se lo llevaban casi entero a las mujeres en un nudo de pañuelo, porque comían frugalísimamente y no practicaban vicios. Gente buena, honrada, «con vergüenza en la cara», como ellos decían. Mantenidos a brona[417], leche desnatada, caldo de berzas, la idea del convite les divertía, pellizcándoles de embotada imaginación. Sin embargo, no querían atropellarse; esperaban, correctos y reservados, muy en su lugar.

Ni aun cuando el mayordomo les gruñó, lleno de cordialidades: «¡Vaya, muchachos! ¡al *xeste*, al *xeste!*», se decidieron a correr, sino que emprendieron la marcha con lentitud, la propia pachorra con que entran a la labor diaria. Guardaban política y mesura. La vista de la mesa, tan cabal, con sus platos, su pan servido, sus servilletas, sus tazas para el vino, sus cubiertos, les impresionó. Solían ellos comer tumbados o agazapados en tierra, sosteniendo el currusco de pan con la izquierda y manejando con la derecha la navaja que pincha el compango de sardina. ¡Y ahora, aquella mesa servida como para caballeros!

Ya salía de la cocina, remangada, portadora del soperón humeante, la mayordoma, y los invitados aún no se habían

---

[416] Picaban y sentaban.—Picar y asentar (las piedras) son labores propias de albañiles. En gallego se utiliza la forma sentar, mientras que en castellano es inusual en el sentido en que aparece en el texto; debe tratarse, por tanto, de un galleguismo.

[417] Brona.—Quiere decir 'pan de maíz'. Es una contracción del castellano borona, «maíz». En gallego, al pan de maíz se le llama «boroa», que en contracción vulgar puede ser «broa».

atrevido a llegarse[418]: manteníanse en pie. Fue necesario que les animase la misma baronesa:

—A vuestro sitio, ea... a comer, que se enfría... Que luego se hace noche...[419].

Fueron acomodándose, más respetuosos que diplomáticos, y también diplomáticamente atribuyeron el puesto de honor a quien le pertenecía: al maestro de la obra, cantero todavía mozo, pero más entendido que los restantes. El hortelano, invitado, y un asentador viejo, socarrón, decidor, obtuvieron lugares de preferencia. Los demás se colocaron al azar, sin desorden, poco a poco, y se miraban de soslayo a ver quién se atrevía a trasegar la primer cucharada del gorduroso pote de berzas con tajadas y costillas de cerdo.

Cerca de un minuto transcurrió así, sin que ninguno se arrojase. Pilara les animaba, alabando el caldo, que estaba «que se comía solo», al fin, el viejo, con más mundo y aplomo que los rapaces, se llevó la cuchara a la boca, y le imitaron, acompasadamente, cuidando, como manda la buena usanza, de no tragar aprisa. Pero el caldo era manteca pura, y con sus tajadas alborozaba el estómago.

Los servidores acudieron portadores de jarros, y escanciaron negro vino en las tazas, animando a que los obreros remojasen las fauces, secas del polvillo de la cantería. Las manos huesudas, recién mal lavadas, se tendieron hacia los cuencos de barro; y después de beber regaladamente, por falta de costumbre de utilizar la servilleta, que habían dejado tiesa y doblada, limpiábanse con el dorso de la mano o con su propio pañuelo de yerbas.

El pote habíase agotado, y aún no se resolvían a hablar sino en voz baja, cohibidos por los señores que les miraban,

---

[418] A llegarse.—'A acercarse'. A veces, en los pasajes de tema rural de las novelas de la Pardo Bazán se produce una contaminación entre el lenguaje del narrador y el de los personajes. La utilización del verbo llegar en la forma pronominal con el sentido de 'acercarse' es un vulgarismo de los gallegos que hablan castellano, que, basándose en la analogía llegar = chegar identifican incorrectamente llegarse = chegarse (arrimarse, aproximarse).

[419] Se hace noche.—Está reproduciendo la construcción gallega «facerse noite», que no lleva preposición. Lo correcto en castellano es «hacerse *de* noche».

por la novedad del festín. Silvio, hundido en su butaca, contemplaba aquel cuadro pintoresco, deseando que adquiriese carácter a lo Teniers[420]. ¿Por qué ni hablaban, ni juraban, ni silbaban sus tonadillas irónicas, lo mismo que cuando, colgados en el espacio, sobre la estadía, izaban enorme sillar para asentarlo? Aquellos pájaros laboriosos no cantaban a gusto sino en el aire o bajo el cobertizo, moviendo el pico o empuñando la palleta...

Sin embargo, al aparecer el segundo plato, un guisote de carne que trascendía, estaba roto el hielo. Los cubiertos tilinteaban alegremente. Se cuchicheaba, surgía alguna risotada. El asentador viejo, representación de la experiencia y el mundanismo en la cuadrilla, arriesgó un elogio humorístico. ¡Que así se volviesen todas las piedras de la obra! ¡Que así se volviesen cuantas había sentado en su vida! ¡Y que cayesen riba de él! Se celebró. Tenedores y cucharas se activaron; hubo alabanzas a la guisandera. ¡Que guisase así hasta esfarraparse[421] de vieja! ¡Que nunca las manos se le cansasen de guisar!

Entonces fue cuando Silvio, que miraba atentamente la escena desde su ventana, empezó a sentir una tristeza envidiosa. Aquellas fuertes mandíbulas, que masticaban vigorosamente; aquellos hombres entregados a un deleite hondo, animal, bueno y gozoso; aquellos cuerpos ágiles, curtidos, no desgastados por el alma, le causaban la fascinación dolorosa de la envidia, la más torturadora de las pasiones, porque en ella se sufre de quien somos, tal cual somos, de tener nuestro *yo* y no un *yo* diferente. Silvio se acordaba del tiempo que había pasado queriendo ser *otro,* un maestrazo del arte... Y ahora, bajo las garras de la enfermedad, que tanto humilla el deseo, que reduce las magníficas ambiciones y los alados sueños a la as-

---

[420] Teniers.—David Teniers «el Joven» (1610-1690) fue el miembro más famoso de una familia de artistas. Pintó gran variedad de temas, pero destacó sobre todo por sus cuadros de campesinos. Aunque los representa también en escenas de trabajo, son más famosas las obras en las que se les ve en escenas de jolgorio y diversión, que son las que aquí se evocan.

[421] Esfarraparse es voz gallega, igual que la expresión «riba de él» usada en lugar de «encima de él». Se trata de discursos indirectos libres que reproducen el modo de hablar de los campesinos gallegos.

piración de una función fisiológica normalmente cumplida, sólo ansiaba volverse uno de aquellos comilones embelesados, que saboreaban la fruición grosera, franca y deliciosa de un guisote en punto cayendo en un estómago virgen. Los rostros se coloreaban, los ojos relucían, y la aparición del bacalao a la vizcaína, listado de rojo por las tiras de pimiento, fue celebrada con explosión de regocijo. Se daban al codo, guiñaban el ojo; y, para mayor contento, el gaitero entró entonces, seguido de su tamborilero, preludiando la *muñeira* mariñana.

—Que no toque, que se siente y coma —ordenó la baronesa. Y la gaita reposó; las notas agrestes, penetrantes, se cobijaron entre las rosas, entre los saúcos y las madreselvas, porque el bacalao exhalaba un tufo...

Bocado tras bocado, embaulando, vaciaban los tazones. Ninguna preocupación debilitaba su fuerza digestiva, fuente de alegría, centro de la felicidad orgánica. Eran como niños, igual los que en la barba hirsuta y sin afeitar mostraban canas amarillas, que los mozos de bigotillo naciente.

Y Silvio envidiaba, envidiaba... como el prisionero envidiaba el aire, la luz, el solo bien de poder cruzar una calle, de estirar las piernas... Su envidia tomaba la forma retrospectiva, que casi siempre conduce a mayor amargura, a desolación sin límites. ¿Por qué no haber sido un cantero, uno de los cortadores que grabaron los capiteles de la capilla, de tan curioso estilo románico? ¿Por qué no haber conservado un alma del siglo XIII, un pulmón que respirase, una sangre pronta a alborotarse ante la mujer, un estómago de hierro? No quería ser un obrero a la moderna, de los que leen y piden reivindicaciones y adelantos; nada de eso: aquello mismo; el cantero de aldea, sumiso, frugal, muy sano, que, al bajarse de la estadía, rompe a correr hacia el baile en la carretera...

—¡Qué felices, qué felices! —repetía, moviendo la cabeza, ya temblona a fuerza de desfallecimiento—. Y ¡qué rico es eso que comen! —suspiró—. Para mí no sazona tan bien Pilara...

—¿Qué está usted diciendo? —exclamó Minia—. ¡Si lo oye ella! ¡Poniendo sus cinco sentidos la pobre!

—No, lo que hacen para mí no huele tan exquisitamente —insistió el artista.

—¿Probaría usted?

Una luz de esperanza loca brilló en los cambiantes ojos amortiguados. La mano demacrada se agitó.

—¡Que me traigan un bocado, nada más que un bocado!

Momentos después, mientras los del *xeste,* ya amparados por la penumbra del crepúsculo, que les envolvía en velo protector, acogían con carcajadas y gritos de aprobación las soberbias fuentes de arroz con leche bordadas de arabescos de canela, le presentaban a Silvio un plato con el apetecido guisote. El enfermo se incorporó, olfateó... La saliva cosquilleaba en su paladar. Tomó el tenedor, pinchó una patata envuelta en pebre... y, antes de llegarla a los labios, soltó el tenedor, que cayó al suelo, y se reclinó, se hundió nuevamente en la butaca.

—¡No puedo!, ¡no puedo!, ¡no puedo!

—Un esfuerzo... —rogó la baronesa.

—¡No! ¡Asco! ¡imposibilidad! ¡Que me lo quiten de delante!

Gimió, lloró casi; alzó al cielo las manos, los ojos... De súbito, pareció calmarse, aceptar todo, despedirse de la vida material, desarraigarse de la tierra.

—¡Es triste! ¿Verdad que es triste, amigas mías? ¡Triste no volver a comer, lo que se llama comer! ¡Si se comprase un estómago! ¿No se compra las obras de arte más hermosas? ¿No se compra el amor, que dicen que es cosa tan sublime y celestial? ¿Por qué no se ha de comprar lo prosaico y vil? ¡Prosaico! ¿Y por qué prosaico? Palabras, falsedades, mentiras... ¿Sería prosa bajar ahí y decirle a uno de esos bárbaros: «¡Dame tu estómago por mil duros ¡Quiero hartarme, hartarme de ese bacalao a la vizcaína»?

Sobre este tema divagó buen rato, interrumpiendo a veces sus reflexiones congojas nerviosas, desfallecimientos, risas de insensato y quejas tiernas, infantiles. Abajo, los obreros ya no se contenían; amplios manchones de vinazo deshonraban el mantel, y los comensales empezaban a fumar, a hacer trueques y comistrajos con el postre. El viejo asentador, desdentado, ensopaba en vino su arroz con leche, diciendo que era un estilo de cuando muchacho, que lo había visto comer siempre así. Bobita había puesto las patas sobre el reborde, y zampaba los corruscos de pan sobrantes. El banco donde se sentaba el hortelano se hundió, y la caída se celebraba con risotadas, empujones, bromas, aplausos, El gaitero, hombre corrido, malicioso, contaba cuentos, y se apiñaban por oírle. Sonaban vivas entusiastas. Las volteadoras de la hierba, los caseros, los jornaleros, entraban recelosos, adquirían confianza, pero rehusaban probar el arroz, murmurando que «no tenían voluntad», según ley de política. Venían, curiosamente, a admirar aquel festín cumplido, en el cual, se susurraba, habría hasta café y copa. Los servidores repartían ruedas de mantecoso queso de tetilla. El sacristán de la parroquia disponía a dar fuego a los cohetes, y Pilara, fregando una contra otra dos conchas veneras, saltando, acompañaba a su hermana, que repicaba el pandero, entonando una copla allí mismo improvisada.

Silvio, ya tendido sobre la cama, respiraba el frasco de antihistérica que la baronesa le acercaba a la nariz. Su diestra consumida, de marfil pálido, asía una gardenia, una fresca gardenia acabada de cortar. Expresión de repugnancia le contraía el rostro.

—¡Brutalidad! —murmuraba—. ¡Esos guisotes! ¡Apestan hasta aquí! ¡La bestia humana![422]

Vino el criado; le alzó en peso; ayudó la baronesa también; lleváronle de allí a la sala, donde no percibiese ni los ruidos ni las exhalaciones de la comilona. Había anochecido; el cielo, estrellado, puro, era bello dosel colgado muy alto, inaccesible. Entonces un cohete de lucería de color rasgó el aire. Sus

---

[422] La bestia humana.—Alusión al título de la obra de Zola *La bête humaine,* una de las más representativas de las ideas deterministas del autor. Creo que no se trata sólo de un recuerdo literario sino de la constatación de algo que está siempre presente en doña Emilia: el fondo instintivo, animal del ser humano, que queda al descubierto en determinados momentos y sobre todo en determinados seres de baja extracción social. En un fragmento suprimido de la edición de *La Lectura,* el mismo Silvio se refería a ese fondo reprimido de la personalidad para justificar sus arrebatos: «A veces reaparece el obrero. No crea usted, los señoritos que me visitan tampoco brillan todos por su cultura y su cortesía. Bajo el frac, bajo la blusa, se esconde el mismo salvaje, el instinto desatado» *La Lectura,* t. I (1904), año IV, pág. 157.

lágrimas lentas, de resplandeciente pedrería, se extinguieron antes de llegar al suelo. Otro cohete salpicó el espacio de chispas de luz, fugaces, menudas. Al apagarse los fuegos artificiales, el firmamento augusto convidaba a abismar el pensamiento en la infinita majestad de su extensión. La noche, templada y veraniega, se rebozaba en terciopelos turquíes, y del mar distante venían soplos salobres, la vida de los océanos en que se formó tal vez nuestra vida mortal. Los ojos de Silvio se alzaron. No dijo nada. Silencioso, arrojaba entonces al abismo, por siempre, la carga de esperanzas e inquietudes, el estorbo por el gran viaje que iba a emprender, al través de otros mares mudos y sombríos, hacia el país del misterio...

*

No era todavía, sin embargo, la resignación, no la nueva razón de ser de un espíritu que se somete, y renuncia a los fenómenos y apariencias sensibles. Eran más bien silencios de pena inconsolables, marasmos, tormentas y naufragios continuos, insumisiones en que se destroza el corazón, cual se destroza las uñas el prisionero al atacar las paredes de granito de su calabozo. Y sin poderlo remediar, sordas o declaradas irritaciones contra todo y todos; impaciencias transitorias, seguidas de explosiones de gratitud, efusiones que tomaban forma de desgarradoras despedidas.

Cualquier detalle, el más leve, exasperaba su susceptibilidad dolorosa. Así, los bulliciosos juegos, la salvaje vitalidad juvenil de Bobita, habían llegado a serle insufrible. Encerraban frecuentemente a la danesa; pero con su agilidad y su ímpetu, el animal se escapaba, saltaba ventanas, empujaba puertas, y de improviso saludaba a su amo con insensatas caricias. Después solía entretenerse desdeñosamente, llena de coquetería, en desesperar a Taikun, el japonesillo. Era tan chiquitín aquel enamorado, tan inferior a la Valkiria escandinava, que ella se divertía en burlarle, en huir; en tenderse en posición de esfinge, haciéndose la desentendida, con evidente mofa y crueldad. Luego retornaba a halagar a su amo, arrojándosele al cuello o mordiéndole y lamiéndole las manos consuntas, estremecidas bajo la lengua fresca y violenta del animal. Y entonces Silvio, con acento de hastío inexplicable, volvíase hacia la baronesa, implorando:

—¡Que se lleven a esta fiera... Que me la quiten... Parece una mujer!

*

Sólo las flores le agradaban. Las flores, quietas, dóciles, que no hablan sino por la insinuación de su aroma, le acompañaban; las pedía; siempre conservaba una, o rara o bella, al alcance de su olfato y vista, o la revolvía entre los dedos descarnados, sin fuerza para sostener el tallo casi.

Arriesgándose —no sin timidez—, el capellán entró a veces en el cuarto de Silvio. El negro traje talar ya no asustaba al artista. Sus sentidos se habían habituado a la sombría mancha. Y el capellán ni era un ergotista ni un teólogo. Sólo hablaba de una Virgen muy amiga de los enfermos, de un Dios que distribuye la salud al que le conviene. Asimismo leía noticias de la prensa, asombrándose de varios telegramas, que Silvio entendería mejor. No era, sin embargo, constante la serenidad del artista. Por momentos su cerebro sufría perturbaciones. Desvaríos calenturientos le hacían revolverse en su cama, y la disnea, obligándole a buscar el aire puro, el aire sin tasa, le impulsaba hacia la ventana con fatal impulso. Pasaba el transporte de locura; y después recaía en la cama, palpitando.

—No es que usted vaya a morirse como cree, Silvio —díjole Minia una mañana en que le vio algo animoso—. Sosiegue su espíritu, y entréguese en las Manos que rigen nuestro destino... La vida no es ningún tesoro. Dolor en ella, dolor por ella: he ahí el fondo, Silvio. ¿Conoce usted el cuento oriental? Un camellero. Con su odre sacó agua el primer día, y el agua era un cristal, una alegría de los ojos. Bebió y se refrigeró. Sacó agua al segundo día, y era buena aún. Fue sacando, sacando... y el agua, poco a poco, se hizo amarguilla, amarga, amargota... Hiel, de la hiel más horrible. El camellero, ante el desengaño, se arrojó en el pozo, y desde entonces, ¿sabe usted lo que ocurre? ¡Que el agua del Pozo de la vida, además de amargar, sabe a muerto!

Minia calló. Recelaba haber dicho de más, suspensa siempre entre el deseo de despertar y animar aquel alma temblorosa, asida al vivir como un niño al seno de la madre, y el miedo de herirla con golpe rudo. Silvio había escuchado el tétrico apólogo sin hacer el menor comentario. Al fin, gimiendo:

—La vida... —murmuró—. La vida no es joya de gran valer, aunque a veces encanta... Pero ¡el arte! ¡el arte! ¡Minia!

Y la compositora, derrotada, no pudo sino responder:

—¡El arte... sí! El arte... Eso es otra cosa...!

*

Como si la proximidad del fin sacase a luz en Silvio ese verdadero e íntimo modo de ser que reaparece en las horas críticas, empezó desde aquella hora a deplorar especialmente (según la hija del gibor hebreo[423] lloraba su virginidad, el bajar al sepulcro infecunda, sin que en sus entrañas pudiese formarse el Mesías), a dolerse de lo que no había hecho, de la obra si cumplir. Despedíase del color que acaricia las pupilas, de la línea soberana, que trae a la mente la idea de lo divino, por la euritmia y la proporción; y cada forma bella era una elegía que dentro de su espíritu brotaba. Al irse (convidado que se alza de su silla sin haber gustado el vino, dejando colmada y espumante la copa), sus lágrimas destilaban otro licor que absorbía callado, en triste embriaguez. Y el sentimiento

---

[423] La hija del gibor hebreo.—Se refiere a la historia bíblica de Jefté, guerrero hebreo que luchó contra los ammonitas y prometió a Yavé, si le concedía la victoria, sacrificar al primero que a su vuelta saliera de su casa a recibirlo. Fue su hija única quien salió a su encuentro cuando regresaba vencedor. Enterada de la promesa de su padre, la joven le animó a cumplirla y sólo pidió una gracia: «Déjame que por dos meses vaya con mis compañeras por los montes, llorando mi virginidad.» Su padre accedió y el texto bíblico concluye: «Y ella se fue por los montes con sus compañeras y lloró por dos meses su virginidad. Pasados los dos meses volvió a su casa y él cumplió en ella el voto que había hecho. No había conocido varón.» (*Jueces*, 11, 34.)

La voz *gibor* es hebrea. En la *Enciclopedia de la Biblia*, t. III, Barcelona, eds. Garriga, 1963, se encuentra la voz *gibborim*: forma plural masc. del nombre hebreo *gibbor*, que significa 'fuerte', 'valiente'.

de pasar sin dejar huella, era también manifestación inconsciente del inexplicable, del victorioso apego vital.

En torno suyo, indiferencia. Ni una hoja de los árboles, ni un aliento del aire seco, blando, voluptuoso, se resentía de la agonía de un ser joven, de aquel sufrimiento humano, tan largo y martirizador. En otoño, la naturaleza parece asociarse al sentir del hombre; pero corría el mes de julio, la roja y ardiente luna de Santiago, y olía a hinojo, y en el ambiente sonaba la campanillita de oro del júbilo de las romerías y fiestas. Las quintas se habían poblado de señorío; gente de Madrid veraneaba; por los sembrados cruzaban grupos, y era un florecer pronto de sombrillas, pamelas y claros trajes. Ante la verja que domina la terraza de las acacias, pasaban disparados, alzando polvo, cestos ligeros, faetones, borriquillos con sonajas, jinetes. Areal reventaba de bañistas; los aldeanos andaban contentos, porque la leche y los huevos y la legumbre y el lavado se pagaban bien; los caballeros siempre sudan plata. Con frecuencia estallaban cohetes, cruzaban murgas, gaiteros dirigiéndose a las parroquias donde se festejaban al santo. Ruido, actividad, regocijo, sol; y el artista se moría allí, en la terraza, donde los gruesos corales del gran cerezo viejo, torcido, añoso, caían y se pisaban, dejando en el suelo amplias manchas, goterones de sangre.

Llegó un momento en que se le hizo difícil salir; apenas le permitía moverse de su cuarto la extenuación. Sobre su cama, a la cabecera, una Madona rubia, un cobre antiguo de la escuela flamenca, de esos en que el grupo de la Madre y el Niño aparecen rodeados de tulipanes y jacintos de gayos tonos, le sonreía... Silvio la miraba. La idea de implorarla, de rogar a la Consoladora, tenía que ocurrírsele, porque cuando se sufre... Y, en efecto, un día en que sintió perderse, esfumándose, todo; en que la lucha, el arte, la gloria, cuanto hermosea el existir y nos vincula a él, se extinguió cual las músicas militares del ejército triunfador se alejan dejando al herido solo en el campo de batalla, a la hora del ocaso, con los cuervos que revuelan y graznan... Silvio secreteó al capellán:

—¿Por qué no pide usted por mí, a... a esa? ¡Que me sane, que haga un milagro!

La puerta estaba abierta. La conversación era franca ya.

«Es preciso que no sea yo solo; que usted mismo la implore...»; y así, el artista, impregnado de lo inefable, de lo eternamente femenino, recibió la consagración de la postrimera esperanza, cogido a la túnica de flotantes pliegues de la Mujer divina.

En voz baja, mezclando veras y esas bromas que se gastan con los enfermos para distraerles (porque todo enfermo vuelve a ser chiquillo), el sacerdote fue derramando el bálsamo. El germen existía, bajo capas de guijarro. Faltaba removerlo, con dedos cuidadosos, delicados, apacibles, huyendo de controversias enojosas y pedanterías apologéticas. Faltaba preparar a las efusiones amantes, a los balbuceos insensibles del alma, cuando recuerda con deleite íntimo, fresco, la antigua canción de la cuna. Ese ardoroso sartal de ternezas que sugiere la más sencilla devoción, una mirada a una estampa, una onda argentada de luna que la ventana deja trasbordar, era lo que convenía no interrumpir, como no se interrumpe nunca un diálogo de amor o una meditación grave. La menor intransigencia, la menor torpeza de catequista, hubiesen irritado a Silvio sin convencerle. Dejar manar la fuentecilla. Ya se humedecen los helechos que la cubren; ya filtra una gota, perla de vidrio fluido; ya se escucha el rumor del chorro que gorgotea... Ya surte, ya empapa la tierra árida del rastrojo...

Y a intervalos —a las horas en que la cabeza se despejaba un instante, en que la fiebre remitía, en que la disnea abría sus tenazas, en que los dolores se mitigaban y la desorganización se interrumpía— la fuente manó.

—¡Minia! ¡Qué bueno fuera que hubiese cielo!

—Sí, pero un cielo más bonito... —respondía Minia sonriente, señalando al que se encuadraba en la ventana.

Porque el tiempo había dado cambiazo; el bochorno que suele aportar entre los pliegues de su esclavina de peregrino el señor Santiago, el Apóstol batallador, había resuelto en tormenta, en vendaval y, al cabo, en diluvio, de esos chaparrones propiamente galaicos, en que se aproximan al suelo encharcado y parecen oprimirle con su negra masa los desfondados odres de las nubes. Los árboles lloraban a hilo; el prado era una esponja; la frutas, antes de llegar a madurez, había sido arrebatada y tumbada por el airote; los rosales se inclinaban, derrengados bajo la violencia del aguacero; y de las gárgolas monstruosas, de abiertas fauces, caía recto, inagotable, un chorro impetuoso, que iba abriendo en la terraza hoyas y grietas. Parecían las Torres un gran buque náufrago, combatido y azotado aún, a quien las olas persiguen, lobos ensañados, hasta la playa misma. Y la inclemencia de los elementos las rodeaba de una soledad eremítica; nadie venía, ni de Marineda, ni de las quintas próximas, a ver a las señoras, a enterarse del estado del enfermo; las labores del campo se habían interrumpido; ni pájaros, ni mariposas, ni insectos zumbadores, ni aromas, ni ruidos, más que el desolado sopeteo y chorreo del agua; hasta las audaces palomas zuritas del jardín del estanque, amigas de desafiar inclemencias, habíanse acogido a su palomar del hórreo, y de vez en cuando sacaban por el tragaluz la cabecita, el pico rosa, y giraban los vivos ojuelos de azabaches engastados en esmalte coralino.

Fue en medio de aquel esplín[424] de las cosas sumergidas, anegadas, hechas papilla; entre el gorgotear del agua, lento, fastidioso, plañidero e insistente; bajo la monotonía abrumadora de un horizonte algodonáceo y turbio, cuando el artista, en un momento de relampagueante lucidez, se volvió hacia su enfermera y pronunció alto y claro:

—Voy a confesarme... que venga el sacerdote... ¡Enseguida!

Corrió el capellán, reprimiendo mal el júbilo de la victoria. Era tiempo; quedaba muy poca hebra sin retorcer, y en las descarnadas falanges de una de las misteriosas hilanderas[425], las tijeras rechinaban ya, frías y aguzadas, siniestramente brilladoras, dispuestas a dar el corte... Fue un diálogo interrumpido por la fatiga del enfermo, un cuchicheo ansioso, confidencial. Por primera vez en el curso de su existir, Silvio se acusaba, no ante su conciencia, arbitrariamente indulgente o severa, sino ante algo que está fuera y por cima de nuestros lirismos. Era en aquel instante como los marinos que tripula-

<hr>

424 Esplín.—Melancolía, tedio de la vida (DRAE).
425 Misteriosas hilanderas.—Las Parcas: Clotos hilaba el hilo de la vida; Láquesis, lo devanaba y Atropos lo cortaba.

ron las galeras españolas con rumbo a región desconocida —la última Tule[426]—, y sus ojos, enlanguidecidos, expresaban la admiración de que más allá del mundo interior del sueño hubiese comarcas, paraísos surgiendo del agitado mar de la realidad. Para adquirir el derecho de entrar en los nuevos continentes, bastaba aquello, un murmullo sincero arrancado a lo hondo del sentimiento; bastaba reconocerse pequeño, débil, confundirse, humillarse, ser verídico, declarar la miseria y el barro en que se hunde nuestro pie enclavado, sujeto a lo terrestre.

—Pequé. Soy arcilla amasada con fermentos de impureza... He palpitado por glorias y triunfos... ¡Engaño! ¡Polvo! ¡Nada!

Y como en el horizonte pluvioso se agolpasen las nubes, más plomizas, más desfondadas en llanto, dejando verterse de sus urnas oscuras el dolor universal, la voz estertorosa prosiguió:

—He pagado con desprecio y mofa a los que quisieron hacerme bien. Por la dureza de mi corazón, un mujer vive encerrada en un claustro.

—¡Aleluya! —respondió el confesor—. ¡Aleluya! Ella pide por usted.

—¡Pide por mí! —asintió Silvio—. ¿Será oída?

—Lo será. Ella le ha precedido a usted en el camino de la bienaventuranza. Y así y todo, es posible que usted llegue antes...

Absuelto, Silvio experimentó una sensación de alivio, una sedación, refugiándose en bahía de tranquilas aguas, cerca de una cosa fértil. El problema del «tal vez soñar»[427], el mayor de

---

[426] La última Tule.—Para los geógrafos griegos Tule era el punto más septentrional de la tierra habitada. Lo situaban al norte de Inglaterra, a seis días de navegación y podría corresponder a las islas Shetland o Islandia. La cita parece referirse a un texto de la *Medea* de Séneca que dice: «Nec pars sit terrae Ultima Tule» («Y no será Tule el extremo de la tierra»).

[427] Tal vez soñar.—Cita que pertenece al célebre monólogo de *Hamlet*, «To be or not to be, that is the question». La frase completa en el texto inglés dice:

To die, to sleep
To sleep, perchance to dream.

los terrores del morir, no le torturaba ya. Si soñase, soñaría como en vida —sueños de aurora, de luz, de desconocidas felicidades—; en que se ensancha el espíritu, y alcanza lo que nunca ofrece la limitada zona del vivir terrenal. Y vio —al través del velo de la lluvia, que ahora caía mansa, en hilos continuos de cardado cristal, como las lágrimas que bañan una faz resignada, dolorosa— a su Quimera, antes devoradora, actualmente apacible, hecha no de fuego, sino de brumas suaves y de aljófares líquidos, de vapores transparentes y de claridad atenuadísima; y, conformándose, sintióse reconciliado con el universo, con las Manos que lo guían... Al adormecerse plácidamente las mortales inquietudes, los hondos espantos; al borrarse la representación del abismo en que caía, Silvio se quedó sonriente, iluminada la cara por ese reflejo inconfundible, que se trasluce, atravesando las carnes demacradas y los huesos áridos.

*

Al otro día, de mañana, le trajeron al Señor.

La ventana, siempre abierta, dejaba ver el campo que rebrillaba húmedo, bajo la caricia dorada de un sol de primeros de agosto, bebedor sediento de los charcos de la diluviada, y dedicado a chupar, con avidez de abeja que libra, los rastros de la lluvia en la vegetación. Las plantas habían erguido la frente; las flores soltaban tanto aroma, que para adornar la habitación del enfermo fue preciso elegir las casi inodoras, por no enloquecer su cerebro, en el fugaz intervalo lúcido. Eran begonias rosa, de elegantes hechuras y avelludado follaje; eran dondiegos, que sólo al anochecer vierten su pomo; eran rosas blancas y té, que apenas sugieren la dulzura de una brisa; eran margaritas, que de cerca tienen un tufo acerbo, balsámico, parecido a un consejo lleno de experiencia; eran salvias carmesíes y moradas, en cuyo cáliz se mece una gota de almíbar; eran cruentas eritrinas[428] y pasifloras cristíferas[429], emblemas

---

(*Hamlet,* acto III, edición de Philip Edwards, Cambridge University Press, 1985, pág. 146.)

[428] Eritrinas.—*Erythrina crista-galli* es el nombre culto del árbol del coral,

de la Sangre y la pasión redentoras, raudal de amor... Dispuestas en jarrones, distribuidas sobre los pocos muebles y sobre la cama que adornaba la hereditaria colcha de damasco color prelado, con arabesco de raso enranciado por el tiempo, y cuyos tonos armoniosos aún placían a la pupila del artista moribundo, las flores hablaban su lenguaje lírico, preparando el alma a recibir al Huésped. En la fantasía de Silvio, acaso por vez postrera, el mundo real, visto ya como lo ven los reclusos, por el hueco abierto en la pared del claustro, se transformaba y revestía de los matices y las refulgentes irisaciones de la hermosura. La campiña, impregnada, refrescada por la lluvia honda y caudalosa, que había penetrado hasta sus entrañas; la campiña, antes seca, vestida de verdor primaveral otra vez, era la misma campiña de Flandes, trasladada por Van Eyck al Paraíso; tierra hecha cielo, sin que perdiese los accidentes terrenales, el risueño atavío de florescencia menuda, rebosante de jugo y salpicada de rocío mañanero. Y por las lejanías, sobre el anfiteatro de montañuelas y bosques, que prende con broche de turquesa el trozo de ría, avanzaban en hilera los personajes vestidos de rosicleres de amanecer y tintas celestes; las santas, los mártires, los profetas, los reyes, toda la gloria de la iglesia triunfante. Entre aquellas santas, una carmelita: su veste es de jacinto encendido, su rostro parece ardor, su expresión es extática, la luciente sustancia de su ropaje y de su cuerpo ciegan y su voz timbrado, amante, murmura estrofas de poemas divinos. Detrás de ella, entre las vírgenes, una que ostenta corona hierática, toda la pedrería, y un ramo de madreperlas, figurando azahar, sobre el seno; trae los ojos bajos, las mejillas encendidas de rubor... Y cuando se incorporan y funden estas figuras y fantasmas luminosos en una sola llama terrible, deslumbradora, en el centro de ella,

---

que en zonas de clima frío no pasa de ser un arbusto. Las flores, que brotan agrupadas en ramilletes, son de un esplendoroso color rojo vivo.

[429] Pasifloras cristíferas.—Pasiflora es el nombre culto de la pasionaria o flor de la Pasión. El nombre vulgar alude al parecido de las partes de la flor con los instrumentos de la Pasión de Cristo: los estigmas serían los clavos; los cinco estambres, las llagas; la corola con filamentos purpurinos y blancos, la corona de espinas, y los pétalos morados, el hábito nazareno. El adjetivo «cristífero» alude a esta semejanza.

cercada de estrellas de más viva luz todavía —diamantes dentro del piélago de llama—, aparece la única Mujer celestial, la que espera paciente, al pie de los lechos mortuorios, a recoger el soplo imperceptible, el último gemido libertador...

*

Silvio, cerrando por un momento los párpados, sintió que sobre su lengua descansaba la suave partícula. El Cordero místico, manso y herido, derramando de su costado abierto un río de granates, vino entonces a recostársele sobre el hombro. Balaba tiernamente; parecía decir: «También muero; mira cómo mi vida fluye de mis venas... Muero por ti... Por ti, ¿no lo ves?»

*

La cabeza del moribundo recayó sobre las almohadas. La baronesa acercaba a sus labios agua, el sorbo que sigue a la comunión. En el pasillo se oían exclamaciones y sollozos de servidores.

Desde aquel punto el moribundo fue agonizante. Cada hora pesó sobre él con peso de losa sepulcral. Su cerebro, un instante iluminado, se ensombreció gradualmente, quedando sólo vigilante la sensibilidad afectiva, las efusiones en que, agradeciendo los cuidados de su enfermera con balbuciente gratitud de niño, la llamaba, la nombraba sin cesar. Algunas veces, en fugitivos lampos, la conciencia parecía despertarse, y hasta los ensueños fallidos, las ambiciones volvían a rozarle con sus alas; después recaía en el estado comatoso, que interrumpían accesos de insania, nerviosos ataques, ahogos y asfixias pasajeras.

No se sabía cómo sostener aquella existencia sin raíces. La leche, los alcohólicos, las pociones, la cafeína... Y la lucecilla temblante chisporroteaba, para languidecer más y apagarse.

Fue en las primeras horas de la mañana cuando Silvio se alzó de repente en el lecho revuelto y manchado. Sus manos crispadas azotaban el ambiente; sus ojos desvariados buscaban en el espacio lo que no podían encontrar: aire. Su boca se abría en redondo, ávida, suplicante, negra. Fue un segundo. Aplanóse, jadeando. El jadeo, sin embargo, a los pocos segundos, disminuyó, cesó, y una expresión de beatitud serena se esparció por la cara desencajada y cárdena, ahora amarilla. La baronesa se había precipitado a llamar al capellán. Cuando éste llegó, su experiencia le dijo lo cierto.

—Agua bendita —exclamó—. Rociaremos el cadáver...

La palabra siniestra arrancó a la señora la explosión de llanto, hasta entonces reprimida.

*

Ya la otoñada se acerca. Minia, a las doce de la noche, en el historiado balcón del último piso de la torre de Levante, está de bruces, recorriendo senda atrás, con la memoria, un ciclo, una vida. Lo que ve en las lejanías vaporosas, que la luna aviva con toques de gasa de plata, es un destino humano, corto, intenso, que empezó allí mismo, en Alborada, y en Alborada vino a concluir. Así sobre el paisaje bordamos nuestra emoción del momento, y así la materia se transforma, se asimila a nuestro espíritu y adquiere realidad en él.

Le veía llegando a buscar recursos para cebar aspiraciones más altas; le veía manejando con su genial gracia de inspirado los lápices; le veía en Madrid, sin recursos, sin muebles; escuchaba el gentil cuchicheo de salón a que debió su rápido encumbramiento; le veía afinar su tipo con los retoques de la moda; recordaba a la enamorada Ayamonte, al doctor Luz, a Solar de Fierro, con su romántica trova; releía las cartas de París, pensaba en las perfidias de Espina, y fantaseaba en irónica reconciliación, o en no menos irónico rencor, el encuentro de dos esqueletos que se pedían cuentas, o desdeñosos se perdonaban... Luego, en vez de la enorme perla gris y nacarada de la luna, rodando silenciosa en el esplendor de la noche vital, Minia fantaseaba una nube caprichosa, tenue, la forma del blanco Cordero redentor y expiatorio, cuyos contornos se esfumaban poco a poco, borrándose. Y acudía a su imaginación Silvio como en letargo, idealizado por la liberación final, vestido de frac, cubierto de flores —ahora el olor no le dañaba—, depositado en el rincón de un humilde cementerio campesino, entre la calma del olvido, lejos de victoria, lejos del hálito de brasa de la Quimera...

—Dichosos los que yacen en paz —murmuró la compositora, cerrando un instante los ojos y reclinándose en la columna de granito del ventanal. Oyó furiosos baladros: podrían ser de los canes guardadores de las chozas. Un soplo de fuego la envolvió; unas pupilas de agua marina alumbraron la estancia con su reflejo, parecido al de los gusanos de luz... Y, ya segura de que el monstruo acababa de penetrar por los huecos del balcón consagrado a las Musas, Minia descubrió el harmonio, se sentó ante él, y empezó a tantear la composición de una *sinfonía,* tal vez más sentida que las anteriores.

F I N

Apéndice documental

La lectura, año IV, tomo I, págs. 151-154

[Y anegada en descompuesto llanto, Churumbela corrió, huyó a tropezones, batió la puerta exterior haciendo retemblar las pareces de la casa. Desde la escalera se la oyó sollozar aún. Cenizate miraba sonriendo a Silvio.

—¿Con que esta...?

El artista hizo un gesto de fatiga y de desdén.

—Pues chico, hasta la fecha no se sabía... Solano y varios la han apretado bastante, y ella, nada. Modelo, corriente; otra cosa, no señor.

—¡Bah! —murmuró incrédulo Silvio, a cuya furia sucedía la postración—. Ello es que mi petaca... ¿En qué casa de empeño o cueva de ladrones parará? Llaman... ¡Si es una señora te vas volando!] Pero será Molledo, que se me ha declarado en sesión permanente.

Corrió Cenizate a abrir, y volvió al taller en compañía de un caballerito estirado, de planchada cabellera reluciente de aceite y cuello tieso hasta las orejas. La fisonomía del pisaverde tenía una expresión como de ansiedad; veíase que estaba pendiente del concepto que los demás formasen de su persona. Era rubio, deslabazado, de perfil de pájaro, de respingada nariz; la tenacidad sólo se le conocía en el mirar frío y lúcido de los hombres sin emociones, capaces de todo por llegar a su objeto.

—Hola, Molledo —saludó sin cortesía Silvio—. Tarde viene: voy a echarles a usted y a este...

—¿Pues que pasa? —preguntó Molledo impávido, con su inalterable sonrisa.

—Que espero a la Salvatierra de once a una.

—Ya nos iremos cuando venga. ¡Si usted fuese amable, me presentaría!

—¿Cuántas veces le he de decir que no las da la gana de que las hagan tales presentaciones? Ya tuve que aguantar un rapapolvo de la Sarbonet, por haberle a usted presentado. Creí que me pegaba.

565

—Porque la Sarbonet es una engreída. ¡Piensa que no sabemos su nacimiento y su historia! ¡Y sus reuniones tienen un pato! ¡Vaya una tía ordinaria! A propósito: enséñeme usted su vera efigie.

Silvio la destapó a regañadientes; una especie de andrajo cubría el rico marco tallado Luis XV, y el pastel, que era de los superiores, un encanto de color.

—¿Será cierto que retrata usted mejor a las feas? Ha hecho usted de la Sarbonet una hembra atractiva, ¡y cuidado qué...! ¡La Salvatierra sí que es guapa! ¿No saben ustedes lo último que corre de ella?

—Ni me importa —declaró Silvio, enterado de que uno de los recursos de Molledo para abrirse puertas era la maledicencia; una maledicencia glacial, sin pasión, dispuesta a trocarse en culto, apenas le atendían y halagaban.

—Ya que usted no me escucha, se lo contaré a Cenizate al oído...

Y arrastrándole a un ángulo, cerca de la vidriera, cuchichearon. Cenizate, al pronto serio, acabó por reír como un loco. El demonio es este Molledo. ¡Qué lengüecita de áspid! ¡Conviene hacerse amigo suyo! Y hubo los acostumbrados «pero, ¿de veras? Hombre, es de oro... Lo sé por quien lo presenció... Si hasta lo decía el último número del *Zafarrancho,* con todas sus letras...»

Frú-frú de sedas, taconeo... La Salvatierra, sin que sonara la campanilla, porque la portera había abierto con el llavín. También ella, al ver gente en el taller, mostró extrañeza reservada, adoptando una actitud que, desde luego, situaba a incalculable distancia a los entrometidos. Dio Cenizate el ejemplo de inclinarse y retirarse; Molledo, de malísima gana, hubo de imitarle, salió echando miradas de reojo a la altiva dama que aparentaba ignorar hasta su existencia. Calma; un día u otro... ¿Y Silvio por qué no le complacía? ¡Vaya usted a saber el grado de privanza que disfrutaba Silvio! Fíate de estas tan entonadas...

Molledo quedaría defraudado en su malicia, si pudiese presenciar oculto la sesión. La Salvatierra, después de gastar en el tocador, donde la esperaba su doncella, un cuarto de hora, se apareció en el taller nuevamente vestida de azul turquesa, su color favorito, el que mejor realzaba la claridad y pureza luminosa de su tez, género de belleza raro entre las mujeres españolas. Era escotado el traje, rebordado de turquesas capitales y encaje de plata, y el abrigo, de armiño, apenas parecía más blanco que los hombros, la tabla de pecho y la frente de Susi Enríquez, a quien las amigas acusaban de usar un blanquete refinado, misterioso, fabricado para ella con secretas fórmulas de oriente. El color de las mejillas, el delicadísimo de un pétalo de rosa;

el pelo dorado tenía reflejos de seda. Silvio, sentado ante el caballete, enfurruñado, la miraba guiñando los ojos. Y como ella le interrogase, en voz sin inflexiones:

—¿Qué opina usted? ¿Mi retrato podrá competir con el de Verónica Sarbonet y con el famoso de la Dumbría, el mejor que ha hecho usted, según cuentan?

Silvio, incapaz aquel día de dominarse, respondió sin rodeos:

—No señora; usted no se presta tanto.

—¡Qué dolor! ¡no me presto...!

—No. Es usted una de las bellezas de Madrid; tiene usted un color que sorprende; además tiene usted *chic;* el traje es un primor... Pero ya verá como en el pastel su colorido sale falso; carmín y albayalde.

La fría esfinge se estremeció, rugió casi. Impetuosamente, la Salvatierra se incorporó, llegando a Silvio, metiéndole la cara por los ojos.

—¿Albayalde? ¡La tema de todas esas amarillas y negruzcas! ¡Albayalde! Ahora va usted a ver...

Salió; tardó un segundo en regresar del tocador con una toalla mojada; y sin recelo a mancharse el traje, se refregó arrebatadamente el rostro, como si quisiese arrancarse la epidermis. Enrojeció un instante, pero al minuto, la deslumbradora blancura boreal cubría otra vez la correctas e inertes facciones de porcelana, y en las mejillas el sutil arrebol se esparcía poéticamente, comparable al de las nubes besadas por la aurora.

—¡Eh! ¿Dónde está el albayalde? Tome usted, refriegue usted mismo, si no se convence...

Pasado el incidente, cantada la palinodia, estableciose entre el artista y el modelo un silencio hostil. Silvio trabajaba con ahínco; la Salvatierra posada, sin que su fisonomía de bella muñeca impasible, serenada ya por la confesión del pintor, que había exclamado: «Ya veo que no hay mano de gato, señora», dejase traslucir más impresiones que las del aburrimiento que engendra la *pose* y la despreciativa calma con que se sufre un servicio venal —el gesto que ponía a la manicura o a la corsetera. Poco a poco, Silvio, entre toque y toque de color, sintió que le invadía el despecho, y que por romper la irritante muñeca de fino Sajonia, era capaz de ir resignado a presidio. «Soy un desequilibrado» —repetía para sí—, estrujando el lápiz. El ímpetu de destrucción ciega no lo percibía por primera vez; con relativa frecuencia le asaltaba. La acción no había respondido nunca a la impulsión; un freno contenía la máquina pronta a descarrilar; sin embargo, Silvio percibía el desorden extravagante de la insania. Ideas furiosas cruzaban por su cerebro, como valkirias a galope.

Arrancarle a Susi el traje bonito; desbaratarla el peinado de caracoles de seda rubia; darla un par de bofetones para amoratar o inflamar aquel sonrosado de mármol, y cambiar el insultante gesto en dolorosa mueca; asir un látigo de montar que rodaba por la mesa entre mil chucherías y fustigar el escote de raso liso, sin duda relleno de guata, que ni el más leve temblorcillo estremecía cuando el pintor se fijaba obstinadamente en él, ¡qué desahogo para Silvio! ¡Qué sedación para sus nervios! Sólo se oía el crepitar de la Chubersky, el crujir del tafilete nuevo de las botitas de Susi al avanzar el pie y el roce mate, imperceptible, de los dedos de Silvio colocando color. Y de pronto, un crujido rasgó el aire, Susi dio un chillido y se incorporó, pálida al fin, porque acababa de ver a Silvio esgrimiendo una navaja. Con ella desgarraba de alto abajo, desde la frente hasta las rodillas, el retrato de Susi...

Mientras esto pasaba —tilintintín— penetraba en el taller un apuesto caballero, algo maduro, el propio duque de Salvatierra. El grito de su mujer le obligó a precipitar el paso.

—¿Qué es esto? ¿Qué ocurre, Susi? Pero, ¿qué hay?

El artista, trémulo y avergonzado, se adelantó señalando al caballete.

—Un acto de justicia, duque. He cortado el retrato, que salía infame, y se ha asustado la duquesa al ver la ejecución.

—¡Pero si iba precioso! ¡Qué atrocidad! ¡Una semejanza! ¡Susi, qué lástima! ¿A ti no te parecía muy bonito, di? ¡Estos artistas, qué impresionables! En fin, a los artistas hay que dispensárselo todo, porque no son como los demás, ¿verdad? ¡El genio, el genio! —añadió espantando los ojos y con un gesto entre reprobador y amabilísimo.

—¡Diga usted mal genio, duque! Por Dios, no lamente usted que haya destrozado esa porquería. Si la duquesa quiere volver a posar, haré algo donde se vea su tez tal cual es, y no con tonos falsos, como, a pesar mío, salía ahí.

Halagado, sonrió Salvatierra.

—¿Ves, Susi, hija mía? La culpa es de tu color, ese color... ¿cómo diré?

—Desesperante —murmuró Silvio.

—Justo, justo, desesperante... Qué bien, ¿eh? La palabra exacta. Todos los artistas lo dicen: Martínez Cubells, Sala, se me quejaban de lo mismo... «Tienes en vez de sangre, jugo de azucenas», ha escrito en su álbum el poeta don Apolo Añejo... Si quiere usted ver el retrato que la hizo Cubells, véngase el miércoles a almorzar a la una en punto, en familia...

—Mil gracias, duque... La duquesa no sé si me conserva rencor...

—¿Yo? El mal ha sido para usted. A la verdad, susto sí me lo ha dado. Volveremos a intentar... Ya hablaremos el miércoles... —declaró el juguete de cerámica, con algo menos de desdén que antes. La violencia del pintor halagaba su dignidad.

Media hora después Silvio despachaba su fiambre e inconfortable almuerzo, y bebía precipitadamente otra taza de té. ¡Tiliririn! La *governéss* de casa de Torquemada, guarnecida de dos chicos. Silvio, con el estómago frío, a pesar de la infusión caliente, corrió al taller, retiró del caballete a la Salvatierra, abierta en canal y toda envuelta en la nube azul de sus gasas, la sustituyó por el empezado y ya delicioso esbozo de una cabecita morena bajo una lluvia de bucles negros —la niña Celi. Roberto, el varoncito, protestó. La *governéss* le echó una reprimenda sobre el tema de la galantería.

La Ilustración Artística, núm. 859, año 1898.

La tarde está hermosa; la vegetación del Retiro, regada, no solamente por las bocas, sino por los aguaceros de la pasada semana, tiene ese verdor ideal que parece un sueño de primavera; los carruajes, sin levantar polvo, ruedan suavemente por las calles y las avenidas, bajo el doble toldo de las ramas de los árboles y de las sombrillas de seda, abiertas como inmensas flores. El estanque —ese estanque donde no ha muchos días apareció un cadáver, sin que a estas horas se haya averiguado todavía si delataba asesinato o suicidio, ni nadie haya vuelto a acordarse de esa víctima casi anónima— duerme sosegado, con ligera ondulación superficial, que da a sus aguas aspecto de sedosa tela de *moiré* azul. La gente entra en el *Palacio de cristal* a visitarla la Exposición del Círculo de Bellas Artes.

Recorremos la galería, examinando los cuadros, y notando, como síntoma, la reaparición de un género años ha completamente en desuso: me refiero al pastel. Ha vuelto a ponerse en moda ese procedimiento tan fino y delicado, gracias a los mundanísimos retratos del artista Joaquín Vaamonde, por cuyo taller desfilaron todas las señoras de alto coturno de Madrid, y muchas de París, Londres y América. Como un tiempo Federico Madrazo, Vaamonde se ha creado su especialidad en estudios que, al copiar a la mujer, la idealizan, sorprendiéndola en el momento mejor, cuando su hermosura brilla con más hechizo, su silueta es más gentil, su atavío más artístico, sus líneas más airosas; revelando su belleza, en fin, y no ofendiéndola y mermándola con durezas y arrebatos de color, con implacables realismos que buscan la mancha de la tez, lo marchito de la forma y la huella siempre visible, pero no siempre evidente, del estrago de los años. Sin embargo, el que crea que Vaamonde es exclusivamente un pintor de damas y el pastel es —como he oído sostener a algunos— un procedimiento afeminado, cambiará de parecer si se fija en el retrato del eminente violinista Pablo Sarasate, obra también de Vaamonde, que figura en esta Exposición. El tipo mongoloide y la aborrascada cabellera de Sarasate (que tiene, como todos saben una cabeza sumamente original y característica) han sido interpretados por el retratista con extraordinaria energía y fuerza.

La Ilustración Artística, núm. 975, año 1900.

No pasa día sin que la segadora incansable, la Muerte, reúna en sus gavillas las espigas de oro con las espigas verdes aún y que esperaban la caricia del sol. Allá van, juntas bajo el golpe de la afilada segur, verdes con maduras. Así acaba de confundir ahora la madurez del gran artista Eça de Queiroz, muerto en París, de una tisis a los intestinos, y la juventud esperanzada de Joaquín Vaamonde, el retratista de las elegancias, que ha sucumbido a la tuberculosis en nuestra casa de Meirás, a corta distancia de La Coruña, el pueblo en que Vaamonde había visto la luz.

*

Joaquín Vaamonde no había llegado a la celebridad. Era, sí, conocidísimo y estimadísimo en los círculos del gran mundo, clientela asidua de su taller. En Madrid, en París, en Londres y pronto en Nueva York, la *crema* se había disputado e iba a seguir disputándose a Vaamonde. Era esta una de esas ironías del destino, que casi siempre nos empuja hacia el Norte, mientras la voluntad nos llevaría hacia el Sur.

Nacido en una capital de provincia gallega, medio poco favorable a la vocación artística, ésta se reveló en Vaamonde tan incontrastable, que le impulsó a emigrar a la América del Sur, en edad más que juvenil, tierna y adolescente. En América, el muchacho batalló por la vida, se dedicó a trabajos manuales, fue albañil, comió mal, y siempre se resintió de este periodo bohemio, en que su débil estómago perdió fuerzas y quedó mal preparado para repartir energías al organismo. Por último, consiguió sostenerse pintando, difícil problema, al fin resuelto. ¿Dónde aprendió, cómo se formó su talento delicado y *usancé* de pastelista? Ni había ido a Roma, ni a París, ni a Madrid; ni conocía museos, ni sospechaba lo que era asistir al estudio de las celebridades y recibir enseñanza, cuando, deseoso de adquirir todo lo que le faltaba, volvió a Europa, cinco años hace. Desembarcó en Marineda, y todavía me parece ver el improvisado taller que en Meirás se arregló para mi retrato; las colchas de percal colocadas de modo que tamizasen la luz, y hasta un cuadro, puesto a guisa de mampara, ante los vidrios de una ventana que daba al jardín. Yo tenía escasa confianza en el resultado del retrato. Muchos me han hecho, y ninguno ha salido bien. El de Vaamonde dejó satisfechos a los que lo vieron, y quedó terminado en tres sesiones.

*

Expuesto en Madrid, en mi biblioteca, a principios del invierno de 1895, el nombre de Vaamonde se repitió con encomio, y empezaron a llover encargos. La primera señora que quiso ser retratada por el todavía desconocido artista fue la condesa de Pinohermoso, incansable en protegerle, recomendándole y elogiándole. Después de esta inteligente y noble dama, se interesaron por Vaamonde otras muchas, lo más granado de Madrid, especialmente la condesa de la Casa Valencia y la duquesa de Alba. Fue moda retratarse con Vaamonde. No tenía el pintor hora ni minuto libre. Asediado, ahora de trabajo, se veía precisado a rehusar encargos a cada momento. Su taller olía a violeta, a Rimmel, a *foin coupé*. Por las sillas andaban esparcidos trajes de esos que valen o cuestan miles de pesetas, y que son un suelo adorable, de encajes, de gasas y de terciopelo de reflejos. Aquí se veía olvidado un abanico; allí una caja de polvos de arroz, de plata y cristal. Invitaciones para comidas y saraos caían como granizo en el estudio. De todas las maneras de sonreír que tiene el mundo, sonreía al artista de la elegancia y de la finura exquisita.

*

Y él vivía desesperado, renegando de aquella, para otro, lisonjera suerte. Conmigo desahogaba sus aspiraciones frustradas, o que él creía tales. ¿Cuándo iba a verse libre de pintar sedas y perlas, flores y lazos, y a poder entregarse al estudio y culto apasionado de la verdad? Hasta cierto punto yo no podía menos de darle la razón. Es imposible eternizarse en el retrato bonito, de niños rubios con cuello de Inglaterra y mujeres vestidas por Worth. Vaamonde comprendía que no estaba familiarizado aún con los secretos de su arte. Pintaba maravillas al pastel; no sabía lo que es pintar al óleo.

*

Su afán, residir largo tiempo en el extranjero, y allí educarse, completar su iniciación artística. Su ídolo, Sorolla, y la pincelada viril, amplia, fuerte, con luz plena y realidad hasta brutal. Su tormento, la ocupación a que se consagraba. Yo solía recordarle, para calmar su fiebre, la frase de Alfredo de Musset: «Mi vaso es chico, pero bebo en mi vaso.» Arte también, arte menor, si quiere, pero con sus cualidades propias, y no a todos accesibles, aquellos retratos de hermosuras, que tan bien encajaban en el marco Luis XV, sobre la seda brochada de flores. Arte, aquellos niños dignos del pincel de un discípulo de Reynolds. Arte, aquellas damas envueltas en una chaquetilla torera, aquella figura de María Teresa Casa Valencia vestida de blanco. Arte, y ya enérgico, aquella admirable cabeza de Sarasate el violinista.

*

Él no se conformaba, y sólo le servía de consuelo pensar que ahora en Nueva York y en París, con el precio de un solo retrato podría vivir un mes o dos, aun derrochando como de costumbre, y estudiar seriamente, practicar con algún maestro indiscutible, y la ironía del destino a que antes aludí quiso que, en el mismo punto de ir a realizarse la aspiración ardentísima, un átomo, un microorganismo, el bacilo de Koch, flotando en el aire, o comunicado por un contacto casual, entrase en su boca, y de allí bajase a los pulmones. La tuberculosis se desarrollaba lenta, implacable, devoradora, y ya la mano no pudo volver a asir el lápiz, ni el cuerpo a moverse, de un sillón, que por expreso deseo del moribundo se colocaba lo más cerca posible de las flores, al lado de la fuente, cuyo ruido distraía sus pesadas modorras calenturientas.

*

No queda, pues, de Vaamonde sino lo que él deseaba romper y destruir; sus retratos coquetones, sus cabezas de mujeres guapas y ataviadas por el gran modisto. Acaso, como Andrés Chenier, se lleva un mundo no realizado a la tumba. Acaso le esperase, por el contrario, el desengaño de la impotencia artística. Nunca lo sabremos.

Pocos días antes de morir, díjome tristemente mirando a las *rapazas* aldeanas que segaban hierba en nuestro prado:

—Esos eran los modelos que hubiese querido pintar yo.

El Gráfico, 25 de junio 1904, núm. 13, pág. 5.

DOÑA EMILIA PARDO BAZÁN

En contestación al interrogatorio de *El gráfico*, relativo a las obras que preparo y destino a la próxima campaña de otoño, diré que a información teatral me huele la pregunta. Los trabajos que no han de vivir o morir en las tablas se emprenden sin pensar en campañas de otoño. Sea como quiera, responderé acerca de todo lo que entre manos y cejas tengo.

A principios del invierno de 1904-905 espero publicar en volumen mi novela *La quimera*, que está saliendo a luz ahora en la revista madrileña *La lectura*. *La quimera* forma el tomo 29 de mis obras completas y es bastante extensa. Calculo que arroje unas 500 páginas de compacta lectura.

Su asunto es el estudio de la aspiración artística. El protagonista existió y estuvo muy de moda en Madrid, como retratista al pastel. La tuberculosis cortó su carrera, precisamente cuando iban a confirmarse las esperanzas fundadas en geniales disposiciones. No refiero la vida de mi héroe con nimio respeto a la verdad que nada significa; he modificado libremente lo externo, lo accidental de su historia; he tenido que proceder así, hasta por razones de discreción y respeto a lo que pertenece al dominio privado. Además, estoy persuadida de que en una vida humana lo único que interesa es lo que descubre la individualidad. Lo que nos es común con todos los de nuestra especie carece de valor, si no le imprime su sello distintivo el carácter.

Algún tiempo después de echar al mundo *La quimera,* pondré a la venta el tomo 30 de *Obras,* que titularé *Historia de la literatura francesa contemporánea.—El romanticismo.* Siento no encontrar un título de menos pretensiones y que exprese bien el contenido del libro [...].

La Ilustración, núm. 1585, año 1912.

La Esposición de Pintura del *Centro Gallego,* inaugurada ayer con asistencia de los Reyes, y muy lucida, mucho más de lo que pudiera presumirse, dada la común idea de que en Galicia no existen pintores, ha traído a mi memoria (al exponer sus obras), al malogrado pintor Joaquín Vaamonde, que tantas esperanzas hizo concebir, y que, a vivir algo más de la breve edad que le permitió su destino, hubiese contribuido no poco a demostrar que en su tierra pueden nacer artistas, y artistas que no responden al concepto común que de su tierra ha solido formarse (hoy este concepto empieza a cambiar).

Creíase, en efecto, antaño, que fuese Galicia una comarca donde lo tosco, lo grosero y lo zafio tenían su asiento. Un gallego era un hombre de fuerza bruta, cargado con la cuba o el baúl; era el cántabro de enorme pie, de ancha cintura, de grueso cogote... Y he aquí que, cuando nadie pensaba en un procedimiento de arte el más delicado y fino, el retrato al pastel, predilecto de los Nattier y los Latour, olvidado casi desde la elegante época de Luis XV, aparece en Madrid un artista que lo resucita y lo consagra, definitivamente ya; un artista que en un mes se pone de moda, al cual se disputan las grandes señoras, que quieren ser asunto de sus lápices deliciosos, y al no tarda en llamar la reina para que reproduzca el semblante del rey párvulo y de las «niñas» como se llamaba entonces a las dos princesas... Y este artista, prototipo de la elegancia, es un gallego, un cántabro; y no es por casualidad, por el azar de que haya venido su familia, poco antes de su nacimiento, a establecerse en una ciudad gallega; lo es de raza; su niñez ha transcurrido al borde del Cantábrico, cuyas olas le infundieron acaso las nostalgias, tan vivamente sentidas por aquel otro gallego romántico y sentimental que se llamó Nicomedes Pastor Díaz.

Y es que Galicia, en su fondo de naturaleza y de alma, tiene precisamente, en vez de la nota ruda y viril de otros países españoles, el sello de la delicadeza y de la exquisitez, visible en todo su desarrollo artístico, que no ha sido ni muy intenso ni ha sorprendido por la cantidad; pero que, en cambio, ha revestido justamente ese carácter de suavidad y de melancolía, de refinamiento espiritual, y además, de intensa aspiración a lo más alto, no como ambición material, sino justamente con el sello del ensueño. Así, es Galicia el país del *Amadís,* de los trovadores, de los grandes soñadores españoles, en este sentido, nuestra Alemania.

Por eso hice yo de aquel bohemio el protagonista de una novela, *La Quimera,* en la cual quise estudiar un aspecto del malestar contemporáneo, la infinita aspiración idealista. Me sugirió el pensamiento de esta novela un incidente bien insignificante. Me pidieron una obra para un teatro de marionetas, y se me ocurrió glosar el mito de la Quimera antigua. Belerofonte, que viene a luchar con la Quimera, encuentra en el palacio de Yobates a la princesa Casandra. Se enamoran apasionadamente y deciden huir juntos, así que Belerofonte haya dado muerte al monstruo. Minerva, diosa de la Razón, ayuda a Belerofonte en la empresa. Apenas la Quimera sucumbe, el amor loco, el entusiasmo heroico, perecen con ella. Casandra y Belerofonte, antes tan entusiasmados, se apartan sin mirarse. Belerofonte huye del peligro de que le asesinen en el palacio del padre de

Casandra, y Casandra de la vida azarosa que la espera si une su suerte a la del príncipe proscrito... Era el aliento febril del endriago lo que los había unido: al sucumbir la Quimera, disípanse los ensueños, las hermosas locuras...

De este pensamiento salió después la novela, cuyo protagonista, Silvio Lago, padece esa noble enfermedad, el mal de aspirar, propio de su organización sensible, afinada quizá por los gérmenes ocultos del padecimiento que había de llevarlo a la tumba. No hubo nadie que con más abandono se entregase a las garras de la Quimera, que tenía fijos en él sus glaucos ojos.

No era la riqueza, y acaso no era ni la fama, lo que buscaba el artista, era la realidad, si así puede decirse, de lo quimérico; la satisfacción de transformarlo en verdad un instante.

Pero todavía hubo otro conflicto más penoso, si cabe, en aquel espíritu. Cuando empezó a trabajar en sus retratos al pastel, que le daban fama y provecho, y en otros al óleo, que le servían de ensayo para lo que él llamaba la pintura seria; cuando empezó también a tomar apuntes de lo natural, de paisajes y tipos aldeanos, al estilo de Sorolla, a quien tanto admiraba, he aquí que se produjo en él, al influjo de lecturas, conversaciones y viajes, la crisis de su fe. Otros artistas, como Aurelio Beruete, el paisajista, han tenido formado desde luego su ideal estético, y han marchado siempre en el mismo sentido, hacia la verdad tal cual la ven, sin subjetivismos ni falsificaciones. Son convencidos, son concienzudos, y cualquiera que sea su culto por lo antiguo, su veneración por los maestros, no conocen otra religión sino la de la probidad: reproducen las cosas como las ven. Vaamonde hubiese aspirado a eso mismo; su mayor afán era dibujar, «más que Dios»; dibujar mucho, porque el dibujo es la solidez, es la honradez del arte; pero, sin embargo, en su pensamiento, la duda se había deslizado: inquieto e impresionable, sujeto como nadie, por su misma sensibilidad exaltada, a las influencias de cuanto flota en el aire o viene a insinuarse en el pensamiento, Vaamonde sufrió en su breve carrera muchas desorientaciones. Primero, al llegar a Madrid, profesó el arte sincero, el arte sin intenciones, limitado a la reproducción de lo visible. Yo combatí esta tendencia, porque sabía que en París y en Londres ya había pasado a la historia esa doctrina, y sobre todo, porque acaso no fuese la que más se adaptaba a la especial estructura del pintor, a aquella su cualidad maestra —la elegancia. Cuando interpretaba tipos populares parecíame que estaba fuera de su verdadero camino; pero esto lo hacía como estudio, por adquirir maestría de dibujante, seguridad de mano. Si siguiese la pendiente de su modo de ser, haría siempre cosas del género de un painel que me regaló y que revela la viveza de su fantasía, y la emotividad de su arte: la preciosa composición que debe llamarse «El amor y la muerte»; la mujer espléndida, cuyo cuerpo desnudo se destaca sobre el fondo de aquel paño mortuorio, con dos tibias cruzadas y una calavera que, desde el primer momento, adornó el estudio del artista, en Madrid. Sufrió esta crisis el artista, y sintió que había algo más allá de la escueta verdad sensible, de la indiferente reproducción del modelo o de la escena vulgar. Y poco después, sus viajes le trajeron a otro orden de ideas: a pesar de que la pintura antigua, sólo por serlo, no le causaba transportes de entusiasmo, y había en él una tendencia modernista evidente, la gran pintura del Renacimiento se le impuso: los maestros del colorido, Rubens, Tintoretto, le abrumaron con su magnificencia: comparó lo agrio, lo discordante del color actual, con aquella riqueza de paleta, aquella lujosa intensidad de tonos, unida sin embargo al dibujo más perfecto, a las mayores gallardías de la línea; y entre esta observación impresionante, y la seducción de un Goya, y la misteriosa atracción de un Greco, que tales sugestiones sabe ejercer, y las nuevas corrientes espiritualistas, y el simbolismo, y el neblinismo, y el japonismo, y tantas y tantas revelaciones como puede encerrar para un muchacho que de La Coruña se ha ido directamente a Buenos Aires, y de pronto, a su regreso, conoce el Museo del Prado, y luego los de París y Londres, y los talleres de los artistas de moda, y las obras maestras que encierran todavía las casas de la aristocracia. Vaamonde sentía vacilar su antigua creencia en la verdad externa, y un remolino de incertidumbres y de aspiraciones confusas se alzaba en su interior... La pregunta terrible de Pilatos —¿qué es la verdad?— se le formulaba, concisa y angustiadora, y sin duda iba a llegar el instante en que una voz respondiese: «La verdad, aunque parece una sola, tiene realmente muchas caras. Lo que es verdad para un artista, puede ser mentira para otro: en arte, la verdad somos nosotros mismos; cada cual tiene su verdad, cada cual la crea todas las mañanas, y aun cuando en apariencia las épocas influyen, los momentos de la historia determinen direcciones, sin embargo, habrá siempre otra fuerza superior, la propia, la íntima, la irreducible, la individual. Así es que mi consejo, por mejor decir mi insinuación, a aquel artista segado en flor, y a todos, era que ahondasen en sí mismos, para encontrarse y reconocerse, transcurrido, naturalmente, el periodo en que sin poderlo evitar se imita, en que se siguen huellas, y en que, sorprendiendo el secreto del ajeno procedimiento, se ha adquirido la habilidad necesaria para beneficiar las dotes propias...

Y esto hubiese hecho, inevitablemente, Vaamonde, a no sorprenderle la Segadora, de un modo tan rápido y tan traicionero, con la tuberculosis, a la cual le habían predispuesto circunstancias y sucesos de su vida, en lucha con la necesidad y con la mala voluntad humana. Yo creo que, dadas la movilidad de su carácter y la penetración natural de su entendimiento, que era sagaz, aquel muchacho, nacido para interpretar lo refinado, lo delicado y lo alto, hubiese concluido por resignarse, por aceptarse, y hasta por evitar lo que al pronto tanto le sucedía: las crudezas, las rudezas, los vulgarismos, y no sólo eso, sino el empeño de buscar el vigor, cualidad seguramente más fácil de adquirir y ostentar al menos para él (quedan óleos y hasta pasteles de Vaamonde que lo demuestran), que la ingénita elegancia y exquisitez, que el buen gusto en el componer, que la intensidad ensoñadora en sugerir. Las cualidades que nos pertenecen son las que debemos desarrollar, ¿cómo negarlo? No existe un tipo de pintor: hay tantos como sujetos geniales. Y en esto insistía yo, para calmar los afanes de un artista que se creía necesariamente inferior porque no estaba en su temperamento ser otro de lo que era. Cada uno, le decía; el caso es ser alguien. ¿Qué no pudiéramos objetar a un Goya, si le aplicásemos el rasero de la realidad, de la verdad sencilla? ¡Y no le objetamos nada, porque si Goya fuese de otro modo de lo que fue, perderíamos tanto!

Todo este problema, con varios más de distinta índole, incluso el económico, traían a mal traer al joven gallego, mientras se consagraba a un cuadro de género, *La recolección de la patata en Galicia,* hecho sin duda con arreglo a los cánones del verismo, perfectamente dibujado, que se nos figuraba estar viendo en el natural, pero que... no nos convencía. Y recuerdo su furia:

—¡Señora! ¡Usted! ¡Usted! ¡Usted, en cuyos libros he aprendido yo, en gran parte, las teorías que pongo en práctica en este lienzo!

—Pero yo no he dicho nunca que la verdad se reduzca a lo visible —le contestaba—. Hay más, mucho más, acuérdese usted, que eso solo. ¡No digamos en literatura! Pero hasta en las artes plásticas, no basta ser una pupila y una mano. Lo dijo el hierofante de la escuela naturalista; la verdad se ve al través de un temperamento. Su temperamento de usted no está reflejado en esa *Recolección,* en esas mujeres burdas, tostadas por el sol, cuyas carnazas sudan en la faena. Tal vez cualquier pastel de los que usted desprecia por falsos, es más verdadero, en usted, que un cuadro tan exacto y fiel, tan fácil de comprobar si salgo a dar un paseo por la aldea.

Lo que nos interesa es el modo peculiar que tiene un artista de interpretar lo real, y hasta de modificarlo infundiéndole su alma, o infundiéndole sólo su manera especial de ver. No era probablemente su alma, sino tan sólo las impresiones de sus sentidos de humorista y de observador, lo que comunicaba Teniers a sus cuadros de costumbres, a sus borrachos, a sus desvergonzadas parejas de las *kermesses,* a sus vejetes lúbricos, a sus fregatrices frescachonas, a sus fumadores haraganes; y cabe afirmar que con cuidado y cariño afiligranaba un fogón, una sartén, una escoba vieja, una olla panzuda, un perol de cobre o un jarro de barro vidriado, que una figura humana. Y sus pinturas son muy reales; pero, aparte de serlo, tienen un sello inconfundible, el de su autor; se dice un Teniers... Con manchar lienzos y más lienzos en que la verdad se sobrepone al temperamento, nunca llegarle el joven pintor marinedín a revelar eso que todo artista lleva dentro y derrama en sus obras; y no tanto por virtud de mis predicaciones, cuanto porque empezaban a caerle las telarañas de los ojos y en tierras extranjeras, Vaamonde hubiese acabado por abundar en su propio sentido, y seguir el filón de cualidades que le diferenciasen de los demás. Era seguro que hacia esta adquisición caminaba.

Y en esta Exposición gallega, que es una Exposición llena de juventud prometedora, donde abundan obras de artistas a quienes la muerte no dio tiempo, el recuerdo de aquel trágico destino me asalta. Para triunfar en arte, hay que poder vivir, en el sentido fisiológico de la palabra. ¡La vida!

La condesa de Pardo Bazán.

Fragmento de *La quimera*, conferencia a cargo de la excma. señora condesa de Pardo Bazán, Madrid, Imprenta de los hijos de M. G. Hernández, 1912, págs. 24-35.

... Volviendo a aquel teatro de marionetas y a aquel mito griego de la Quimera, diré que me sugirió una novela, donde estudié la aspiración, encarnada en un malogrado pintor gallego, dueño de tales aptitudes y dotes artísticas, que sin duda, si viviese, llegaría a dominar la técnica y a formarse una personalidad propia. No hubo tiempo, en los breves veintiséis o veintisiete años que duró su existir, de alcanzar ambos objetos; pero sí de presentar ante mis ojos de novelista el caso más típico de embrujamiento por la Quimera. En su sensible organización, afinada quizá por los gérmenes del padecimiento que le llevó al sepulcro, el ensueño revestía caracteres de vehemencia extraordinaria. No puede asegurarse lo que hubiese hecho, pero conozco, en cambio, lo que le agitaba y enloquecía, y puedo jurar que no habrá otro más absolutamente entregado a su ensueño, más esclavo de él. Y las cualidades que en su corta vida pudo manifestar, fueron precisamente aquellas que he considerado peculiares de la pscología de la religión; y este gallego vino a Madrid a imponer las elegancia de su arte, las exquisiteces de su temperamento.

Ya se comprenderá que estoy refiriéndome a Joaquín Vaamonde, natural de La Coruña, y que en mi novela, basada en la verdad de los sentimientos y de bastantes hechos de la biografía del artista, lleva el nombre de Silvio Lago. Vaamonde era gallego de nacimiento y de estirpe, y también merece notarse cómo contrastaba con el tipo del gallego de la sátira, de cuba al hombro. Todas las sutilezas del sentimiento —entiéndase bien el alcance de la palabra, no se trata de sentimentalismos galantes, ni de nada que se le parezca—; todas las nostalgias, saudades y melancolías de la raza, toda su humorística reacción y su protesta ante las realidades, que se oponen a la aspiración infinita, en el que seguiré llamando Silvio, eran el fondo de su naturaleza escogida, nerviosa y exaltada. Fuera del arte, todo era secundario para él; no tenía codicia, no quería más dinero del indispensable para irse al extranjero a estudiar en los talleres de los grandes maestros; la mujer la miraba como algo accesorio, a no ser que viese en ella el magnífico tema de sus líneas y colores; en suma, todo le parecía indiferente, excepto la aspiración, superior a las miserias de la vanidad, de realizar la belleza, adivinada en sus meditaciones de niño. Al borde de esa ribera cantábrica, de ese mar ronco y quejumbroso, cuya influencia sobre las almas soñadoras tan bien definió Pastor Díaz en *La Sirena del Norte*.

Las mismas fluctuaciones del oleaje, verde como los ojos de la Quimera, sufrió el espíritu del infortunado Silvio. Habiendo emigrado, en la más temprana adolescencia, a Buenos Aires, para poder dedicarse a la pintura, pues su tutor le destinaba a la carrera militar, incompatible con sus aficiones, conoció en América la estrechez, la miseria casi, y tal vez contrajo la predisposición a la tuberculosis. Trabajó como obrero decorador, subiendo a los andamios, y sólo en los últimos tiempos de su residencia en la gran República logró ganar lo estrictamente preciso para vivir, haciendo algunos retratos al pastel. No fue, sin embargo, la necesidad, sino el ansia de aprender, lo que le trajo a Europa. Su ruta estaba trazada: Madrid, París, Londres tal vez; los países donde se ha pintado y se pinta. Por desgracia, para vivir en Madrid, para trasladarse a París después, hace falta algo que desdeñaba Silvio: vil papel grasiento en billetes, vil plata acuñada en duros. Fue entonces cuando, provisto de una carta de recomendación, vino a las Torres de Meirás, a pedirme que le dejase hacer un retrato mío, que expuesto luego en la corte, le valiese encargos. El retrato, ahí lo tenéis, y, según el parecer de los inteligentes, compite victorioso con los mejores pasteles ingleses contemporáneos.

Yo confieso que, escarmentada de retratos, al pronto no quería posar; pero me tranquilicé al ver que el artista trabajaba con tal soltura y encanto. En Madrid, rápidamente, se abrió camino en las más altas esferas. Para otro cualquiera que no estuviese tan dominado por la aspiración, hubiese sido triunfo halagüeño y porvenir brillante lo que obtuvo Silvio a los quince días de haberse exhibido ese retrato. Desde luego, y si el artista no tuviese un agujero en la mano derecha, era el problema económico resuelto. Y en cuanto a la fama, yo entendía que también de ese modo la hubiese conseguido. No ignoramos que hay especialidades en el arte, y el que acota su terreno, téngase por dichoso. Reproducid fielmente, y hasta un poco caricaturescamente, la pereza del fumador, la lubricidad del viejo, la fregatriz frescachona, unas cacerolas, y podéis ser Teniers; derramad sobre la tabla o la placa de ágata los delirios de vuestra fantasía, brujas, diablos, seres de pesadilla, y seréis el Bosco; copiad religiosamente edificios vastos, monumentos imposibles, y seréis Canaletto; cultivad las finuras del pastel, y seréis Nattier o La Tours; y de cualquier modo, pasaréis a la posteridad, no se olvidará vuestro nombre.

Persuadida de esto, trabajé lo indecible en reconciliar a Silvio con sus siempre bonitos y a veces deliciosos retratos, en los cuales era entonces único, pero él se enfurecía. «Lo bonito es una peste —decíame—. Ansío subyugar, herir, escandalizar, dar horror, marcar zarpazo de león, aunque sólo sea una vez». Y me argüía con mis obras naturalistas, perseguidoras de verdad, a lo cual yo replicaba que si él iba en pos del vigor y de la energía, también en el pastel caben ciertamente. Ningún estudio al óleo más vigoroso que ese boceto de la gitana que podéis ver, en inmediato Salón, envuelto en la nube de humo del pitillo, ninguno más enérgico y sincero que el retrato del novelista Pereda, que por desgracia no tenemos a la vista. El vigor cabe en todo procedimiento, como en la menudencia diminuta del camafeo helénico cabe la grandiosidad.

No era posible convencerle, ni acaso se debiera. Infundía respeto un sueño tan alto, además, le sobraban disposiciones, y sin salir de aquí nos podemos convencer, para amoldar su arte a su voluntad; lo que le faltaba eran fuerzas físicas con que llegar al término de la carrera. Hubo, sin embargo, en su espíritu, otro conflicto más penoso. Mientras no salió de España, creyó ver claros los términos del problema: a un lado las elegancias del pastel, a otro las virilidades del óleo, inspiradas por una fórmula naturalista, popular; reproducir lo que se ve y como se ve, sin ir más lejos. Y así su mayor empeño era dibujar, como él decía, con irreverencia involuntaria y pintoresca, más que Dios; dibujar desesperadamente, porque el dibujo es la probidad, es la honra de la pintura; y preferir carnes broncas y tostadas, tipos de aldeanas y pescadores la costa, a la humanidad perfumada y vestida en Londres, que diariamente se hacía retratar por él. En mi casa se conservan los estudios rurales de Silvio, y nadie los creyera obra del galán pastelista mimado por las damas. Para descansar de sedas y tules, abocetaba una notable *Recolección de la patata en la Mariña*, que trasuda verdad. Bajo el sol, agobiadas hacia el terruño, trabajaban las mujeres, esas campesinas gallegas que han resuelto el problema feminista, haciendo la labor del varón, la más penosa. Y creemos verlas, en el lienzo de Silvio, tal y como en las tardes de la aldea, en las silenciosas herederas.

Al asomarse a Europa, perdió Silvio la fe, y conoció la angustia de las desorientaciones. Sujeto como nadie, por su misma refinada sensibilidad, a las influencias y a las impresiones ambientes, vio en París que el naturalismo puro, de escuela, había muerto en literatura y en arte, y que, sobre la verdad, aunque sin renegar de ella, existían horizontes infinitos. No tuvo remedio sino reconocer que el sentimiento individual no podía proscribirse, y se preguntó a sí mismo, con asombro, cómo no había sospechado tal doctrina, habiendo visto en España a Goya y al Greco. La concepción del arte que se había formado en Madrid, adolecía de excesivamente simplicista, como de niño que a un lado pone el bien y al otro el mal, sin matices, sin transiciones, sin amplitud ni variedad, sin ver que el arte es modificado incesantemente por la acción original e imprevista del genio; y ahora se convencía de que hay más, mucho más, en el cielo y en la tierra, que crudos apuntes de marinerazos vinosos o mozallonas color de barro. A pesar de que la tendencia de Silvio era hacia lo moderno, y la pintura antigua no le extasiaba por el hecho de serlo tan sólo, al viajar se le impusieron los grandes maestros universales, abrumándole con las magnificencias del colorido o con los prestigios de su visión peculiar, de su mundo propio; y a la vez, las nuevas corrientes idealistas, simbolistas, neblinista, japonistas, esmaltistas, puntillistas, todo lo que en las capitales populosas hierve y fermenta y renueva el aire, sacando de la masa confusa el individuo genial, ensanchando y derogando las fórmulas, sugiriendo nuevos derroteros, en todos los cuales hay su parte de verdad y de hermosura, hicieron vacilar las creencias de Silvio. La pregunta terrible de Pilatos ¿qué es la verdad? se formulaba en su espíritu, y sin duda iba a llevar momento en que respondiese que la verdad tiene muchas facetas, y que, para el artista, la verdad está dentro de sí mismo; como en el hermoso episodio místico se busca a Dios por todas partes, sin ver que se encuentra allí, en el corazón que le ama. La verdad la posee el artista, que por algo es creado. Mi consejo a Silvio era que ahondase en sí mismo, y, cuando hubiese transcurrido el periodo en que todos imitan, en que todos ponen el pie en las pisadas de otro, encontraría el camino suyo. Y a esto hubiese llegado, a no haberle sorprendido en plena crisis de formación la Segadora, la que corta los sueños con su negra hoz. Llevósele la de la guadaña, cuando dueño de la clientela más alta y distinguida de París y de Londres, reclamado en los castillos de la poderosa y desdeñosa aristocracia inglesa, relacionado ya en el mundo del arte francés, elegido el estudio de maestro donde había de perfeccionarse en la lectura, iba por último a imponer su nombre halagado por la moda, y pronto cotizado en los mercados europeos. Y es una de las crueldades de la Quimera, del monstruo de fauces de fuego y ojos de profundidad de abismo, clavar la garra más honda en los espíritus de los que han de vivir poco, permitiéndoles ver ya al alcance de la mano el apetecido fin, momentos antes de que todo el panorama de los deseos, afanes, luchas e ilusiones humanas se borre al contacto del esqueletado dedo. Pero ni la muerte misma, ni los suplicios infernales, como por Dante sabemos, pueden hacer olvidar a la Quimera, ni desterrarla del alma que posee. Casi aniquilada la materia, la fantasía de Silvio le llevaba hacia su arte, hacia el taller aún no amueblado que le aguardaba en París, y donde había de consagrar el invierno al descubrimiento del rumbo cierto en busca de su personalidad, fijando su labor y definiendo su vida. Y hasta después de que la enflaquecida diestra no podía sostener los pinceles, siguió el pensamiento cabalgando en brazos de la Quimera espantable y divina, aquella de la cual no debemos apartarnos, aunque nos beba el tuétano y nos quebrante los huesos en su caricia letal.

Hay que repetirlo, en esta Exposición que, más que otra alguna, es una Exposición de juventud, de ideal, de aspiración ardiente, no sólo de los expositores, sino de la región entera, hasta hoy privada de arte, y trémula al creer, como las doncellas israelitas, que puede llevar al Mesías en su seno; hay que insistir en que la Quimera es la levadura que hace fermentar el arte. Aliméntase el arte de ese afán soñador, de ese suplicio santo. Cuando un artista se calma, se aduerme en la indiferencia, renuncia a perseguir algo que rebasa de la medida razonable, decid que su Quimera es difunta, y que él cree vivir, pero es otro inerte despojo, que debe quedarse tras una vitrina, como disecada ave del Paraíso. ¡A cuántos vemos así, artistas que en los primeros años fueron brasa viva, y se han convertido en ceniza telarañosa! En todas las encrucijadas que conducen a la gloria, les encontraréis sentados, sin ánimo para avanzar, mientras la niebla gris del olvido teje sus tules de sombra; si lo advierten, ni sufren, ni se levantan para emprender otra vez la ruta, aunque sea pisando espinas y zarzas. Y les veréis lentamente petrificados, aferrados a las fórmulas caducas, les veréis satisfechos, sin el género descontento de sí propios, sin el desasosiego fecundo; y nunca les oiréis preguntar, ansiosos, como la esposa del cuento: «¿quién viene por el ancho camino? Y yo, ¿qué debo hacer? ¿qué ha cambiado, dentro o fuera de mí? ¿De qué manera me afirmaré a mí mismo, sin limitarme, sin que mis arterias se endurezcan de vejez, sin volverme piedra?»

[...]